D0480282

Alice Herz-Sommer

»Ein Garten Eden inmitten der Hölle«

Ein Jahrhundertleben

Melissa Müller · Reinhard Piechocki

Alice Herz-Sommer

»Ein Garten Eden inmitten der Hölle«

Ein Jahrhundertleben

Weltbild

In Erinnerung an Raphael Sommer

Besuchen Sie uns im Internet:
www.weltbild.de

Genehmigte Lizenzausgabe für Verlagsgruppe Weltbild GmbH,
Steinerne Furt, 86167 Augsburg

Ein Unternehmen der Droemerschen Verlagsanstalt
Th. Knaur Nachf. GmbH & Co. KG, München
Umschlaggestaltung: Studio Höpfner-Thoma, München
Umschlagmotiv: Alice Herz-Sommer © Privat; Flügel © Corbis, Düsseldorf
Gesamtherstellung: Bagel Roto-Offset GmbH & Co.KG, Schleinitz
Printed in the EU

ISBN 978-3-8289-8863-7

2010 2009 2008 2007
Die letzte Jahreszahl gibt die aktuelle Lizenzausgabe an.

Inhalt

»Übe die Chopin-Etüden, das wird dich retten!«

Vorwort von Alice Herz-Sommer

Das Leben hat mir das Talent geschenkt, Klavier zu spielen und die Freude der Menschen an der Musik zu wecken. Und es hat mir, dafür bin ich ebenso dankbar, die Liebe zur Musik gegeben. Musik macht uns Menschen reich. Sie ist die Offenbarung des Göttlichen. Sie bringt uns ins Paradies.

Seit meiner Kindheit ist die Musik meine eigentliche Heimat. Sie gab mir Geborgenheit, als ich mich ersten großen Seelenschmerzen stellen musste, durch sie fand ich wieder Halt, wenn der Tod mir einen geliebten Menschen raubte, dank ihrer meditativen Kraft bewahrte ich mir einen Rest von Selbstbestimmtheit, als erst die faschistische, dann die kommunistische Diktatur mich und meinesgleichen zu Untermenschen erklärte.

Als meiner damals zweiundsiebzigjährigen Mutter im Frühsommer 1942 der Deportationsbefehl zugestellt worden war und ich mich an der Sammelstelle von ihr verabschiedet hatte, für immer, rannte ich ziellos und wie von Sinnen durch die Straßen Prags. Wie war es möglich, eine alte Frau aus ihrer Lebenswelt zu reißen und mit nichts als einem Rucksack bepackt in ein Konzentrationslager zu schicken? Bis heute erinnere ich mich genau, wie ich in tiefster Verzweiflung plötzlich eine innere Stimme hörte: »Übe die 24 Etüden, das wird dich retten.«

Ich begann, Chopins Etüden einzustudieren – sie gehören zur schwierigsten Klavierliteratur, die jemals geschrieben wurde. Sie

waren mein Zufluchtsort und eine bisher nicht gekannte Herausforderung an meine Willenskraft und meine Disziplin. Sie schenkten mir Stunden der Freiheit in einer Welt im Niedergang. Wenn man verzweifelt ist, nimmt man sich Großes vor.
Ein Jahr lang, tagaus, tagein, stellte ich mich dieser scheinbar nicht zu bewältigenden Aufgabe, und ich beherrschte alle 24 Etüden, ehe ich selbst mit meinem Mann und meinem damals sechsjährigen Sohn nach Theresienstadt verbannt wurde. Dort gab ich mehr als einhundert Konzerte für meine Mithäftlinge, etwa zwanzig Mal führte ich die Etüden auf.
Die Musik öffnete vielen Gefangenen die Herzen, und war es auch nur für Stunden. Die Musik, dessen bin ich mir rückblickend sicher, bestärkte mich in dem mir angeborenen Optimismus und rettete mir und meinem Sohn das Leben. Sie war unsere Nahrung. Und sie bewahrte uns, indem sie unsere Seelen buchstäblich wohlstimmte, vor Hass. Auch in den dunkelsten Ecken der Welt nahm sie uns die Angst und erinnerte uns an das Schöne in dieser Welt. Die Musik trug mich, als ich meiner Heimat Prag ein für alle Mal den Rücken kehren und in neuen Sprachen denken lernen musste. Dank ihr weiß ich auch im hohen Alter, selbst wenn ich viele Stunden des Tages mit ihr allein bin, und letztlich egal, wo ich mich aufhalte, nicht, was Einsamkeit heißt. Obwohl ich mittlerweile nicht mehr reise, steht mir durch sie die Welt offen.
Die Musik hat mir mein Leben lang tiefe Freundschaften geschenkt. Bis heute bekomme ich fast täglich Besuch. Manche Freunde kommen sehr regelmäßig, jeden Samstagnachmittag um vier Zdenka Fantlova, die zur gleichen Zeit wie ich in Theresienstadt war. Und am Sonntagnachmittag um fünf besucht mich die Cellistin Anita Lasker-Walfisch, die Auschwitz nur deshalb überlebte, weil sie im Mädchenorchester für die SS und Josef Mengele spielte. Ich verdanke zuallererst der Musik das Privileg, auch heute noch, im Alter von fast einhundertdrei Jahren, mit Menschen aus aller Welt ins Gespräch zu kommen, mit Menschen aus aller Welt zu lachen. Das macht mich glücklich.
»Der Humor öffnet den Weg zum Sinn. Man begreift lächelnd den vorgegebenen Unsinn und wird frei«, schrieb mein Schwager, der

Philosoph Felix Weltsch, über den Humor seines engen Freundes Franz Kafka. »Er ist ein Anti-Biotikum gegen den Hass.« Humor, darin stimme ich mit Weltsch und Kafka überein, der im Beisein von uns Kindern selbst wieder zum übermütigen Kind wurde und wundersame Geschichten erzählte, Humor ist immer selbstkritisch. Distanz zu den Dingen schafft auch Distanz zu sich selbst und erzieht zu Bescheidenheit, die das Miteinander von uns Menschen erfreulich macht.

Die Liebe zur Musik hat mich vor einigen Jahren mit Reinhard Piechocki zusammengebracht. Er, der Musikenthusiast, rief mich von seiner Heimat Rügen aus an und fragte mich, worauf mich seit meiner Befreiung aus Theresienstadt niemand angesprochen hatte. Woher nahmen Sie die Kraft und Inspiration, in einem Konzentrationslager die ungemein schwierigen 24 Etüden von Frédéric Chopin vorzutragen? Das Spielen war, zumindest vorübergehend, eine Befreiung, habe ich ihm wohl geantwortet. Bald danach besuchte er mich in London. Diese Begegnung war der Beginn einer wunderbaren Freundschaft. Wir kamen uns nahe, wir lachten miteinander, und seither telefonieren wir fast täglich, reden nicht nur über Musik, sondern auch über Gott, über Philosophie und über die Welt.

Als er mir vorschlug, ein Buch über mein Leben zu schreiben, winkte ich spontan und herzlich dankend ab. Mein Leben war von Höhen und Tiefen geprägt wie jedes Leben. Dass ich länger leben darf als die meisten, empfinde ich als Prüfung und als Geschenk zugleich. Alt zu werden ist eine schwere Aufgabe, im Grunde bin ich heute aber noch glücklicher als in jungen Jahren. Junge Menschen haben große Erwartungen an das Leben. Als alter Mensch ahnt man und in manchen Augenblicken weiß man sogar, was wertvoll ist und was verzichtbar.

Reinhard Piechocki überzeugte mich schließlich, diesem Buch zuzustimmen, weil es ein Buch über die Kraft der Musik und der Liebe werden sollte, ein Buch über einen Menschen, dem, so drückte Reinhard sich aus, andere wichtiger waren als er selbst. Am Zustandekommen haben zwei weitere Menschen einen großen Anteil, die ich sehr schätzen gelernt habe, Reinhards Frau

Katrin Eigenfeld und Melissa Müller. Zu Katrin, die in den vergangenen Jahren sämtliche Kapitelentwürfe in den Computer übertragen hat, finde ich eine Wesensverwandtschaft nicht nur wegen ihrer Bescheidenheit, sondern auch wegen ihrer Zivilcourage, mit der sie gegen die Folgen des Stalinismus in der DDR angekämpft hat. An der Autorin Melissa Müller begeisterten mich von unserer ersten Begegnung an ihr Sprachgefühl und ihre kluge und einfühlsame Art, Fragen zu stellen.

Atemlos jagen die Menschen nach dem nächsten Ziel, ohne Blick nach rechts und links. Sie kleben an den Dingen, sind, um noch einmal mit Felix Weltsch zu sprechen, unfähig zur Umsicht und Übersicht, weil eben die Distanz fehlt, die dies erst möglich macht. Die Menschen, das ist meine Meinung, nehmen sich in der Regel selbst zu wichtig. Daran krankt die Kultur, daran krankt die Politik, daran krankt die Menschheit. Demut macht glücklich. Ist es nicht so? Lässt, wer bereit ist, die Würde und Größe eines Werks von Bach oder Beethoven in sich aufzunehmen, nicht unweigerlich ab von seinen egoistischen Zielvorstellungen, weil vermeintliche Wichtigkeiten sich relativieren? Ich habe nie gelernt, die Hoffnung aufzugeben.

London, im Juni 2006

»Die Geschichte eines Wunders«

Von Raphael Sommer

Dies ist eine wahre Geschichte. Das kann ich beschwören, denn ich habe sie selbst erlebt. Sogar in den dunkelsten Tagen des zwanzigsten Jahrhunderts geschahen Wunder. Mitten in der Hölle schuf meine Mutter für mich einen Garten Eden. Sie errichtete um mich herum eine starke Wand aus Liebe und gab mir solche Sicherheit, dass ich an unserem Leben nichts außergewöhnlich finden konnte und rückblickend guten Gewissens sagen kann: Meine Kindheit war wunderbar glücklich. Wie meine Mutter dies ermöglichte, kann ich mir nicht erklären. Sie sagt, es war für sie selbstverständlich. Für mich bleibt es ein Wunder.

Meine Mutter hat Fähigkeiten, die, so glaube ich, vor allem jüdischen und ost- und mitteleuropäischen Frauen gegeben sind. Sie stellt ohne jedes Selbstmitleid ihre eigenen Bedürfnisse im Dienst der Familie zurück. Ich habe unter einem Schutzmantel der Obhut meiner Mutter gelebt und kann die dunklen Seiten unseres Lebens im Konzentrationslager deshalb nicht beschreiben. Ich war ein Kind und nahm die Ereignisse, wie sie sich mir von außen zeigten, und ich glaubte selbstverständlich alles, was meine Mutter mir sagte. Kein einziges Mal ließ sie mich merken, welche Erniedrigungen und Verletzungen sie erdulden musste. Mit innerer Stärke und unerschöpflichen Reserven an Liebe konzentrierte sie sich darauf, mir, ihrem geliebten Sohn, ein fröhliches und »normales« Umfeld zu schaffen, das mit der Realität, in der wir lebten, wenig zu tun hatte. Mit ihrer wachsamen Fürsorge gelang es meiner Mutter, den Terror außer meiner Sichtweite zu halten und mir das wertvollste aller Geschenke zu machen – eine glückliche Kindheit.

Dass das innerhalb der Grenzen eines nationalsozialistischen Konzentrationslagers möglich war, muss man doch wahrlich ein Wunder nennen.
In Theresienstadt teilte ich eine Schlafstelle mit meiner Mutter. Ich war ihr so nah, dass ich eigentlich niemals Angst hatte. Tagsüber, wenn meine Mutter in der Fabrik arbeiten musste, spielte ich im Kindergarten. Es war mir so wenig bewusst, dass unser Leben in irgendeiner Weise unnatürlich war, dass ich auch keine Erinnerung an unseren Kummer habe, als mein Vater zusammen mit dreitausend anderen Männern weggeschickt wurde und nie mehr wiederkam.
Ein einziges Schockerlebnis hat sich wie ein Splitter in mein Herz gebohrt und steckt dort, notdürftig vernarbt, immer noch. Meine Mutter musste arbeiten. Ich heulte, übergab mich, und mein Fieber stieg und stieg. Meine Mutter und ich hielten uns aneinander fest, dann gingen wir zusammen von einem Gebäude zum nächsten, um jemanden zu finden, der bereit war, auf mich aufzupassen. Die lähmende Ungewissheit, die an diesem Tag von mir Besitz ergriff, werde ich niemals vergessen. Die Ängste von Kindern sind bleibende Ängste, und obwohl ich wieder Mut fasste, nachdem meine Mutter mir erzählt hatte, dass sie nur von der Fabrik in die Wäscherei versetzt worden war, war mein kindliches Urvertrauen vorübergehend erschüttert. Nichtsdestotrotz erlebte ich meine frühe Kindheit, die all jenen, die mir am nächsten waren, als Alptraum und Horror erschien, als glücklich und vollkommen normal. Dafür danke ich meiner Mutter – sie bewirkte Wunder.

Raphael Sommer starb im Jahr 2001. Er schrieb diesen Text einige Jahre vor seinem Tod.
Aus dem Englischen übertragen von Melissa Müller.

1
Zwillinge

»Die eine froh, die andere traurig ...«

Franta kam mit einem Lieferschein in der Hand aus dem Büro des Chefs. Eine Sendung Apothekerwaagen war noch an diesem Nachmittag zum Bahnhof zu bringen und nach Wien zu verschicken. Auf dem Weg zum Pferdestall hielt der Knecht inne und lauschte den Tönen, die aus dem Salon der Direktorenwohnung in den Hof klangen. Wie so oft nach dem Mittagessen spielte die hochschwangere Sofie Herz Klavier. Trauer und Sehnsucht schwangen mit in ihrer Musik.

Franta setzte sich auf die Hofbank und blickte zu den Fenstern hinauf. Seit fast dreißig Jahren stand er im Dienst der »Gebrüder Herz«. Wie viele tausend Mal hatte er den Wagen seither beladen, die Pferde eingespannt, die Fuhre über die Moldau zum Kaiser-Franz-Joseph-Bahnhof gelenkt? Routine an jenem grauen Novembertag im Prag des Jahres 1903.

Sofie Herz war eine präzise Bach-Interpretin. Die kleinen Präludien und zweistimmigen Inventionen zählten zu ihren Lieblingsstücken. In den letzten Wochen ihrer Schwangerschaft spielte sie jedoch häufig Chopin, seine poetischen Nocturnes und vor allem die melancholischen Walzer. Die wehmütige Melodie erinnerte Franta an die eigenartige Atmosphäre bei der Hochzeit des gnädigen Herrn im Jahre 1886. Fabrikdirektor Friedrich Herz war damals vierunddreißig und damit fast doppelt so alt wie seine Braut Sofie. Vom traditionellen Überschwang jüdischer Hochzeiten hatte man bei der Feier nichts gespürt.

Nächtelang hatte das junge Fräulein ihr Unglück beweint, nicht den Mann heiraten zu dürfen, dem sie ihr Herz geschenkt hatte. Mit einem Studenten ihres Alters hatte sie in ihrer südmährischen Heimatstadt Iglau eine romantisch-schwärmerische Liebe verbunden, mit ihm hatte sie auch ihre Begeisterung für Musik und Literatur geteilt. Schließlich hatte Sofie sich den Eltern gefügt. Ignatz und Fanny Schulz waren in ihrer Stadt angesehene Kaufleute und hatten sich und ihren Kindern einen bescheidenen Wohlstand erarbeitet. Der sollte vor allem Sofies beiden Brüdern zugute kommen. Der hübschen und feinsinnigen Tochter hatten die Eltern vier Jahre Volks-, drei Jahre Bürgerschule und zudem Klavierunterricht ermöglicht, aber seit ihrem vierzehnten Geburtstag hatte sie im Geschäft mithelfen müssen. Nun sollte sie an eine gute Partie vermittelt werden, und die hatte, nach ashkenasischer Tradition, ein *schadchen* aufzutreiben. Vermögen und Besitz, Stand und Stellung, Wissen und Weisheit, so dachte man, waren die Basis jeder vernünftigen Ehe zwischen *schejnen leit*, den Wohlhabenden. Ohne Zuneigung sollten aber auch sie nicht darben. Die Liebe, davon ging man aus, würde nach der Hochzeit schon wachsen. »Schau sie dir an, die armen Leut', die angeblich aus Liebe heiraten. Unstet sind sie, und ihre Ehen werden häufiger geschieden. Das ist doch bewiesen«, versuchte die Mutter ihre Tochter zu beruhigen.
Hundertfünfzig Kilometer von Iglau entfernt war der umtriebige Heiratsvermittler fündig geworden. Friedrich Herz lebte in Prag, er war ein stattlicher, durchaus gutaussehender Mann, galt als verantwortungsbewusst, gütig und warmherzig, und er hatte sich durch eigene Tüchtigkeit ein bescheidenes Vermögen geschaffen. Sein Unternehmen produzierte als erstes in der Habsburgermonarchie präzise Waagen aller Art, von sensiblen Goldschmiede- und Apothekerwaagen über Personen- und Viehwaagen hin zu mächtigen Industriewaagen für tonnenschwere Lasten. Zu seinem Glück fehlte dem Herrn Fabrikdirektor, wie ihn seine Umwelt achtungsvoll ansprach, nur noch eine Familie. Sofie Schulz gefiel ihm.
Das junge Fräulein hatte seine Widerborstigkeit gleich zu erken-

Sofie Schulz (um 1883, aufgenommen in Iglau) und Friedrich Herz (um 1890)

nen gegeben – und sein Desinteresse an den jüdischen Traditionen, in denen es aufgewachsen war. Weder einen *badchen*, der die Braut und ihre Gäste so lange besingt und beschluchzt, bis allesamt herzlich weinen, noch Klezmermusik hatte Sofie geduldet. Teilnahmslos hatte sie die Hochzeitsprozedur über sich ergehen lassen, erinnerte sich Franta. Stolz und aufrecht hatte sie sich gehalten, als sie feierlich »gesetzt« und »verschleiert« wurde. Ihre feingliedrigen Finger hatten sich an den Brautstuhl geklammert, während die Ansprache eines Verwandten über ihre Pflichten und Rechte als Ehefrau auf sie niederregnete. Aber schön hatte sie ausgesehen in ihren weißen Spitzen, unnahbar schön.
Aller Augen waren auf Sofie gerichtet, als ihr Gefolge sie unter die *chupe*, jenen Baldachin aus goldglänzendem Brokat, geführt und sie an ihren künftigen Ehemann übergeben hatte. Ein erster Segensspruch des Rabbiners, ein erster Schluck Wein. »Du bist mir mit diesem Ring nach der Religion Mose und Israels geheiligt«, hatte Friedrich gesagt und ihr dabei den Ehering angesteckt. Sie hatte ihrem Mann kaum einen Blick geschenkt. Auch die nächsten

sieben Segenssprüche waren an ihr abgeperlt. Auf Sofies Tränen der Rührung, wie sie nach uralter Sitte zu fließen hatten, warteten die Hochzeitsgäste vergeblich.
Noch einen Schluck Wein, dann hatte der Bräutigam das Kelchglas unter *mazeltow*-Rufen der Gäste zertreten. Scherben bringen Glück, sagte der Volksmund, auch wenn der Brauch eigentlich an die Vertreibung der Juden erinnern und die in der Verbannung zerbrochene Freude symbolisieren sollte. Sofie hatte mit dem Splittern des Glases ihr Lebensglück zerbrechen gehört.
Franta ließ das Spiel der Hausherrin auf sich wirken. Er verehrte Sofie. Eine allzu geradlinige Person sei sie, hieß es, die ihre Meinung ungeschminkt äußerte. Für Franta fand sie stets aufmerksame, liebenswürdige Worte, vielleicht, weil sie schätzte, wie herzlich er mit ihren Kindern umging, vielleicht, weil sie die einzige war, die hinter seiner eher derb wirkenden Fassade seinen Sinn für das Schöne wahrnahm. Es mag eine stille Abmachung zwischen den beiden gewesen sein, dass Franta seine tägliche Mittagspause um einige Minuten ausdehnte und sich auf die Hofbank setzte, um Sofies Spiel zu lauschen und dann wieder mit umso mehr Elan zuzupacken.
Mit einem Mal stach Brandgeruch in Frantas Nase. »Feuer! Feuer!!!«
Sein Schrei riss Sofie, die in wenigen Tagen ihr viertes Kind erwartete, aus ihrer Konzentration. Sie stürzte vom Klavier ans Fenster. Aus einem der Fabrikgebäude schlugen Flammen. Von allen Richtungen stürzten Arbeiter herbei und sammelten sich vor der brennenden Halle. Niemand wagte sich hinein.
Friedrich Herz wollte sich gerade von seiner kurzen Mittagsruhe auf dem Canapé erheben, als er die Hilferufe hörte. Sein Tagesablauf war minutiös geplant. Von sechs Uhr früh bis sechs Uhr abends arbeitete er – sechs Tage in der Woche. Um zwölf Uhr unterbrach er die Arbeit für exakt eine Stunde. Dann stieg er von seinem Büro im Parterre die paar Stufen hinauf in seine Privatwohnung, wo die Familie bereits um den gedeckten Tisch saß und auf ihn wartete. Er war ein anspruchsloser, bescheidener Mensch geblieben – trotz seines Aufstiegs vom Lehrling in einer Eisen-

warenhandlung zum erfolgreichen Unternehmer mit mehreren Dutzend Angestellten. Über seine Herkunft ist wenig bekannt. Friedrichs Vater stammte aus der kleinen böhmischen Ortschaft Rischkau etwa fünfzig Kilometer nördlich von Prag und gehörte der dortigen orthodoxen Jüdischen Gemeinde an. Dank der »neuen Freizügigkeit«, die den Juden nach 1848 zugestanden worden war, zog er in der Hoffnung auf Arbeit mit seiner Familie aus dem Schtetl an den Rand der Hauptstadt. Wie er seine Frau und die sieben Kinder ernährte, können wir nur erahnen. Verbürgt ist, dass er zweien seiner Söhne, Friedrich und Karl, Lehrstellen in einer Eisenwarenhandlung besorgte. Friedrich war damals gerade zwölf Jahre alt und hatte sechs Grundschuljahre absolviert.

Ohne die Reformen Kaiser Josephs II. wäre an Friedrichs Erfolg gar nicht zu denken gewesen. Kaiserin Maria Theresia, die Mutter von Joseph II., hatte die Juden schon kurz nach ihrem Amtsantritt als Sündenböcke für das militärische Debakel Österreichs im Kampf gegen Preußen verantwortlich gemacht und verfügt, dass »künftighin kein Jud mehr in dem Erbkönigreich Böhmen geduldet werden sollte«. Tatsächlich hatten die Juden Prags ihre Stadt 1745 nach mittelalterlicher Manier verlassen und in Ghettos leben müssen. Sie waren von höherer Bildung ausgeschlossen, der Zugang zu vielen Berufszweigen war ihnen verwehrt worden. Über die vierzig Jahre ihrer Regentschaft war die Kaiserin ihrer antijüdischen Politik treu geblieben.

Joseph II. hatte das Jahrhundert der jüdischen Emanzipation eingeläutet – wenngleich nicht uneigennützig. Er hatte das Potential der Juden, eines Zehntels der Gesamtbevölkerung, für die Festigung seiner Monarchie erkannt und beschlossen, sie wirtschaftlich und kulturell wieder in die Gesellschaft zu integrieren, um sie für sich und sein Land »nützlicher zu machen«.[1] Unter dem Einfluss der europäischen Aufklärung hatte er 1781 sein sogenanntes Toleranzpatent zuerst für Böhmen und insbesondere Prag erlassen, jener Stadt, in der es, so ging die Rede, mehr Thora-Rollen gab als in Jerusalem. »Reiche Juden«, wie es hieß, durften nun Boden pachten und sich ohne Kontrolle der Zünfte Industrie und Handel zuwenden. Jüdische Schulen mit deutscher Unterrichts-

sprache sollten errichtet werden, denn des Kaisers Germanisierungspläne hatten vorgesehen, die Elite der Kronländer aus Politik, Verwaltung und Wirtschaft möglichst eng an Wien zu binden. Die neue jüdische Oberschicht hatte den wirtschaftlichen Aufstieg Prags von der provinziellen Kleinstadt zur Dreivölkermetropole entscheidend mitgetragen. Bereits um 1825 waren von fünfhundertfünfzig Kaufleuten und Händlern zweihundertvierzig jüdischer Herkunft. Dreizehn der insgesamt fünfzig Fabriken waren in jüdischem Besitz.
Mit der 1867 verordneten Gleichberechtigung der Juden hatten sich deren Lebensperspektiven noch einmal entscheidend verbessert. Friedrich Herz war gerade fünfzehn Jahre alt geworden und hatte die neuen Möglichkeiten zielstrebig und konsequent genutzt. Gemeinsam mit seinem Bruder Karl, der jung, noch vor Friedrichs Hochzeit, starb, und mit Hilfe eines privaten Darlehens hatte er Mitte der siebziger Jahre das Unternehmen »Gebrüder Herz« gegründet und es zu einem der größten seiner Art in der Monarchie ausgebaut.
»Feuer!«
Entsetzt sprang Friedrich Herz auf und war schon auf dem Weg ins Freie, als er bemerkte, dass seine Hose rutschte. Jahr für Jahr hatte er ein wenig an Leibesumfang zugelegt, Jahr für Jahr ließ er sich seine neuen Hosen in weiser Voraussicht um eine Spur zu groß schneidern und trug sie mit Hosenträgern.
Was folgte, brachte – vom Vater in verschiedenen Versionen vorgetragen – die Kinder noch Jahre später zum Lachen.
Draußen wurden die Hilferufe immer lauter, drinnen brüllte Friedrich Herz immer verzweifelter:
»Meine Hosenträger! Herrschaftszeiten, wo sind meine Hosenträger?«
»Feuer!«
»Meine Hosenträger!«
»Feuer!!!«
»Meine Hosenträger!«
Aufgebracht liefen die Mutter und die drei Kinder hin und her und suchten nach den Riemen, bis eines von ihnen sie plötzlich

entdeckte. Da hingen sie ja, festgeknöpft an der Hose des Vaters. In der Aufregung hatte er nur vergessen, sie über die Schultern zu ziehen.
Endlich stürzte Friedrich die Treppen hinunter und – ohne auch nur eine Sekunde zu zögern – in die brennende Fabrikhalle, machte eine undichte Gasleitung als Ursache des Brandes aus, schloss den Gashahn und verhinderte so, dass sein Lebenswerk vernichtet wurde. Gemeinsam mit Franta und der übrigen Belegschaft brachte er das Feuer unter Kontrolle.

***

Eine Woche später, am 26. November 1903, setzten bei Sofie die Wehen ein. Friedrich Herz verband große Hoffnungen mit der Geburt seines vierten Kindes, denn so erfolgreich er das Unternehmen auch führte, die Nachfolge hatte er zu seinem Unbehagen noch nicht geregelt.
Der älteste Sohn, Georg, war mittlerweile bereits fünfzehn Jahre alt und bereitete ihm Kummer. Das Kind war mit einem Klumpfuß geboren worden. Die ersten Tage hatte man der Mutter die Entstellung verheimlicht, denn stumme, lahme, blinde oder verstümmelte Kinder galten nach traditioneller Überlieferung als Beweis für eine schwere elterliche Schuld.[2] Als aufgeschlossene, assimilierte Frau lehnte Sofie derartige Überzeugungen und Rituale aus der Schtetl-Vergangenheit ihrer Vorfahren ab. Trotzdem packten sie Schuldgefühle, als sie ihr verkrüppeltes Kind zum ersten Mal sah. War das nicht vielleicht eine Strafe für ihr abweisendes Verhalten? Hatte sie nicht kurz vor der Niederkunft damit gedroht, aus dem Fenster zu springen? Sie brachte Georg zu den besten Prager Ärzten, doch keiner konnte ihm helfen. Als er zwölf war und nicht mehr so schnell wuchs, wandte sie sich an einen vielgerühmten Würzburger Orthopäden, von dem sie sich ein Wunder erhoffte. Fast ein ganzes Jahr verbrachte sie mit ihrem Sohn in Würzburg, in der Zeit wurde er mehrfach operiert. Den Haushalt in Prag versorgte unterdessen Sofies Mutter Fanny, sie kümmerte sich aufopfernd um Georgs Schwester Irma und um

Georg und Irma Herz (um 1897) und Paul Herz (um1901), die älteren Geschwister von Alice

ihren Schwiegersohn. Ganz beseitigt wurde das Leiden dennoch nicht. Schlimmer als seinen humpelnden Gang fand der Vater aber ohnehin den unsteten Charakter Georgs, vor allem seinen Leichtsinn. Bis in sein Erwachsenenalter kam es immer wieder zu harten Auseinandersetzungen mit den Eltern.

Irma, die mit einem Abstand von drei Jahren Zweitgeborene, kam als Mädchen für die Leitung des Unternehmens nicht in Frage. Paul, das dritte Kind und noch einmal neun Jahre jünger, wurde Vaters Liebling, doch sein ungestümer Charakter und sein Hang zum Tagträumen ließen Friedrich Herz daran zweifeln, ob der Bub jemals in der Lage sein würde, die Führung der Fabrik zu übernehmen. Könnte das vierte Kind nicht wieder ein Junge werden? Vielleicht wäre es ja berufen, das Familienunternehmen fortzuführen?

Den Nachmittag über steckte Friedrich Herz – zum Ärger der Hebamme – immer wieder den Kopf durch die Flügeltür zu Sofies Zimmer. Draußen wurde es längst dunkel, und Friedrich lief immer noch unruhig in der Wohnung auf und ab. Endlich, am frühen Abend, die Erfolgsmeldung.

»Ein Bub!?« rief Friedrich Herz geradezu beschwörend in das Zimmer.
Er sackte in sich zusammen, als er die Antwort hörte. »Nein, kein Bub!«
Enttäuscht sagte er: »Ein Mädel ...«
Wieder verneinte die Hebamme.
Kein Bub? Kein Mädchen? Ehe er einen Gedanken fassen konnte, traf die Stimme der Hebamme ihn wie ein Schlag ins Gesicht: »Zwei Mädel!«

***

Alice Herz wurde wenige Minuten nach ihrer Zwillingsschwester Marianne ins habsburgische Österreich geboren. Da Marianne nur tausendneunhundert Gramm wog, befürchtete man anfänglich, sie würde nicht überleben. Alice war mit zweitausendfünfhundert Gramm nicht nur deutlich schwerer, sie wirkte insgesamt wesentlich robuster und gesünder, obgleich sie später viel langsamer wachsen sollte als ihre Schwester. Die Mutter nannte das schwächere Kind liebevoll Mizzerl oder Mizzi und schenkte ihm naturgemäß mehr Aufmerksamkeit und Zuwendung. Dennoch blieb Mizzi zeitlebens die Ängstliche; eine Pessimistin, die im Leben stets zuerst die dunklen Seiten wahrnahm. Alice hingegen entwickelte sich zu einem couragierten, selbstsicheren Menschen. Sehr früh schon prägte ihre Mutter den Satz: »Um Alice brauchen wir uns nicht zu sorgen, die geht ihren Weg.«
Obwohl die Mädchen sich nicht nur in ihrem Wesen unterschieden, sondern auch im Aussehen, kleidete Sofie die beiden gleich. Ihre leuchtend roten Mützen sah man schon von weitem: Die Herz-Zwillinge kommen! Gegen ihre Zwillingsschwester wirkte Alice vergleichsweise unscheinbar. Marianne, so stellte die Schwester fest, war bildschön, sie hatte eine zarte weiße Haut, ausdrucksvolle dunkle Augen, einen süßen kleinen Mund und fabelhaft schönes schwarzes Haar. Die Mutter nahm ihr Lieblingskind oft in die Arme, herzte und küsste es. Die lebenstüchtigere Alice mit ihrem ansteckenden Lachen sah zu.

Das gemeinsame Zimmer der beiden Mädchen lag unmittelbar neben dem Schlafzimmer der Eltern. Eines Nachts, die beiden Mädchen waren inzwischen fünf Jahre alt, durchbrach ein gewaltiges Gewitter die Stille. Zuckende Blitze erhellten das Kinderzimmer mit einem unheimlich flackernden Licht. Verzerrte Schatten huschten wie Ungeheuer über die Wände, verschwanden und tauchten ebenso unvermittelt wieder auf. Mizzi verkroch sich unter ihre Decke. Alice hingegen betrachtete, verunsichert zwar, aber dennoch fasziniert, das Schauspiel vom Fenster aus. Immer kürzer wurden die Abstände zwischen Blitz und Donner, bis es schließlich in nächster Nähe ohrenbetäubend krachte. Schreiend stürzte Mizzi in das elterliche Zimmer und rettete sich zitternd in den Arm der Mutter. Auch Alice hatte inzwischen die Angst gepackt, und sie rannte hinterher. Doch Sofie Herz hatte sich schon ganz Marianne zugewandt. Der Vater erlöste Alice schließlich aus ihrer Erstarrung, indem er sie behutsam umarmte. Es war tröstlich, so beschützt zu werden. Doch der Schmerz, von der Mutter scheinbar vergessen worden zu sein, überwog.
Alice entwickelte nach dieser Gewitternacht eine für ihr Alter überraschende Gewohnheit. Abend für Abend putzte sie mit großem Eifer und erstaunlicher Akribie die Schuhe der Familie. Acht Paar, die der Eltern, die aller Geschwister und sogar die der tschechischen Dienstmagd Marie.
Lobende Worte der Mutter blieben aus. Sofie tadelte ihre Kinder zwar streng, wenn sie ihre Aufgaben nicht ordentlich erledigten oder irgendwelche Dummheiten anstellten, aber Anerkennung kam ihr schwer über die Lippen. Trotzdem putzte Alice weiter Abend für Abend die acht Paar Schuhe. Und als ob die gerade Fünfjährige sich damit nicht schon genug abmühte, stand sie auch noch jeden Morgen kurz nach sechs Uhr auf, schlich sich auf die Straße, lief ein paar Häuser weiter zum Bäcker und holte die vorbestellten Semmeln und das Brot für die ganze Familie. Das war eigentlich die Aufgabe der Dienstmagd, deren Tagewerk im Morgengrauen mit dem Schüren der Öfen und dem Bereitstellen von warmem Wasser für die Morgentoilette begann. Aber Alice ließ sich ihre Stellung als Laufmädchen nicht mehr streitig machen.

Der Vater lobte sie für ihren Fleiß, doch trotz Alices Bemühungen wurde weiterhin nur Mizzi von der Mutter mit Zuwendung überschüttet. Und das, obwohl die Schwester – ihrem Alter entsprechend – im Haushalt keinen Finger krümmte.
Wo immer Mizzi auftrat, bezauberte sie selbst wildfremde Menschen. So jedenfalls schien es Alice, die dann für gewöhnlich unbeachtet danebenstand. Als die mittlerweile etwa sechsjährigen Zwillinge eines Nachmittags mit ihrer großen Schwester Irma durch den nahe gelegenen Belvederepark der Kronprinz-Rudolf-Anlagen auf dem Letnahügel spazierten, kam eine alte Bekannte der Familie auf die drei jungen Damen zu. Alice ahnte schon, was nun geschehen würde. Außer sich vor Begeisterung über die kleine Marianne rief die Dame: »Mein Gott, ist dieses Kind schön!« Diesmal konterte Alice schlagfertig: »Aber ich, ich bin die Gescheitere!«
Bald fand Alice einen neuen Weg, um die Liebe ihrer Mutter zu werben. Alle zwei Wochen waren Mutter und Magd jeweils vier volle Tage mit der Wäsche für die ganze Familie beschäftigt. Dann stand in der geräumigen Küche der Dampf in der Luft, es duftete nach Seifenlauge, und die zierliche Alice wuchs buchstäblich über sich hinaus, um der Mutter als fleißige Wäscherin zur Hand zu gehen. Sie sortierte Kleidungsstücke und Bettwäsche vor. Helles musste von Dunklem getrennt werden, Seidenes von Baumwollenem. Sie half, die eingeweichten Wäscheteile zu bürsten und zu schwemmen. Und sie stieg mit Marie auf den Dachboden, wo die sauberen Teile zum Trocknen aufgehängt wurden. Alice ließ es sich nicht nehmen, auch einige Kleidungsstücke an die Leine zu klammern. Dazu balancierte sie auf Zehenspitzen auf einem Holzschemel. Halsbrecherisch.
Weil es in der Küche keinen Wasserhahn gab, musste Eimer um Eimer von der Zapfstelle im Flur geholt werden. Als Großmutter Fanny eines Tages die Treppe von ihrer Wohnung im zweiten Stock herunterstieg, kam ihr Alice entgegen. Mit hochrotem Gesicht schleppte das Mädchen einen randvollen Wassereimer Schritt um Schritt über den Flur in die Küche. An sich war die Großmutter eine stille Dame, die Konflikte in vornehmer Zurück-

haltung auszutragen pflegte. Doch diesmal verlor sie die Contenance: »Merkst du denn nicht, dass du dein Kind zum Aschenputtel machst?« stellte sie ihre Tochter zur Rede. »Begreifst du nicht, dass jedes Kind das gleiche Maß an Zuneigung und Liebe braucht?«

»Ausgerechnet du«, fuhr ihre Tochter hoch, »die mich an einen Mann vermitteln hat lassen, sprichst von Liebe?!«

Alice begriff zwar nicht, was der Wassereimer mit Liebe zu tun hatte, aber sie fühlte unbestimmt, den Streit zwischen Mutter und Großmutter verschuldet zu haben, und sie begann leise zu weinen. Ein Wort, das sie noch nie gehört hatte, schien eine Rolle in dem Gefecht zu spielen: *Mischpoche*. In den Wortwechsel der Frauen hatte sich – vielleicht vor Aufregung, vielleicht um das Kind zu schonen – ein wenig Jiddisch gemischt, jene Sprache, die sie im mährischen Iglau noch gesprochen hatten. Die fremdartig klingenden Worte, der aufgebrachte Tonfall, Schuldgefühle – all das verunsicherte Alice nachhaltig.

Endlich nahm Sofie ihr weinendes Kind wahr und drückte es zärtlich an sich: »Alice, du bist nicht schuld, dass wir uns streiten. Ich liebe dich genauso sehr, wie ich Mizzi liebe. Aber du bist stark, auf dich bin ich stolz, und du wirst deinen Weg gehen. Mizzi ist schwächer, sie wird es einmal schwerer haben als du.« Dabei streichelte sie Alice übers Haar, und das Kind fühlte sich wohl wie seit langem nicht.

Der Satz, mit dem die Großmutter einen Schlussstrich gesetzt hatte, ging Alice nicht mehr aus dem Sinn: »Du musst deine Mutter nicht lieben«, hatte sie zu ihrer Tochter gesagt, »aber du schuldest ihr *derech-erez. Derech-erez.*« Dann hatte die Großmutter das Haus in Richtung Belvederepark verlassen und sich auf ihre Lieblingsbank gesetzt. Dort war sie, Sommer wie Winter, für gewöhnlich zu finden, wenn sie gerade nicht zu Hause war.

Aufgewühlt erzählte Alice ihrer Schwester von dem Vorfall. »Weißt du, was *derech-erez* heißt?«

Mizzi schüttelte den Kopf.

»Und was bedeutet *mischpoche*?«

Wieder nur ein Kopfschütteln.

Im Belvederepark

Also beschlossen die beiden, die Großmutter zu fragen, und liefen sofort los. Der Park lag nur wenige hundert Meter von zu Hause entfernt, doch die Zwillinge waren ganz außer Atem, als sie die Bank erreichten.

»Großmutter«, keuchte Alice, »sag, was heißt *mischpoche*?«

Die Großmutter lächelte. »*Mischpoche* bedeutet Familie und meint uns alle gemeinsam, die wir zu einer Familie gehören. Zu unserer Familie. Papa, Mama, Großmutter, Großvater, die Kinder …«

»Und *derech-erez*?«

»Das heißt Respekt.«

»Respekt?« Die Großmutter sah die großen Fragezeichen in den Augen von Alice und Marianne.

»Respekt vor den Eltern zu haben, das bedeutet, sie zu ehren, sie anzuerkennen.« Nach einer kurzen Pause fügte Fanny hinzu: »Das sind jiddische Worte. Jiddisch ist meine Muttersprache, und die Muttersprache eurer Mutter. Jiddisch ist die Muttersprache der meisten Juden in unserem Land.«

»Juden?« fragte Alice.

Zum ersten Mal erzählte Fanny Schulz ihren Enkelkindern vom Volk der Juden in der Diaspora. Die Mädchen lauschten ihr gebannt wie einer Märchenerzählerin.

Die Mutter hatte »die Juden« noch nie erwähnt, geschweige denn ein jiddisches Wort in den Mund genommen. Als Alice später einmal das Wort *meschugge* aussprach, das sie bei anderen Kindern aufgeschnappt hatte, fuhr die Mutter sie streng an: »Sag das nie wieder.« Sofie versuchte alles, was an ihre jüdische Herkunft erinnern konnte, beharrlich von ihren Kindern fernzuhalten. Für sie war das Judentum ein Glaube, von dem sie sich abgewandt hatte, eine alte Last. Nach ihrer Meinung hatte sie gute Gründe für ihre Haltung: Zum einen waren es die ashkenasischen Traditionen, die sie ins Unglück – das Unglück ihrer Ehe – gebracht hatten. Zum anderen war sie überzeugt, dass der so beängstigende, immer wieder aufbrechende Antisemitismus im habsburgischen Vielvölkerstaat gegen die orthodoxen, in ihren Traditionen verwurzelten Juden gerichtet war, die »zu Ostern Christenblut brauchten und deshalb kleine Knaben und Jungfrauen schächteten« – eine in Böhmen und Mähren selbst im frühen zwanzigsten Jahrhundert noch weit verbreitete Auffassung.

Ein beträchtlicher Teil der Prager Juden, vor allem aus den ärmeren Schichten, hatte sich im ausklingenden neunzehnten Jahrhundert an der tschechischen Mehrheit zu orientieren begonnen und bekannte sich, was etwa bei der Wahl der Schule oder Universität Bedeutung bekam, zur tschechischen Sprache. Laut einer statistischen Erhebung aus dem Jahre 1900 bezeichneten sich 14 576 Juden als tschechischsprachig und nur noch 11 599 als deutschsprachig.[3]

Sofie sah ihre Identität im liberal denkenden Deutschtum – wie die Mehrheit der gebildeten Prager Juden. Sich mit dem deutschsprachigen Kulturkreis Prags zu assimilieren war für sie, weit mehr als für ihren Mann, nicht nur eine Schutzmaßnahme, sondern ein tiefes, inneres Bedürfnis. Ihr selbst war der Zugang zu höherer Bildung verschlossen geblieben, und doch sah sie sich als Teil einer kulturgeprägten Welt. Ihren Kindern impfte sie die Verehrung für die deutschsprachige Hochkultur ein, eine weltoffene Hochkultur. Sie sollten kunstsinnige, kosmopolitische Deutsche werden – ohne das Stigma des Judentums. Deshalb erfuhren Alice und Mizzi erst von ihrer Großmutter, dass in Prag nicht nur Deutsche und Tschechen lebten, sondern als dritte Bevölkerungsgruppe die Juden. Was es bedeutete, Jude zu sein, wurde ihnen einige Monate später schmerzhaft bewusst.

***

In dem Stadtteil, in dem Friedrich Herz sich angesiedelt hatte, fragte für gewöhnlich keiner nach Herkunft und Religion. Erst 1884 waren die ehemaligen Dörfer Bubna, in dem die Herzsche Fabrik stand, und Holešovice als siebter Prager Bezirk in die frühere Festungsstadt eingemeindet worden. Und auch zwanzig Jahre später ging es im mittlerweile industrialisierten Bubna am linken Moldauufer noch recht dörflich zu.

Alice und Marianne spielten mit vielen Kindern im Belvederepark, in den Höfen und Gassen der unmittelbaren Nachbarschaft Fangen, Verstecken, Tempelhüpfen, Schnurspringen oder »Anmäuerln«, bei dem man Steine oder kleine Münzen möglichst nah an eine Wand oder an eine Markierung werfen sollte. Ob sie sich mit tschechischen Kindern, deutschen oder jüdischen maßen, machte für sie keinen Unterschied.

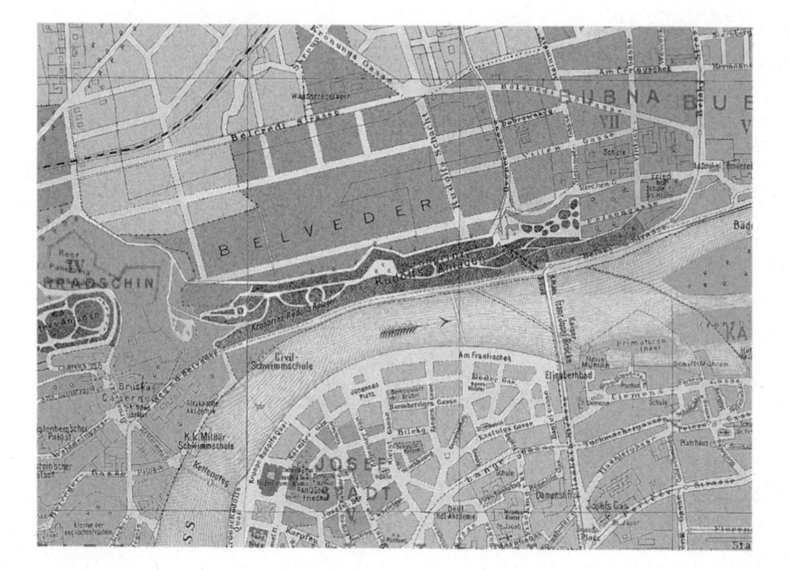

Die beiden Mädchen wuchsen zweisprachig auf – innerhalb der Familie sprachen sie selbstverständlich deutsch, mit vielen ihrer Freunde und auch mit dem Personal des Vaters hingegen tschechisch. Doch das Nationalitätenproblem beherrschte das Zusammenleben in der böhmischen Stadt zunehmend. Die Mehrheit der Bevölkerung war tschechisch, die deutsche Minderheit stellte nur zehn Prozent der Einwohner und bestand vorwiegend aus Beamten und Angehörigen des Militärs, einem Teil des alten böhmischen Adels, aus Wissenschaftlern und Intellektuellen und einigen aus dem Sudetenland zugewanderten Deutschböhmen. Aus politischer Sicht stärkten die Juden das Deutschtum und wurden schon deshalb von den Tschechen angefeindet. Immer mehr deutschsprachige Prager waren jedoch völkisch und antisemitisch eingestellt und lehnten die Juden ebenso ab. Davon hatten die kleinen Kinder noch nichts zu spüren bekommen. Noch nicht. Die halbwüchsigen deutschen und tschechischen Jungen bekriegten sich bereits mit Pflastersteinen und wüsten Beschimpfungen.

Eines Tages spielten die Zwillinge wieder einmal mit zwei Freundinnen, als plötzlich eine Gruppe junger Tschechen aus der Nachbarschaft im Park auftauchte und die Mädchen blitzschnell umzingelte. Die Burschen hatten offensichtlich in Erfahrung gebracht, dass der Fabrikbesitzer Friedrich Herz ein Jude war, und begannen, ein Spottlied zu singen. *»Smaradlawe židy – smaradlawe židy«*, riefen sie immer wieder. *»Ihr stinkt wie die Juden.«* Dabei schubsten sie »ihre Gefangenen«, bis sie stürzten und zu weinen begannen. Triumphierend zogen die Tschechen ab, und die gedemütigten Kinder rannten mit zerschlagenen Knien davon. Zu Hause bedrängten Alice und Marianne ihre Mutter:

»Mutter, wieso tun die uns weh? Sind wir anders?«

Die sonst so couragierte und schlagfertige Sofie fand keine Worte.

»Ihr stinkt wie die Juden, ihr stinkt wie die Juden!«

Alice und Marianne mussten allein mit dem Vorfall fertig werden – und das gelang ihnen lange Zeit nicht.

***

Für die Kinder barg das Elternhaus in der Bělského 23, einer nach dem Prager Bürgermeister Václav Bělský benannten Durchzugsstraße des siebten Bezirks, eine große Zahl an Geheimnissen und Überraschungen. Es dauerte Jahre, ehe sie jeden Winkel kannten. Friedrich Herz hatte das Anwesen kurz vor seiner Hochzeit als eine Art städtischen Vierkanthof am Fuß des hügeligen Belvedereparks errichten lassen. Es bestand aus vier großen Gebäuden. Zur Straßenseite hin stand das zweistöckige Wohnhaus, ein geräumiger, aber äußerlich keineswegs herrschaftlicher Bau mit einer schmucklosen, unauffälligen Fassade, die so gar nicht dem historistischen und neoklassizistischen Baustil jener Zeit in der Prager Innenstadt entsprach. Zu ebener Erde befand sich neben einer Hausmeisterwohnung das Chefbüro samt Sekretariat. Über ein paar Stufen gelangte man in das Mezzanin mit der Acht-Zimmer-Wohnung der Familie Herz und einer kleineren Mietwohnung. Drei der vier Wohneinheiten im darüberliegenden ersten Stock waren vermietet, die vierte bewohnte die Großmutter Fanny mit ihrem Dienstmädchen. Mit dem Mietzins zahlte Friedrich die Kredite für das Haus zurück.
Das Wohngebäude flankierten zwei etwa vierzig Meter lange Fabrikhallen. Im rechten Gebäude wurden die Präzisionswaagen gefertigt – Briefwaagen, Apothekerwaagen, Waagen für den Lebensmitteleinzelhandel –, im linken Gebäude die schweren Industriewaagen zusammengebaut. Der Pferdestall am hinteren Ende des Hofs, dem Wohnhaus gegenüber, verband die beiden Fabrikgebäude. Er übte eine große Anziehungskraft auf die Kinder aus. Besonders gern schauten sie Franta zu, wie er die vier Pferde versorgte. Eines Tages drückte der Knecht jedem der Mädchen eine Karotte in die Hand. Die stämmigen Zugtiere schnaubten laut und reckten neugierig die Hälse nach den Kindern. Mizzi traute sich nicht, die Tiere zu füttern, und versteckte sich hinter einem Stützbalken. Alice hingegen streckte ihre Karotte der Stute Bianka hin. Es war Liebe auf den ersten Blick. Von da an besuchte sie ihr Lieblingspferd täglich, und Bianka dankte es ihr stets mit einem freudigen Wiehern.
Franta hatte Alices Bruder Paul in sein Herz geschlossen und ließ

ihn deshalb oft aufsitzen und über den Hof reiten. So breitschultrig die Pferde waren, so gewaltig sie aussahen, so gutmütig und behäbig gaben sie sich.
Eines Abends sagte Franta zu den Mädchen: »Heute ist es soweit, heute dürft ihr beide reiten!«
»Hurra!« schrie Alice spontan. »Darf ich auf Bianka sitzen?«
Mizzi hingegen lehnte ab, und als Franta sie gar zu überreden versuchte, zog sie sich in die hinterste Ecke des Stalls zurück und machte sich hinter ein paar Strohballen unsichtbar.
Alice ließ sich von Franta auf das Pferd heben. Winzig sah sie aus auf dem breiten Rücken, und während sie sich stolz an Biankas Mähne festhielt, jauchzte sie und lachte ihr ansteckendes Alicelachen.
Kurz vor sechs Uhr abends mussten die Kinder mit gewaschenen Händen und gründlich gekämmt ihren Platz am Esstisch einnehmen und auf den Vater warten. Wenn Friedrich Herz nach seinem langen Arbeitstag aus der Fabrik kam, hatte er nichts weiter im Sinn als zu essen, ein paar Worte mit der Familie zu wechseln, den Tag in Ruhe ausklingen zu lassen und gegen acht ins Bett zu gehen. Während es mittags schnell gehen musste, genoss Friedrich Herz das Abendessen in aller Ruhe. Oft ging er deshalb nach der Arbeit noch zum Delikatessladen auf der gegenüberliegenden Straßenseite und steuerte etwa luftgetrocknete Wurst oder Schinken oder Schweizer Emmentaler bei.
Genau dann jedoch, wenn ihr Mann Entspannung suchte, fand die Mutter, wie Friedrich Herz feststellte, einen nichtigen Anlass, den sie just in dieser Zeit zur Sprache gebracht haben wollte. Einmal, es muss etwa im Sommer 1910 gewesen sein, sollte der Vater zwei Gläser Gewürzgurken zum Nachtmahl mitbringen. Seit die »Elektrische« mit ohrenbetäubendem Lärm die Straße unsicher machte, war er beim Überqueren der Straße besonders vorsichtig. Doch diesmal kam ihm keine Straßenbahn entgegen, sondern ein dreirädriges Vehikel mit der Aufschrift »Taxi«. Friedrich Herz hatte zwar unlängst einen Zeitungsartikel gelesen, der die motorgetriebenen Gefährte für Prag angekündigt hatte, doch als er zum ersten Mal in seinem Leben ein derart knatterndes und stinkendes

Motorrad heranbrausen sah, verschlug es ihm die Sprache. Tempo dreißig erschien ihm rasend schnell.
Das Taxi war längst außer Sichtweite, aber Friedrich Herz stand immer noch vor dem Delikatessladen und staunte. Um wieviel schneller kleinere Lieferungen in einem solchen Wunderwerk zum Bahnhof gebracht werden könnten! Vor lauter Begeisterung leistete er sich ganz gegen seine Gewohnheit eine Flasche teuren Cognac, und für seine Familie kaufte er einen großen Saftschinken. Er war schon in der Ladentür, als ihm die Gurkengläser wieder einfielen, deretwegen er das Geschäft überhaupt betreten hatte. Er machte also kehrt und stellte sich ein zweites Mal an.
Als er ins Speisezimmer trat, war es zwölf Minuten nach sechs. Die fünf Kinder saßen mucksmäuschenstill um den Tisch, und Sofie musterte ihren Ehemann. Friedrich Herz ignorierte die bedrohliche Stimmung, stellte die beiden Einmachgläser auf den Tisch, legte den feinen Schinken daneben und verkündete heiter: »Kinder, stellt euch vor, euer Vater hat soeben das erste Taxi seines Lebens gesehen!«
»Das ist kein Grund, uns warten zu lassen«, stellte Sofie fest.
Friedrich überhörte den Vorwurf und sprach munter weiter: »Zur Feier des Tages darf heute jeder soviel Saftschinken essen, wie er mag.«
»Friedrich! Es sind wieder die falschen Gurken.«
»Es gibt keine falschen Gurken«, knurrte der Ehemann.
»Ich liebe die falschen Gurken«, schnatterte Mizzi. »Ich möchte drei falsche Gurken essen.«
Auch Alice hielt zum Vater: »Ich finde, die falschen Gurken sehen sehr schön aus.«
Georg und Paul schnitten inzwischen den Schinken an und lobten ihn über die Maßen. »Der Saftschinken ist königlich«, sagte der inzwischen einundzwanzigjährige Georg. »Und auch die falschen Gurken sind eine Wucht«, ergänzte Paul.
Doch Sofie ließ die Sache nicht auf sich beruhen: »Ist es wirklich zuviel verlangt, die richtigen Gurken mitzubringen?«
Nun reichte es Friedrich Herz, und er hob die Stimme. »Kann ich jetzt nach einem langen Arbeitstag in Ruhe essen?« Es entsprach

nicht Sofies Art, einem anderen das letzte Wort zu lassen. »Sonst drehst du jeden Kreuzer dreimal um, als wären wir arme Leute, aber selbst wenn ich dich förmlich anflehe, du mögest Alice eine Spezialbehandlung beim Orthopäden bezahlen, damit sie endlich wächst, weigerst du dich, mir das Geld zu geben.« Friedrich ließ sich nicht aus der Fassung bringen: »Jawohl, ich habe gesagt, dass ich es nicht für schlimm halte, wenn Alice klein bleibt. Und dazu stehe ich.« Schließlich, so führte er aus, müsse es auch kleine Frauen geben, damit auch kleine Männer eine Chance hätten, zu heiraten.

Jetzt schaltete sich Paul ein: »Warum muss Alice einen kleinen Mann heiraten? Was, wenn aber doch ein großer Mann daherkommt?« Und Mizzi ergänzte mit kindlicher Lebensweisheit: »Kleine Frauen können mit großen Männern genauso viele Kinder kriegen wie große Frauen mit kleinen Männern!« Doch die Mutter verstand keinen Spaß. »Paul und Mizzi, ab ins Bett.« Friedrich verließ ohne ein weiteres Wort das Esszimmer.

Die Kinder erlebten Szenen wie diese öfter mit, warum jedoch die Wellen immer wieder so hoch schlugen, konnten sie sich nicht erklären. »Warum nimmst du ihn nicht einfach in die Arme und gibst ihm einen Kuss? Dann wäre doch alles gut«, sagte Alice und entlockte der Mutter damit doch noch ein Lächeln.

Sofie dürfte ihrem Mann über die Jahre nicht nähergekommen sein. Auch weil er weniger gebildet war als sie, niemals ein Buch zur Hand nahm und sich nur selten zum Besuch etwa einer Opernaufführung überreden ließ, tat sie sich schwer, ihn zu respektieren, obwohl er ein verlässlicher, treusorgender und ungemein fleißiger Mensch war. Nicht nur die Nachbarn mochten sein freundliches Wesen, auch seine Arbeiter verehrten ihn und hielten ihm jahrzehntelang die Treue. Sofie hingegen mochte sich nicht an sein antiquiertes Denken und seine damit einhergehende Sparsamkeit gewöhnen. Zwar investierte er bereitwillig Geld in die Ausbildung seiner beiden Söhne, dass aber auch seine drei Töchter gefördert werden sollten, dafür zeigte er wenig Verständnis.

Besonders widerwillig begegnete Sofie Friedrichs Familie. Eine seiner Schwestern kam häufiger zu Besuch, und Sofie standen jedes

Mal die Haare zu Berge über die Gemeinplätze, die aus ihrem Mund sprudelten. Als diese Schwester einmal fragte, ob ihr Bruder denn überhaupt genug zu essen bekomme, wies Sofie ihr die Tür.

Mit zunehmendem Alter wurde Sofie schweigsamer und hielt sich mehr und mehr von ihrem Mann fern. Eine Scheidung kam für die beiden freilich nicht in Frage. Dass Friedrich die eisige Atmosphäre mit der Zeit besser ertragen konnte, hatte einen Grund, über den in der Familie dezent geschwiegen wurde. Als seine Kleinen – Paul, Marianne und Alice – alt genug waren, um Gefallen an Landpartien zu finden, bestellte der Vater Sonntag für Sonntag frühmorgens eine Kutsche und fuhr mit ihnen in einen Vergnügungspark. Die Kinder liebten diese Ausflüge über alles. Paul und Alice durften neben dem Kutscher sitzen und manchmal auch die Zügel halten. Mizzi saß im Wagen bei ihrem Vater. Während die Kinder im Park herumtollten, bestellte Friedrich ein Bier und ein Paar Bratwürste. Die Kellnerin war zwar deutlich jünger als Friedrich, aber der gutaussehende und freundliche Fünfundfünfzigjährige gefiel ihr. Tatsächlich war er eine imposante Erscheinung. Sein Sonntagsrock stand ihm ausnehmend gut.

Die Kinder kümmerten sich nicht darum, wie herzlich der Vater die Kellnerin begrüßte, dass er mit ihr plauderte, wann immer sie einen Moment Zeit für ihn hatte, dass er ihr jedes Mal ein besonders großzügiges Trinkgeld zusteckte und ihre Hände bei der Begrüßung und beim Abschied stets um den entscheidenden Augenblick zu lang festhielt. Sie bemerkten zwar, dass der Vater seit einiger Zeit an jedem Sonntagabend nach dem Nachtmahl noch einmal das Haus verließ, aber sie fragten nicht, wohin er ging. Sofie hingegen wusste bald schon, wohin die Wege ihres Mannes führten, doch statt Ärger empfand sie Erleichterung.

2
Wurzeln

»Es blieb nur noch der Sederabend …«

Seit frühester Kindheit hingen Alice und Mizzi an ihrer Großmutter. Vornehm, geradezu aristokratisch sah sie in ihrer schwarzen Kleidung aus, dem bodenlangen Rock, der hochgeschlossenen Bluse. Die randlose Haube trug sie unterm Kinn gebunden, die geschnürten Stiefeletten verlässlich glänzend. Trotzdem wirkte sie kein bisschen streng auf die Zwillinge, vielmehr zum Anhimmeln anmutig. »Warum heiratet dich eigentlich nicht der Kaiser«, fragte Mizzi eines Tages, »du bist doch so schön?«
Beinahe täglich, für gewöhnlich nachmittags gegen halb vier, stiegen die beiden Mädchen ein Stockwerk höher zur Wohnung der Großmutter. Durch die Küche mit einem Fenster zum Treppenhaus gelangte man in das Wohnzimmer und weiter in ein Kabinett. Eine typische Bassenawohnung, mit Toilette und Fließwasser auf dem Gang, schlicht, doch geprägt von der noblen Handschrift der Großmutter. In Alices Erinnerung sitzt die alte Dame in ihrem mit Leder bezogenen Ohrensessel, umgeben von Büchern, ihr Strickzeug oder ein aufgeschlagenes Buch auf dem Schoß, und lächelt den Kindern entgegen. Bücher auf dem Schreibtisch, einem zierlichen Biedermeiersekretär aus sorgfältig poliertem Kirschholz. Bücher gestapelt auf den Beistelltischen. Bücher im Bücherschrank, der endlos viele Geheimnisse zu bergen schien. Wie alle ihre Möbel hatte sie ihn aus Iglau mitgebracht, als sie nach dem Tod ihres Mannes, wahrscheinlich in den frühen neunziger Jahren, in das Haus des Schwiegersohns gezogen war.

In den oberen drei der insgesamt fünf Buchreihen bewahrte die Großmutter deutsche Klassiker auf: Goethe, Schiller und vor allem Lessing, den sie besonders schätzte. Auf dem untersten Regalbrett reihten sich Nachschlagwerke neben verschiedenen Bänden zur europäischen Geschichte und einigen Kochbüchern. Besondere Anziehungskraft übte aber die zweite Reihe auf die Kinder aus, mit ihren Büchern in jiddischer Sprache und deren faszinierend fremdartigen Buchstaben.

Vor dem Ersten Weltkrieg sprachen noch mehr als elf Millionen Menschen in Mittel- und Osteuropa Jiddisch. Und Jiddisch war die Alltagssprache von Ignatz und Fanny Schulz in Iglau gewesen, auch wenn sie als offizielle Muttersprache Deutsch angegeben hatten, die Amtssprache auf jener viel zitierten deutschen Sprachinsel.

Mizzi und Alice – Mizzi von Anfang an mehr als Alice – freuten sich, wenn die Großmutter eine Stricknadel oder einen Bleistift zur Hand nahm und die hebräischen Buchstaben erst in die Luft, dann auf ein Blatt Papier zeichnete, von rechts nach links und mit solcher Ausdauer, dass die Kinder schließlich lernten, einfache jiddische Worte zu entziffern und sogar selbst zu schreiben. Noch lieber ließen sie sich von der Großmutter vorlesen oder Geschichten erzählen.

Im Gegensatz zu ihrer Tochter Sofie begegnete Fanny Schulz ihren Mitmenschen grundsätzlich heiter. Ungewöhnlich für die damalige Zeit und für ihr Alter war ihr Interesse an Politik, sie »glaubte« an das kaiserliche Haus Habsburg, von dorther kam Sicherheit. Sie las zwei Zeitungen täglich und diskutierte gern mit ihrem Schwiegersohn, häufig, davon kann man ausgehen, auf Jiddisch. Friedrich Herz und seine nur unwesentlich ältere Schwiegermutter achteten einander nicht nur, ihre Wesenszüge harmonierten auch gut miteinander.

Sofie Herz interessierte sich kaum für Politik. Ihre Leidenschaft und ihr Bildungshunger galten der klassischen Musik und anspruchsvoller Literatur. Sie las viel, sehr viel, vor allem Romane und Erzählungen. Bildung war für sie kein Statussymbol, keine gesellschaftliche Zierde, sondern eine Suche auf dem Weg zu innerer Freiheit – und letztlich Religionsersatz. Sofie neigte zu übertriebener Skepsis, sie ging selten außer Haus und so gut wie nie nahm sie an den damals verbreiteten schöngeistigen Zirkeln oder anderen gesellschaftlichen Anlässen teil. Das lag zum einen an ihrer in sich gekehrten Art – sie hatte keine Freundinnen und pflegte nur wenige Bekanntschaften. Zum anderen kosteten die Hausarbeiten für die achtköpfige Familie außerordentlich viel Zeit. Ein zweites Dienstmädchen konnte oder wollte Friedrich Herz nicht einstellen. Die Produktionskosten für die Waagen waren hoch, die Gewinne entsprechend bescheiden. Also packte Sofie zu, denn eine perfekt aufgeräumte Wohnung war ihr offenbar ein Grundbedürfnis. Die Böden mussten stets makellos gewienert aussehen und die Wäsche blütenweiß strahlen. Und deshalb war es ihr ganz recht, dass die Großmutter die Zwillinge unterrichtete. Eure Allgemeinbildung, eure Sprachkenntnisse, so die Maxime der Mutter, kann euch niemand nehmen.

***

Freitag war für Alice und Mizzi ein besonderer Tag, auf den sie sich die ganze Woche freuten. In der elterlichen Wohnung war nichts Außergewöhnliches zu bemerken, oben jedoch trafen die Großmutter und ihr Dienstmädchen die Vorbereitungen für die Shabbatfeier.

Da auch das Dienstmädchen Fanny hieß, ulkten die Zwillinge heimlich von der »kleinen Fanny« und der »großen Fanny«. Der Rangordnung entsprechend nannten sie das Dienstmädchen, obwohl es verhältnismäßig groß und beleibt war, die »kleine Fanny«. Sie war den ganzen Morgen damit beschäftigt, die Wohnung zu putzen. Erst staubte sie ab und nahm dabei jedes Buch, jede Porzellanfigur in die Hand, dann schrubbte sie die Fußböden, und schließlich reinigte sie Küche und Geschirr, polierte das Silber und wechselte die Handtücher. Die »große Fanny« war für das Essen zuständig, sie knetete den Hefeteig für die Shabbatbrote und flocht ihn zu Striezeln. Anschließend nahm sie ein Bad – ein aufwendiges Unterfangen, bei dem ihr die »kleine Fanny« zur Hand ging. Und

schließlich deckte sie den Tisch weiß ein und steckte neue Kerzen in die Shabbatleuchter.
Am Nachmittag zog der Duft der Brote durch das Treppenhaus und meldete den Kindern, dass es bald Zeit war, an die Tür der Großmutter zu klopfen. Freitags öffnete sie immer selbst. Ihre schwarzen Kleider sahen dann noch schöner aus als sonst, denn sie waren aus Samt.
Die eigentliche Bedeutung der Shabbatfeier erschloss sich Alice und Mizzi in diesen Jahren noch nicht. Für sie war das Ritual aufregend, weil die Großmutter ihnen zur Einstimmung immer eine »Geschichte von früher« erzählte. Feierlich führte Fanny Schulz die beiden Mädchen vorbei an dem festlich gedeckten Tisch zu ihrem Ohrensessel und setzte sich. Zu ihren Füßen lagen zwei Sitzkissen, auf die sich Alice und Mizzi niederließen.
»Großmutter, bitte eine Iglau-Geschichte, eine neue Iglau-Geschichte«, rief Mizzi.
»Ja, eine Iglau-Geschichte«, stimmte Alice ein, »die Geschichten aus Iglau sind die schönsten.«
Die Großmutter schien über ein unerschöpfliches Repertoire an Iglau-Geschichten zu verfügen. Die meisten nahmen ihren Ausgang im Kaufladen der Großeltern, in dem nicht nur mit Lebensmitteln und anderen Notwendigkeiten gehandelt wurde, sondern auch mit den neuesten Geschichten und Gerüchten der Stadt und seinen fünfundsiebzig umliegenden Dörfern. In der Iglauer Gegend wurde das Brauchtum intensiver gepflegt als in der tschechischsprachigen Umgebung, hier feierte man rund ums Jahr traditionelle Feste, in traditionellen Trachten, mit traditionellen Liedern und Tänzen. Und man ging gern und häufig ins Theater oder Konzert, das Angebot war erstaunlich vielfältig. Als Garnisonsstadt hatte Iglau eine berühmte Militärkapelle, die nicht nur zu Aufmärschen spielte, sondern auch klassische Kompositionen zum Besten gab.
Die Geschichte von dem kleinen Buben, der im Nachthemd mit der Militärkapelle marschierte, blieb Alice in lebhafter Erinnerung. Sie lauschte andächtig, als die Großmutter sie auf das Jahr 1863 einstimmte.

Zwei Straßen vom Schulzschen Lebensmittelgeschäft entfernt lebte seit drei Jahren das Ehepaar Mahler. Bernhard war eigentlich Bäckermeister, er experimentierte aber mit Vorliebe in seiner Schnapsbrennerei, die er »Fabrik« nannte, obgleich sie nur ihn und einen Angestellten beschäftigte. Später erhielt er die Schankbewilligung für Wein, Bier und Schnaps und eröffnete eine Schankstube in seinem Haus.
Dieser Bernhard war ein seltsamer Vogel, er galt als unzugänglicher Außenseiter. Seine plötzlichen Wutausbrüche richteten sich vor allem gegen seine Frau. Mit ihr hatte man in der Stadt Mitleid, Marie Mahler war herzkrank und hinkte, und sie hatte dem Mann in ihrer Sanftmut und Duldsamkeit nichts entgegenzusetzen. Und auch die gemeinsamen Kinder hatten wenig zu lachen. Im Haus des Schnapsbrenners wurde niemals gesungen oder musiziert, und doch entging der Mutter nicht, dass Musik ihren Sohn zu elektrisieren schien – die fröhlichen Lieder vorbeiziehender Handwerksgesellen ebenso wie die wehmütigen Gesänge heimwehkranker Soldaten oder weinselige Wirtshauslieder. Zum dritten Geburtstag hatte die Mutter ihm deshalb eine Kinderziehharmonika geschenkt, auf der er seither den ganzen Tag vor sich hin spielte.
Eines Tages – der Bub hielt gerade seinen Mittagsschlaf – zog die Militärkapelle durch die Stadt. Als sie sich dem Wohnhaus der Mahlers näherte und die Musik immer lauter wurde, sprang der Kleine aus dem Bett, schnappte seine Ziehharmonika, rannte, barfuß und im Nachthemd, auf die Straße und trippelte hinter der Kapelle her. Mit hochrotem Kopf, so geht die Legende, versuchte er Gleichschritt zu halten, aber alle paar Schritte kam er aus dem Tritt. Amüsiert über den Dreikäsehoch schlossen sich immer mehr Iglauer dem Zug an.
So zog die Kapelle aus der Stadt hinaus zum Exerzierplatz. Erst dort bemerkte der Knirps, dass Gegend und Menschen ihm fremd waren. »Gustavchen, wenn du den Marsch auf deiner Ziehharmonika nachspielst, dann bringen wir dich alle zusammen nach Hause«, stellte ihm ein Spaßvogel in Aussicht. Das ließ der Bub sich nicht zweimal sagen. Beherzt marschierte er los und spielte –

die Menschentraube im Gleichschritt hinter sich – den Marsch fast fehlerfrei. »Es war kaum zu glauben«, schloss die Großmutter ihre Geschichte. »Der kleine Bub konnte alle Melodien, die er hörte, sofort nachspielen.«

»Marschmusik auf der Ziehharmonika!« jauchzte Mizzi begeistert. »Komm, Alice, wir spielen Gustavchen.« Sie sprang in die Küche und kam mit einem Kochlöffel und einem Topf zurück.

»Soldaten ziehen in den Krieg und spielen deshalb Marschmusik – Soldaten ziehen in den Krieg und spielen deshalb Marschmusik«, sang Mizzi und marschierte dabei durch das Zimmer.

Die sonst so spontane Alice blieb nachdenklich sitzen. »Großmutter«, flüsterte sie, »was ist aus Gustavchen geworden?«

»Aus Gustavchen ist Gustav Mahler geworden, einer der bedeutendsten Dirigenten und Komponisten unserer Tage. Mit zehn gab er sein erstes Konzert in Iglau, im Städtischen Theater.« Aber davon könne die Mutter viel besser erzählen. Sie sei ja nur sieben Jahre jünger als Gustav und habe ihn ganz gut gekannt. Auch heute verehre sie ihn noch sehr. Sie habe ihn vor einigen Jahren hier in Prag erlebt, als er am Deutschen Theater seine erste Sinfonie dirigierte. »Sie ist sogar eigens nach Wien gefahren, um die Erstaufführung seiner zweiten Sinfonie zu hören«, sagte die Großmutter. »So, nun kommt aber zu Tisch, Kinder.«

Fanny Schulz entzündete die beiden Shabbatkerzen, dann nahm sie einen der Brotzöpfe und brach jeweils ein Stück davon für sich und ihre Enkel ab. Dazu murmelte sie für die Kinder unverständliche, aber angenehm vertraut klingende Worte.

»Und wenn ich auf dem Klavier alle Melodien nachspielen kann«, fragte Alice mit vollem Mund, »werde ich dann auch Musikerin?«

»Ja, wenn du das kannst«, entgegnete die Großmutter leise, »dann wirst du bestimmt auch Musikerin.«

***

Längst war im ganzen Haus Ruhe eingekehrt, doch Alice lag wach in ihrem Bett und führte Selbstgespräche. Seit einiger Zeit schon zog es sie immer wieder zum Klavier, um Töne zu finden, die zusammen angeschlagen wohltuend harmonisch klangen. Sie hatte freudig hell klingende Akkorde entdeckt und traurig dunkle. Doch einen Marsch zu spielen hatte sie noch nie versucht.

»Wenn jetzt eine Militärkapelle am Haus vorbeimarschierte, ob ich den Marsch dann nachspielen könnte?« murmelte sie. »So ein Unsinn. Es ist doch schon so spät, wo soll denn da ... Aber es muss ja kein Marsch sein, ich könnte doch ein Lied nachspielen.«

Sie setzte sich auf und versuchte, ihr Lieblingslied auf der Bettkante zu spielen. »Wenn ich ein Vöglein wär' und auch zwei Flügel hätt', flög ich zu dir ...« Es war ihr, als könnte sie die Melodie hören. »Weil's aber nicht kann sein, weil's aber nicht kann sein, blei-heib ich all-hiiiier.« Kaum war das Lied zu Ende, sprang sie vor Begeisterung aus dem Bett.

»Jetzt versuche ich es!«

Der Holzboden knarrte sanft, als Alice vorbei am Schlafzimmer der Eltern in das Wohnzimmer schlich. Leise schloss sie die Tür hinter sich und setzte sich ans Klavier. Mondlicht fiel auf die Tastatur. Die Gaslampen drehte stets der Vater auf seinem abendlichen Rundgang durch die Wohnung ab. Die Kinder durften die Lampen nicht berühren.

Vorsichtig tippte Alice die Tasten an.

»Wenn ich ein Vöglein wär' ...«

Es klang schön.

Beim zweiten Versuch improvisierte sie mit der linken Hand eine zweite Stimme, dann führte sie die Melodien beidhändig zusammen. Überglücklich schlich sie zurück ins Bett. »Ich werde Musikerin«, schwor sie sich. »Jawohl, das werde ich, so wahr ich Alice Herz heiße!« Dann fiel sie in einen seligen Schlaf.

Schon am frühen Morgen, gleich nachdem Alice – Ausdauer war schon damals eine ihrer Stärken – vom Bäcker zurückkam, setzte sie sich ans Klavier und wiederholte die nächtliche Übung. Erste und zweite Stimme harmonierten immer besser, so dass die Mutter aus der Küche geeilt kam.

»Großartig, Alice, wirklich großartig«, sagte sie und streichelte der Tochter über den Kopf. »Und stell dir diesen Zufall vor. Heute Nacht habe ich dieses Lied im Traum so deutlich gehört, dass ich davon aufgewacht bin.« Alice lächelte. »Aber jetzt komm schnell«, mahnte die Mutter sie mit ungewohnt zärtlicher Stimme. »Das Mizzerl ist schon fertig. Eure Schule beginnt ja gleich.«
Seit einigen Monaten besuchten Alice und Marianne die erste Klasse der deutschsprachigen Grundschule für Mädchen. Tagelang hatten Alice und Mizzi den etwa fünfunddreißig Minuten langen Schulweg in die »Altstädter Volks- und Bürgerschule« an der Hand des Dienstmädchens Marie geübt – die Bělskýstraße hinunter zur Moldau, über die Franz-Joseph-Brücke, die 1868 eingeweihte Hängebrücke, und die Elisabethstraße entlang.
Das Überqueren des Flusses kostete Brückenmaut, einen Kreuzer pro Kind. Jeden Morgen musste deshalb eines der beiden Mädchen ins Büro hinuntergehen und den Vater um zwei Münzen bitten, denn er allein hatte Zugang zur Haushaltskasse. Friedrich Herz war dann schon seit mehr als einer Stunde bei der Arbeit, und manchmal hatte er im hintersten Winkel der Fabrik zu tun, und mitunter wollte er sich partout nicht stören lassen, und entweder Alice oder Mizzi mussten ihn daran erinnern, dass sie ohne das Geld die Schule versäumen würden. Jede tat das auf ihre Weise – Mizzi, die Schmeichelnde, Alice, die Hartnäckige. Oft waren sie dann spät dran und rannten zur Brücke. Der Brückenwächter wartete schon auf die beiden Mädchen. »Da kommen sie ja, die Rotkäppchen«, scherzte er, selbst wenn sie ihre roten Mützen einmal nicht aufhatten.
Am Nachmittag war Alice nicht mehr vom Klavier wegzubringen. Immer wieder probierte sie neue Lieder und ihre Variationen. Kam ihr eine zweite Stimme in den Sinn, sang sie sie zuerst, dann spielte sie die Melodie auf dem Klavier nach.
Vor dem Abendessen gab sie ihr erstes kleines Konzert. Im Publikum saßen Mizzi, Paul, Irma und die Mutter, eine befreundete Nachbarin und sogar der Vater, der eigens früher aus dem Büro gekommen war. Alice gab drei Kinderlieder zum Besten.
Die Gäste lobten sie überschwänglich, und zum ersten Mal emp-

fand Alice, was es hieß, im Mittelpunkt der Aufmerksamkeit zu stehen. Als der Applaus verklungen war, wollte Mizzi ihren eigenen Auftritt inszenieren: »Ich kann euch die Lieder auch vorsingen.«
»Versucht es doch beide zusammen«, schlug die Mutter vor.
Mizzi und Alice stellten sich vor das in der Abendsonne leuchtende Fenster und stimmten an: »Wenn ich ein Vöglein wär' ...«
Nach ein paar Takten begann Alice, die zweite Stimme zu improvisieren. Die Zwillinge im Duett: die eine im Sopran, die andere Alt. Die Mutter konnte es kaum fassen, wie musikalisch ihre Kleinste war.
Ebenso gerührt wie die Mutter lauschte Irma. Die Neunzehnjährige nahm seit vielen Jahren Unterricht bei dem tschechischen Klavierpädagogen Václav Štěpán und war eine versierte Spielerin.
»Ich gebe euch ab sofort jeden Donnerstagnachmittag Unterricht, wenn ihr mir versprecht, täglich nach den Hausaufgaben eine Stunde Klavier zu üben«, bot sie den Zwillingen an.
Alice und Mizzi waren strebsame Schulkinder, die Mutter legte Wert auf gute Noten. Alice entwickelte schon in den ersten vier Schuljahren, in der Volksschule, ein Faible für Heimatkunde, Geographie und Geschichte, sie las gern und viel. In der Bürgerschule entdeckte sie dann ihre Liebe zu den Romantikern, und Adalbert Stifter blieb auch nach ihren jahrzehntelangen, ausgedehnten Wanderungen durch die Weltliteratur einer ihrer Lieblingsschriftsteller. Das Geheimnis der Zahlen hingegen erschloss sich ihr nie.
»Wollen wir das so machen?«
Alice beantwortete Irmas rhetorische Frage mit einem Jubelschrei. Mizzis Ja klang leiser.
Bis zur ersten Unterrichtsstunde waren es noch fünf Tage. Die Mädchen sollten die Zeit nutzen, um ein Lied einzuüben, buchstäblich zu ertasten, das sie besonders gern mochten. Dazu sollten sie mit der linken Hand passende Begleittöne finden.
Täglich nach dem Mittagessen rannte Alice zum Klavier, Mizzi übte vor dem Abendessen. Und schon nach wenigen Unterrichtsstunden zeigte sich, dass Alice weit mehr Enthusiasmus entwickel-

te als ihre Zwillingsschwester. Mit Alices Leistungen war Irma denn auch hochzufrieden, doch mit Mizzi schimpfte sie oft – und das pädagogische Geschick der großen Schwester ließ dabei zu wünschen übrig. Sie entpuppte sich als ungeduldig und aufbrausend und provozierte schon nach wenigen Wochen einen Eklat. Weinend kam Mizzi vom Unterricht.

»Sie hat mir zweimal auf die Finger gehauen«, erzählte sie ihrer Schwester unter Tränen.

»Warum denn?« wollte Alice wissen.

»Weil sie so wütend geworden ist über meine Fehler bei der c-Moll-Tonleiter. Erst hat sie mich angeschrien, ich solle von vorn beginnen, und als ich wieder danebengegriffen habe, hat sie noch lauter gebrüllt. Ihr wütendes Gesicht hat mir richtig Angst gemacht. Dann habe ich noch einmal falsch gespielt, und sie hat mir mit dem Zeigestock so stark auf die Finger geschlagen, dass ich nicht mehr weiterspielen konnte.«

»Und dann?« fragte Alice ungläubig.

»Dann habe ich zurückgeschrien: ›Wenn du mich noch einmal haust, komme ich nie wieder in deine Stunde.‹« Mizzi steigerte sich mit aufgewühlter Stimme in die Tragödie.

»Und dann?«

»Dann hat Irma zurückgefaucht: ›Wer will denn hier Klavierspielen lernen, ich oder du? Wer ist denn zu faul zum Üben, ich oder du? Wer konzentriert sich denn nicht, ich oder du?‹«

»Und dann?«

»Dann bin ich fortgelaufen. Und ich geh auch nicht mehr hin. Die soll doch anbrüllen, wen sie will, mich nicht«, schmollte Mizzi.

Weder Alice noch die Mutter konnten Mizzi trösten. Von nun an mied sie das Klavier. Stattdessen las sie viel, und bald entdeckte sie ihre Begabung für die Bühne. Sie schauspielerte und rezitierte ihre gesamte Kindheit und Jugend mit großer Leidenschaft und Energie.

Alice hingegen konnte gar nicht genug bekommen vom Klavierspielen. Sie gewöhnte sich an, täglich mindestens zwei Stunden zu üben, und bald wurden daraus drei oder gar vier Stunden. Die Freude an der Musik, die Anerkennung in der Familie, die ersten Auftritte vor der Schulklasse – Alice hatte ihre Bestimmung gefunden. Bereits nach eineinhalb Jahren war sie technisch so fortgeschritten, dass sie gemeinsam mit ihrem Bruder Paul, einem für sein Alter höchst beachtlichen Geiger, musizieren konnte.

***

Irma hieß in ihrem Bekanntenkreis »die schöne Herz«. Aufmerksam verfolgten die heranwachsenden Zwillinge, wer ihr den Hof machte und wer in ihrer Gunst stand. Doch nicht allein ihrer anmutig schönen Gesichtszüge wegen suchte die Männerwelt ihre Nähe. Die große Herz-Schwester war eine faszinierende Persönlichkeit mit ungestümem Temperament, und sie verstand es, sich in Szene zu setzen. Sie konnte »sehr lustig sein, ja witzig«, stellte ihr späterer Ehemann fest. »Wenn sie in Laune ist, ist sie unterhaltend, umso mehr, als ihre darstellende Kraft fesselnd ist.«[4]

Felix Weltsch war fünfundzwanzig Jahre alt, hatte an der damals noch kaiserlich-königlichen deutschen Karl-Ferdinand-Universität Jura – das »etwas unbestimmte Brotstudium für allgemein interessierte junge Männer« – studiert und gerade eine Stelle an der National- und Universitätsbibliothek angetreten, als er Irma Herz kennenlernte. Sie waren Mitglieder im selben Tennisclub in den Kronprinz-Rudolf-Anlagen.

Aus zufälligen Treffen auf dem Court und im Clubhaus wurden bald regelmäßige Verabredungen. Man spielte miteinander Tennis, manchmal auch – daran erinnert sich Alice – im gemischten Doppel gegen Felix Weltschs engen Freund Franz Kafka, und flanierte dann Seite an Seite durch den Park, die Moldau entlang oder durch die Prager Altstadt, und natürlich brachte Felix seine Angebetete im Anschluss nach Hause und verabschiedete sich vor der Tür von ihr. Irgendwann bat Irma – sie wird es wohl mit der Mutter so verabredet haben – Felix hinauf in die Wohnung und stellte ihn ihren Eltern vor.

Friedrich und Sofie Herz lernten Felix Weltsch schnell schätzen. Dass er materiell wenig zu bieten hatte, darauf kam es im Prag des frühen zwanzigsten Jahrhunderts nicht so sehr an, den etablierten, wirtschaftlich abgesicherten Juden ohnehin nicht und Sofie Herz erst recht nicht.

Weltsch studierte neben seinem Beruf Philosophie und erwarb 1911 seinen zweiten Doktorgrad. Und er stammte aus einer kultivierten Prager Kaufmannsfamilie, von deren gutem Namen man auch im Hause Herz wusste. Felix' Vater Heinrich war Inhaber in zweiter Generation der Tuchhandlung »Salomon Weltsch & Söhne«. Der Handel mit edlen Stoffen war aber eher Liebhaberei als gewinnträchtig. Man lebte sparsam.

Sofie Herz entging nicht, wie positiv Felix Weltschs besonnene Art, sein analytischer Verstand und seine ausgeprägte Logik die stimmungsabhängige Irma beeinflussten. Tatsächlich schaute die junge Frau nicht nur seiner stattlichen Erscheinung wegen zu ihrem hochgewachsenen Verehrer auf, auch wenn sie ihn gern und oft neckte und ihn bisweilen arg gängelte.

Junge Liebe, gegenseitige Bewunderung. Als Felix Irma Klavier spielen hörte, war es offensichtlich ganz um ihn geschehen. Dabei ließ er sich durchaus nicht nur von ihrer Anmut verführen. »Ihr Klavierspiel war tatsächlich groß«,[5] schrieb Felix Weltsch, der ausgesprochen kunstsinnige Eltern hatte und selbst Violine spielte. Sein langjähriger Freund Max Brod erinnerte sich später gern an »die unendlichen Wonnen des Klavier-Violin-Zusammenspiels« zurück. »Es ist oft beseligender, als in ein großes Virtuosenkonzert zu gehen: einen Freund [Felix Weltsch] zu besuchen, der schön, wie ein eifriger Musikliebhaber eben, die Violine meistert, dann nach kurzem Gruß an seinem Klavier sich niederzusetzen und die Sonne wunderkräftiger Melodien erstrahlen zu lassen, wir beiden Zauberer.«[6]

Alle Geschwister Irmas kamen gut mit Felix zurecht, selbst die Brüder Georg und Paul. Dabei war Georgs ziellose Lebenslust eigentlich unvereinbar mit Weltschs Ambitionen. Georg und in späteren Jahren auch Paul versuchten sich im Unternehmen des Vaters, der allzu geregelte Tagesablauf widerstrebte dem einen jedoch ebenso wie später dem anderen. Sie vergnügten sich – in häufig wechselnder Begleitung – lieber in der Nacht. Aber sowohl

Georg als auch Paul respektierten Felix Weltsch zeitlebens als Autoritätsperson.
Die innigste Beziehung entwickelte der angehende Philosoph jedoch zu Alice. Ihren Enthusiasmus und ihre Neugierde aufs Leben schätzte er als ebenso kostbare Güter wie ihr Talent und ihre Ausdauer.
Wenn Irma in das Elternhaus Weltsch im Altstädter Gemsengässchen eingeladen war, nahm sie ihre kleine Schwester deshalb öfter einmal mit. Nach Jahrzehnten schwärmte Alice noch für Luise und Heinrich Weltsch, für ihre Herzlichkeit und Gastfreundschaft und, nicht minder, für ihre Musikbegeisterung. Als Alice später fast jeden Abend ins Konzert ging, traf sie die beiden regelmäßig auf den Stehplätzen. Das nahm sie zusätzlich ein für die alten Leute, denn Friedrich und Sofie Herz zog es – schon aus gesundheitlichen Gründen, die Mutter litt an Thrombose, der Vater hatte mit dem Herzen zu tun – nicht in den Konzertsaal, und nur selten leisteten sie sich Opernkarten.
Über die Jahre wurde Felix Weltsch zu einer der prägendsten Persönlichkeiten in Alices Leben, die Freundschaft der beiden hielt über vierundfünfzig Jahre bis zu seinem Tod. Kaum ein anderer Mensch beeinflusste ihr Denken so sehr, egal ob sie mit ihm über tagesaktuelle Probleme oder grundsätzliche philosophische Fragen diskutierte. Oder ob sie durch ihn – zunächst als mehr oder weniger aufmerksamer Zaungast, später als engagiert Fragende – die Suche nach einer »jüdischen Identität« gleichsam aus erster Hand miterlebte, das Pochen auf ein neues jüdisches Selbstwertgefühl.
Felix Weltsch war überzeugter Zionist, und im Lauf der Jahre regte er in der assimilierten Familie Herz ein Gespräch an, das vorher tabu war. »Wie reagiert der Einzelne auf sein Jüdisch-Sein, überhaupt auf das Bewusstsein: ›Ich bin Jude‹?« fragte Felix Weltsch und ortete drei Grundtypen.[7] Zunächst die negative Reaktion – Flucht: »Man erkennt, dass man Jude ist, sieht es als ein Unglück an und – rennt davon.« Dann die hysterische Reaktion – Kompensation: »Er sucht sich anderweitig hervorzutun, und zwar krampfhaft hervorzutun, um das Judentum irgendwie wett-

zumachen. [...] Kurz, er benimmt sich wie ein Hysteriker, der etwas verbergen oder gutmachen möchte, wodurch er sich belästigt oder gemindert fühlt.« Und schließlich die schöpferische Reaktion – der Zionismus: »Er befindet sein Jüdisch-Sein als Aufgabe, als Ansporn zur Leistung, zur Tat. [...] Das ganze Volk soll schöpferisch sein.«

In den aufgeklärten Familien, wie im Hause Herz, hatte man sich, wenn überhaupt, nur noch Momentaufnahmen der einstigen Selbstverständlichkeiten bewahrt. »Von ihrem Judentum«, drückte Max Brod es aus, »blieb den Prager Juden schließlich nur noch der Sederabend.«[8] Ähnlich äußerte sich Franz Kafka in seinem »Brief an den Vater«. »Es ist ja wirklich, soweit ich sehen konnte, ein Nichts, ein Spaß, nicht einmal ein Spaß. Du gingst an vier Tagen im Jahr in den Tempel, warst dort den Gleichgültigen zumindest näher als denen, die es ernst nahmen, erledigtest geduldig die Gebete als Formalität ... So war es im Tempel, zu Hause war es womöglich noch ärmlicher und beschränkte sich auf den ersten Sederabend, der immer mehr zu einer Komödie mit Lachkrämpfen wurde, allerdings unter dem Einfluss der größer werdenden Kinder.«[9]

Friedrich Herz ging in aller Regel einmal im Jahr, am Versöhnungstag *Jom Kippur*, in die Synagoge, und *Pessach*, das innigste Fest der Juden, war ihm ein Herzensanliegen und musste in der Familie groß gefeiert werden. Im Gegenzug akzeptierte er ein bescheidenes Weihnachtsfest. Sofie Herz buk dann Christstollen, und Alice und Mizzi begleiteten das Dienstmädchen in die Christmette. Einen geschmückten Baum gab es im Hause Herz jedoch nie.

An den Vorbereitungen für *Pessach* beteiligte sich die ganze Familie. Sofie begann schon Tage im Voraus, nach den traditionellen Regeln zu putzen. Alles, was *Chamez*, Gesäuertes, enthalten könnte, muss, »wenn man den Anordnungen der Weisen vollständig nachkommen will«, wie es in der *Pessach-Haggadah* heißt, drei Tage vor *Pessach* aus dem Haus geschafft sein. Alice ging der Mutter dabei zur Hand. Die Großmutter übernahm das Reinigen der Gefäße und tauchte jeden Topf, jeden Teller, jedes

Glas, jeden Löffel in siedend heißes Wasser. Dann durfte das Geschirr bis zum Sederabend nicht mehr mit Gesäuertem in Berührung kommen.
Die Zwillinge halfen mit, die Speisen für die Sederschüssel zu bereiten. Dabei erzählte ihnen die Großmutter jedes Jahr wieder, was die Nahrungsmittel symbolisierten. Die gebratenen Knochen erinnern an das Opfer des Pessachlamms am Abend des Auszugs aus Ägypten. Das hartgekochte Ei steht für die Trauer über die Zerstörung des Tempels in Jerusalem, das Bitterkraut – die Großmutter nahm für gewöhnlich Meerrettich – für die Leiden der Juden in Ägypten. Das grüne Kraut – meist Petersilie – erinnert an die grünen Blätter, die dazu verwendet wurden, die Türen der Hebräer mit dem Blut des Pessachlamms zu besprengen. Und sie verheißen die Erstlingsfrüchte im Gelobten Land.
Zum Brei aus Äpfeln, Feigen, Nüssen und Mandeln durften die Zwillinge so viel Zimt mischen, bis er wie der Lehm aussah, den die Israeliten als Sklaven der Ägypter verarbeiten mussten. Dann füllten sie eine Schale mit gesalzenem Wasser als Symbol für die Tränen und den Schweiß, den die Sklaven in der Gefangenschaft vergossen hatten. In die Mitte der Sederschüssel durften sie drei *Mazzen* legen, jene ungesäuerten Weizenfladen, die an die Tage vor dem Auszug aus Ägypten erinnern, an denen in der Hast des Aufbruchs kein Sauerteigbrot mehr gebacken werden konnte.
Am Sederabend öffnete Friedrich Herz sein Haus auch Freunden und Armen. Stille kehrte ein, wenn der Hausherr das Weihegebet sprach, vom ersten Becher Wein trank und schließlich eine der *Mazzen* brach. Er verteilte die Hälfte davon an die Tischgäste, und dann hoben alle gemeinsam die Sederschüssel hoch: »Dies ist das Brot, das unsere Väter in Ägypten gegessen haben. Wer hungrig ist, komme und esse. Wer in Not ist, komme und feiere *Pessach* mit uns! Dieses Jahr sind wir hier – im nächsten Jahr in Erez Israel! Dieses Jahr sind wir Sklaven – nächstes Jahr freie Menschen!«
Nun hatte sich das jüngste Mitglied der Tischgesellschaft einzubringen – mit jener Frage, die der Älteste als Aufforderung verste-

hen sollte, die *Pessach-Haggadah* vorzulesen – die Geschichte vom Auszug des Volkes Israels aus Ägypten. Alice und Mizzi lasen gemeinsam: »Warum ist diese Nacht anders als alle übrigen Nächte? …« Dann reichten sie das Buch an den Vater weiter. »Wir waren Sklaven des Pharao in Ägypten«, begann Friedrich Herz, »aber der Ewige, unser Gott, führte uns heraus von dort mit kräftiger Hand und mit ausgestrecktem Arm …« Das Papier roch alt und ehrwürdig.

Der Sederabend endete mit zahlreichen Liedern, die volle Baritonstimme des Vaters klang wie die eines Kantors. Nach dem Fest erinnerte für ein weiteres Jahr nichts mehr im Haus daran, dass die Eltern jüdischer Abstammung waren.

***

Obgleich Felix Weltsch ein zurückhaltender Zeitgenosse war, keine Marotten erkennen ließ und sein Humor eher leise und trocken gewesen sein soll, verstand es Irma, seine Stimme und Sprache – in lebhaft inszenierten Darbietungen für die Zwillinge – verblüffend echt nachzuahmen. Zusätzlich animiert von Felix' Vater, der in der Familie als Meister des Stegreifreims galt, ersannen Mizzi und Alice Spottverse, um der großen Schwester mitzuteilen, wer von ihren Freunden gerade im Anmarsch war oder schon vor der Tür stand.

Wenn sie vom Fenster aus Felix Weltsch kommen sahen, dann rief Mizzi: »Es ist der Felix, genannt der Scheue, der viel gerühmt wird für seine Treue.« Und Alice ergänzte: »Als Philosoph ist er sehr schlau, drum verehrt er die Schönheit und auch seine Frau.«

Ab 1912 brachte Felix Weltsch gelegentlich auch Franz Kafka mit. Die beiden hatten einander schon beim klassenübergreifenden Religionsunterricht am Altstädter Gymnasium wahrgenommen, waren sich jedoch nicht nähergekommen. Der gemeinsame Freund Max Brod hatte die beiden schließlich als Studenten zusammengeführt; das war etwa 1902. Die Freundschaft wuchs langsam. Nach 1906 wurde das Verhältnis immer vertrauter, doch erst 1912 bot Kafka nach den Regeln der Konvention dem eineinhalb Jahre jüngeren Felix Weltsch das freundschaftliche Du an. Als Brod, so Kafkas Sicht auf die Männerfreundschaft, abtrünnig wurde und seine Hochzeit vorbereitete – er heiratete im Februar 1913 –, bildeten Kafka und Felix Weltsch eine, so Kafka, »Art junggesellenhafter Brüderschaft«.[10]

Mit dem Versicherungsangestellten Franz Kafka, der damals gerade seine ersten Texte veröffentlicht hatte, übte Irma sich zwar in Nachsicht, doch seine Art, sich fortwährend zu entschuldigen, forderte ihren Spott heraus. Kafka pflegte für alles um Nachsicht zu bitten: für sein Zuspätkommen – und er kam eigentlich immer als Letzter –, für seine Anwesenheit, für seine Abwesenheit, für seine Zurückhaltung, für sein Einmischen in eine Diskussion. Man konnte den Eindruck gewinnen, er entschuldige sich in letzter Konsequenz dafür, dass es ihn überhaupt gab. Die »Entschuldigungsnummer«, wie sie geschwisterintern hieß, geriet stets zum Höhepunkt von Irmas kabarettreifen Einlagen. Wenn die Zwillinge Kafka kommen sahen, der, groß und schlank, von weitem Felix Weltsch zum Verwechseln ähnelte, riefen sie Irma zu: »Es ist nicht Felix, es ist der Franz, wie immer zerstreut, doch irgendwie ganz.«

Ganz und gar bei der Sache war Kafka, als Alice ihn an heißen Sommertagen gemeinsam mit Felix und Irma beim Schwimmen in der Moldau erlebte – im »Gemeindebad« an der Karlsbrücke oder ein Stück flussabwärts in der nahe dem Kettensteg gelegenen »Civilschwimmschule«. Kafka war ein unerschrockener Schwimmer, der sich nicht unbedingt zum Vergnügen, sondern zur gezielten körperlichen Ertüchtigung stromaufwärts kämpfte.

Alice schwamm bereits als Mädchen für ihr Leben gern, und schon mit fünf hatten sie und Mizzi sich »freigeschwommen«. Lange hatte Alice die Schwester überreden müssen, für das Abzeichen die Moldau zu durchschwimmen. Mizzi fürchtete sich, obwohl der Bademeister im Boot nebenherfuhr.

Durch Irmas Erzählungen lernten die Mädchen auch die beiden anderen, mit Weltsch und Kafka »in inniger freundschaftlicher Verbindung«[11] stehenden Autoren kennen: Max Brod und Oskar Baum. Brod – damals der bekannteste von ihnen – war es, der die

Die Civilschwimmschule

vier rückblickend zum Kern des von ihm ersonnenen »Prager Kreises« stilisierte, jener Generation deutschsprachiger avantgardistischer Autoren jüdischer Herkunft, die es durch ihren bedeutendsten Vertreter, Kafka (der die Gruppenbildung jedoch am wenigsten mittrug), posthum zu Weltruhm brachte. Bei Alice und Mizzi Herz hießen die vier lange Zeit nur »Irmas vier Schriftsteller«.

Mit Vorliebe machte Irma sich über Max Brods ausgeprägtes Balzverhalten lustig. Wie sie nachahmte, welche Wirkung der kleingewachsene und nach einer schweren Wirbelsäulenerkrankung in der Kindheit immer noch etwas krumme Brod auf große Frauen hatte, war nicht anständig, aber ausgesprochen komisch. Brod war ein unverbesserlicher homme à femmes und konnte hinreißend charmant sein.

»Was sagen wir, wenn Max Brod an die Tür klopft?« wollte Alice von Mizzi wissen. Die wusste gleich Antwort: »Jetzt kommt der Max, er ist der Kleinste, doch als Charmeur ist er der Feinste.« Im Elternhaus Herz zeigte Max Brod sich aber nie, ihn lernten die Mädchen erst nach 1915 kennen, als Irma und Felix Weltsch bereits in der Kirchengasse, ums Eck von Irmas Elternhaus, wohnten.

Irmas vier Schriftsteller:
Felix Weltsch (o. l.), Franz Kafka (o. r.), Max Brod (u. l.),
Oskar Baum (u. r.)

Auch auf den Besuch von Oskar Baum bereiteten die Zwillinge sich vor. Sie wussten von Irma, dass er bereits als Kind nur auf einem Auge sehen konnte und dass er als Elfjähriger nach einer Prügelei mit tschechischen Schülern ganz erblindet war. An der Wiener Blindenlehranstalt hatte Baum die Lehramtsprüfung für Orgel und Klavier abgelegt – das beeindruckte Alice ebenso wie die Erzählungen von seinem immer heiteren und lebhaften Naturell, der ausgeglichenen Harmonie seines Wesens. Oskar Baum lebte in glücklicher Eintracht mit seinem Klavier und verdiente den Lebensunterhalt für sich, seine Frau und Sohn Leo als Klavierlehrer. Und er schrieb gute Prosa.[12]
»Oskar Baum«, schnappten die Herz-Mädchen von Kafka auf, »verlor sein Sehvermögen als Deutscher, als etwas, was er eigentlich nie war und was ihm nie zuerkannt wurde. Vielleicht ist er nur ein trauriges Symbol der sogenannten deutschen Juden in Prag.«[13] So wagten sie es anfänglich nicht, Spottverse auf ihn zu dichten. Doch dann hatte Mizzi eine Idee: »Wenn er kommt, dann sagen wir einfach: ›Er ist zwar blind, doch sieht er alles, stets sieht er durch, im Fall des Falles.‹« Aber auch Oskar Baum trafen sie erst in der Kirchengasse.
Zu Alices bleibenden Erinnerungen an Franz Kafka gehört ein langer Spaziergang an der Hand des Schriftstellers. Sommer für Sommer zog die Familie Herz samt Dienst- und Kindermädchen für vier bis sechs Wochen in das kleine verschlafene Dorf Klanovice, das vom Prager Zentrum in dreißig Minuten Zugfahrt zu erreichen war. Vater Friedrich mietete die obere Etage des immer gleichen Bauernhauses, er selbst gönnte sich jedoch keine Ferien, sondern pendelte täglich mit dem Zug nach Prag.
Eines Tages kündigten sich Felix Weltsch und Franz Kafka an. Weil das Kindermädchen Ausgang hatte, sprang kurzerhand Kafka ein und erkundete mit den damals etwa achtjährigen Mädchen, Alice an der rechten, Mizzi an der linken Hand, die Umgebung des Dorfes. Kafka war es gewohnt, im Eilschritt zu spazieren – neben dem Schwimmen war das eine weitere selbst verordnete Sportübung. Den Kindern zuliebe drosselte er sein Tempo. Nach einem Stück Weg, der Alice und Mizzi schrecklich weit vorkam, rasteten

sie an einer Bank. Kafka hockte sich auf einen blank gesessenen Wegstein gegenüber und begann, den Kindern Geschichten zu erzählen – von absonderlichen Tieren, über die die beiden Mädchen herzlich lachen mussten. Der Schriftsteller ließ sich von dem Kinderlachen anstecken.

***

»Geh, kommts, Kinder, gehts spielen.« Bald verging kaum noch ein Tag, an dem die nun knapp zehnjährige Alice und ihr bald dreizehnjähriger Bruder Paul nicht zusammen probten und – angespornt von der Mutter – vor dem Zubettgehen ihre neuen Stücke vortrugen. Sofie Herz genoss das Ritual: Nach dem gemeinsamen Abendessen zog der Vater sich zurück, und sie selbst setzte sich auf die Ofenbank, schmiegte sich an die wohlig warmen Kacheln und wünschte sich zum Auftakt eines ihrer Lieblingsstücke. Dann ließ sie sich überraschen, was ihre kleinen Künstler nun wieder einstudiert hatten. Sie besorgten sich ständig neue Noten.
In der Nachbarschaft hatte sich herumgesprochen, dass in der Familie Herz fast täglich zwischen sieben und acht Uhr abends musiziert wurde. So mancher Hundebesitzer blieb für ein paar Minuten vor dem Herz-Haus stehen und lauschte der Musik, und einige der befreundeten Nachbarn ließen sich nur zu gern hinaufbitten – nicht nur wegen der erfrischend unbefangen gespielten Musik, sondern auch wegen der Fachsimpeleien zwischen den Kindern, denen das erwachsene Publikum gerührt folgte, etwa der Posse um die Interpretation der »Träumerei« von Robert Schumann.
Alice spielte das populäre Stück schon seit einigen Wochen fehlerfrei und so gefühlvoll, dass Paul sich eines Tages entschloss, die Noten zu seinem Geigenlehrer mitzunehmen. Auf Pauls Drängen, das Stück mit ihm einzuüben, entgegnete der Lehrer: »Eigentlich geht das nicht, Paul. Erstens hat Schumann die Träumerei für Klavier gesetzt, und zweitens ist sie Ausdruck tiefer Liebe. Aber nicht etwa der Nächstenliebe oder der Liebe zwischen Kindern! Die Träumerei ist Ausdruck der sehnsuchtsvollen Liebe zwischen Mann und Frau.« Pauls Augen strahlten.

»Erst ein Erwachsener, der diese Liebe erfahren hat«, dozierte der Lehrer weiter, »ist in der Lage, die Augen zu schließen, sich in die Erinnerung zu versenken und das Stück zum Leben zu erwecken. Du bist dafür einfach noch zu jung.«

»Ach, Herr Lehrer«, entgegnete Paul, »soll ich es Ihnen wirklich sagen?! Seit Wochen mache ich kaum etwas anderes als am Fenster zu sitzen und auf Adelheid zu warten. Sie wohnt schräg gegenüber. Frühmorgens mein erster Gedanke: die Adelheid. Abends mein letzter Gedanke: die Adelheid. Und wenn meine Schwester die Träumerei auf dem Klavier spielt, dann ist mein Kopf voll Adelheid. Wenn ich sie sehe, hüpft mein Herz.«

»Wenn das so ist«, schmunzelte der Lehrer, »dann übe das Stück.«

»Das mache ich doch schon seit Tagen«, sagte Paul, und zur Verblüffung des Lehrers spielte er die Melodie klar und ausdrucksvoll. Den Hauskonzertabend eröffnete Paul an diesem Abend mit einem Geigensolo: der Träumerei. Die Mutter und die Nachbarin klatschten entzückt, obgleich sie sich wunderten, warum Paul vom ersten bis zum letzten Ton die Augen geschlossen hielt. Er sah dabei etwas seltsam aus.

Nun folgte Alice mit ihrer Klavierinterpretation und erntete ebenfalls viel Beifall. Doch als Paul und Alice versuchten, die Träumerei gemeinsam zu spielen, nahm der Ärger seinen Lauf. Schon nach wenigen Takten unterbrach Alice das Spiel: »Paul, du bleibst nicht im Takt. Mal schneller, mal langsamer, was soll denn diese Lotterei?«

»Das ist keine Lotterei. Das ist Liebe. Nur wer die Liebe kennt, kann das Stück richtig spielen«, meinte Paul triumphierend. »Aber dafür bist du noch viel zu klein.«

»Schumann war zwar verliebt, als er die Träumerei schrieb«, konterte Alice, »aber er hat dabei nicht den Verstand verloren, sondern das Stück im Viervierteltakt geschrieben. Also halten wir uns an Robert Schumann und nicht an Paul Herz.« Und zur Mutter gewandt sagte sie: »Mutter, ist es eigentlich statthaft, dass Paul ein nicht jugendfreies Stück spielt, das ihn immer aus dem Takt bringt?«

3
Weltkrieg
»Über die Maßen der Pflicht hinaus ...«

Die Sonne brannte vom Himmel. Alice und Mizzi spielten Schattenhüpfen. Gemeinsam mit ihrer Freundin Helene Weiskopf suchten sie einen Pfad über die dunklen Flecken, den Bäume und Sträucher auf Kies und Rasen warfen; denn mit jedem Tritt ins Licht sammelten sie Strafpunkte. Später wollte Irma die Mädchen in die »Civilschwimmschule« am Kleinseitenufer der Moldau mitnehmen. Es war der 29. Juli 1914.

Wie jeden Mittwoch hatte Frau Weiskopf die Zwillinge zum Spaziergang in den Belvedere-Anlagen abgeholt. Die Weiskopfs waren – über den Vater, einen Bankangestellten und Cousin dritten Grades – die einzigen von Friedrich Herz' Verwandten, die Sofie Herz uneingeschränkt schätzte. Dass die Kinder der beiden Familien innige Freundschaften verbanden, begrüßte sie. Die Zwillinge und Helene waren in ihrer Kindheit unzertrennlich, und Paul Herz verstand sich bestens mit dem gleichaltrigen Franz Carl, der sich später F. C. Weiskopf nannte, der kommunistischen Partei beitrat und es zu einiger Bekanntheit als Schriftsteller brachte.

Die Mädchen hockten im Gras und zählten aus, wer von ihnen Frau Weiskopf überreden musste, ihnen ein Eis zu spendieren, als Marie, das Dienstmädchen der Familie Herz, auf sie zugerannt kam, aufgeregt gestikulierte und verzweifelt nach Luft schnappte.

»Alice und Mizzi, ihr sollt auf der Stelle nach Hause kommen. Es ist Krieg!« Österreich-Ungarn hatte Serbien am Vorabend den Krieg erklärt – heute Morgen stand es in den Zeitungen.

Helene Weiskopf zwischen den Freundinnen Alice (li.) und Mizzi (1911)

Krieg – das war bis dahin ein fremd klingendes Wort für etwas längst Vergangenes, das die bald elfjährigen Mädchen nur aus dem Unterricht kannten. Hieß es nicht, der Krieg von 1870/71 habe die Beziehungen zwischen den europäischen Mächten ein für alle Mal festgelegt? Und erzählte der Vater nicht gern davon, dass der Fortschritt der Nationen auf das friedliche Miteinander von Wissenschaftlern aus der ganzen Welt aufbaute? Trotzdem verstanden Alice und Mizzi sofort, dass die sonst so besonnene Marie es ernst meinte. Ohne Widerrede sprangen sie auf, ließen Helene und ihre Mutter stehen und rannten hinter dem Dienstmädchen her nach Hause.

Die Eltern und die älteren Geschwister standen in der Küche und redeten durcheinander, als »die Kleinen« zur Tür hereinkamen. Man registrierte zwar, dass sie wieder da waren, erwartete aber von ihnen, dass sie sich in ihr Zimmer zurückzogen und sich gleichsam unsichtbar machten. Alice flüchtete ans Klavier – daran war die Familie längst gewöhnt – und nahm die nun beinah Tag auf Tag folgenden neuen Kriegserklärungen, Deutschland an Russland ... Deutschland an Frankreich ... Großbritannien an Deutschland ... Österreich-Ungarn an Russland ... wenn überhaupt, so nur aus der Ferne wahr. Ihr Vater, so viel bekam sie mit, ließ sich nicht zu der Ende Juli, Anfang August 1914 weit verbreiteten

Kriegseuphorie hinreißen. Er war schließlich ein Mann mit Umsicht und schwer entflammbar. Wohl aber wiegte auch er sich in der allgemeinen Siegesgewissheit, auf die tüchtige Propagandisten ebenso wie anerkannte Schriftsteller und Denker die Bevölkerung einzuschwören versuchten. Und auch Friedrich Herz ging, wie die meisten in Böhmen und Mähren lebenden Deutschen, davon aus, dass Österreich und Deutschland im Recht und die kriegerischen Auseinandersetzungen unvermeidlich seien und überdies eine neue Einheit der habsburgischen Völker schaffen würden.

Die deutschsprachigen Juden folgten willig dem unter anderem im liberalen *Prager Tagblatt* veröffentlichten Aufruf, sich »über die Maßen der Pflicht hinaus« für die Doppelmonarchie zu engagieren.[14] Zwischen dreihundert- und vierhunderttausend jüdische Männer, die meisten von ihnen Freiwillige, dienten in der österreichisch-ungarischen Armee, fünfundzwanzigtausend davon im Offiziersrang. Hingebungsvolle Patrioten, bereit, ihr Leben für das Land zu opfern, in dem sie bis dahin bestenfalls geduldet waren. Hinter ihrer Einsatzbereitschaft steckte neben dem Streben, als gleichwertige Partner der Nation anerkannt zu werden, freilich auch Angst – Angst vor dem offen antisemitischen Russland, Angst vor Pogromen, Ritualmordprozessen, Enteignungen.

Binnen weniger Monate, daran zweifelte niemand, würde der Krieg gewonnen sein. Doch schon wenige Wochen nach Kriegsbeginn verlangsamte sich der Vormarsch. Die Zeitungen meldeten den »strategischen Rückzug« der deutschen und österreichischen Truppen, dann den Verlust Lembergs, einer der größten Städte der Monarchie. Dass der Krieg, wie der Chef des Generalstabs der k. u. k. Armee, Conrad von Hötzendorf, sich schon vor den offiziellen Kriegserklärungen bewusst war, ein Vabanquespiel würde, verheimlichte man der Bevölkerung ebenso wie die Tatsache, dass er jeden Tag durchschnittlich sechstausend Soldatenleben kostete.

Sofie Herz kam einer öffentlichen Aufforderung an alle Frauen nach und strickte mit Geschick und Ausdauer wochenlang Socken für die Soldaten der Habsburger. Alice und Mizzi halfen brav mit. Ansonsten blieb der Krieg für die beiden Mädchen vorläufig ein

unsichtbares Ereignis, das sie schon deshalb nicht weiter berührte, weil niemand aus dem unmittelbaren Familienumfeld an die Front musste. Der Bruder Georg war wegen seiner körperlichen Behinderung dauerhaft von der Wehrpflicht befreit, Paul war erst dreizehn Jahre alt und der Vater bereits über sechzig. Auch »Irmas vier Schriftsteller«, das war jedenfalls der Eindruck der Kinder, führten ihr Leben unverändert weiter. Felix Weltsch war ebenso unabkömmlich gestellt wie sein Freund Franz Kafka; Max Brod und der blinde Oskar Baum waren wehruntauglich.
Durchaus einschneidend dürfte für Alice jedoch die Heirat ihrer Schwester gewesen sein. Am 30. August 1914 heirateten Irma und Felix Weltsch. Im Februar hatten die beiden sich verlobt und kurz vor Kriegsbeginn das Aufgebot bestellt.

***

Die ersten Monate lebten die Eheleute Weltsch im Elternhaus Herz, dann bezogen sie eine kleine Wohnung unmittelbar ums Eck in Hausnummer 4 der Kostelní, der Kirchengasse, die direkt auf den Belvederepark zulief. Das Mietsgebäude gehörte Friedrich Herz, er hatte es zur finanziellen Absicherung der Familie erworben.
Der Fabrikdirektor war mehr als zufrieden mit der Wahl seiner Tochter, die Freunde des Bräutigams sahen jedoch ein Debakel voraus. Kafka hatte die Annäherung zwischen den beiden Liebenden von Anbeginn als »systematisch erkämpftes Unglück« empfunden und dem Freund – nicht zuletzt aufgrund dessen Erzählungen – wohl unverhohlen von der unberechenbaren Irma abgeraten. Man müsse das Unmögliche wollen, hatte Felix Weltsch gekontert.
Dass Kafka durchaus eigene Interessen vertrat, ließ er schon nach Weltschs Verlobung durchscheinen. »Mein letzter näherer, unverheirateter oder unverlobter Freund [Felix Weltsch] hat sich verlobt; dass es zu dieser Verlobung kommen wird, wusste ich seit drei Jahren (es gehörte für den Unbeteiligten kein großer Scharfsinn dazu), er und sie aber erst seit vierzehn Tagen. Dadurch verliere ich allerdings gewissermaßen einen Freund, denn ein verheirateter ist keiner. Was man ihm sagt, erfährt stillschweigend oder

ausdrücklich auch seine Frau, und es gibt vielleicht keine Frau, in deren Kopf sich bei diesem Übergang nicht alles verzerrte.«[15] Kafka, der, wie man aus seinen Tagebüchern weiß, zu dieser Zeit freilich noch vorhatte, selbst in absehbarer Zeit zu heiraten, nahm die Gelegenheit wahr, das zuletzt so enge Freundschaftsband zu lockern. »Aber abgesehen davon, dass ich ihm natürlich alles Gute wünsche, hat es auch für mich eine Glücksseite, wenigstens jetzt. Wir haben nämlich [...] eine Art junggesellenhafter Brüderschaft gebildet, die wenigstens für mein Gefühl geradezu gespensterhaft war in manchen Augenblicken. Jetzt ist das gelöst, jetzt bin ich frei ...«

Und tatsächlich machte Franz Kafka sich bei seinen verheirateten Freunden Baum, Brod und Weltsch zunehmend rarer. Während sich der Kreis wochentags im Kaffeehaus oder in Nachtbars traf, besuchte man sich am Sonntag gegenseitig. Diese Treffen fanden ursprünglich reihum statt, doch nun traf man sich häufiger bei den Weltschs – zur Freude von Alice, denn Irma kümmerte sich auch nach ihrer Hochzeit intensiv um ihre jüngere Schwester und lud sie regelmäßig zu den Sonntagstreffen dazu.

Eines Sonntags wartete man vergeblich auf Kafka, der sich angekündigt hatte, und zwar eigenwillig, aber alles andere als unzuverlässig war und vor allem niemanden kränken wollte. »Er wird zu spät kommen und sich sofort wieder entschuldigen«, meinten die Anwesenden. Doch Kafka kam nicht. Stattdessen erreichte Irma zwei Tage später eine Karte, auf der er sich in aller Form entschuldigte. Er sei so in Gedanken versunken gewesen, dass er sich in der Straße geirrt, dann die Orientierung verloren habe und stundenlang herumgelaufen sei, ohne die Straße wieder finden zu können. Tagelang amüsierten sich die Freunde darüber, denn eigentlich kannte Kafka die Gegend gut. Kein anderer, waren sie überzeugt, hätte sich unter diesen Umständen verlaufen können. Irma erweiterte ihr Repertoire der Imitationskunst um ein weiteres Gustostück.

***

Im Jahr 1915 nahm Irma, die ihr Haushaltsbudget als Klavierlehrerin aufbesserte und auch Alice weiterhin unterrichtete, die kleine Schwester zum ersten Mal mit zu ihrem Lehrer Václav Štěpán. Er hatte an der damals schon weltweit gerühmten Schule der Klavierpädagogin Marguerite Long in Paris studiert, war, obwohl erst Mitte zwanzig, bereits ein geschätzter Kammermusiker und zudem dabei, sich mit seinen Veröffentlichungen über die modernen tschechischen Komponisten einen Namen als Musikwissenschaftler zu machen. Jahre später erzählte er Alice, auf welche Spielweise Madame Long in ihrer Klavierschule Wert gelegt hatte: »Durchsichtig, genau, schlank.« Treffender ist Alices späterer Anschlag kaum zu charakterisieren.

Václav Štěpán gefiel Alice auf Anhieb, seine schwarze Augenbinde, fand die Zwölfjährige, ließ ihn verwegen aussehen. Der Pianist hatte bei einem frühen Fronteinsatz ein Auge verloren und verbrachte die folgenden Kriegsjahre als Versehrter in Prag. Alice spielte ihm eine Beethovensonate in für ihr Alter ungewöhnlicher technischer Perfektion vor.

»Alice, das ist sehr ordentlich, sehr, sehr ordentlich«, staunte Václav Štěpán. »Wie lang hast du daran geübt?«

»Das lässt sich nicht so genau sagen«, entgegnete Alice in akzentfreiem Tschechisch, »ich übe jeden Tag.«

»Und wann übst du?«

»Jeden Nachmittag, meist von zwei bis sechs.«

»Hast du denn keine Freundinnen, mit denen du spielst?«

»Doch, natürlich, meine Zwillingsschwester Mizzi und dann noch Daisy und Helene. Wir unternehmen jedes Wochenende etwas zusammen.«

»Und während der Woche?«

»Da spiele ich Klavier.«

»Ein bis zwei Stunden würden bei deinem Talent vollkommen ausreichen, um Fortschritte zu machen«, sagte Václav Štěpán, der sie von nun an einmal im Monat unterrichtete und in den folgenden zehn Jahren ihr wichtigster Lehrer wurde.

»Aber es macht mir so viel Freude«, strahlte Alice ihn an. »Es gibt doch gar nichts Schöneres, als ein neues Stück zu lernen.«

Ein zusätzlicher Ansporn blieb auch weiterhin das gemeinsame Musizieren mit ihrem Bruder Paul. Mittlerweile hatten die Geschwister ihr Repertoire erweitert und konnten kaum noch geeignete neue Stücke für Klavier und Geige finden. Als Paul deshalb einen tschechischen Klassenkameraden und ausgezeichneten Cellospieler mit nach Hause brachte und vorschlug, eine Triosonate einzuüben, war Alice begeistert bei der Sache. Es blieb nicht bei diesem einen Versuch. Die drei musizierten so gern miteinander, dass sie sich Ende 1915 sozusagen offiziell zu einem Trio formierten.

An den Prager Schulen ließ man die Unterrichtswochen damals gern mit Musik ausklingen. Man sang gemeinsam Lieder, und wo es sich anbot, durften Schüler kleine Konzerte geben. Die Kunde vom zukunftsträchtigen Trio machte im kleinstädtisch geprägten Prag schnell die Runde. Alice und ihre beiden Begleiter konnten sich vor Einladungen kaum noch retten. Fast jeden Freitag spielten sie vor einer anderen Schulklasse auf.

Nach einem Konzert an der Altstädter Volks- und Bürgerschule kam ein Mädchen auf Alice zu und stellte sich ihr als Trude Hutter vor. Sie war etwa ein oder zwei Jahre jünger als Alice, ihr Großvater leitete die Schule, und Alice fand sie auffallend apart, so wie sie fast alle Mädchen aparter fand als sich selbst.

»Du spielst wirklich wunderbar«, sagte Trude. Dann erzählte sie Alice von einer Reise nach Berlin und einem unvergesslichen Konzertbesuch. »Wir haben das Mendelssohn-Oktett gehört«, schwärmte das Mädchen. Inzwischen habe sie sich die Klaviernoten besorgt, eine Transkription für vier Hände.

»Wollen wir es zusammen spielen?« fragte Trude.

Alice lud Trude gleich für den nächsten Tag zu sich nach Hause ein, und die beiden probierten stundenlang – der Beginn einer lebenslangen Freundschaft. »Wenn Trude hereinkommt, erstrahlt alles«, empfand Alice. Die Freundinnen übten von da an zusammen, so oft es ging, und spielten im Lauf der Jahre unter anderem die großen Symphonien von Beethoven, von Mozart und von Haydn nach. Doch ihr Lieblingsstück blieb das Mendelssohn-Oktett.

***

In der Kirchengasse hatten Alice und Mizzi einige Monate vorher eine weitere enge Freundin gefunden – Daisy Klemperer, eine von Irmas Klavierschülerinnen. Daisys Vater handelte mit Kohlen, die Familie zeigte ihren Wohlstand. Die schmucke Villa stand auf einem großen, von Gärtnern gepflegten Grundstück und war, wie Alice fand, viel prächtiger möbliert als die elterliche Wohnung. Daisys natürliche und herzliche Art spiegelte so gar nicht ihr üppiges Umfeld wider. Sonntags lud sie Alice häufig zu sich nach Hause ein. Die genoss es dann, auf Daisys Flügel zu spielen.
Im Herbst 1916 wechselten Alice und Mizzi von der Altstädter Bürgerschule in Daisys Klasse des Mädchenlyzeums. Die Freundin hatte so begeistert von der Eliteschule am Ende der Ferdinandstraße in der Altstadt erzählt, dass vor allem Mizzi mit »ihrem Hang zur Noblesse«, der Alice zeitlebens amüsierte, nicht lockerließ, bis sie die Eltern vom Schulwechsel überzeugt hatte. Friedrich Herz hatte erst gezögert, denn das monatliche Schulgeld war deutlich höher als in der Bürgerschule. Dass er am Ende nachgeben musste, war ihm wohl von Anfang an bewusst, schließlich hatte auch Irma am Mädchenlyzeum maturiert. Tatsächlich galt es über lange Zeit als beste deutschsprachige Mädchenschule in Prag, die Klassenzimmer waren vorzüglich ausgestattet, Zeichensaal, Gesangszimmer, Turnhalle und Chemie- und Physiklabor waren auf dem neuesten Stand. Etwa dreißig Kinder gingen in eine Klasse, die meisten von ihnen kamen aus jüdischen Häusern.
Alice schwärmte für ihre Lehrer, sie vermittelten »Wissen fürs Leben«. Der Französischlehrer aus Belgien, die Stenographielehrerin – in diesem Fach war Alice Klassenbeste – und der Geschichtslehrer Pick, der spannende Geschichten aus der Vergangenheit zu erzählen wusste, es aber tunlichst vermied, die aktuellen Ereignisse im Dreifrontenkrieg anzusprechen. Und weil Politik nicht auf dem Lehrplan stand, hörte Alice ihre gesamte Schulzeit kein Wort darüber, wie die Mittelmächte sich schlugen.
Eines Tages brachte die Deutschlehrerin eine Vase Frühlingsblumen in die Klasse. Die Mädchen sollten einen Aufsatz über den Frühling schreiben. Mizzi und Alice saßen in einer Bank, und sie nutzten auch ihre Schulbücher gemeinsam. Mizzi schrieb ihre

Aufsätze gern, gut und schnell und hatte meistens noch Zeit, Alices lustlos begonnene Zeilen zu einem ansprechenden Ende zu führen. Diesmal schrieb Alice jedoch mit großem Eifer selbst.
Ein paar Tage später brachte die Lehrerin die Schulhefte zurück. »Einige eurer Aufsätze sind so interessant, dass ich sie euch vorlesen möchte«, sagte sie. »Ich fange gleich mit den interessantesten an.« Alice war sehr aufgeregt – nicht Mizzis, nein, ihren Aufsatz hatte die Lehrerin ausgesucht! Alice hatte die monatelange Vorfreude der Menschen auf den Frühling beschrieben, und das Glück, das Menschen wie Tiere empfinden, wenn die Sonne sie endlich wieder wärmt, die Knospen sprießen und die Vögel singen.
Anschließend las die Lehrerin Mariannes Aufsatz vor. Auch sie hatte erzählt, wie sehr die Menschen auf den Frühling warten. Sie kam aber zu dem Schluss, dass die Natur jedes Jahr noch schöner und üppiger neugeboren würde, während der Mensch nur ein Leben habe und sterben müsse. »Seht die Zwillinge«, sagte die Lehrerin. »Die eine ist eine Optimistin und die andere Pessimistin.« Ohne Zweifel waren beide Aufsätze gelungen, aber alle Kinder spürten, dass Alices Text Frohsinn und Glückseligkeit verbreitete, während Mariannes Sätze melancholisch stimmten.
Die Lehrerin nahm die beiden Aufsätze zum Anlass, um die verschiedenen Weltsichten zu diskutieren. Jede Schülerin sollte versuchen, den Unterschied zwischen Optimisten und Pessimisten auszudrücken – in einem Satz. Die Lehrerin begann in der ersten Bank und wollte der Reihe nach durchgehen, aber schon das erste Mädchen winkte ab: »Das kann ich nicht.«
Die Lehrerin half nach: »Dann nenne doch den auffälligsten Unterschied zwischen Alice und Marianne.« Jetzt ging es. »Alice hat immer gute Laune, und Mizzi ist meist ernst. Optimisten sind also viel fröhlicher als Pessimisten.« Damit war der Bann gebrochen, und fast jedes Mädchen formulierte eine Aussage. Besonders einprägsam war Daisys Beitrag. »Optimisten sind meist heiter, doch Pessimisten sehen meist weiter.«
Als Letzte sollten Alice und Mizzi ihre Sätze sagen. Alice meldete sich zuerst zu Wort. »Optimisten sehen immer erst das Gute, das Mutmachende«, sagte sie, »Pessimisten das Schlechte, das Depri-

Marianne und Alice (um 1916)

mierende.« Das Schlusswort lag bei Mizzi, und ihr Satz beschäftigte die Gemüter der Mädchen noch tagelang. »Pessimisten sehen die Wahrheit, Optimisten wollen sie nicht sehen.«
Am Nachmittag sprachen die Zwillinge über diese Begebenheit mit Daisy und Helene, die zwar nach wie vor in die Altstädter Bürgerschule ging, aber weiterhin häufig zu Besuch kam. Helene war eine bedingungslose Optimistin wie Alice.
Sofie Herz verfolgte das Gespräch aufmerksam. Die Mädchen schätzten es, wenn die Mutter auf die Kinder einging. Auf Helenes Frage, ob sie erklären könne, warum Mizzi – im Gegensatz zu Alice – so ängstlich, nachdenklich und immer ein wenig pessimistisch sei, antwortete Sofie Herz freimütig: »Mizzi hat wohl mein Naturell geerbt, denn auch ich sehe immer zuerst das Schwarze im Leben. Und Alice kommt sehr nach ihrem Vater, der eine Frohnatur ist. Für ihn ist das zur Hälfte gefüllte Glas immer halb voll, für mich ist es immer halb leer.«
Helene hatte nicht nur sehr viel Phantasie, sondern auch eine gute Beobachtungsgabe. Und deshalb war ihr nicht entgangen, wie ungleich Sofie Herz ihre Zwillingstöchter behandelte. Mizzi durfte eine kleine Prinzessin sein und musste beispielsweise nie beim wöchentlichen Großputz mithelfen, während Alice völlig selbstver-

ständlich mit anpackte. Helene empfand das als ausgesprochen ungerecht. Sofie Herz darauf anzusprechen traute sie sich aber nicht. Doch mit einer herzensguten Idee gelang es ihr, Sofie im Beisein ihrer Töchter in Erklärungsnotstand zu bringen.
»Was ich Sie schon immer einmal fragen wollte«, sagte Helene eines Tages. »Wieso hat Marianne eigentlich einen Kosenamen und Alice nicht?« Die Mutter zögerte einen Moment mit der Antwort. Doch dann sagte sie: »Die Erklärung ist ganz einfach, alle Österreicher kürzen den Namen Marianne ab und sagen Mizzi oder Mizzerl. Für den Namen Alice gibt es aber keine Kurzform. Oder findest du, dass Alizerl ein Kosename ist?«
Die Antwort war überzeugend, aber Helene ließ nicht locker. »Alle Kinder wünschen sich einen Kosenamen. Ich werde doch auch Lene gerufen. Und deshalb ist es ungerecht, dass Alice ...«
»Du hast schon recht, aber Alice ist ja schon so kurz und schön wie ein Kosename«, antwortete Sofie schlagfertig. »Oder hast du etwa eine Idee?«
Die Frage traf Lene etwas unvorbereitet, doch sie ließ sich nicht einschüchtern. Ein Kosename für Alice müsse so viele Silben wie »Mizzi« haben und ähnlich klingen. Schließlich kam ihr der zündende Einfall. »Wenn das M am Anfang von Mizzi für Melancholie steht, dann muss Alices Kosename doch mit einem G beginnen – einem G für Glückseligkeit ... Das ist es: Gigi!«
Sofie Herz lächelte: »Das ist eine sehr gute Idee!«
Von Stunde an hieß Alice bei ihren Freunden und schon bald bei allen Verwandten »Gigi«. Nur für die Eltern und für Irma blieb sie zeitlebens Alice.

***

Im dritten Jahr des Kriegs wurden seine Auswirkungen selbst für Kinder immer deutlicher spürbar. Die Versorgungslage hatte sich bereits wenige Monate nach Kriegsbeginn dramatisch verschlechtert, Ende 1916 waren Lebensmittel fast durchwegs rationiert worden.
Friedrich Herz konnte seine Familie den ganzen Krieg über eini-

germaßen gut versorgen. Er hatte wichtige Kunden auf dem Land, die ihm Kartoffeln, Butter, Eier und ab und zu ein Stück Fleisch verkauften – vermutlich zu stetig steigenden Preisen. Alice kam schon damals entgegen, dass sie eine anspruchslose Esserin war und mit kleinen Portionen auskam. Sie kann sich nicht erinnern, zwischen 1914 und 1918 gehungert oder über das gewohnte Maß hinaus gefroren zu haben. Offenbar gelang es dem Vater stets, ausreichend Brennmaterial zu organisieren, um die beiden Öfen in der Küche und im Wohnzimmer zu beheizen. Die Schlafzimmer blieben von jeher ungeheizt.

Schon ab 1915 waren Brotmarken ausgegeben worden, und je länger sich der Krieg hinzog, umso mehr Ausdauer brauchte man, um einen Laib Brot zu ergattern. Viele Menschen verbrachten bereits die Nacht vor einer erwarteten Lieferung vor dem entsprechenden Geschäft. Die Herz-Kinder wechselten sich in der Warteschlange vor der Bäckerei in ihrer unmittelbaren Nachbarschaft im Stundenrhythmus ab. Das Brot, das sie schließlich erwarben, war ein sprödes Gemisch aus undefinierbaren Zutaten und schmeckte durchdringend nach Rüben.

Mittlerweile gab es kaum noch Familien, die keinen Gefallenen zu beklagen hatten. Auch Irma und Georg Herz weinten um tote Freunde, und Alice und Mizzi trauerten mit den Geschwistern.

Georg selbst hatte sich im November 1916 bei den Škodawerken in Pilsen, Waffenfabrik und Gussstahlhütte, beworben und war – die meisten arbeitsfähigen Männer leisteten Kriegsdienst – für ein Monatsgehalt von zweihundertachtzig Kronen eingestellt worden. Wie lange es den damals achtundzwanzigjährigen Lebemann in der Stellung hielt, ist nicht bekannt. Sein Brief vom 27. November an Felix Weltsch spricht jedoch Bände – es herrschte Eiszeit zwischen Vater und Sohn: »Ich komme dich hiermit vielmals bitten, bei meinem Papa durchzusetzen, dass er mir 150 K. Vorschuss gibt, damit ich den ersten Monat hier in Pilsen leben kann. Ich würde diesen Betrag dann monatlich abzahlen.«[16]

Felix Weltsch dürfte seinem Schwager die Bitte erfüllt und zwischen ihm und den Eltern Herz vermittelt haben; denn das war Felix Weltsch auch: ein ausgleichender Vermittler und Meister des wohlgewählten Wortes. Dabei sah er sich selbst mit durchaus ernsthaften Problemen konfrontiert – in beruflicher wie in privater Hinsicht.

Russische Truppen waren in Ostgalizien und in der Bukowina einmarschiert und hatten eine ungeheure, über Monate zunehmende Flüchtlingswelle der dort ansässigen Juden Richtung Westen ausgelöst. Die meisten Deutschjuden Prags sahen zum ersten Mal die ihnen kulturell so fernen »Ostjuden« – hauptsächlich Frauen, Kinder und Alte, denn die wehrfähigen Männer waren eingezogen – und schwankten zwischen Mitleid und Ekel über ihr armseliges Aussehen. Alice und ihre Geschwister nahmen damals in den Straßen Prags zum ersten Mal Talmudgelehrte wahr.

Weil die Tschechen Prags und selbst die tschechischen Juden sofort auf Distanz gingen, mussten die Deutschjuden allein den Flüchtlingen helfen. Neben der Organisation des Lebensnotwendigsten – eine jüdische Volksküche wurde eingerichtet, Kleider gesammelt, Schlafstätten bereitgestellt – entstand auch ein eigenartiges Kulturleben, vor allem eine Flüchtlingsschule, an der Max Brod und Felix Weltsch begeistert mitwirkten. Die Begegnung mit den Flüchtlingen wühlte die jungen Gelehrten seelisch auf, vertiefte ihr jüdisches Bewusstsein und bestätigte sie darin, dass die Juden einen eigenen Staat brauchten.

Felix Weltsch nahm regelmäßig Hebräischunterricht. Und er hielt Kurse für die Flüchtlinge – eine brotlose Arbeit, die ihn aber zu befriedigen schien. »Mein Schwiegervater wieder meint, das ist nichts, nach meinen Fähigkeiten müsste ich diesen Kurs am Altstädter Ring vor einer zweitausendköpfigen Volksversammlung machen und es müsste darüber in der Neuen Freien Presse berichtet werden, ich fange es eben schlecht und kleinlich an usw.«[17]

In Felix Weltschs Privatleben bewahrheitete sich nun, was seine Freunde frühzeitig hatten kommen sehen: Er litt an der Persönlichkeitsentwicklung seiner Frau, und obwohl er dazu bereit war, Irmas »dauernde und nur ganz selten pausierende Schimpfwut« als Krankheit anzuerkennen, fühlte er sich in seiner Ehe gefangen. »Neunzig Prozent von allem, was sie überhaupt spricht, besteht aus diesen Schimpfworten, welche das Äußerste an Gehässigkeit und man kann wohl sagen, an Gemeinheit enthalten, das man sich vorstellen kann. Mörder, Gauner, Schuft, Kadaver, das Mensch, Balg – sind etwa die gebräuchlichsten Ausdrücke«, schrieb sich Felix Weltsch an einem der Tiefpunkte seines Ehelebens von der Seele.[18] »Man kann beinahe von einer sprachschöpferischen Genialität auf dem Gebiete des Schimpfens und der Herabsetzung reden.«

Nach seiner Erinnerung hatte die Ehefrau ihre negativen Charakterzüge erst nach der Eheschließung zu erkennen gegeben, »wie ich mich erinnere, in einem fürchterlichen Krach gegen ihre Eltern, der mich seinerzeit sehr aufgeregt hat. Sie nannte sie ›diese Hunde‹.«

Anlass für den Streit war offenbar ein gesundheitliches Problem von Irmas Schwester, deren Namen Felix Weltsch in seinen Aufzeichnungen allerdings nicht preisgab. Irma geriet in Rage, weil sich ihrer Meinung nach die Eltern nicht ausreichend um Alice – so darf nachträglich spekuliert werden – kümmerten. Vermutlich ging es einmal mehr darum, dass Mizzi ganz normal wuchs, während Alice auffallend klein blieb.

Sofie Herz hatte immer wieder versucht, ihrem Mann Geld zu entlocken, um Alice orthopädisch behandeln zu lassen. Irma hatte diese Auseinandersetzung miterlebt und sich – auf ihre undiplomatische Art – für Alice eingesetzt. Viele Wortgefechte später stellte Friedrich Herz das Geld schließlich doch zur Verfügung. Für Alice bedeutete das in der Folge regelmäßige, recht schmerzhafte Prozeduren, bei denen ein Prager Orthopäde sie über Stunden in einen Streckapparat einspannte – mit mäßigem Erfolg. Sie wurde schließlich einen Meter zweiundfünfzig groß.

Das Phänomen, dass die häufig kränkelnde Mizzi normal wuchs, während die viel robustere und selbständigere Alice frühzeitig zu wachsen aufhörte, gibt Rätsel auf. Für Irma dürfte es jedenfalls ein guter Grund gewesen sein, sich in den folgenden Jahren Alice mehr zuzuwenden als Mizzi und sie auch häufiger in die Kirchengasse einzuladen – nicht nur, um Klavier zu spielen. Denn Irma »schimpfte, weinte oder lamentierte« durchaus nicht nur, wie Felix Weltsch feststellte, sondern war zwischendurch eine hinge-

bungsvoll fürsorgliche Frau. »Sie ist vor allem gewissenhaft, aufrichtig, verlässlich in jeder Beziehung. Ihr Hass gegen mich ist eine offenbare Hassliebe. [...] Sie hat um mich nicht weniger Angst als um sich. [...] Sie sorgt sich ehrlich und aufrichtig, bis ins kleinste Detail. Sie vergisst nichts, sie kennt meine kleinen Wünsche ...«[19]
Und genau diese übertriebene Fürsorglichkeit und Korrektheit trieb immer wieder seltsame Blüten – wie im Juli 1917. Am Neunten des Monats war Kafka in Begleitung seiner Braut Felice Bauer beim Ehepaar Weltsch hereingeschneit. Ein kurzer Besuch, denn Kafka war noch mit seiner Schwester verabredet. Irgendwann auf dem Weg zwischen der Kirchengasse, Kafkas Schwester und seinem eigenen Zimmer ging die Silbertasche von Felice Bauer verloren. Sie hatte immerhin neunhundert Kronen enthalten. Äußerst betroffen über den Verlust, versuchte Kafka den Hergang sofort zu rekonstruieren, eilte zurück in die Kirchengasse, erzählte Irma von dem Vorfall und fügte hinzu, dass Felice Bauer ohnehin sicher war, die Tasche nicht bei Irma vergessen zu haben.
Drei Tage später rief Max Brod in der Universitätsbibliothek an und richtete Felix Weltsch aus, dass die Tasche sich glücklicherweise noch am selben Tag gefunden hatte. Weil Felix Weltsch wusste, wie sehr Irma die Angelegenheit beschäftigte, rief er postwendend zu Hause an und gab Entwarnung. Damit war die Sache für ihn erledigt.
Als er am Abend nach Hause kam, fuhr ihn eine völlig aufgelöste Irma an. Sie schrie, keifte und zeterte über »die Frechheit von Kafka«, dem sie bereits »einen groben Brief« geschrieben habe. Felix, der im Verlauf der fünfzig Ehejahre mehrfach an Scheidung dachte und die Gedanken immer wieder verwarf, reagierte mit Unverständnis.
Einige Tage später traf Kafkas höfliche Antwort an die »Liebe Frau Irma!« ein: »[...] Die Tasche habe ich damals, kurz nachdem ich bei Ihnen gewesen war, in der Wohnung meiner Schwester gefunden. Unglücklich über den Verlust, ich bin so schmerzhaft geizig, ging ich geradewegs von Ihnen in die doch schon einmal durchsuchte Wohnung, rutschte auf den Knien systematisch jedes Stück Bodens ab und fand schließlich die Tasche ganz unschuldig

unter einem Koffer liegen, wo sie sich klein gemacht hatte. Natürlich war ich auf diese Leistung außerordentlich stolz und wäre schon deshalb am liebsten gleich zu Ihnen gefahren.«[20] Im Anschluss brachte er seine durchaus ironisch zu verstehenden Entschuldigungen vor, »an Zahl genug, vielleicht sogar zu viel. Wäre nicht Ihr Brief da, würde ich mich fast schuldlos fühlen. Da Sie nun aber offenbar auch noch weiterhin an das Täschchen gedacht und möglicherweise es gar noch gesucht haben, sind natürlich alle Entschuldigungen unzulänglich, und ich muss mich darauf verlegen, Sie zu bitten, mir die Freude an dem Wiederfinden der Tasche nicht ganz und gar dadurch zu verderben, dass Sie mir wegen meiner Nachlässigkeit böse werden. [...] Mit herzlichen Grüßen Ihr Kafka.«[21]

Irma überzeugte das Schreiben keineswegs und »die Silbertaschen-Affäre« blieb auch in den folgenden Wochen ein dauerhafter Grund für Missstimmung, Streit und Auseinandersetzung im Hause Weltsch. Weitere vier Monate später, im November, schickte Kafka in einem Brief an Felix Weltsch »Herzliche Grüße [...] Deiner Frau, bei der ich ja seit der Taschengeschichte leider nichts mehr zu verlieren habe.«[22] Doch während Irma dem Schriftsteller die Sache dauerhaft nachtrug, hatte der im Januar 1918 längst darüber hinweggesehen, als er – mittlerweile erkrankt – Felix eine Ansichtskarte aus Zürau schrieb und von dem Sanatorium schwärmte. »Es ist aber wirklich herrlich, man kann sogar acht Tage Bibliothek dafür hingeben. Ich werde Euch mündlich noch viel mehr Lust machen. [...] Auch Klavier gibt's, Frau Irma!«[23]

***

Der Herbst 1918 war der dunkelste, den Friedrich Herz bis dato erlebt hatte. Dass der Philosoph und revolutionäre Kommandant Tomas Garrigue Masaryk, von dem man nur Gutes zu berichten wusste, am 28. Oktober mit dem Segen der Siegermächte die tschechoslowakische Republik ausgerufen hatte, nahm der kaisertreue Fabrikant aufgeschlossen hin. Felix Weltsch hatte ihm in vielen Gesprächen die Augen für die Vorteile der Demokratie zu öffnen versucht. Dass mit der längst anstehenden Vereinbarung zum Waffenstillstand zwischen Österreich-Ungarn und den Alliierten fünf Tage später der Krieg nun ein für alle Mal verloren war, traf ihn allerdings hart. Friedrich Herz hatte bedeutende Teile seines Vermögens in Kriegsanleihen investiert – das Geld war dahin. »Jetzt müssen wir wieder von vorn anfangen«, sagte er zu seinen Kindern.

Als existentielle Bedrohung empfand die Familie zu dieser Zeit auch die sich abzeichnenden Hungerkrawalle. »Kartoffeln her, oder es gibt eine Revolution«, riefen die hungrigen Großstädter bei Streiks und Massenprotesten. Ihre Verzweiflung machte sich gegen den bewährten Sündenbock Luft – gegen die Juden. Am 1. Dezember 1918 tobten aufständische Tschechen gegen die deutsch-jüdischen Geschäftsleute in der Prager Altstadt und schreckten auch vor Rufen wie »Hängt die Juden!« nicht zurück. Selbst die Beschwichtigungsversuche des neuen Staatspräsidenten Masaryk zeigten kaum Wirkung.

Die Eltern wollten alle Informationen über die antisemitischen Ausschreitungen von ihren Kindern fernhalten, aber es entging »Gigi«, Mizzi und Paul nicht, wie gedämpft die Stimmung am Silvestertag des Jahres 1918 war.

Alice und Paul beschenkten ihre Eltern an diesem Abend mit einem kleinen Konzert, Friedrich und Sofie bedankten sich ungewöhnlich herzlich für die Geste. Dann brachen die jungen Leute zu Freunden auf, um in das neue Jahr hineinzufeiern. »Gigi« und Mizzi waren bei Trude eingeladen.

***

Ihren ersten Urlaub nach dem Krieg verbrachten Irma und Felix Weltsch im Sommer 1919 im Salzkammergut – und die sechzehnjährige Alice durfte die beiden begleiten. Die Reise ging nach St. Gilgen am Wolfgangsee, das Irma als passionierte Klavierspielerin liebte, weil Johannes Brahms dort Jahr für Jahr seinen Freund, den Arzt Theodor Billroth, besucht und von dem Ort geschwärmt hatte. Alice schloss eine erste Freundschaft mit den Alpen, die sie

vertiefte, als sie später, und dann Jahr für Jahr, mit der Familie ihres Klavierlehrers Václav Štěpán wiederkehrte.
In der herrlichen Natur, ohne die Plagen der Hausarbeit und ohne Felix Weltschs Routine entwickelte sich eine angenehme Atmosphäre, wenngleich Irmas Streitsucht selbst dann von Zeit zu Zeit durchbrach und auch beim besten Willen nichts anderes zuließ, als mit Felix Weltsch zu sympathisieren.
Kaum waren die Ferien zu Ende, verschlechterte sich die Situation wieder grundlegend. Möglicherweise war Irma nun besonders reizbar, weil sie schwanger war. Im Juli 1920 brachte sie ein Mädchen zur Welt, um das Alice sich von Beginn an sehr kümmerte. Irmas nervöse Art übertrug sich auf das Baby, oft fand die junge Mutter nicht einmal die Ruhe, die kleine Ruth zu füttern. In solchen Situationen rief Irma ihre Schwester zu Hilfe.
»Sie isst schon wieder nicht, komm sofort!«
Alice unterbrach ihre Klavierübungen dann auf unbestimmte Zeit und rannte die Bělskýstraße hinauf in die Sochařská, die Malergasse, wo Irma und Felix seit einigen Monaten in Haus Nummer 333 wohnten. Friedrich Herz hatte das Zinshaus in der Kirchengasse verkauft – ein Schritt, um die miserable Finanzlage der Familie zu stabilisieren. Wenn Alice die kleine Nichte in den Arm nahm, hörte sie sofort zu weinen auf und ließ sich von ihrer Tante versorgen. Eine Niederlage für die labile Mutter, die sie nicht eben friedfertiger stimmte.
Je länger Alice mit Irmas psychischen Problemen konfrontiert war, desto häufiger dachte sie über die Geheimnisse eines erfüllten Lebens nach, desto mehr fühlte sie sich – schon als junges Mädchen – zur Philosophie hingezogen und fragte sich, wie Glück und Unglück im Menschen entstehen. Wahrscheinlich gaben Irmas hochproblematische Ehe und ihre zerstörerische Lebenssicht Alice sogar die wesentlichen Impulse, eine entgegengesetzte Lebensstrategie zu entwickeln und nachhaltig zu verfolgen.

4
Musik

»Um neun Uhr war er noch nüchtern ...«

Mitternacht. Die Schläge der Standuhr klangen noch nach, als Sofie Herz die Tür zum Wohnzimmer öffnete. Alice übte seit fünf Stunden ununterbrochen, beharrlich wiederholte sie die schwierigen Passagen einer Partita von Johann Sebastian Bach.
Die Mutter trat an das Klavier und legte behutsam die Hand auf Alices Schulter. »Es perlt wie ein kristallklarer Wasserfall«, sagte sie. »Ich finde, es ist perfekt, ohne einen einzigen Fehler. Du wirst die Aufnahmeprüfung bestehen. Meinst du nicht, du solltest jetzt schlafen gehen?« Obwohl Alice die Müdigkeit ins Gesicht geschrieben stand, strahlte aus ihren Augen immer noch die Begeisterung, die sie stets ergriff, wenn sie sich in das Abenteuer stürzte, ein neues Stück zu erobern. Beim Üben vergaß sie die Welt um sich herum, und sie verlor ihr Zeitgefühl. »Mutter, du bist noch nie vor einem Publikum gesessen ... Es genügt nicht, ein Stück zu können, man muss es hundert-, nein zweihundert-, am besten vierhundertprozentig gut können, damit man frei auftreten kann«, sagte sie. »Es muss einem sozusagen gehören. Wenn ich eine Komposition beherrsche, wird sie ein Stück von meinem Körper und von meiner Seele.«
Die Familie Herz, vielmehr jene Familienmitglieder, die zu dieser Zeit noch im Haus lebten, namentlich Mizzi, Sofie und Friedrich Herz, hatten zu tolerieren gelernt, mit welcher Ausdauer Alice musizierte. Großmutter Fanny hatte das Kriegsende nicht mehr erlebt. Georg Herz lebte seit dem endgültigen Bruch mit dem Vater

in Wien, und Paul Herz besuchte in diesen Jahren eine Militärakademie – widerwillig.
Auch in jener Nacht gelang es nicht, die sechzehnjährige Alice zum Schlafengehen zu bewegen. So verschwand Sofie in die Küche und kam wenig später mit einer Tasse dampfender Hühnerbrühe zurück, die sie stets auf Vorrat kochte und – ein lieb gewonnenes Ritual zwischen Mutter und Tochter – aufwärmte, wann immer sich abzeichnete, dass Alice über Mitternacht hinaus üben wollte.
Die Zwillingsschwestern waren mit dem Jahreszeugnis 1920 vom Mädchenlyzeum abgegangen, Mizzi, um sich – ohne konkrete Vorstellung von ihrem späteren Tun – an einer Handelsschule kaufmännisch ausbilden zu lassen, und Alice, weil sie ein Ziel vor Augen hatte: Sie wollte Pianistin werden. Darauf richtete sie ihre Energie in einer Konsequenz aus, die nur wenigen Menschen gegeben ist.
Von Irma wusste Alice, dass Anfang September des Jahres die lang geplante »Deutsche Akademie für Musik und darstellende Kunst« ihre Pforten öffnen und dass es darin eine Meisterklasse für Klavier geben würde. Diese war zwar für bereits ausgebildete Pianisten gedacht, doch stand es jedem angehenden Studenten frei, sich ebenfalls zu bewerben. Alice war fest entschlossen, um einen Platz in der Meisterklasse anzutreten. Irma hatte sie darin bestärkt.
In dieser Nacht spielte Alice noch bis ein Uhr. Am nächsten Morgen um neun saß sie wieder am Klavier. Gegen Mittag – auch dies machte sie zu einem Ritual – tauchte sie aus ihrer Welt der Wohlklänge auf und unternahm einen Spaziergang in die Altstadt. Alice liebte Prag. Sie ließ sich auf dem direkten Weg über die Franz-Joseph- oder, so der Volksmund, Elisabeth-Brücke, die später durch die Štefánik-Brücke ersetzt wurde, oder über Umwege durch die engen Gassen der Kleinseite in die Innenstadt treiben, flanierte über den Wenzelsplatz und freute sich über zufällige Begegnungen mit Freunden und Bekannten im mittäglichen Treiben. Ein notwendiger Ausgleich zum Bei-sich-selbst-Verweilen am Klavier, denn Alice war nicht zur Einzelgängerin geboren, sondern eine durchaus gesellige Natur.

An einem dieser Sommermittage des Jahres 1920 waren mehr Menschen als sonst auf der Straße. Beglückt von ihren Fortschritten schwamm Alice im Strom der Menge mit und fand sich schließlich auf dem geschmückten Wenzelsplatz wieder, auf dem Militär in festlichen Uniformen aufmarschiert war. Als eine Gruppe von Soldaten zu Pferd auf sie zukam, blieb sie wie verzaubert stehen. An der Spitze ritt ein auffallend stattlicher, älterer Herr in geradezu majestätischer Haltung: Staatspräsident Tomas Masaryk, der sich so leidenschaftlich für die neue Demokratie einsetzte und für das friedliche Nebeneinander von Tschechen, Deutschen und Juden. Wie oft hatte sie in den letzten Monaten seinen Namen gehört, in ihrem Elternhaus und vor allem von ihrem Schwager Felix Weltsch.

Alice sah Masaryk noch lange nach – und obwohl ihr bewusst war, dass sie in der Masse für ihn unsichtbar blieb, war es ihr, als wäre sie ihrem Präsidenten persönlich begegnet. In den knapp zwei Jahren seit der Staatsgründung hatte er es mit seiner humanistisch-demokratischen Gesinnung zu nationalem und internationalem Ansehen gebracht. Man schätzte ihn als durch und durch integer und rechnete ihm hoch an, dass er die Toleranz zwischen den verschiedenen Volksgruppen zu einem zentralen Thema seiner Innenpolitik machte. Der Satz von der »Gerechtigkeit als der Mathematik des Humanismus« aus seiner Rede vom 22. Dezember 1918 war zum geflügelten Wort geworden.

Natürlich wusste Alice, dass der ehemalige Soziologieprofessor Masaryk auch ein großer Musikliebhaber war. Seine Frau Charlotte Garrigue hatte in Leipzig Musik studiert, und sein Sohn Jan war nicht nur Diplomat und später ein geschätzter Politiker, sondern auch Pianist und Komponist. War die geplante Gründung der Deutschen Musikakademie in der jungen tschechoslowakischen Republik nicht allein seiner Politik zuzuschreiben? Hatte Alice nicht letztlich ihm zu danken, dass sie sich um Aufnahme in die Meisterklasse bewerben konnte?

***

Jeden Dienstag um kurz nach neun Uhr morgens, in der Zeit vor der Aufnahmeprüfung manchmal sogar zwei- oder dreimal pro Woche, brach Alice zur Klavierstunde auf, denn Václav Štěpán erwartete sie um zehn, und sie hatte es sich, nicht nur aus Kostengründen, zur Gewohnheit gemacht, bei jedem Wetter zu Fuß zu gehen.

Immer wieder gab es Neues zu entdecken in dieser – Alice machte sich schon früh Goethes Zitat zu eigen – schönsten, nun ja, nach Konstantinopel immerhin zweitschönsten Stadt der Welt mit ihren hundert Türmen. Der weite Weg führte Alice das linke Moldauufer hinauf, an den blühenden Belvedere-Höhen und der Kleinseite vorbei – ein ausführlicher Blick hinauf zur Burg – in den Stadtteil Smichow. Dort, unweit der Franzensbrücke, wohnte Štěpán in einem vornehmen Neubau.

Gut gelüftet und voller Vorfreude trat Alice ein und wechselte ein paar Worte mit dem stets gutgelaunten Portier. Das Haus gehörte einer tschechischen Musikgesellschaft, im Untergeschoss waren Verwaltungsräume sowie ein Konzertsaal untergebracht, in dem Alice später oft auftrat. Eine breit geschwungene Treppe führte in das erste Obergeschoss, in dem Václav Štěpán mit seiner Frau Ilonka, einer erfolgreichen Pianistin, wohnte. Sie war die Tochter des aus Lemberg stammenden und inzwischen in Brünn und Prag tätigen Klavierpädagogen Wilhelm Kurz, einem engen Freund des Komponisten Leoš Janáček.

Alice interessierten solche Verbindungen brennend, denn sie entwickelte früh eine Leidenschaft für tschechische Musik. Und deshalb imponierte ihr, dass Štěpán regelmäßig Beiträge zur zeitgenössischen tschechischen Musikgeschichte veröffentlichte, etwa über die Komponisten Josef Suk, den Schwiegersohn von Antonín Dvořák, und über seinen Freund Vítězslav Novák. Und dass er mit Akribie tschechische Kompositionen herausgab. Von ihm stammte auch die Bearbeitung für Klavier von Bedřich Smetanas Tänzen, die Alice so faszinierten.

In diesem Haus tauchte sie erstmals in den ihr bis dato kaum bekannten tschechischen Kulturkreis ein. Obwohl Štěpán die deutsche Sprache ausgezeichnet beherrschte, sprach Alice ausschließ-

Alice bei der Vorbereitung auf die Musikakademie (1920)

lich tschechisch mit ihm – akzentfrei. Von ihrem Lehrer übernahm sie die Auffassung, dass ein Klavierstück vom Interpreten so persönlich wie eine Neuschöpfung zu spielen, aber dennoch ohne Abstriche werkgetreu wiederzugeben sei. Besonders in Fragen der Rhythmik war Štěpán unerbittlich und forderte volle Konzentration. Trotzdem ging es in der Stunde auch heiter zu. Wie so viele Tschechen verfügte Štěpán über einen ausgeprägten Schwejkschen Humor.

Um nichts von der auf fünfundvierzig Minuten beschränkten Stunde zu verlieren, prägte Alice sich jeden noch so kleinen Hinweis des Lehrers in ihr Gedächtnis ein. Nach der Stunde setzte sie sich still auf eine Stufe im Treppenhaus direkt vor Štěpáns Wohnungstür und notierte die Hinweise und Erkenntnisse der Unterrichtseinheit in ein Heft, das sie stets bei sich trug.

Als sie eines Tages wieder völlig versunken auf der Treppe saß, kam der Klavierpädagoge mit energischen Schritten aus seiner Wohnung geeilt. Er wollte ein Telefongespräch in den Geschäftsräumen führen, stolperte über Alice und rettete sich im letzten Moment vor einem Sturz.

»Aber Gigi, was treiben Sie denn hier«, stieß er erschrocken aus, während er sich am Geländer festklammerte.
Betroffen reichte Alice ihm das Heft. Štěpán blätterte Seite um Seite durch. Seit Monaten hatte Alice jeden seiner Hinweise bis zur kleinsten Anmerkung aufgeschrieben. So viel Fleiß hatte er noch nie erlebt.
»Aber warum machen Sie die Notizen nicht gleich in der Unterrichtsstunde?«
»Ich will eben keine Minute von unserer gemeinsamen Zeit versäumen.«

***

Alices Freude war groß, als sie hörte, dass die Deutsche Musikakademie ihre Räumlichkeiten genau in jenem Gebäudekomplex in der Altstadt angemietet hatte, in dem auch das deutsche Mädchenlyzeum untergebracht war. Ihr vertrauter Schulweg würde nun ihr täglicher Weg zur Akademie werden. Deren Gründungsgeschichte reichte zurück in die »Tage der Euphorie« nach dem Zusammenbruch der Monarchie.
Das wiedererwachte Nationalgefühl drohte im Herbst 1918, nachdem die Republik ausgerufen war, in Hysterie umzuschlagen. Die Tschechen herrschten in ihrem Land nach mehr als tausend Jahren zum ersten Mal wieder selbst, und der Wunsch vieler Tschechen nach Rache für erlittenes Unrecht schien zur ernsthaften, auch physischen Gefahr für die deutschsprachigen Minderheiten zu werden. Deutsch war verpönt – schon damals gewöhnte Alice sich an, in der Öffentlichkeit vorwiegend tschechisch zu sprechen.
Anfang November 1918 beschrieb Alexander von Zemlinsky, seit 1908 Chefdirigent des deutschen Nationaltheaters in Prag, seinem Freund, Schüler und späteren Schwager Arnold Schönberg die Lage: »Das Deutschtum hier wird zusammenbrechen, auch wenn es geduldet wird, und damit natürlich das Theater. Und vielleicht sehr bald. Und dann?!?«[24]
Noch gab es getrennte deutsche und tschechische Universitäten,

ein deutsches und ein tschechisches Nationaltheater, einen deutschen und einen tschechischen Kulturkreis, doch, so beobachtete Zemlinsky: »Alles schwenkt zum tschechoslowakischen Staat! Juden und Deutsche und hauptsächlich Juden!«
Zemlinskys Befürchtungen bewahrheiteten sich vorerst nicht, auch wenn Kultur und Sprache der Tschechen nun dominierten. Präsident Masaryk hielt sich – aus tiefer Überzeugung – an die Auflage der Siegermächte, die Minderheiten in den Nachfolgestaaten der untergegangenen Doppel-Monarchie zu schützen. Sofort nach seiner Amtsübernahme sicherte er durch seine persönliche Fürsprache auch die Zukunft des Neuen Deutschen Theaters.
Als schließlich das traditionsreiche Prager Konservatorium verstaatlicht und unter tschechischer Regie weiterbetrieben wurde, blieb den deutschsprachigen Künstlern nur, sich den Entwicklungen entweder zu beugen oder aber ein eigenes Konservatorium zu gründen. Das war leichter beschlossen als getan, denn das Geld dazu fehlte.
Schließlich genehmigte Masaryk staatliche Zuschüsse von zweihundertfünfzigtausend Kronen pro Jahr, was dem Budget einer Elementarmusikschule in der Provinz entsprach. Damit war das Projekt dauerhaft unterfinanziert, und die Studiengebühren mussten entsprechend hoch angesetzt werden. Nur mit Mühe konnte Sofie Herz ihren Mann überzeugen, dass Alices Lebensglück auf dem Spiel stand, würde der Vater seiner Tochter die Finanzierung ihres Studiums verwehren.
Zum Rektor der Deutschen Musikakademie wählte man den 1871 in Wien geborenen Alexander von Zemlinsky – mit Bedacht. Er war nicht nur der zu seiner Zeit prominenteste Musiker Prags, sondern als Dirigent und Komponist international geachtet. Sein Lehrer und Förderer Johannes Brahms hatte sein Können derart hoch eingeschätzt, dass er dem damals Fünfzehnjährigen einen Salonflügel geschenkt hatte. Doch wusste Zemlinsky schon damals, dass er kein herumreisender Virtuose werden, sondern sesshaft bleiben, dirigieren und komponieren wollte.
Um Studenten aus ganz Europa anzuziehen, richtete er vier Meis-

terklassen ein – für die Fächer Dirigieren, Komposition, Violine und Klavier. Die ersten beiden Meisterklassen leitete Zemlinsky selbst. Alice lernte ihn vorläufig zwar nicht kennen, aber Irma wusste viel über den äußerlich unattraktiven, aber vor Witz und Charme sprühenden Mann zu erzählen. Fast ein Jahrzehnt vorher hatte er »die schöne Herz« immerhin ein Jahr lang unterrichtet und ihr dabei offenbar hartnäckig den Hof gemacht.
An die Violinklasse berief Alexander Zemlinsky Henry Marteau, einen der weltbesten Violinvirtuosen seiner Zeit, für das Fach Klavier holte er Conrad Ansorge aus Berlin. Zemlinsky erwartete von dem ehemaligen Lisztschüler mit Weltruhm besonders große Wirkung.
Endlich kam der Tag der Aufnahmeprüfung. Nur dreißig von mehr als doppelt so vielen Bewerbern sollten in die Meisterklasse zugelassen werden – die Anspannung während des Vorspielmarathons war entsprechend hoch. Die renommierte Pianofirma Förster hatte für den Unterricht zwei neue Konzertflügel gestiftet, die nun Heiligtümern gleich auf dem Podium der neuen Aula standen. Um das Podium herum saßen in einem Halbkreis die Prüflinge. Angehörige und interessierte Studenten der Akademie füllten die hinteren Reihen des Saals.
Alice setzte sich mit dem guten Gefühl an den Flügel, sich äußerst gewissenhaft auf den Tag vorbereitet zu haben. Ihr Spiel beeindruckte alle Anwesenden, auch den damals neunundfünfzigjährigen Conrad Ansorge. Leise und doch unüberhörbar sagte er zu seinem Jury-Nachbarn:
»Diese Herz ist ein ganz patentes Mädel.«
Alice wurde als jüngstes Mitglied in die Meisterklasse aufgenommen.
Am Ende des Prüfungstages hielt Ansorge seine Antrittsrede. Das Sprechen vor Publikum war ihm nicht gegeben, und doch beeindruckte er die frischgebackenen Meisterschüler. Seine Gedanken gingen zurück in die Jahre 1885 und 1886 zu seiner Zeit als Meisterschüler bei Franz Liszt in Weimar. Er erzählte von seinem ersten Unterrichtstag, als Liszt seinen Schülern erklärte, er verspüre nicht die geringste Lust, mit ihnen irgendwelche technischen

Schwierigkeiten zu besprechen. Technik üben sei wie schmutzige Wäsche waschen – das habe man zu Hause zu tun. »Und genau das erwarte ich auch von Ihnen. Mitglied einer Meisterklasse zu sein ist eine Auszeichnung. Ich halte es daher für selbstverständlich, dass Sie sich Ihre Technik mit dem notwendigen Fleiß selbst aneignen.«

In seinem Unterricht werde er sich vor allem mit Interpretationen befassen. »Ich bin überzeugt, die meisten von Ihnen wird interessieren, zu welchen Erkenntnissen der große Liszt kam«, fuhr Ansorge fort. »Und als Anerkennung Ihrer Mühen und Anstrengungen dürfen die jeweils Besten von Ihnen bei unserem öffentlichen Halbjahreskonzert spielen.«

In den drei Jahren ihrer Ausbildung würden die angehenden Pianisten sich also regelmäßig präsentieren können. Am Ende des dritten Jahres werde ein Finalkonzert veranstaltet, zu dem die vier Besten der Zwischenkonzerte zugelassen würden. »Auf den Sieger wartet ein Konzertflügel von Förster«, schloss Ansorge seine Rede. Dann setzte er sich ans Klavier.

Wie sein Spiel auf Alice und ihre Kollegen gewirkt haben mag, lässt eine Kritik aus dem Jahr 1922 erahnen: »Ansorge ist der Gerhart Hauptmann unter den Pianisten und als solcher am größten und eigensten im Besonnenen, Träumerischen und Selbstvergessenen. Hier im Adagio-Stil stehen Ansorges Pianoschattierungen von unbeschreiblichem ätherischen Duft und weltabgewandter Klangfarbe zu Gebot. Wie losgelöst von allem irdischen Spiel spielt er die langsamen Sätze der Beethovenschen Konzerte und Sonaten!«[25] Die Meisterklasse bedankte sich mit lang anhaltendem Beifall.

Als Alice an diesem Tag nach Hause kam, erwartete sie schon ihre Freundin Trude Hutter. Alice lachte gelöst wie seit Wochen nicht. »Ich hab's gewusst«, jubelte Trude schon bei ihrem Anblick. »Und jetzt erzähl endlich.«

Trude wollte alles wissen. Wie Conrad Ansorge aussah. »Wie ein Hofschauspieler.« Ob er Alice beeindruckt habe, was er über Alice gesagt habe und wie sein Spiel wirkte.

Alice antwortete geduldig. Doch als Trude auch noch fragte, ob

unter den Meisterschülern charmante oder gutaussehende Männer seien, schüttelte Alice verwundert den Kopf.
»Du kommst auf Ideen! Ich gehe doch nicht in die Meisterklasse, um Männer kennenzulernen.«
Aber Trude ließ nicht locker. »Ist dir denn gar keiner aufgefallen? Vielleicht ein besonders sympathischer oder origineller?«
Alice schüttelte abermals den Kopf. »Dich soll einer verstehen, Trude …«

***

Der Unterricht begann schon am nächsten Morgen. Künftig werde man, erklärte Conrad Ansorge, an drei aufeinander folgenden Tagen im Monat zum Meisterkurs zusammenkommen. Jedem Schüler stünde dann eine halbe Stunde zu, in der er mit ihm an einem ausgewählten Stück arbeiten könne.
Alice liebte es, das Spiel der anderen zu verfolgen und die Hinweise des Meisters zu überdenken. Vom ersten Takt an bis in den Abend hinein blieb sie hellwach und beobachtete, was um sie herum vorging.
Es entging ihr auch nicht, dass Ansorge bereits nach anderthalb Stunden eine Pause anordnete und die Akademie verließ. Vom Fenster aus sah Alice zu, wie er die Straße überquerte und schnurstracks in einem Restaurant verschwand. Zu Mittag wiederholte sich diese Prozedur, und Ansorge war nach seiner Rückkehr bei weitem nicht mehr so aufmerksam wie zu Beginn des Kurses. Und er roch nach Alkohol.
Am Nachmittag verschwand er ein drittes Mal. Danach hatte seine Konzentrationsfähigkeit noch einmal deutlich nachgelassen.
Als es am nächsten Tag darum ging, einen Stundenplan für den Meisterkurs zu erstellen, meldete Alice sich zu Wort.
»Ich würde mich sehr freuen, wenn ich als jüngste Teilnehmerin immer als erste spielen dürfte.« Ansorge willigte ein, und in den folgenden drei Jahren hatte Alice das Privileg, den monatlichen Kurs zu eröffnen und vor einem Lehrer zu spielen, der nüchtern war und ihr konzentriert folgte.

Sechs Monate lang arbeitete Alice auf den Tag hin, an dem Conrad Ansorge die Namen für das erste öffentliche Konzert der Meisterklasse bekannt gab. So fleißig Alice auch war, so kritisch schätzte sie ihre Leistungen ein. Mindestens die Hälfte der Schüler verdiente nach ihrer Meinung, an dem Konzert teilzunehmen. Sicher war sie aber nur bei einem, dem Ungarn Jenö Kalicz. Alice bewunderte seine Könnerschaft von Anfang an, zudem mochte sie seine liebenswürdig zurückhaltende Art, und sein Akzent amüsierte sie.

Schon beim ersten Gespräch mit ihm hatte sie herzlich lachen müssen. »Alice, warum du machst Fingersprünge so gefährlich«, hatte er sie gefragt. Sie hatte eine Weile gebraucht, um zu verstehen, dass er mit »Fingersprung« den Fingersatz meinte und »gefährlich« mit »ungewöhnlich« verwechselte. Seither hatten sie oft miteinander gefachsimpelt.

Tatsächlich war Jenö Kalicz unter den sechs Auserwählten. Nachdem Conrad Ansorge auch Alice Herz aufgerufen hatte, rannte sie nach Hause und begann sofort zu üben. Bis zum Konzert hatte sie noch eine Woche – die Mutter musste sie zwischendurch zum Essen zwingen, und in der Nacht vor ihrem Auftritt erlaubte sie sich keine Pause.

Das Konzert, mit dem die Deutsche Musikakademie sich Anfang März 1921 der Öffentlichkeit vorstellte, war ein Erfolg, nicht nur für die Akademie, nicht nur für Conrad Ansorge, sondern vor allem für seine jüngste Pianistin. Von allen Stücken hinterließ Alices Interpretation der Abegg-Variationen von Robert Schumann den tiefsten Eindruck. Das *Prager Tagblatt* schrieb am nächsten Tag: »Die Palme des Abends gebührte Alice Herz.«

***

Längst hatte Alice festgestellt, dass das Klavier im Elternhaus den Anforderungen des Meisterkurses nicht mehr genügte. Sofie Herz hatte das betagte Stück als Teil ihrer Aussteuer aus Iglau mitgebracht, dort hatten schon ihre beiden älteren Brüder und sie selbst darauf musiziert. Ein Prager Klavierstimmer hatte den Eltern Herz nun erklärt, dass die Reparatur zu kostspielig und die Anschaffung eines neuen Instruments die beste Lösung sei. Dafür aber fehlte das Geld.

Alice fand einen Ausweg. Bereits mit vierzehn Jahren hatte sie eine Mitschülerin unterrichtet. Nun fasste sie den Entschluss, an drei Nachmittagen der Woche Klavierunterricht zu geben und so das Geld für ein neues Klavier zusammenzusparen. In einer genauen Kalkulation legte sie fest, wie viele Schüler sie brauchte, um die erforderliche Summe innerhalb eines Dreivierteljahres zu verdienen.

Mit der für sie typischen Willensstärke machte sie sich an die Umsetzung ihres Plans; die weiten Strecken zu ihren Schülern, die verstreut in ganz Prag wohnten, legte sie zu Fuß zurück. Schließlich nahm ein Händler das alte Klavier zu einem Freundschaftspreis in Zahlung und verkaufte ihr zwar kein neues, aber eines mit deutlich besserem Klang.

Von nun übte sie – wann immer es möglich war – täglich sechs bis acht Stunden. Und auch was vom Tag übrig blieb, gehörte der Musik. Alice beschäftigte sich ebenso gern mit Musiktheorie wie sie im Chor der Akademie mitsang. Auf ihre Altstimme war Verlass. An den Nachmittagen unterrichtete Alice selbst, und an mehreren Abenden der Woche besuchte sie Konzerte, denn die Akademie hatte regelmäßig Freikarten zu vergeben. Von einer der hintersten Reihen oder vom Stehplatz aus erlebte Alice die Vorstellungen im Deutschen und im Tschechischen Theater mit vielen Gastauftritten international bekannter Künstler.

Im zweiten Studienjahr durfte Alice erneut am Frühjahrskonzert teilnehmen. Eine Woche vor ihrem Auftritt konzertierte der damals achtunddreißigjährige Wilhelm Backhaus in Prag, einer der berühmtesten Pianisten seiner Zeit, und brachte just Beethovens As-Dur-Sonate op. 110 zur Aufführung, an der Alice seit Wochen übte. Ihre Kollegen rieten ihr, besser in letzter Minute ein neues Werk einzustudieren, als sich an Backhaus messen zu lassen. Doch Alice ließ sich nicht beirren, besorgte sich sogar eine Karte für das Backhaus-Konzert – und blieb bei ihrer Auffassung des Stücks.

Und sie bestand die Feuerprobe. Am Tag nach ihrem Konzertauftritt schrieb die tschechische Zeitung Bohemia:

»Wir hörten diese Sonate zweimal in dieser Woche, einmal von Backhaus und das zweite Mal von Alice Herz. Ihre Interpretation konnte sich mit der ihres berühmten Konkurrenten messen.«

Das *Prager Tagblatt* lobte nicht nur Alices Fortschritt, der »von einem Jahr zum anderen am überraschendsten [von allen Meisterklasseschülern] in die Augen sprang«, sondern neben ihrer »gewaltig gewachsenen technischen Sicherheit« vor allem auch »Feuer und Leidenschaft, Gestaltungswille und reifes Verständnis«, im Jahr davor »noch kaum in der Knospe zu ahnen, jetzt zu starker Wirkung erblüht«.[26]
Conrad Ansorge teilte offenbar die Meinung der Kritik. Für ihn stand bereits ein Jahr im Voraus fest, dass neben Jenö Kalicz seine jüngste Schülerin am Finale der Meisterklassekonzerte teilnehmen würde.

***

»Alica, wir sind heute glücklich, und wir dürfen heute klingen Glääser.«
Nach dem Konzert war eine ausgelassen gelaunte Gruppe von Meisterklasseschülern auf den Hradschin gezogen, um zu feiern. Jenö Kalicz hatte eine Flasche Moselwein bestellt, doch als er Alice ein Glas einschenken wollte, winkte sie ab. »Ich möchte bitte ein Glas Wasser«, sagte sie. »Ohne Kohlensäure.«
»Aber Alica«, warf Jenö gewohnt theatralisch ein. »Warum Wassär?«
»Schau dir doch unseren Ansorge an«, gab Alice lachend zurück, »um neun Uhr ist er tatsächlich ein Meister. Da ist er noch nüchtern. Um elf ist er schon weinselig und unaufmerksam. Und am Nachmittag ist er weder als Pianist noch als Pädagoge zu gebrauchen. Klavierspielen und Alkoholtrinken schließen sich also aus, meinst du nicht?«

»Meine liebä Alica«, schwärmte Jenö und bemühte sich dabei um jenen schmelzenden Tonfall, den er in den vergangenen beiden Jahren immer wieder, und immer wieder ohne die ersehnte Wirkung, angeschlagen hatte. »Du liebän Schumann, und Schumann liebän Clara und Alkohol. Schumann war Stammgast, täächlicher, in Leipziger Café Baum. Gutär Wein, säälige Stimmung, wundärsame Gefühle!«

So herzhaft Alice auch lachen konnte – wenn es um Kunst ging, verstand sie keinen Spaß. »Jenö, wenn du nicht aufpasst, wird es dir ergehen wie Ansorge.«

Spät am Abend war Alice froh, dass Jenö sie durch die dunklen Straßen nach Hause begleitete. Fidel tänzelte er zwischen Gehsteig und Straße hin und her und – es sollte wohl zufällig wirken – drehte sich zwischendurch immer wieder auf Alice zu, als versuche er, die Mauer vor ihr zum Einsturz zu bringen.

»Alica, du liebän Schumann, ich liebän Schumann. Du liebän Klavierspielän, ich liebän Klavierspielän.«. Alice stimmte lächelnd zu.

»Alica, ich könne dich leiden gut, du könnest mich leiden gut, nicht wahr?«

Ein Schatten zog über Alices Gesicht. »Jenö, ich bin achtzehn. Und wie alt bist du?«

»Ach, meine Alica, als Clara sechzehn Jahre alt war, Robert Schumann war sechsundzwanzig. Wie Geschichte ausging, weißt du.«

Inzwischen waren sie vor dem Elternhaus in der Bělskýstraße angekommen. Der verliebte Jenö beugte sich vorsichtig über Alice, um sie in den Arm zu nehmen. Sie wehrte peinlich berührt ab.

»Alica«, setzte Jenö an, »Musik …«

»Ich weiß«, sagte Alice eine Spur resoluter als beabsichtigt. »Musik ist Liebe und Liebe ist Musik.«

Jenö hatte diesen Satz in den vergangenen beiden Jahren unzählige Male wiederholt – und noch dachte er nicht daran, aufzugeben.

»Alica, ich habe alles gelesen über Clara und Robert, und ich erzähle dir jetzt Geheimnis von Claras Tagebuch. Steht geschrieben: ›Als du mir ersten Kuss gabst, da glaubt ich mich Ohnmacht nah,

vor meinen Augen wurde es schwarz, das Licht, das dir leuchten sollte, hielt ich kaum.‹«[27]
Alice wich einen Schritt zurück, und ein letztes Mal setzte Jenö nach: »Alica, Musik ist Liebe und Liebe ist Musik. Ich könne dich leiden gut, du könnest mich leiden gut, ja?« Alice nickte. »Warum ich darf nicht geben ungarischen Kuss?«
»Gute Nacht, Jenö«, brachte Alice gerade noch über die Lippen, dann verschwand sie im Hauseingang.
Auch im folgenden Jahr war Alice nicht zu bewegen, mit Jenö allein auszugehen. Eine lose Freundschaft verband die beiden aber auch weiterhin – weil Alice ihn im Glauben ließ, der Altersunterschied von fast einem Jahrzehnt sei der Grund für ihre Zurückhaltung. Tatsächlich schlug ihr Herz aber längst für einen anderen – und der war nicht zehn, sondern fünfzehn Jahre älter als Alice.

***

Objektiv gesehen – Gibt es zwischen Menschen Objektivität? – war Rudolf Kraus kein besonders attraktiver Mann, eher eine unauffällige Erscheinung von kleiner Statur. Und doch war Alice von ihm hingerissen. Alles an ihm faszinierte sie, alles an ihm war in ihren Augen außergewöhnlich – sein Charme und seine Weltgewandtheit ebenso wie sein federnder Gang, sein Wagemut und sein sportliches Können. Selbst die Art, wie er an seiner Zigarette zog, fand sie so einzigartig, dass sie selbst einmal – aber nie wieder – zu rauchen versuchte. Keine Frage, Alice war zum ersten Mal in ihrem Leben verliebt.
Dabei hatten die beiden einander eher beiläufig gefunden. Rudolfs Vater war Zahnarzt und behandelte die gesamte Familie Herz einschließlich Alice, die mit der Tochter des Hauses befreundet war. An den Wochenenden lud Trude Kraus häufig eine größere Runde von Freunden ein. Die Kraussche Wohnung befand sich Tür an Tür mit der Praxis im ersten Stockwerk eines stolzen Bürgerhauses am Prager Stadtpark, unweit des Deutschen Nationaltheaters. An den Gästen erprobte Alice gern die Wirkung ihrer neu einstudierten Stücke.

Bei einer solchen Gelegenheit hatte sie auch Trudes älteren Bruder Rudolf kennengelernt. Er war Zahnmediziner wie der Vater, bereits dreiunddreißig Jahre alt und im Begriff, die Praxis zu übernehmen. Und er war auf der Suche nach einer Frau fürs Leben.

Die uneitle Vollkommenheit, mit der das Mädchen musizierte, begeisterte Rudolf Kraus sofort, obwohl er, wie er freimütig gestand, sonst wenig mit klassischer Klaviermusik anfangen konnte. Wie musikalisch er dennoch war, bemerkte Alice, als er sie zum ersten Mal ausführte.

Der Mode der Zeit folgend, gingen sie ins Kaffeehaus, ein Ort des kulturellen Aufbruchs, der sich abends in eine Tanzdiele für lauschige Zweisamkeit verwandelte.

Als Rudolf die damals achtzehnjährige Alice in jenem schlichten, namenlosen Kaffeehaus gleich hinter der Kaiser-Franz-Brücke zum Tanz aufforderte, war es um sie geschehen. Nie zuvor hatte sie so leidenschaftlich getanzt, nie zuvor hatte sie sich einem Mann so nahe gefühlt. Zu den Klängen von Klavier und Geige tanzten sie bis spät in den Abend Walzer, Foxtrott und – mit besonderer Hingabe – Tango.

Zweimal jede Woche gingen Rudolf und Alice von nun an miteinander aus, und meist ließen sie den Abend in jenem Kaffeehaus ausklingen. Für gewöhnlich waren so spät nur ein oder zwei weitere Paare zu Gast, und die Tanzfläche gehörte Rudolf und Alice allein.

Und selbst wenn sie sich gegenseitig besuchten, tanzten sie früher oder später miteinander. Rudolf hatte Alice eine Platte mit Tangomusik geschenkt, die seltsam knisternd und verzerrt aus dem Grammophon erklang und dennoch so viel in Alice bewegte.

Die Liebe zu Rudolf, die Erfolge in der Meisterklasse – 1922 war das bisher schönste Jahr ihres Lebens. Und wahrscheinlich hätte Alice in ihrem Glück Jenö Kalicz und seine hartnäckigen Annäherungsversuche vergessen, wäre es beim Abschlusskonzert der Meisterklasse nicht noch zu einer geradezu schicksalhaften Begegnung zwischen den beiden gekommen.

Von Kindesbeinen an hatte Alice eine Vorliebe für Robert Schumann. Als Conrad Ansorge den vier Finalisten – neben Alice und Jenö waren das Gisela Kettner und Margarete Lößl – mitteilte, sie hätten ein Programm von einer halben Stunde zu gestalten und sich darin möglichst auf einen Komponisten und ein zentrales Werk zu konzentrieren, stand für Alice fest, dass sie Schumanns Fantasie in C-Dur op. 17 spielen würde, jenes sonatenähnliche und doch so viel freiere, gefühlvoll improvisierte Stück, dessen drei Sätze Schumann so eigenwillig jeweils aus einer Variation, einem Rondo und einem Lied zusammengesetzt hatte.

»Alica, ich habe gehört richtig, du wirst Fantasie C-Dur spielen?« fragte Jenö eines Tages. »Weißt du, wie Stück entstand?«

Als Alice nicht antwortete, fuhr Jenö fort: »Schumann hat geschrieben diese Fantasie 1836, als er war in großer Liebe und Verzweiflung zu Clara Wieck. Vater hat versucht, Liebe zu hindern. Clara muss in die Welt fahren und Schumann muss bleiben, verzweifelt und ohne Liebe. C-Dur-Fantasie ist Sehnsucht ohne Grenzen, Liebe ohne Grenzen, Verzweiflung ohne Grenzen. Wie willst spielen Fantasie, ohne Jenö Kalicz einziges Mal geküsst zu haben?«

Alice lachte auf, doch Jenö ließ sich nicht beirren.

»Wie willst Liebesstück spielen ohne Erfahrung von Liebe?«

»Ich bin doch voll Liebe, Liebe zur Musik, Liebe zur Natur, Liebe zu den Menschen«, sagte Alice. »Deshalb werde ich dieses Stück spielen im Gefühl der ... Liebe.«

Doch Jenö wiegte nachdenklich den Kopf und eröffnete ihr, dass auch er die Fantasie C-Dur spielen würde. »Aber ich werde denken nicht an Natur und an viele Menschen. Ich werde nur denken an einen Menschen. Und wer wird gewinnen?«

Über dem Konzertabend lag eine große Spannung. Alle Meisterschüler waren anwesend, viele Studenten der Deutschen Musikakademie, auch Angehörige in großer Zahl. Es war beinahe schon zur Gewohnheit worden, dass Alice ihr Programm mit Bravour absolvierte. An ihrer Technik war nichts zu kritisieren, und auch ihre Auslegung der Fantasie überzeugte. Doch in Jenö Kaliczs Musik klang etwas eigenständig Sehnsuchtsvolles, Unerfülltes, Verzweifeltes mit, das die Zuhörer fesselte.

Nach dem Konzert tagte die Jury, und schließlich trat Conrad Ansorge an das Rednerpult.
»Die Jury ist der Meinung, dass alle vier Anwärter herausragende Leistungen zu Gehör gebracht haben. Und dennoch fällt das Urteil eindeutig aus. Wir bitten nun den Sieger des Abends, sein Programm noch einmal zu spielen ... auf seinem Försterflügel. Applaus für ... Jenö Kalicz aus Ungarn.«
Jenö verbeugte sich tief, ließ seinen Blick dabei über das Auditorium zu Alice gleiten und fixierte sie für einen Augenblick. Dann setzte er sich an den Flügel, seinen Flügel. Alice spürte, dass er diesmal nur für sie spielte. Und er spielte ausnehmend schön, in dunklen, verklärten Klangfarben. Die von Schumann angestrebte Stimmung des elegischen Verzichts brachte Jenö, so empfand es Alice, geradezu genial zum Ausdruck. Sie, die sonst so optimistisch war, ergriff ein eigenartiges Gefühl von Beklemmung, die keinen Platz ließ für das eigentlich Naheliegende eines solchen Moments: Enttäuschung.
»Man kann eben nur einen lieben«, dachte sie. »Und ich liebe nicht Jenö. Ich liebe Rudolf.«

***

Anfang Dezember 1922 schneite es bereits in weiten Teilen des Landes, und Alice und Rudolf fuhren mit einigen Freunden ins Riesengebirge. Für ein verlängertes Wochenende mieteten sie sich in einem kleinen Hotel ein, fuhren tagsüber Ski, dann tanzten sie in die Nacht hinein.
Es hätten romantische Tage sein können, wären nicht von Tag zu Tag deutlich spürbarere Spannungen zwischen dem Paar aufgekommen und wäre Rudolf nicht immer ungeduldiger geworden. Er war ein Mann im besten Alter, dem das Tanzen allein, und war es noch so berauschend, auf die Dauer nicht genügte. Doch Alice reagierte nicht auf Rudolfs Versuche, sich ihr für mehr als einen vorsichtigen Kuss auf die Lippen anzunähern. Die Möglichkeit, sich einem Mann vor der Ehe hinzugeben, hatte in der Vorstellungswelt der Neunzehnjährigen keinen Platz.

Alice mit ihrer großen Liebe Rudolf Kraus (Mitte der 20er Jahre)

Selbstverständlich blieben die unterschiedlichen Erwartungshaltungen – ihrer Zeit gemäß – unausgesprochen, und so trat das Liebespaar die Rückreise nach Prag trüb gestimmt an. Ein Pferdeschlitten brachte Alice und Rudolf vom Hotel zum Bahnhof. Und weil die Zeit bis zur Abfahrt des Zuges knapp war, trieb der Kutscher seine Pferde zum Galopp an. Warum sie plötzlich durchgingen, bekam Alice nicht mit. Jedenfalls überschlug sich der Schlitten, und alle drei – Alice, Rudolf und der Kutscher – wurden von ihren Sitzbänken geschleudert. Während Alice mit leichten Prellungen davonkam, brach Rudolf sich die rechte Hand und konnte in den folgenden Wochen nicht praktizieren.
Von da an meldete Rudolf sich immer seltener bei Alice und ließ die Liebende wochenlang im Unklaren. Schließlich begriff sie, dass er sich für eine andere Frau interessierte. Alice kannte sie, auch sie ging bei Rudolfs Schwester ein und aus. Sie war nicht nur wesentlich größer, sondern – so empfand Alice es in ihrem Kummer – auch viel attraktiver als sie und zudem ganz schön kokett.
Als Alice die Nachricht von Rudolfs bevorstehender Hochzeit erreichte, hielt sie sich mit Mühe auf den Beinen.
»Wie soll ich ohne ihn leben?«

Da half es auch nicht, dass Rudolfs Mutter ihr unter vier Augen bestätigte, wie gern sie Alice als ihre Schwiegertochter gesehen hätte. Rudolf Kraus blieb die große, unerfüllte Liebe in Alices Leben. Verdrängte sie ihren Kummer, indem sie sich ans Klavier flüchtete? Oder gelang es ihr beim Klavierspielen, ihre Trauer zu verarbeiten?

Jedenfalls bewährte sich die Musik, wie noch so oft, als die große Stütze ihres Lebens – und das einmal mehr, als sie erfuhr, Alexander Zemlinsky werde Gustav Mahlers achte Symphonie wieder aufführen und den Studentenchor der Musikakademie einbeziehen. Mehr als ein Jahrzehnt vorher, am 29. März 1912, hatte er die »Symphonie der Tausend« schon einmal auf die Bühne gebracht – ein glänzender Erfolg am Anfang seiner Prager Dirigentenkarriere.

Alice stürzte sich begeistert in die Proben. Die Meisterklasse hatte sie zwar bereits abgeschlossen, doch setzte sie ihre theoretischen Studien an der Akademie nach wie vor fort.

In den Anfangswochen übten die beteiligten Chöre der Stadt auf Anweisung Zemlinskys getrennt. Zwei Wochen vor der Aufführung übernahm der Dirigent die Proben selbst – mit einem Chor aus mehr als zweihundert Sängern und Sängerinnen.

Nicht nur Gustav Mahlers Musik, sondern auch Zemlinskys Persönlichkeit und seine Fähigkeit zur Hingabe nahmen Alice gefangen. Zwar musste sie sich erst an seinen Anblick gewöhnen – »Eine Caricatur: kinnlos, klein mit herausquellenden Augen«, hatte ihn Alma Mahler-Werfel beschrieben –, doch seine Ausdruckskraft ließ die Äußerlichkeiten vergessen. »Er singt jede Phrase, spielt jede Szene vor und das alles mit einem schauspielerischen Ausdruck, dessen Intensität, Charakterisierungskraft, Geistesfülle, Humor und Farbenpracht uns in Staunen versetzte«, schwärmte Louis Laber.[28] Franz Werfel schloss sich ihm an: »Schon das Schulterzucken, wenn er den Stab hebt, ist Musik, ein Auftakt-Funke, der überspringt.«[29] Und der für seine Zurückhaltung bekannte Igor Strawinsky hatte ihn sogar als »den universellsten Dirigenten« charakterisiert, den er je kennen gelernt habe.[30] Kein Wunder, dass Gustav Mahler die Uraufführung zwei seiner Symphonien gerade Zemlinsky anvertraut hatte.

Tatsächlich wuchsen unter seiner Leitung ausnahmslos alle Chormitglieder über sich hinaus – und zu einer kraftvollen Gemeinschaft zusammen. Die Aufführung im Mai 1923 wurde zu einem derart mitreißenden Erfolg, dass sie vierzehn Tage später wiederholt werden musste und Alice Herz als eine der eindrucksvollsten musikalischen Erfahrungen ihres Lebens in Erinnerung blieb.
Neben der ungeheuren Professionalität, zu der es der Chor in so kurzer Zeit gebracht hatte, bewegte Alice wohl vor allem das Gefühl, gemeinsam Großes geleistet zu haben. Doch sie beließ es bei diesem einmaligen Ausflug. Alice war Solistin und als solche aufgefordert, ihren Ruf zu mehren, den sie mit ihren öffentlichen Auftritten als Meisterklasseschülerin begründet hatte.
Vermutlich trug eine Empfehlung ihres Lehrers Václav Štěpán dazu bei, dass man ihr im Winter 1923 anbot, im folgenden Jahr mit dem e-Moll-Klavierkonzert von Chopin an der Tschechischen Philharmonie zu debütieren. Was für eine Chance!
Doch einmal mehr stellte das Schicksal sie vor eine künstlerische Herausforderung, die unangemessen groß schien für ein Menschenkind von zwanzig Jahren.
Monatelang bereitete Alice sich auf das Konzert vor, monatelang folgte sie – so hielt sie es ihr Leben lang – einem mehr oder weniger streng ritualisierten Tagesablauf, zu dem auch die Klavierstunden gehörten, die sie wie gewohnt gab. So war es ihr eigentlich recht, dass ihr Privatleben keine Höhen und kaum Tiefen zu bieten hatte. Als sie hörte, dass Rudolf Kraus glücklich verheiratet war und das Ehepaar bereits Nachwuchs erwartete, spielte sie sich ihre Wehmut tapfer von der Seele. Den etwas zu aufdringlichen Jenö Kalicz hatte sie aus den Augen verloren. Gerüchteweise war ihr zu Ohren kommen, dass er mehr denn je dem Alkohol zusprach.
In die Ruhe der Vorbereitungszeit platzte schließlich die Hiobsbotschaft: Wenige Tage vor Alices Debütkonzert würde in der Deutschen Philharmonie Moriz Rosenthal auftreten, der seiner fulminanten Technik wegen vielen als größter Virtuose seiner Zeit galt. Alice kannte einige der Legenden, die man über ihn erzählte. So übte er angeblich ganze Tage lang besonders schwierige Passa-

gen und Tonsequenzen und studierte »dabei gar ernsthaft irgendein auf dem Pult aufgeschlagenes philosophisches oder geschichtliches Buch von schwerstem geistigen Kaliber«.[31] Ausgerechnet Chopins e-Moll-Konzert, an dem Alice so fleißig übte, sollte Rosenthal bei seinem Prager Gastspiel zur Aufführung bringen.
Alice wurde mit Ratschlägen wohlmeinender Weggefährten überhäuft. Spiele – unbedingt! – ein anderes Klavierkonzert – warum nicht das von Schumann, das du schon so exzellent beherrschst? Warum dich am Anfang deiner Karriere auf einen Vergleich mit der Weltspitze einlassen? Warum leichtsinnig sein und das Unmögliche wollen?
Die Freunde und Ratgeber wussten offenbar wenig über Alices Charakter und ihre Absichten. Sie spekulierte nicht darauf, berühmt zu werden. Sie spielte aus Leidenschaft und Freude an der Musik, ihrem Tor zum Paradies. Sie hatte den direkten Vergleich mit der Weltspitze nicht angestrebt, doch wenn das Schicksal es fügte, war sie bereit, sich der Herausforderung zu stellen.
»Das wollen wir doch sehen, ob er auch so fleißig ist wie ich«, sagte sie mit kecker Unbefangenheit zu Irma. Und doch wollte Alice genau wissen, warum Rosenthal weltberühmt geworden war. In der Bibliothek der Akademie erhielt sie Antwort. »Moriz Rosenthal, geb. 18. Dezember 1862 zu Lemberg«, las sie in Walter Niemanns *Klavierlexikon*. »Seit 1890 (nach seiner Amerikareise) phänomenaler Techniker von Weltruf und hervorragender geistvoller Musiker.«[32] Die jüngste Publikation Niemanns war aufschlussreicher. »Mit Busoni und Godowsky streitet Moriz Rosenthal um den Ruhm, der größte Techniker des Klaviers in unserer Zeit zu heißen«, schrieb der Musikkritiker in seinem Buch *Meister des Klaviers*. »Man darf heute sagen: Er ist nicht nur ihr größter Techniker, sondern er ist auch derjenige Meister, der Zweck, Ziel und Begriff des modernen Klaviervirtuosentums am reinsten ausprägt.«[33]
Rosenthal war in zweifacher Hinsicht der geborene Chopin-Interpret: Zum einen hatte ihn Carl Mikuli unterrichtet, der selbst sieben Jahre lang bei Chopin in die Lehre gegangen war, und zum anderen stand Rosenthal unter dem Einfluss seines langjährigen

Lehrers Franz Liszt, der die Auffassungen und die Spielweise seines Freundes Chopin aus erster Hand weitergeben konnte.
Alice ließ sich nicht verunsichern, sondern übte und übte.
»Ich werde spielen, so gut ich kann«, sagte sie sich. »Nicht besser, aber auch nicht schlechter!«
Rosenthals Gastauftritt kam, seine Leistung war gewohnt souverän, und er wurde Walter Niemanns Einschätzung ohne Abstriche gerecht: »Wer aber Rosenthal heute (...) ein Adagio aus einem Chopinschen Konzert nachdichten hört, der wird die freudigste Gewissheit mit nach Hause nehmen, dass der einst unbestritten eminenteste technische Könner des modernen Klaviervirtuosentums zugleich ein wahrhaft großer und seelenvoller Künstler heißen muss.«[34] Anders als beim Backhaus-Konzert drei Jahre zuvor blieb Alice diesem Abend fern.
Wenige Tage später dann ihr Auftritt in der Tschechischen Philharmonie. Der Saal war bis auf den letzten Platz ausverkauft, neben Václav und Ilonka Štěpán saßen im Publikum auch Alices Eltern und die Schwestern Mizzi und Irma.
Alice ahnte, dass Irma ihr mit gemischten Gefühlen zuhörte. Stolz und Genugtuung erfüllten die große Schwester, daran bestand kein Zweifel. Schließlich war sie ihre erste Lehrmeisterin und Förderin gewesen, hatte Alice zu Štěpán mitgenommen und ihr Mut gemacht, vom Lyzeum abzugehen und sich an der Akademie zu bewerben. Und doch mischten sich in die Freude auch Neid, Bitterkeit und Unzufriedenheit – Unzufriedenheit über ihr eigenes Schicksal. Hatte ihr der große Zemlinsky nicht erstaunliche pianistische Fähigkeiten bescheinigt? Und was hatte sie aus ihrem Talent gemacht? Warum konzertierte sie nicht an Alices Stelle? Nicht ein öffentlicher Auftritt war ihr vergönnt gewesen.
Felix Weltsch hatte sich den chronischen Missmut seiner Frau so erklärt: »Schuld [...] ist meiner Überzeugung nach die ständige Aufgeregtheit, in der sie lebt, die immerwährende Wut, die sie gegen die Menschen hat, der Neid gegen alle und auf alles Mögliche vom Geringfügigsten bis zum Größten, Missgunst und Misstrauen, das ewige Jammern über sich – dazu kommt dann das Üben, dem sie sich mit rasendem Eifer hingibt.«[35]

Die strahlende Pianistin im Jahr ihres Debüts mit dem e-Moll-Konzert von Frédéric Chopin (1924)

Ihr Übungseifer hatte offenbar umso mehr nachgelassen, je widerwilliger Irma Klavierunterricht gegeben hatte. »Ich leugne nicht, dass die übertriebene Gewissenhaftigkeit, mit der sie die Stunden gibt, eine Rolle spielt«, hatte der geplagte Ehemann in seiner Verzweiflung an die Schwiegereltern geschrieben und im Anschluss versucht, der nervösen Ehefrau den Klavierunterricht, mit dem sie ursprünglich ihr »Toilettengeld« aufbessern sollte, zu untersagen. Ganz offensichtlich hatte Irma eingewilligt, in der Folge auch selbst immer weniger geübt und schließlich ganz aufgehört, Klavier zu spielen. Auch diese Entwicklung wusste Felix Weltsch später zu deuten: »Wenn sie auch musikalisch ist und viel Geschmack hat, hat sie im Grunde für Dinge der Kunst kein richtiges Verständnis. Ihr Klavierspiel ist hervorragend, aber es ist egozentrisch. Es ist eine reine Entladung und bleibt im letzten Grunde dem Kunstwerk fremd. Das Kunstwerk ist ein Mittel, ihr eigenes Wesen, genauer ihr eigenes Unglück, auszudrücken. So war es übrigens früher. Sie hat das Klavierspiel längst aufgegeben, da sie gesehen hat, dass sie nicht ›auftreten‹ kann.«[36]

Wie angespannt Alice am Abend ihres Debüts auch gewesen sein mag – die Zuschauer ließ sie von ihrer Nervosität nichts spüren. Die Künstlerin trat mit einem strahlenden, unbekümmert wirkenden Lächeln auf die Bühne. Neben dem mächtigen Konzertflügel wirkte sie zierlich, möglicherweise auch schutzbedürftig – und doch energiegeladen und zielgerichtet.

Einmal mehr bestand sie die Herausforderung. »Ungewöhnlich starken Beifall« des verwöhnten Prager Publikums bescheinigte ihr die *Prager Abendzeitung* am nächsten Tag.[37] Die tschechische Zeitung *Česke Slova* bewunderte Alices »Sicherheit, mit brillanter Technik in den Passagen und ganz besonderer Fähigkeit, die feinen Klangreize des Klaviers zum Ausdruck zu bringen«.[38]

Und auch das *Prager Abendblatt* lobte, wie Alice »mit schöner Überwindung aller technischen Schwierigkeiten« spielte:

> »Die straffe Gliederung des schwierigen Werkes gedieh namentlich im zweiten Satz zur Vollendung und setzte darüber hinaus im dritten Satz einen Flor von Humorblüten an, in dem sich die Eigenart dieser jungen Virtuosin, einer Schülerin Ansorges und Štěpáns, zart und leuchtkräftig, jedes Motiv mit milder Kraft hervorholend, in der ganzen erfreulichen Frische ihrer Jugend entfalten konnte.«[39]

Das *Prager Tagblatt*, als renommierteste aller deutschsprachigen Zeitungen der Stadt auch in ganz Europa anerkannt, setzte gar zu einem Vergleich mit Rosenthal an:

> »So manches aufstrebende Talent hätte die frische Erinnerung an Rosenthals Wiedergabe vor einigen Tagen irregemacht. Alice Herz ließ sich die selbständige Auffassung nicht trüben, und man muss ihr zugestehen, dass sie an Wärme der Empfindung und Innerlichkeit des Ausdrucks den berühmten Kollegen übertraf. Auch die perlende Klarheit der Technik, das Verwachsen mit dem Orchester bei aller Wahrung persönlichen Temperaments machte aufhorchen und lässt der schon mehrfach beachteten jungen Künstlerin eine schöne Zukunft voraussagen.«[40]

Erschöpft stellte Alice sich den Ovationen, und für den Bruchteil einer Sekunde beschäftigte sie, ob unter den Beifall klatschenden Menschen auch Rudolf Kraus war. Ebenso schnell verbot sie sich den Gedanken wieder. Ihre Lebensaufgabe war nicht der Tangotanz, sondern das Klavierspiel.
Einer der Ersten, der nach dem Konzert auf sie zukam und sie beglückwünschte, war ihr Lehrer. »Mir fehlen die Worte, Alice. Großartig«, sagte Václav Štěpán, und doch hatte er etwas zu beanstanden, an dem Alice noch viele Jahre später litt. »Nichts und niemand ist vollkommen, Alice! Sie haben vergessen, dem Dirigenten zum Dank die Hand zu schütteln!«

***

Der erste Weihnachtsfeiertag 1924. Bis zur Jahreswende standen Alice ruhige Tage bevor, sie hatte nichts Besonderes geplant und ihrer Mutter versprochen, sich endlich einmal auszuruhen.
Alice blätterte in der jüngsten Ausgabe der Selbstwehr, die der Schwager Felix Weltsch mitgebracht hatte. 1907 war die zionistische Hauszeitschrift, die sich als »Unabhängige jüdische Wochenschrift« für die »gesamte Judenschaft Böhmens« bezeichnete, gegründet worden – als »Kriegserklärung gegen alles Morsche, Halbe, Faulende im Judentume«.[41] Seit 1919 war Felix Weltsch ihr Herausgeber und hatte sie über die Grenzen Prags hinaus bekannt gemacht.
»Telefon! Für dich, Alice«, rief Friedrich Herz aus dem Erdgeschoss in die Stille hinauf. Fernsprechapparate gehörten inzwischen zum Alltag, Friedrich Herz hatte sich als einer der Ersten im siebten Bezirk an das Netz anschließen lassen. Allerdings stand der Apparat im Büro des Direktors, einen Anschluss in den Privaträumen hielt Friedrich für unnötigen Luxus.
Alice rannte die Treppe hinunter und übernahm den Hörer. Die leise Stimme am anderen Ende der Leitung gehörte Herrn Klemperer, dem Vater ihrer Freundin Daisy. »Es ist etwas Fürchterliches passiert«, drang es stockend zu Alice, »Daisy ist gestern gestorben. Ganz plötzlich.« Alice ließ den Hörer fallen.

Wie von Sinnen rannte sie aus dem Zimmer und die Treppe hinauf. Die Rufe des Vaters verhallten ungehört: »Um Gottes willen, was ist denn passiert?«
Oben brach Alice, am ganzen Körper zitternd, zusammen.
»Daisy ist tot«, flüsterte Alice unter Tränen. Und immer wieder: »Daisy, du bist doch nicht tot ...«
Als die Mutter ins Wohnzimmer kam, kauerte Alice bewusstlos auf dem Boden, ihr Gesicht war weiß und ihr Mund außen und innen mit Blasen überzogen.
»Friedrich«, rief Sofie Herz entsetzt nach ihrem Mann, doch der stand längst neben ihr. Gemeinsam hoben die Eltern ihr jüngstes Kind aufs Bett.
Der Arzt stellte eine Art Herpes-Attacke fest, offensichtlich war das Immunsystem aufgrund des Schocks zusammengebrochen. Zwei Wochen lag Alice in einem Dämmerzustand und war nicht ansprechbar.

5
Hochzeit

»Ich hab ihn geheiratet, ich!«

Gigi, hörst du mich? Es sind nicht Krankheit oder Tod, die uns ins Paradies bringen. Es ist die Musik.«
Alice öffnete die Augen. Das Gesicht über ihr lächelte vertraut. Ohne den Blick von der Freundin abzuwenden, griff Trude nach einem Lappen und tauchte ihn in die Wasserschüssel auf dem Nachtkasten.
»Welcher Tag ist heute?« fragte Alice. Ihre Stimme klang matt. Trude drückte den Lappen aus und tupfte Alice behutsam den Schweiß von der fiebrigen Stirn. Erst am Vortag hatte der Hausarzt sie zurück im Leben begrüßt. Sein »Wir haben sehr um Sie gebangt« dröhnte Alice noch im Ohr.
»Heute ist der 7. Januar«, antwortete Trude. »1925. Du hast zwei Wochen geschlafen.« Sie setzte sich auf die Bettkante und griff nach Alices Hand. Die Freundinnen sahen einander lange und zärtlich an.
Trude zögerte, ehe sie den nächsten Satz begann. »Du bist plötzlich zusammengebrochen. Ich bin so glücklich, dass du …«
»Ist Daisy wirklich …«, flüsterte Alice. Trude atmete tief ein. Der Schmerz war kaum zu ertragen.
»Weine nur, Alice«, sagte Trude, und dabei liefen ihr selbst die Tränen über die Wangen. »Es ging … sehr schnell … nur zwei Tage hohes Fieber … Lungenentzündung … keine Schmerzen …«
Es war noch keine drei Wochen her, seit die vier Unzertrennlichen – Alice, Mizzi, Daisy und Trude – sich zuletzt getroffen und mit-

einander musiziert hatten. Daisy war ausgelassen fröhlich gewesen und hatte, wie so oft, die anderen mitgerissen.
»Und jetzt ... vorbei.« Alice blickte ins Leere.
»Ich hatte schreckliche Angst um dich. Ich bin so glücklich, dass du ...«, setzte Trude noch einmal an.
Zwei Wochen lang hatte sie Alice nicht besuchen dürfen, zwei Wochen lang hatten sich immer wieder dieselben Gedanken in ihrem Kopf gedreht. Ob hinter dem Zusammenbruch der Freundin noch andere Ursachen steckten als Daisys Tod? Ob es Alices Seele vielleicht schon lange schlecht gegangen war – und sie es nicht bemerkt hatte? War es die Enttäuschung über Rudolf Kraus, der ihrer Liebe keine Zeit gegeben hatte, sich zu entwickeln? Oder war körperliche Erschöpfung nach dem wochenlangen maßlosen Üben an Chopins e-Moll-Konzert der Grund, weshalb Alice den Boden unter den Füßen verloren hatte?
Wann immer Trude mit ihrer Freundin zusammen war, hatte sie sie stark und zuversichtlich erlebt. War es nur ihre Fassade, hinter der ein viel verletzlicherer Mensch steckte, als es nach außen schien? Hatten ihre Freunde es sich zu leicht gemacht mit Alice, weil sie sich immer für die anderen interessierte, weil sie immer fröhlich war und für jeden Menschen ein optimistisches Wort übrig hatte, weil sie immer so genau zu wissen schien, was sie wollte?
»Leopold hat mir geschrieben«, sagte Trude. »Weißt du noch?«
Mit Leopold Sommer verband Trude eine Seelenverwandtschaft – und eine Brieffreundschaft. Er lebte und arbeitete seit einem Jahr in Hamburg.
»Ich möchte dir seinen Brief vorlesen, Alice«, sagte Trude. »Er hat mich auf eine ganz wundersame Weise getröstet. Darf ich?«
Alice drückte zum Einverständnis Trudes Hand. Die Botschaft des Briefs prägte sich Alice dauerhaft ein.

»Liebe Trude,
warum muss der eine schon von dieser Welt gehen, bevor sein Leben richtig begonnen hat, und der andere darf achtzig Jahre oder älter werden. Warum wissen wir auf solche Fra-

gen keine vernünftigen Antworten? Oder ist es unsinnig, sie überhaupt zu stellen?
Nachdem ich deinen Brief gelesen hatte und eine Weile hilflos dagesessen war, nahm ich deine alten Briefe her und las sie allesamt wieder. Aus deinen Schilderungen wird so deutlich, was für ein liebenswerter und frohsinniger Mensch Daisy war. Wie oft hast du von euren Theater- und Konzertbesuchen erzählt, von den zahllosen Büchern, die ihr gelesen und über die ihr diskutiert habt. Und wie begeistert habt ihr offenbar miteinander musiziert, Sonntag für Sonntag.
Denk doch, was der tief empfundene Genuss eines Musikstücks oder das Lesen eines Romans in einem Menschen auslösen kann. Ist es nicht eine außergewöhnliche Gabe, Kunst intensiv erleben zu können und dabei von Mal zu Mal ein Stück reifer und menschlicher zu werden? Ohne Zweifel gehörte Daisy zu den Auserwählten, die zu tiefen zwischenmenschlichen Beziehungen fähig sind und die das Wunder wahrer Freundschaft erfahren durften.«

Trude las langsam, geradezu andächtig und betonte ausdrucksvoll, als hätte sie die Zeilen schon viele Male rezitiert.

»Liegt das Geheimnis wahren Lebens nicht gerade darin, im Hier und Heute und im Austausch mit seinen Mitmenschen intensiv zu leben und sich der alltäglichen Wunder dieser Welt bewusst zu werden? So betrachtet hatte eure Daisy ein erfülltes, glückliches und reich beschenktes Leben.«

Mit einem Mal zog Alice – Woher nahm sie plötzlich die Kraft? – sich in ihrem Bett hoch, als ob sie so noch besser hören könnte. Von Satz zu Satz wurde sie wacher und unruhiger.

»Furchtbar ist ihr Tod nicht für sie, sondern für all die, die ihr nahestanden. Und für diese Menschen sollte er Anlass sein, das eigene Leben kritisch zu hinterfragen. Messen heute nicht immer mehr Menschen den Wert ihres Lebens allein an

ihrem äußeren Erfolg? Und definieren sie sich nicht nur noch über ihr Geld und über Anerkennung von außen? Müssen wir nicht wieder lernen, unser Leben in Relation zu bringen, damit es ein beglückendes Leben wird – in Relation mit den Leben unserer Nächsten?
Auch für mich ist der Tod eines Mädchens, das ich nur aus deinen Schilderungen kenne, eine Herausforderung, mein Leben zu überdenken. Und eine Mahnung, mich nicht dem Zeitgeist hinzugeben, sondern tagaus, tagein ein waches, ein wahres Leben anzustreben ...«

»Ich muss ihn unbedingt kennenlernen, Trude«, platzte es aus Alice heraus.
Die Freundin kam gar nicht dazu, nach dem Warum zu fragen, schon sprach Alice weiter. »Wie alt, hast du gesagt, ist er? Zwanzig wird er? Wer in dem Alter schon über so viel Weisheit und Tiefe verfügt, muss eine ganz außergewöhnliche Person sein.«
So unerwartet Alices plötzliches Aufblühen kam, so sehr beglückte es Trude. »Du wirst ihn kennenlernen, Alice, er kommt öfter zu seinen Eltern nach Prag. Dann besucht er mich immer. Vielleicht schon im Frühjahr oder spätestens diesen Sommer.«

***

Tatsächlich wirkte Leopold Sommers Brief Wunder. Schon eine Woche später hatte Alice sich so gut erholt, dass sie ihren gewohnten Tagesablauf wieder aufnehmen konnte. Vormittags saß sie vier Stunden am Klavier, nachmittags gab sie Unterricht. Mit ihren einundzwanzig Jahren hatte sie sich in Prag nicht nur einen Namen als Pianistin gemacht, sondern sie war auch dabei, eine begehrte Klavierpädagogin und, obwohl sie nach wie vor in ihrem Elternhaus lebte, finanziell unabhängig zu werden.
Ihre Abende verbrachte sie fast ausschließlich auf den Tribünen-Stehplätzen von Theatern und Konzerthäusern. Was für ein Genuss, auf dem obersten Absatz der Treppe zu sitzen, die zu den Sitzplätzen hinunterführte, und mit der Partitur in der Hand die

Die Schwestern Mizzi, Irma und Alice mit Irmas Tochter Ruth (um 1925)

Musik in sich aufzunehmen. Prag nannte sich zu Recht eine der führenden Kulturmetropolen Europas und zog Künstler aus aller Welt an.

Nach den Vorstellungen wanderten Alice und ihre Freunde gern hinauf zum Hradschin. Von dort oben blickten sie – in manchen Nächten eher verträumt, in anderen zu Scherzen aufgelegt – auf Prag hinunter und erdachten jedes Mal neue Liebeserklärungen an die Heimatstadt. Alice mochte diese Spaziergänge zu allen Jahreszeiten und ganz besonders in sternenklaren Winternächten, wenn der Neuschnee unter den Stiefeln knirschte. Und obwohl sie den Augenblick zu genießen wusste, dachte sie doch häufig und gerade nachts auf der Burg an Leopold Sommer und seinen Brief. Trude musste ihr alles erzählen, was ihr zu Leopold einfiel, und sie musste ihr eine Fotografie des Freundes mitbringen. Das Bild zeigte einen feingliedrigen, kultiviert gekleideten jungen Mann, der sanft und sympathisch in die Kamera blickte und Alices Wunsch noch verstärkte: »Ich muss ihn kennenlernen.«

Eine Reise nach St. Gilgen, zu der Václav und Ilonka Štěpán sie im Frühjahr 1925 einluden, verkürzte die Wartezeit.

Leopold Sommer (um 1935)

Alices Beziehung zu dem verehrten Lehrmeister war in den Monaten seit ihrem Auftritt mit Chopins zweitem Klavierkonzert noch intensiver, geradezu familiär geworden.

»Alica, Sie spielen inzwischen besser als Ilonka«, hatte Štěpán begeistert geurteilt, als sie an einem der vielen gemeinsamen Klavierabende Chopins anspruchsvolles, aber verschmitzt heiteres Scherzo in b-moll vorgetragen hatte. »Wunderbar, wie Ihnen die kantable, immer höher schwebende Melodie im ersten Teil gelungen ist, wie Sie die leidenschaftliche Verzückung transportieren ...«, schwärmte Štěpán. Verbunden mit Ilonkas Angebot, sich fortan zu duzen, war es, so empfand Alice, das schönste Lob ihres bisherigen Lebens. Dennoch zögerte Alice, die Einladung zur Reise ins Salzkammergut anzunehmen, aber Štěpán bestand darauf.

»Alica, wenn Sie da sind, geht die Sonne auf. Sie sind für mich und meine Frau wie Medizin.« Erst als er hinzufügte, dass auch Ilonkas Eltern mitkommen würden, ließ sie sich umstimmen. Wilhelm Kurz kannte viele der bedeutendsten Pianisten Europas. Alice

freute sich deshalb auf interessante Fachgespräche mit dem geachteten Klavierpädagogen.
Es wurde ein für alle fröhlicher und beglückender Aufenthalt. Die Gegend war Alice bereits einigermaßen vertraut – schließlich war sie zehn Jahre zuvor mit Irma und Felix Weltsch schon einmal im Salzkammergut gewesen. Und doch erlebte sie die Natur in einer nicht gekannten Intensität.
Wilhelm Kurz war gut zu Fuß, nahm Alice mit auf weite Touren in die Berge und öffnete ihr dabei die Augen für die nahe Verwandtschaft von Natur und Musik.
In ihrer Kindheit und Jugend hatte Alices Annäherung an die Natur sie über die kultivierten Parklandschaften Prags nicht hinausgeführt. Sowohl die Mutter als auch der Vater waren auf das städtische Leben fixiert, und auch die Sommerferien brachten sie nur in Landstriche, die die Menschen unter den Pflug genommen hatten.
Nun offenbarte sich Alices Augen und Ohren erstmals die eigenwillige Bergwelt der Alpen, und sie bekam einen Eindruck davon, was mit dem mächtigen Begriff »Urgewalt« gemeint sein könnte. Nun verstand Alice auch, warum so viele Komponisten sich von den Stimmen der Natur zu ihren Meisterwerken inspirieren ließen.

***

An einem Sonntagnachmittag im Sommer 1925 stand Alice erstmals vor Leopold Sommer. Ihr Herz klopfte, und sie musste sich eingestehen, dass sie – erneut – empfänglich für Äußerlichkeiten war. Leopolds makellose Zähne und seine feingliedrigen Hände fielen ihr sofort auf. Zwar wirkte er auf Alice eher klein – er maß etwa 1,65 Meter –, doch war er schlank, wohlproportioniert und durchaus männlich.
Trude Hutter hatte eine ganze Reihe von Freunden zu einem Hauskonzert geladen, und Alice hatte lange überlegt, welches Stück für diese erste Begegnung mit Leopold passend wäre. Schließlich hatte sie sich für die Beethovensonate op. 110 ent-

schieden. Alice liebte dieses späte Werk, das der Künstler im Frühjahr 1822 während der Arbeit an der »Missa solemnis« vollendet hatte und dessen jubelndes Finale Alices Himmelhochjauchzen überzeugend zum Ausdruck brachte.
Alice spielte, so fasste Trude es später in Worte, als holte sie die Töne aus dem Innersten ihrer Seele hervor. Kein Zweifel, dass sie auch Leopold erreichte.
Als die beiden am späteren Nachmittag ins Gespräch kamen, schien es ihnen, als wären sie seit Jahren miteinander vertraut. Leopold war ein ebenso begeisterungsfähiger wie gebildeter Kunstliebhaber mit treffsicherem Urteil in Fragen der Musik und der darstellenden Kunst. Er hatte eine Weile erwogen, seine Leidenschaft für das Geigenspiel zu seinem Beruf zu machen. Aber die Aussicht, seine liebste Freizeitbeschäftigung, das Musizieren mit Freunden, zum Broterwerb zu betreiben und damit möglicherweise zur Pflicht verkommen zu lassen, hatte ihn befremdet. Darüber hinaus war er Realist und ahnte wohl, dass sein Talent für eine Karriere als Berufsmusiker nicht ausreichen würde. So hatte er gemeinsam mit seinem besten Freund Robert Sachsel eine Ausbildung zum Handelskaufmann absolviert und sich für eine Bürolaufbahn entschieden. Auch die ersten beruflichen Schritte unternahmen Leopold und Robert gemeinsam. Weil beide ausgezeichnet englisch und französisch sprachen, engagierte ein britisches Import-Export-Unternehmen sie sozusagen vom Fleck weg nach Hamburg.
Leopold Sommer war alles andere als ein Selbstdarsteller, sondern jener zurückhaltende, bescheidene Typ, den der oberflächliche Blick gern unterschätzt. Nur wer sich die Zeit nahm, ihm näherzukommen, lernte seine geistreichen Gedanken und seinen vielschichtigen Humor schätzen. Als wäre es das Selbstverständlichste der Welt, verabredete er sich für die nächsten Tage mit Alice. Bis zu seiner Abreise nach Hamburg trafen sie einander fast täglich, und in den Monaten bis zum Wiedersehen tauschten sie Briefe aus.
Die zehn gemeinsamen Tage im folgenden Herbst waren für beide eine Bestätigung ihrer Empfindungen füreinander. Leopold dachte

sich einen besonders schönen Anlass aus, um Alice seinen Eltern und seinen Geschwistern vorzustellen. Er veranstaltete einen Hausmusikabend. Vor der Pause musizierte er mit seinen Freunden im Quartett, nach der Pause trat Alice auf.
Vom ersten Moment an fühlte Alice sich bei Leopold zu Hause. Vater und Mutter Sommer strahlten aus, was viele mit »aristokratischer Noblesse« umschreiben, und gingen doch mit einer so warmherzigen Gastfreundschaft auf ihre Besucher zu, dass sich jeder in ihrer Nähe wohl fühlte. Der Vater begegnete den Menschen mit jener angenehmen Zurückhaltung, die auch für Leopold typisch war. Die Mutter war in ihrer ansteckend offenen und herzerfrischenden Art der Mittelpunkt des Hauses.
Alice hielt auch dann Kontakt zu ihr, wenn Leopold in Hamburg arbeitete; denn obwohl es so deutlich noch nicht ausgesprochen war, fühlte sie sich bereits an die Familie gebunden. Die Wochen und Monate zwischen den Wiedersehen mit dem Freund standen im Zeichen des Wartens und der Vorfreude. Und doch war Alice in dieser Zeit alles andere als untätig.
»Wie könnte ich meine Fähigkeiten weiter vervollkommnen?« Die Frage bewegte Alice, seitdem sie die Musikakademie abgeschlossen hatte. Unter Conrad Ansorges Anleitung hatte sie sich vor allem mit Beethoven, aber auch mit Schubert, Schumann und Chopin beschäftigt, eben mit den Traditionen des neunzehnten Jahrhunderts. Václav Štěpán, der nach wie vor ihr wichtigster Ansprechpartner in allen musikalischen Fragen war, verdankte sie vor allem ihr Interesse an den modernen Tschechen wie Vítězslav Novák, Otokar Ostrčil und Josef Suk. Doch die junge Pianistin war auch neugierig auf die jüngsten Entwicklungen in der Musikwelt, die, von Wien aus, Komponisten wie Arnold Schönberg und Alban Berg prägten.
Wann immer es sich anbot, hörte Alice sich Werke der Moderne an. Wie oft hatte sie in den letzten Jahren erlebt, dass das konservative Prager Publikum den ersten Konzertteil mit traditionellen Werken enthusiastisch beklatscht und im zweiten Teil den Saal aus Protest gegen die ungewohnten Klänge demonstrativ verlassen hatte.

Ein Schlüsselerlebnis dieser Art war für Alice ein Gastauftritt des in Wien lebenden polnischen Pianisten Eduard Steuermann, der unter anderem Schönbergs Kammersymphonie in seiner Fassung für Klavier solo vortrug.
Steuermann hatte erst bei Ferruccio Busoni und dann bei seinem Freund Arnold Schönberg studiert und gehörte – ein »phänomenales musikalisches Talent« – zu den jungen, viel diskutierten Expressionisten, die unter dem Einfluss von Krieg und Umsturz zu »Revolutionären der Klaviermusik« wurden.[42] Seine modernen Visionen beeindruckten Alice ebenso wie seine technischen Fähigkeiten.
Als er sich der jungen Prager Pianistengeneration als Lehrer empfahl und vorschlug, einmal im Monat von Wien nach Prag zu kommen, um dort zu unterrichten, packte Alice die Gelegenheit beim Schopf. Neben der modernen Musikliteratur wollte sie mit Steuermann ein klassisches Hauptwerk einstudieren, an dem sie Conrad Ansorges mit Steuermanns Auslegung und damit eine Ansicht des neunzehnten direkt mit einer des zwanzigsten Jahrhunderts vergleichen konnte. Alice entschied sich für die Appassionata von Beethoven.
Bereits nach wenigen Unterrichtsstunden kamen Alice erste Zweifel. Steuermann zeigte kein wirkliches Interesse an seiner Schülerin, seine Art zu lehren war unpersönlich und wenig inspirierend – und weckte in Alice den Verdacht, der Virtuose würde allein des Geldes wegen nach Prag kommen.
Der Unterricht war für ein Jahr im voraus vereinbart und bezahlt worden, also versuchte Alice, das Beste daraus zu machen. Der Abschied von Steuermann fiel ihr nicht schwer, doch es drängte sie, ihm ihre Enttäuschung über die unbefriedigenden Treffen mitzuteilen.
»Ich gehöre nach wie vor zu denen, die Ihre pianistischen Fähigkeiten ebenso schätzen wie Ihr Interesse an der Moderne. Aber ich habe das Gefühl, von Ihnen nichts Wesentliches gelernt zu haben«, sagte Alice, die harmoniebedürftig war und derlei Auseinandersetzungen eigentlich aus dem Weg ging.
Eduard Steuermann zeigte sich schockiert. »Das müssen Sie mir

näher erklären. Sie beherrschen die Appassionata jetzt doch brillant!«
»Das mag schon sein«, entgegnete Alice. »Aber als Ihre Schülerin merke ich, dass Sie eigentlich gar kein Interesse am Unterrichten haben. Ich wurde in den zwölf Monaten das Gefühl nicht los, dass es Ihnen eigentlich völlig egal ist, wie ich spiele. Und deshalb frage ich mich, warum Sie überhaupt unterrichten? Es geht Ihnen doch wohl nicht nur ums Geld?«

***

Alice selbst unterrichtete – natürlich – auch, um davon zu leben. Doch die Arbeit mit ihren Schülern kostete sie keine Überwindung. Im Gegenteil, für sie war es, wie sie gern sagt, eine »beseelende Aufgabe«, sogar dann, wenn es sich, wie einige Jahre später, um Schülerinnen wie Anni handelte.
Eines Tages klingelte Alices Telefon. Max Brod, der mittlerweile auf die fünfzig zuging und seit mehr als fünfzehn Jahren – manche sagten glücklich – verheiratet war, meldete sich mit einem ungewöhnlichen Anliegen. Sie sollte seiner neuen Geliebten Klavierunterricht geben.
Alice hatte es schon tuscheln hören, dass Brod neuerdings einer skandalumwitterten Schauspielerin von Mitte zwanzig mit dem gar nicht glamourösen Namen Anni verfallen war, und auch wenn Alice seine außerehelichen Liebschaften nicht guthieß, gestand sie Brod doch eine unwiderstehliche Mischung aus Humor und Charme zu und konnte nachvollziehen, warum er als einer der führenden Intellektuellen der Stadt bei den Frauen so begehrt war.
Obwohl Alice bereits mehr als genug Schüler hatte, willigte sie sofort ein. Immerhin war Brod nach wie vor einer der besten Freunde ihres Schwagers Felix Weltsch und eine Art Patenonkel ihrer Nichte Ruth, um die Alice sich all die Jahre aufopfernd kümmerte. Außerdem hatte Brod inzwischen einige von Alices öffentlichen Auftritten enthusiastisch rezensiert. Sogar im *Prager Tagblatt* hatte er ihre Entwicklung zu einer »erstrangigen Pianistin

von klar profilierter Persönlichkeit« gelobt.[43] Und sein Urteil zählte. In Brods Familie wurde die Musik gepflegt, er selbst spielte ausgezeichnet Klavier und hatte sich eine Zeit lang bemüht, »die letzten Schwierigkeiten bis zur Stufe des Konzertpianisten« zu überwinden.[44] Mit Alice verband ihn seine Vorliebe für Bedřich Smetana, dessen »volkstümliche Einfachheit und Tiefe er mit Mozart verglich«.[45] Und sein wohlwollender Blick auf die Menschen. Wenn Alice auf die Bühne trat und Brod im Zuschauerraum erblickte, fühlte sie sich sicher; denn Brod konzentrierte sich – jedenfalls in ihrer Erinnerung – stets darauf, die gelungenen Höhepunkte eines Konzerts herauszuhören.

In der Woche nach seinem Anruf lieferte Max Brod die attraktive Anni zur ersten Unterrichtsstunde ab und verabschiedete sich höflich. Dass er die Kosten für den Unterricht tragen werde, hatte er schon am Telefon klargestellt.

Zum Auftakt verwickelte Alice, wie sie es mit neuen Schülern, Anfängern wie Fortgeschrittenen, gern tat, Anni in ein Gespräch über Musik im Allgemeinen und das Klavierspielen im Besonderen. Ob sie eine bestimmte Erwartung an den Unterricht habe? Anni konnte – oder wollte – nicht verheimlichen, dass Musik ihr ziemlich gleichgültig und die Idee zu den Klavierstunden von Brod gekommen war. Von Anfang an wirkte sie fahrig, und in ihren Augen flackerte es unruhig.

Die Stunde war erst zur Hälfte um, als das Telefon läutete. Wenn Alice unterrichtete, ließ sie sich für gewöhnlich durch nichts unterbrechen. Doch diesmal klingelte es so hartnäckig, dass sie sich ergab und den Hörer abnahm. Durch die Leitung drangen unverständlich leise Worte einer gehetzt klingenden Männerstimme.

»Wer ist da?« fragte Alice ungeduldig. Erst dann sprach der Mann laut genug, dass sie ihn als Max Brod erkennen konnte. Er bat Alice, sie möge doch einen möglichst unauffälligen Blick auf Annis linke Hand werfen. An ihrem vierten Finger müsste ein Ring mit zwei kleinen, nebeneinander liegenden Brillanten stecken. »Ein ganz wunderbarer, wertvoller Ring«, schwärmte Brod, der plötzlich alle Zeit der Welt hatte. Alice sah zum Klavier hinüber – Anni trug den Ring des Liebhabers.

Kaum war die Stunde zu Ende, klingelte die Türglocke. Draußen stand, gleich einem Leibwächter, Max Brod, der seine Anni wieder abholte.
Erst Wochen später – die Affäre war schon wieder zu Ende – erfuhr Alice, dass Brod befürchtet hatte, Anni könnte den Ring versetzt haben. Sie war rauschgiftsüchtig und deshalb ständig in Geldnot. Offenbar beschäftigte die unstete Schönheit den Schriftsteller so sehr, dass er sie sich von der Seele schreiben musste – »Annerl. Roman des Kokains« erschien 1936.

***

Zwischen 1927 und 1931 fuhr Alice mindestens zwei- oder dreimal im Jahr für zwei Wochen oder auch länger in die Sudeten nach Gräfenberg, dem Luft- und Wasserkurort bei Freiwaldau im Reichensteiner Gebirge; denn dort lebte nun ihre Zwillingsschwester, und dort zeigte sich die Natur von einer besonders wohltuenden Seite.
Im April 1927 hatte Mizzi, die bis dahin das Büro einer der führenden Anwaltskanzleien Prags geleitet und auch deren Buchhaltung erledigt hatte, den drei Jahre älteren Prager Arzt Emil Adler geheiratet. Wie Irma vor ihr, so hatte auch sie nur eine schlichte standesamtliche Hochzeit im engen Familienkreis gefeiert.
Emil Adler hatte in Wien und Prag studiert, sich auf innere Medizin spezialisiert und früh hervorragende Referenzen gesammelt. Noch vor seiner Hochzeit hatte sich der erst Sechsundzwanzigjährige als Oberarzt am Prießnitz-Sanatorium beworben. Ein idealer Ort für Patienten, die dort ihre Neurosen behandeln ließen oder, wie die vielen milden Fälle, dem Alltag entflohen, sich von ihren Erschöpfungszuständen erholen wollten und den Aufenthalt im Sanatorium als Kur betrachteten.
Bereits 1826 hatte der Naturheilkundler Vinzenz Prießnitz in seinem Geburtsort Gräfenberg die erste Wasserheilanstalt der Welt begründet, an der er moderne physikalisch-diätetische Therapien entwickelte, mit denen er es zu Weltgeltung brachte. 1910 war ein neues Sanatoriumsgebäude, ein reizvoller Jugendstilbau, der weite

Das Prießnitz-Sanatorium in Gräfenberg

Ausblicke gewährte und allen Komfort eines modernen Instituts dieser Art zu bieten hatte, errichtet worden.
Emil Adler bekam die ausgeschriebene Stelle, musste aber vorher eine Fachausbildung zum Neurologen absolvieren. Dafür reiste er mehrfach nach Breslau.
Im Sommer 1927 kam Alice, so hatte sie es Mizzi an deren Hochzeitstag versprochen, zum ersten Mal nach Gräfenberg. Sie war darauf eingestellt, für die Dauer des Aufenthalts ohne Klavier auskommen zu müssen. Mizzi und Emil fühlten sich der Literatur enger verbunden als der Musik, und ohnehin war es in ihrem hübschen Haus mit Garten inmitten einer Siedlung für Ärzte so eng, dass sie gar nicht auf die Idee kamen, darin ein Klavier unterbringen zu wollen. Nicht einmal für Alices Privatsphäre wäre in dem Haus, bei aller Liebe und Vertrautheit zwischen Alice und Mizzi, Platz gewesen. Deshalb hatte Emil Adler seiner Schwägerin ein Gästezimmer im Sanatorium reserviert.
Alices Befürchtung, in Gräfenberg nicht musizieren zu können, bewahrheitete sich indes nicht. Gleich neben ihrem Zimmer, im Gemeinschaftsraum des Sanatoriums, stand ein brauchbarer Flügel. Mizzi hatte schon für den Abend nach Alices Ankunft ein kleines Konzert für Ärzte und Patienten angekündigt. Sie wusste

ja, dass Alice nichts dagegen hatte – im Gegenteil! – und über ein ausgesprochen umfangreiches Repertoire verfügte, das sie auswendig vortragen konnte. Alice setzte sich also sofort an den Flügel und stellte ein Programm zusammen. Ihre wöchentlichen Klavierabende waren fortan ein Jour fixe, wann immer sie zu Besuch in Gräfenberg weilte.

Die Resonanz des Publikums war schon beim ersten Konzert so groß, dass Alice drei Zugaben spielte. Als sie den Deckel des Klaviers schließlich schloss, kam ein Mann mit markanten Gesichtszügen, tiefliegenden, sprechenden Augen und einer auffallend hohen Stirn auf sie zu. Neben der mädchenhaften Alice wirkte er beinahe väterlich, obwohl er nur wenig älter war als sie.

»Dr. Ernst Boronow, Musikliebhaber und Zahnarzt aus Breslau. Angenehm«, stellte er sich Alice vor und lobte das Konzert. Sein Urteilsvermögen verblüffte Alice. Selten war ihr eine so tiefe Liebe zur Klaviermusik begegnet. Gegen zehn Uhr abends bat Boronow, Alice möge doch die tschechischen Tänze von Bedřich Smetana noch einmal spielen, und erntete damit begeisterten Beifall der Gäste.

In den nächsten Tagen saß Boronow stets im Raum, wenn Alice übte, stundenlang in sich gekehrt, ohne ihr Spiel auch nur einmal zu unterbrechen; und auch wenn Alice nicht übte, suchte er ihre Nähe. Sie mochte die Gespräche mit ihm, und sie schlug auch seine Einladungen zu langen Spaziergängen im Umkreis des Sanatoriums nicht aus.

Als sie erfuhr, dass er, anders als sie vermutet hatte, gar nicht als Arzt im Sanatorium arbeitete, sondern zum wiederholten Mal als Patient dort weilte, staunte sie nicht schlecht. Boronow war doch so humorvoll, so geistreich, so gebildet, so kultiviert. In den nächsten Tagen achtete sie bewusst auf seine Gewohnheiten. Auffällig war nur, wie oft er sich die Hände wusch. Alice störte sich jedoch nicht daran, weil er scheinbar niemanden damit behelligte.

Stammgast bei Alices Gräfenberg-Konzerten war neben Ernst Boronow auch Joseph Reinhold, der Leiter des Sanatoriums. Seine Leidenschaft galt der romantischen Klaviermusik. Stets sicherte er

Gestatten: Dr. Ernst Boronow, Musikliebhaber (um 1930)

sich einen Platz in der Mitte der ersten Reihe, fiel regelmäßig in einen Zustand der Verzückung, wenn Alice Chopin, Schumann oder Schubert anklingen ließ, und klatschte auch dann noch enthusiastisch, wenn der Applaus der anderen Gäste längst verklungen war. Reinhold war zu vornehm, um lauthals eine Zugabe zu fordern, also klatschte er unverdrossen weiter, bis Alice ihm noch ein Stück schenkte, und manchmal noch eines.

Wann immer Alice in Gräfenberg eintraf, kam Chefarzt Reinhold auf sie zu, um die nunmehr traditionellen Hauskonzerte zu verabreden. An einem der Wochenenden während ihres Aufenthalts lud das Ehepaar Reinhold immer ein handverlesenes Publikum in die Chefarztvilla.

Die Abende wurden als stilvolle Feste inszeniert. Wenn die Gäste eintrafen, flackerte bereits das Feuer im Kamin. Acht Korbstühle, manchmal auch einer mehr, waren in dem herrschaftlichen Salon so platziert, dass die Gäste in unmittelbarer Nähe des Steinwayflügels saßen und einen freien Blick auf die Pianistin und auf das Kaminfeuer hatten.

Alice musste sozusagen aus dem Stegreif spielen. Joseph Reinhold reizte die Idee, seinen Gästen ein Wunschkonzert zu bieten, bei dem jeder Gast ein Lieblingsstück frei hatte.

An einem der ersten Kaminabende lernte Alice den Maler und Graphiker Emil Orlik kennen, der seit 1905 in Berlin lebte und offenbar Stammgast im Prießnitz-Sanatorium war. Orliks Weg war, wie sein enger Freund Rainer Maria Rilke feststellte, eine »beständige Annäherung an die Dinge« gewesen, »ein Sich-vertraut-Machen mit ihren Wünschen und Eigenheiten«, »ein Bestreben, nichts Bedeutendes an ihnen zu übersehen und sich durch nichts Zufälliges beirren zu lassen«.[46]
Alice hatte schon lange vor dieser Begegnung von Orlik gehört – schließlich war er der erfolgreichste aus Prag stammende jüdische Künstler seiner Zeit. Zudem war Irma mit Orliks Schwester befreundet und erzählte gern von den ungezählten Reisen des Abenteurers, die ihn schon um die Jahrhundertwende bis nach Japan geführt hatten. In seine Arbeiten für die Wiener Sezession, der er bis 1904 angehört hatte, waren die Eindrücke von der Reise bereits eingeflossen.
Als Alice den Künstler persönlich kennenlernte, war er fast sechzig Jahre alt, und er sah, fand Alice, noch älter aus. Er sprach fließend deutsch, doch mit einem starken tschechischen Akzent, der ihn sein Leben lang begleitete. Orlik war als Sohn eines Schneiders im Ghetto aufgewachsen, zu Hause hatte man tschechisch gesprochen.
Kein Abend verging, an dem er seine Gesellschaft nicht mit Episoden aus seinem unruhigen Leben amüsierte. Sein Humor war volkstümlich, gelegentlich derb, manchmal sarkastisch. Und wenn er auch nichts mit dem hintergründigen jüdischen Witz gemein hatte, sondern sich eher anarchisch gab, so riss er seine Zuhörer doch immer mit.
An einem dieser Abende, die Alice besonders gut in Erinnerung blieben, erzählte Orlik vom Beginn seiner Ausbildung an der Münchner Akademie im Jahr 1891. Beim Auslosen der Plätze für das Zeichnen nach dem lebenden Modell hatte er die schlechteste Nummer gezogen und konnte überhaupt nichts sehen. Kurzerhand verzichtete er auf diese Übungen und ging stattdessen in die Alte Pinakothek, um eine Kopie von Rembrandts »Kreuzabnahme« zu malen.

Orliks Arbeit war weit fortgeschritten, als Franz von Lenbach, den man schon zu seinen Lebzeiten den Münchner Malerfürsten nannte, eines Tages zusammen mit seinem Kollegen Wilhelm Lindenschmit dem Jüngeren durch die Ausstellungsräume ging. Im Vorübergehen warfen sie einen Blick auf Orliks Kopie. Sie gefiel Lenbach so gut, dass er den Studenten in ein Gespräch verwickelte.
Lindenschmit stand erst schweigsam daneben, dann ergriff er – plötzlich war der Groschen gefallen – das Wort. Ob er Orlik nicht vor einigen Wochen bei den Übungen am lebenden Modell gesehen hatte? Ob er nicht eigentlich sein Schüler war?
Als Orlik sein Dilemma von der ungünstigen Auslosung ansprach, wies Lenbach ihm spontan ein eigenes Atelier zu. Bei der nächsten Ausstellung im Münchner Glaspalast durfte der junge Orlik auf Lenbachs Empfehlung sogar zwei seiner Pastelle ausstellen – unmittelbar neben Adolph von Menzels Genrebildern. Orlik platzte vor Stolz über diesen Erfolg, denn wie viele seiner Zeitgenossen versuchte er zu Beginn seiner künstlerischen Karriere, Menzel nachzueifern. Diese Phase nannte er selbstironisch sein »Menzeln«.
Seit 1905 lehrte und malte Orlik, der vielen Kollegen schon deshalb etwas voraushatte, weil er alle graphischen Drucktechniken beherrschte, in Berlin. Die dortige »gehobene Gesellschaft« ließ sich gern von ihm porträtieren, sie sah ihn als Gegenpol zu Heinrich Zille, der in seinen Arbeiten das Elend der Hinterhöfe und Mietskasernen festhielt. Orlik selbst verstand sich als »Chronist des geistigen Berlins« oder, besser, der »geistigen Achse zwischen Berlin und Wien«. Im Lauf seines Lebens porträtierte er neben vielen anderen Peter Altenberg, Hermann Bahr, Josephine Baker, Marc Chagall, Albert Einstein, Gerhart Hauptmann, Käthe Kollwitz, Karl Kraus, Max Liebermann, Gustav Mahler, Thomas Mann, Max Reinhardt, Rainer Maria Rilke, Arthur Schnitzler, Max Slevogt und Franz Werfel. Aber so launig Emil Orlik auch zu erzählen verstand, stets schwang seine Sorge und Verbitterung über die Menschen mit, die sein Werk nicht mehr zu schätzen wüssten und ihn bereits zu seinen Lebzeiten vergaßen.

An einem besonders lustigen Kaminabend waren neben Emil Orlik und dem Hausherrn auch Alices Schwester Mizzi samt Ehemann sowie Ernst Boronow zugegen. Sie entfachten einen schelmenhaften Streit darüber, wer von den Gästen sich welches Stück wünschen dürfe und was zuerst gespielt werden sollte.
Joseph Reinhold war ein zurückhaltender Gastgeber und ließ dem Kollegen Adler die erste Wahl, denn dieser nahm ohnehin nur selten an den Hauskonzerten teil. Reinhold schätzte ihn als hochgebildeten Intellektuellen, der der Vernunft immer den Vorrang vor dem Gefühl gab. So wunderte es ihn nicht, dass Adler sich gerade für die B-Dur-Partita von Johann Sebastian Bach entschied.
Ernst Boronow hingegen protestierte spontan. Einen Kaminabend mit Bach zu beginnen sei undenkbar, schließlich sei man zu einem romantischen und nicht zu einem intellektuellen Abend zusammengekommen. Außerdem wolle er in diesem Kreis doch einmal loswerden, wie überschätzt Bach nach seiner Einschätzung sei, ergänzte Boronow. »Letztlich hat er doch nur Nähmaschinenmusik komponiert.« Er wünschte sich den ersten Satz der Appassionata.
Einen so dramatischen Einstieg in einen gemütlichen Abend konnte wiederum Joseph Reinhold sich nicht vorstellen. Er schlug Alice vor, statt mit Beethoven lieber mit dem ersten Satz der großen Schubertsonate zu beginnen.
Emil Orlik schien an der Auseinandersetzung seinen Spaß zu haben, und mehr noch daran, die Gäste zu provozieren. Das Beste wäre doch, warf er ein, mit einem atonalen Stück von Schönberg zu beginnen. Schließlich fühlten sich doch alle Anwesenden dem Aufbruch in die Moderne gewachsen, nicht wahr?
Der Protest der Gäste amüsierte nicht nur Orlik, sondern auch Alice. Bevor allerdings echte Missstimmung aufkommen konnte, ergriff sie die Initiative und spielte die C-Dur-Fantasie von Schumann.
Tatsächlich waren alle Gäste hochzufrieden – nach Orliks Geschmack offenbar zu zufrieden. Er stachelte sie am späten Abend noch einmal auf, indem er bühnenreif nachahmte, wie die honorigen Männer der Fantasie gelauscht hatten.

Joseph Reinhold, der sich fortwährend die Tränen aus den Augen wischte.
Emil Adler mit der überlegenen Miene des Intellektuellen, der zum Zeichen seiner Wertschätzung ständig wohlwollend nickte.
Ernst Boronow, der, so Orlik, zwischen tiefster emotionaler Betroffenheit und größter Müdigkeit hin- und hergerissen war und gegen Ende des Stückes doch noch ein paar Tränen verlor.
Wenn von dem anwesenden Emil Orlik eine Weile nichts zu hören war, konnte man sicher sein, dass er Papier und Bleistift zur Hand genommen und zu skizzieren begonnen hatte. Schon als kleiner Junge im Ghetto hatte er die Typen des Prager Altstadtmilieus mit erstaunlicher Beobachtungsgabe und Witz karikiert. Und auch in Gräfenberg entstanden zahllose Skizzen.
Zum Dank für ihre Musik schenkte Orlik Alice im Lauf der Zeit Radierungen Wilhelm Furtwänglers, Igor Strawinskys und ihres Lehrers Conrad Ansorge. Etwa zwei Jahre vor seinem Tod – Orlik starb 1932 – widmete er Alice ein Blatt, auf dem er sie gezeichnet hatte.

***

Aus der ersten Begegnung zwischen Alice Herz und Ernst Boronow wuchs eine tiefe Freundschaft. Boronow schrieb Alice regelmäßig von seinen jüngsten Breslauer Konzerterfahrungen, und sie antwortete gern, denn seine Gedanken über Musik regten sie stets an. Bei ihrem Abschied in Gräfenberg hatte Boronow sie eingeladen, ihn möglichst bald in Breslau zu besuchen, einerseits, um seine Familie kennenzulernen, andererseits, weil er im Festsaal des Breslauer Pianoherstellers Schietmayer ein Konzert von ihr organisieren wollte.
In seinen Briefen erzählte er Alice von den Verhandlungen mit Schietmayer und von seinen Werbeaktionen in der Jüdischen Gemeinde. Boronow schrieb aber auch so viel über seine Frau, die beiden Kinder und seine Arbeit, dass Alice schon bei ihrem ersten Besuch in Breslau im Spätherbst 1927 das Gefühl hatte, in eine vertraute Umgebung zu kommen.

Boronows Frau war eine aufmerksame Gastgeberin und musisch veranlagte Person, sie spielte passabel Klavier. Ihr Bruder war ein erfolgreicher Dirigent und schlug Alice gleich nach ihrer Ankunft vor, vierhändige Stücke mit ihm einzuüben und bei einem Hauskonzert vorzutragen. So musizierten die beiden eine Woche lang täglich in Boronows Haus.
Das Konzert im Schietmayer-Saal wurde ein großer Erfolg – für Alice und für Ernst Boronow. Er hatte sich persönlich um den Verkauf der Restkarten gekümmert, denn es war ihm wichtig, dass Alice vor einem ausverkauften Saal auftrat.
Sie begann den Abend mit Beethovens 32 Variationen über ein eigenes Thema in c-moll op. 80, dann spielte sie Nováks Sonata eroica op. 24, die die meisten Zuhörer enthusiastisch aufnahmen, obgleich sie bis dato wenig Erfahrung mit der Musik der tschechischen Moderne gemacht hatten. Als Alice in die Pause ging, hatte sie das Publikum erobert. Im zweiten Teil belohnte sie ihre aufgeschlossenen Zuhörer mit einigen Stücken von Chopin.
Vor ihrer Abreise musste sie Boronow versprechen, ihn rechtzeitig wissen zu lassen, wann sie die Sonata eroica wieder öffentlich spielte.
Alice gab in Prag jährlich zwei bis drei Solokonzerte. Häufig trat sie im Mozarteum auf, einem sehr intimen Saal, der ungefähr zweihundertfünfzig Zuhörer fasste. Schon in den zwanziger Jahren hatte sie zahlreiche moderne Stücke im Repertoire, nicht nur Debussy, Ravel und Prokofjew, sondern vor allem tschechische Komponisten wie Vítězslav Novák, Fidelio F. Finke und Alois Hába.
Am 6. März 1928 trat Alice wieder auf – mit dem nahezu gleichen Programm wie in Breslau. Neben Ernst Boronow saß auch Mizzi im Saal. Sie war im achten Monat schwanger und brachte am 13. Mai in einer Prager Klinik ihren Sohn Heinz zur Welt. Der Kritikerstuhl war diesmal für Max Brod reserviert. »Jedes Stück, das sie spielt, wird interessant durch die besondere, männlich-unsentimentale Individualität, aus der hervor sie es anpackt«, besprach er das Konzert im *Prager Tagblatt:*

Alice mit dem kleinen Heinz Adler, ihrem Neffen (um 1929)

»Solche technische Vollendung, wie sie die Konzertgeberin in den großen Steigerungen der Sonata eroica von Novák oder gar in der stupend schwierigen Toccata von Prokofjew bewies, zeigt schon eine besondere Klasse an. Eine ganze Reihe moderner Kompositionen bildete den zweiten Teil. Neben dem klassischen Stil (Beethoven) beherrscht Alice Herz auch die impressionistischen Klangreize, mit denen Debussy die Szene der Pariser Straßensänger, die ›Fröhliche Insel‹, schildert. Ein Capriccio von Ravel fiel durch die seltsamen, gleichsam in den Wind hingewehten Gitarreneffekte auf. Es war ein ebenso reichhaltiges wie schönes Konzert, das lebhaftesten Beifall des zahlreich erschienenen Auditoriums entfesselte.«

Am Tag nach dem Konzert besuchte Ernst Boronow Alice in ihrem Elternhaus. Als er den einfachen Holzstuhl sah, auf dem Alice beim Klavierüben saß, ging er postwendend in die Prager Filiale des sudetendeutschen Klavierbauers Förster und erstand – eines von vielen Geschenken, das er Alice in den nächsten Jahren mach-

te – das neueste Modell eines Klavierhockers, der stufenlos höhenverstellbar und komfortabel gepolstert war.
Boronow verehrte Alice und ihre Kunst und gab sich, ganz Mann von Welt, mit seiner Rolle als verlässlicher väterlicher Freund und Mäzen zufrieden. Drei Jahrzehnte hielt er ihr die Treue, drei Jahrzehnte erwiderte Alice seine Freundschaft. Der Mann an ihrer Seite, das hatte Alice entschieden, war aber Leopold Sommer. Er war ihr auch eine Stütze, als Alice einen weiteren Schicksalsschlag verkraften musste.

***

Nachdem Mizzi nach Gräfenberg gezogen war, wohnte außer Alice nur noch Paul bei den Eltern. Er ging mittlerweile auf die dreißig zu und hatte die Ausbildung an der Militärakademie abgebrochen. Ein schlechter, aber beliebter Schüler sei er gewesen, hieß es, der zur Freude seiner Vorgesetzten und Kommilitonen jeden Abend im Kasino aufgegeigt hatte. Zum Kummer des Vaters besaß Paul weder die organisatorischen Fähigkeiten noch den Ehrgeiz, das Unternehmen als Nachfolger des Vaters zu führen. Die Mutter wiederum sorgte sich, dass Paul keine Anstalten machte, sein Junggesellenleben zu beenden. Seine wechselnden Begleitungen stellte er ihr nicht einmal vor. Ab und an, jedoch wesentlich seltener als in ihrer Kindheit, nahmen Paul und Alice sich die Zeit, abends gemeinsam zu musizieren.
Es lag wohl in Alices Natur, dass sie diejenige der fünf Geschwister war, die sich am intensivsten um die Eltern kümmerte. Beide hatten mit gesundheitlichen Problemen zu kämpfen. Die Mutter litt an Thrombose und lebte in der ständigen Gefahr vor lebensbedrohenden Blutgerinnseln. Der Vater kämpfte seit mehr als zwei Jahrzehnten gegen seine Herzprobleme an, bereits vor Alices Geburt hatte er, das wusste sie von der Mutter, eine Herzattacke überstanden. Offenbar waren seine Arterien schon in relativ jungen Jahren verkalkt.
Obwohl Friedrich Herz nie mit ihr darüber sprach, entging es Alice nicht, dass ihn in regelmäßigen Schüben massive Schmerzen

in der Herzgegend und Atembeklemmungen überkamen. Mehrfach war er behandelt worden. Diagnose: Herzattacke.
Schon als Kind war Alice nachts oft wach gelegen und hatte mitgehört, wie der Vater wieder einen seiner Anfälle erlitt. Die Mutter hatte dann regelmäßig versucht, ihrem Mann mit abwechselnd kalten und warmen Umschlägen Erleichterung zu verschaffen. Später war häufig Alice aufgestanden, um die Mutter zu entlasten und sich um den Vater zu kümmern. Aus Angst um ihn hatte sie das Durchschlafen verlernt.
Ende der zwanziger Jahre ging es mit der Gesundheit des Vaters auffällig bergab. Eines Vormittags im Jahr 1930 kam er zu ungewöhnlicher Zeit aus dem Büro ins Wohnzimmer. Alice saß am Klavier und sah sich erst gar nicht nach ihm um, doch als er wortlos an ihr vorbei und mit untypisch polternden Schritten ins Schlafzimmer eilte, sprang sie auf und lief hinter ihm her.
Friedrich Herz war bleich, sein Mund stand offen, seine Hände zogen am Hemdkragen, als kämpfe er darum, sich aus einem Würgegriff zu befreien. Über dem Bett brach er zusammen.
Alice versuchte den Vater anzusprechen, aber er reagierte nicht mehr.
Entsetzt rief sie nach ihrer Mutter. Sofie Herz kam aus der Küche und blickte gefasst auf den Ehemann, als hätte sie sich seit Jahren auf seinen Tod, diese Art von Tod, vorbereitet.
»Hol den Arzt.« Mehr sprach die Mutter für den Rest des Tages nicht.
Panisch rannte Alice los. Doch die Tür zur Praxis des Hausarztes, durch die man sonst ohne anzuklopfen eintrat, war versperrt. Ein provisorisches Schild verwies auf die Urlaubsvertretung wenige Straßen weiter.
»Bitte, kommen Sie sofort. Mein Vater ist gerade gestorben«, flehte Alice. Für den Arzt galt ein Toter offenbar nicht als Patient. Er habe gerade keine Zeit, versuchte er Alice abzufertigen, und brachte sie damit in Rage.
»Sie wollen ein Arzt sein«, schrie sie in ihrem Schock lauter als beabsichtigt, aber mit der erhofften Wirkung. Der Arzt kam nun doch mit ihr in die Bělskýstraße.

Sofie und Friedrich Herz (um 1928)

Bei der Beerdigung ging Alice, die Mutter untergehakt, direkt hinter dem Sarg. Ein Schleier liegt über der Erinnerung und verdeckt, wer von den Geschwistern anwesend war.

Gewiss ist, dass Mizzi und Emil Adler eine Sizilienreise abbrachen und nach Prag geeilt kamen. Alice hatte den beiden nach Palermo telegraphiert, die Nachricht am frühen Morgen hatte Mizzi den Traum vom sterbenden Vater bestätigt, aus dem sie eben erst erwacht war.

Deutlich sieht Alice auch, wie Leopold Sommer am Grab des Vaters hinter ihr stand und ihr allein durch seine Anwesenheit Kraft gab. Wesentlich mehr Menschen waren auf den Friedhof gekommen, als Alice erwartet hatte. Neben Freunden und Bekannten wollten sich alle Beschäftigten und ehemaligen Mitarbeiter der Fabrik von Friedrich Herz verabschieden, unter ihnen der treue Franta. Alices Vater war ein ausgesprochen beliebter Mensch gewesen, darüber hatte sie sich nie Gedanken gemacht.

Genau das beschäftigte sie im Moment des endgültigen Abschieds mehr als sein Tod – die verschenkte Chance, ihren Vater richtig kennengelernt zu haben. All die Jahre hatte sie unbedacht die Meinung der Mutter gelten lassen, mit dem ungebildeten Mann

könne man sich kaum unterhalten, schon gar nicht über Kunst und Kultur. Hatte Alice ihm nicht mehr zu verdanken, als sie sich bisher bewusst gemacht hatte? War er mit seinem Fleiß, seiner Gewissenhaftigkeit und seiner Bereitschaft, sich hundertprozentig einzusetzen, nicht beispielhaft für sie gewesen? War sie ihm nicht sehr ähnlich, viel ähnlicher als ihrer Mutter?
Noch im selben Jahr verkaufte Sofie Herz das Fabrikgebäude. Das Wohnhaus behielt sie vorläufig. Paul lebte – am Rockschoß der Mutter – mehr denn je in den Tag hinein, ein Fixpunkt war das tägliche Schachspielen im Kaffeehaus. Georg ließ sich auch nach dem Tod des Vaters nicht bei der Familie blicken – immer wieder erreichten sie bruchstückhafte Berichte über sein Dasein als Spieler und Trinker in Wien. Als er schließlich 1931 in seine Heimatstadt zurückkehrte, war er bereits schwer krank. Er starb wenig später in einem Prager Hospital, nicht einmal fünfundvierzig Jahre alt.

***

Leopold Sommer kam nun noch regelmäßiger als bisher nach Prag. Sooft er es einrichten konnte, stieg er in den Nachtzug und verbrachte das Wochenende mit Alice. Sie musizierten im Elternhaus, sie luden Freunde ein, sie besuchten Konzerte – sie gehörten mit großer Selbstverständlichkeit zusammen.
Bisher hatten sie noch nie über eine mögliche Heirat gesprochen, doch Alice war nicht entgangen, dass Leopold sich seit geraumer Zeit nach einer Stelle in Prag umsah. Selbstverständlich meinte er, erst dann um Alices Hand anhalten zu können, wenn er die beruflichen Voraussetzungen geschaffen hatte, um eine Familie gründen zu können. Dass es sehr schwierig war, als Handelskaufmann unterzukommen, bekümmerte Alice nicht. Ihr Einkommen als Klavierpädagogin reichte aus, um eine Familie zu ernähren.
Als das Paar nach einem besonders schönen Konzertabend auf der Burg stand und das Prager Lichtermeer bewunderte, purzelte es mit einem Mal aus Alice heraus:

»Du, ich muss dir etwas Wichtiges mitteilen.«
»Und das wäre?« fragte Leopold.
»Wir werden noch in diesem Jahr heiraten«, sagte sie.
Leopold gefiel die Courage der Freundin.
»Und du bist dir völlig sicher?«
»Absolut sicher«, entgegnete Alice lachend. »Und unsere Hochzeitsreise machen wir nach Hamburg. Ich will sehen, wo du dich all die Jahre herumgetrieben hast.«
Im Frühling des Jahres 1931 setzte Alice ihre Ankündigung um und heiratete den eineinhalb Jahre jüngeren Leopold Sommer. Nach der standesamtlichen Trauung traf die kleine Hochzeitsgesellschaft – wie schon bei Alices Schwestern ausschließlich Familienmitglieder – in der elterlichen Wohnung der Braut zusammen, denn Sofie Herz hatte es sich nicht nehmen lassen, ein Festmahl zu bereiten. Bevor es zu Tisch ging, gab es ein kleines Konzert, das die Frischvermählten – naheliegend und doch ungewöhnlich – selbst spielten.
Mit ihrer Harmonie und Begeisterung lockten sie selbst Sofie Herz aus ihrem Kokon. Die Brautmutter war zufrieden mit der Wahl der Tochter und akzeptierte den Schwiegersohn als lebensklugen Menschen. Nach dem Essen ergriff sie – ganz gegen ihre Gewohnheit – das Wort. Sie überreichte Alice ein Kuvert mit einem Scheck und erzählte in knappen Sätzen, wie sie und Friedrich schon Jahre zuvor das Geld für Alices Mitgift zur Seite gelegt hatten. Es reichte aus, um die Dreizimmerwohnung komplett zu möblieren, die das Paar in der Sternberggasse 1 angemietet hatte, gleich neben dem Messepalast und etwa auf halben Weg zwischen dem Elternhaus und Irmas Wohnung.
Auch Leopolds Eltern überraschten Alice mit einem großzügigen Geldgeschenk. Sie wussten, dass Alice seit Jahren auf einen Försterflügel sparte, und gaben den noch fehlenden Betrag dazu.
Der imposante Flügel wurde gleichsam das Herz der Sommerschen Wohnung. Den größten Raum nutzte das Ehepaar nicht nur als Speisezimmer, sondern auch für Leopolds Kammermusikabende. Eine Flügeltür führte ins benachbarte Klavier-, eine weitere ins Schlafzimmer. Neben der kleinen Küche befand sich eine

Alice und Leopold nach der standesamtlichen Trauung

Kammer, die gerade groß genug war, um darin die Schlafstelle des Dienstmädchens Anitschka unterzubringen.

Alice führte ein erfülltes Leben. Ihr Alltag änderte sich nach der Hochzeit vorerst nicht, vormittags übte und nachmittags unterrichtete sie, zwischendurch sah sie regelmäßig nach ihrer Mutter. Die Beziehung zu den Schwiegereltern war intensiver, zweimal in der Woche lud Helena Sommer zum Nachtmahl ein. Am Samstagabend kamen in der Regel ein paar Freunde zum Musizieren in die Sternberggasse – manchmal waren auch Rudolf Kraus und seine Frau dabei, denn es lag Alice an einem ungezwungenen Kontakt zu ihrer ersten großen Liebe. An den verbleibenden Abenden gingen Alice und Leopold oft ins Theater oder ins Konzert.

Wie Leopold, so stand auch Alice der künstlerischen Avantgarde

aufgeschlossen gegenüber. Als Emil František Burian 1933 das Theater D 34 eröffnete, zählten die beiden von Anfang an zu seinen Stammgästen. Leopold liebte besonders die kabarettistischen Soloveranstaltungen des geborenen Pilseners, der sich als Komponist, Schauspieler und Regisseur einen Namen gemacht hatte. Burian wiederum freute sich, wenn er Leopold Sommer im Publikum hörte, denn seine Lachsalven steckten nicht nur alle Zuschauer und besonders Alice an, sondern motivierten auch ihn, den Künstler, zu komödiantischen Höchstleistungen.
Je komischer Burians satirische Attacken, desto hemmungsloser Leopolds unverwechselbares, beinahe mädchenhaft hohes, gicksendes Gelächter, desto begeisterter das Publikum, das sich von dem Wechselspiel zwischen Burian und Leopold Sommer mitreißen ließ. Am Ende hallte ein vielstimmiger Lachanfall durch den Saal, und oft hatte nicht einmal mehr Burian selbst sich unter Kontrolle.

***

An einem für sie typischen Vormittag am Klavier im März 1933 sprang Alice plötzlich auf, rannte zu ihrem Schreibtisch und suchte in großer Hektik einen Briefumschlag. Absender war das Organisationsbüro des Internationalen Wiener Klavierwettbewerbs.
Schon vor Monaten hatte sie in der Zeitung gelesen, dass der bisher größte Wettbewerb seiner Art in Wien stattfinden sollte. Als Juroren hatten sich die bekanntesten Pianisten und Musiker der Zeit wie Wilhelm Backhaus, Alfred Cortot, Emil Sauer, Moriz Rosenthal und Felix Weingartner angekündigt.
Weil die Teilnehmer jünger als dreißig Jahre sein mussten und Alice in wenigen Monaten ihren dreißigsten Geburtstag feiern würde, hatte sie sich kurzerhand mit drei Stücken beworben, die sie so gut beherrschte, dass sie für den Wettbewerb nicht mehr eigens üben musste. Gefragt waren ein klassisches Werk – sie wählte Beethovens Sonate op. 110 –, ein romantisches – die symphonische Etüde von Schumann – und ein modernes – die drei Tänze von Bohuslav Martinu. Einmal im Leben, sagte sie sich, wollte sie

doch sehen, ob ihre Fähigkeiten internationalen Ansprüchen genügten.
Endlich fand sie den Brief und öffnete ihn hastig. Ein Blick auf ihre Uhr bestätigte ihre Befürchtung. Genau zu dieser Stunde sollte sie in Wien am Klavier sitzen und Beethoven spielen. Betroffen rannte sie zum nächsten Postamt und schickte ein Telegramm an die Wettbewerbsleitung. Sie entschuldigte sich für ihr Versehen und bat, am nächsten Tag vorspielen zu dürfen. Dann nahm sie den nächsten Zug nach Wien.
Am Bahnhof erwartete sie der Bruder ihrer Mutter, der seit Jahrzehnten in Wien lebte. Alice kannte Otto Schulz seit ihrer Kindheit, die Familie Herz hatte ihn vor 1914 mehrfach in Wien besucht, und Otto war öfter nach Prag gekommen.
Der Onkel war entsetzt über Alices Vergesslichkeit, denn er hielt den Wettbewerb für ihre große Chance. Die Wettbewerbsleitung hingegen zeigte Verständnis. Alice durfte am nächsten Tag mit ihrem Beethoven-Stück antreten – und der Onkel, selbst ein fähiger Klavierspieler, fieberte im Publikum mit.
Alice spielte exzellent und stieg in die zweite Runde auf. Dann das nächste Missgeschick. Alice sollte die siebte Variation der symphonischen Etüde von Robert Schumann vortragen und begann stattdessen – eine unglückliche Verwechslung – mit der Nummer acht. Das schrille Glöckchen eines Jurymitglieds unterbrach ihr Spiel.
»Nun habe ich den Aufstieg in die Endrunde verpatzt«, war sie sich sicher. Trotzdem spielte sie die achte Variation souverän – und wurde dafür von der Jury honoriert. Von insgesamt zweihundert Beteiligten spielten schließlich fünfundzwanzig um den Sieg. Zwar gewann sie den Bewerb nicht, doch das Diplom, das sie als Finalistin auszeichnete, war mehr als ein Achtungserfolg.
Als sie Ernst Boronow von der Auszeichnung erzählte, überredete er sie, Arthur Schnabel nach Berlin zu schreiben und ihn um einen Vorspieltermin zu bitten. Schnabel war einer der weltweit erfolgreichsten Pianisten, seit 1925 unterrichtete er die Meisterklasse für Klavier an der Staatsakademie für Musik. Möglicherweise könnte sie für einige Zeit bei ihm Unterricht nehmen.

Nach zwei Wochen erreichte Alice Schnabels Antwort: Sie solle kommen.
Alice fuhr mit gemischten Gefühlen nach Deutschland. Die Nationalsozialisten waren seit einigen Monaten an der Macht. Mit ihrem Aufruf zum Boykott jüdischer Geschäfte, Warenhäuser, Ärzte, Rechtsanwälte und Notare am 1. April 1933 hatte die organisierte Ausgrenzung der jüdischen Bevölkerung aus dem öffentlichen Leben begonnen. Doch das dürfte Alice nicht beschäftigt haben – sie lebte in ihrer Welt der Musik, in der politische Ereignisse sie nur in Ausnahmefällen erreichten. Argwöhnisch war sie deshalb, weil Berliner Freunde sie vor Schnabel gewarnt hatten. Er war berüchtigt für seine außergewöhnlich hohen Honorarforderungen.
Vielleicht lag es an ihrem Misstrauen, mit dem Alice nach Berlin gekommen war, dass Arthur Schnabel sie nicht für sich einnehmen konnte. Vielleicht lag es auch tatsächlich an seinem Äußeren, dass sie ihn als »unkünstlerisch und untersetzt« in Erinnerung behielt. Jedenfalls fehlte ihr beim Vorspielen die Luft zum Atmen, denn Schnabel war während der ganzen Zeit mit einer qualmenden Zigarre beschäftigt, die er zwischen seinen auffällig groben Fingern drehte und an der er immer wieder unappetitlich nuckelte.
Alice spielte ihm Werke der Klassik, der Romantik und auch der Moderne vor. Nach etwa einer halben Stunde brach Schnabel ab. »Sie können bei mir nichts mehr dazulernen«, sagte er durchaus wohlwollend. »Weder in technischer noch in musikalischer Hinsicht.«
Als er den Preis für dieses Lob nannte, behielt Alice mit Mühe die Fassung. Um sein Honorar bezahlen zu können, musste sie einen ganzen Monat Unterricht geben. Doch anders als Eduard Steuermann gegenüber verkniff sie sich einen Kommentar. Sie drückte Schnabel das Geld in die Hand, verabschiedete sich kurz und verließ, beinah fluchtartig, seine Wohnung.
Erst fünf Jahre später konnte sie über diese Begegnung lachen – mit ihrer neuen Freundin Edith Kraus. Als ehemalige Meisterklasseschülerin von Arthur Schnabel wusste sie allerlei über ihn zu berichten, auch, dass er offenbar schon kurz nach der Begegnung

mit Alice nach England emigriert war. Möglicherweise stand der Termin für die Abreise schon fest, als Alice ihm vorspielte.

***

Es war ein feuchttrüber Märznachmittag. In der Nacht waren abwechselnd Schnee und Regen gefallen, nun lag grauer Matsch auf den Straßen und verdross die Menschen. Glücklich, wer, wie Alice, nicht vor die Tür musste.

Es klingelte. Als Alice öffnete, sah sie zuerst einen zottigen Hund, groß wie ein Kalb, der freudig mit dem Schwanz wedelte. Von seinem Fell, das von Natur aus weiß war, tropfte es.

»Ja, wer bist du denn?« fragte Alice.

»Das ist Pucki«, antwortete eine vornehm gekleidete junge Dame, die das Tier an der Leine führte.

»Putzi?« fragte Alice ungläubig.

»Nein, Pucki.«

»Na, Gott sei Dank«, lachte Alice. »Putzi ist nämlich der Kosename meines Mannes.«

Jetzt musste auch die schöne Dame herzlich lachen, und als sie sich wieder beruhigt hatte, stellte sie sich Alice vor.

»Ich bin Edith Kraus. Dürfen wir reinkommen?«

Alice hatte von Edith gehört – sie war Pianistin, in Wien geboren, in Karlsbad aufgewachsen. Schon als Fünfjährige hatte sie alle Stücke, die ihre sieben Jahre ältere Schwester übte, nach dem Gehör nachgespielt. Mit elf Jahren hatte sie mit dem Karlsbader Orchester Mozarts Klavierkonzert in c-moll aufgeführt – seither galt sie als Wunderkind. Der Dirigent Leo Blech war von ihrem Talent derart begeistert, dass er dem damaligen Direktor der Berliner Musikschule, Franz Schreker, schrieb: »Ich glaube, ich tue dir und deiner Schule einen Gefallen, wenn ich dir diese große Begabung schicke.« Mit dreizehn begann Edith ihr Klavierstudium an der Berliner Musikhochschule, mit vierzehn war sie Schnabels jüngste Mitgliedschülerin.

»Ich bin gekommen, um Sie um einen Gefallen zu bitten«, sagte Edith Kraus. Pucki beschnupperte inzwischen alle Ecken und in-

teressierte sich plötzlich für die Chaiselongue, die Alice erst neu hatte beziehen lassen. Mit einem Satz sprang der Hund auf das eierschalenfarbene Möbel. Edith war entsetzt. Alice hätte die Matschflecken kaum gelassener nehmen können.
»Er hat halt ein gutes Gespür«, strahlte sie. »Er weiß, wo es sich am schönsten sitzt.« Alice war im sechsten Monat schwanger.
Schon vor ihrer Hochzeit hatten Alice und Leopold sich darauf geeinigt, dass sie drei Kinder haben wollten. Doch sie hatten es nicht eilig – Alice hatte als Pianistin noch so viel vor. Als sich das erste Kind schließlich ankündigte, war Alice bereits im vierunddreißigsten Lebensjahr.
»Ich bereite gerade die Tänze von Martinu vor«, fuhr Edith Kraus fort, die sich bisher nicht mit tschechischen Zeitgenossen beschäftigt hatte und ratlos war, wie sie die Tänze interpretieren sollte.
»Ob Sie mir die Stücke vorspielen könnten? Sie beherrschen sie doch so meisterlich.«
Alice spielte, Edith blieb noch bis zum Abend und kam schon bald darauf wieder, und von nun an regelmäßig, zu Besuch – um Erfahrungen auszutauschen, um, schließlich waren sie zwei junge Frauen, einfach nur zu ratschen, und um, rein zum Vergnügen, miteinander vierhändig zu spielen. Es war der Beginn einer innigen Freundschaft, einer der wichtigsten in Alices Leben.
Konkurrenzdenken gab es zwischen den Freundinnen nie. Dazu war die Liebe zur Musik, die ihnen immer wieder neue Perspektiven eröffnete, zu groß. Das zeigte sich auch beim Gastspiel des Kolisch-Quartetts aus den USA, das 1937 innerhalb einer Woche sämtliche Beethoven-Quartette auswendig aufführte.
Das Ehepaar Sommer hatte sich für eines der Konzerte Karten gesichert – es hieß in der Familie später scherzhaft der »Abend der tanzenden Tasche«.
Alice saß zwischen Leopold und dessen Freund Richard Gibian, und sie hatte ihr ledernes Ausgehtäschchen auf ihren Bauch gelegt. Sobald die Musik einsetzte, wiegte das Baby im Bauch sich im Rhythmus und drückte dabei die Tasche hoch, so dass sie auf Alices Bauch »tanzte«. Jedes Mal wieder, wenn die Musik einsetzte, hob sich auch die Tasche.

»Leopold, schau doch«, flüsterte Alice, und ihr Mann starrte ebenso gerührt wie sie auf die tanzende Tasche. Würde ihr Kind auch so musikalisch sein wie die Mutter?
Weil Alice nach damaligen Vorstellungen für eine Erstgebärende nicht mehr jung und zudem ausgesprochen klein und zart war, befürchtete Leopold Komplikationen und suchte bei seinem Schwager Felix Mautner, einem Arzt und erfahrenen Geburtshelfer, Rat.
Von ihm kam der Vorschlag, das Kind nicht, wie es damals die Regel war, zu Hause, sondern in einer Klinik zur Welt zu bringen. Felix bemühte sich um ein Bett in der Privatstation eines angesehenen Gynäkologen – und stand Alice bei der Geburt bei.
Um zehn Uhr am Vormittag des 21. Juni 1937 brachte er seine Schwägerin in den Kreißsaal. Um ihr die Zeit zwischen den Wehen zu verkürzen, erzählte er ihr die unterhaltsamsten Anekdoten aus seinem Berufsleben.
Felix Mautner war ein extrovertierter, lustiger Mann, ein Meister der Pointe. Alice und Leopold nannte er »die kleinen Idioten« der Familie, seine zweite Schwägerin und Leopolds Bruder »die großen Idioten«. Dabei betrug der Größenunterschied zwischen den Brüdern lediglich zwei Zentimeter ...
Bis nach sechs Uhr abends erzählte Felix unverdrossen weiter und brachte damit nicht nur Alice zum Lachen, sondern auch die Hebamme und die Krankenschwester. So gelöst war die Stimmung im Kreißsaal, dass der Professor immer wieder hereinkam, um mitzulachen.
Die Geburt selbst war so kompliziert wie erwartet, am Ende musste Felix Mautner die Zange zu Hilfe nehmen. Um sieben Uhr abends brachte Alice Sommer schließlich einen Jungen zur Welt, und als sie das kleine Geschöpf zum ersten Mal sah, waren die Schmerzen vergessen. Am Körper des Säuglings klebten noch Teile der Eihaut ... sagte man nicht Glückshaut? Hieß es nicht, dass solchen Kindern besonders großes Glück bevorstand? Und war es nicht auch ein gutes Omen, dass die Geburt gerade auf den Sommeranfang fiel?
Alice lag bereits im Halbschlaf, als sich die Tür zu ihrem Zimmer

Die stolze Mutter mit ihrem Sohn Stephan (1938)

öffnete und ein bunter Blumenstrauß auf sie zuspazierte, hinter dem Leopold plötzlich sein Gesicht hervorstreckte. Es strahlte. Die Krankenschwester brachte das Baby, das eng in Tücher gewickelt war, und legte es in Leopolds Arm. Es schlief friedlich und erschöpft wie seine Mutter. Alice und Leopold gaben ihrem Sohn – nach Alices Klavierlehrer Václav Štěpán – den Namen Stephan.

6
Besatzung

»Wie die Aasgeier kamen sie ...«

Er hat gelogen«, dachte Alice, während sie den Schnee von ihren Schuhen klopfte und die Tür aufschloss. »Was wird diesem Mann als Nächstes einfallen?«
Kaum trat sie in den Vorraum, lief Stephan in ihre Arme. Alice kniete sich auf den Boden, schloss die Augen und drückte ihr Kind besonders lang und innig an sich. Sie war müde. Seit zwei Nächten hatte sie kaum geschlafen.
»Tür, Maminka«, jubelte Stephan, befreite sich aus der Umarmung seiner Mutter und gab der Wohnungstür einen Tritt. Er lachte, als sie mit Schwung ins Schloss fiel.
»Die ist zu«, sagte Alice, erleichtert, dass ihr bald zweijähriger Sohn ihrer Meinung war: Was sie eben erlebt hatte, sollte draußen bleiben. Die Sorgen über Hitler und die Zukunft durften ihr Familienglück nicht trüben.
Zwei Stunden vorher war sie durch das Schneetreiben in die Innenstadt geeilt. Sie wolle Noten besorgen, hatte sie dem Kindermädchen gesagt und sich damit auch ein Alibi vor sich selbst zurechtgelegt, denn eigentlich wollte sie sich einen Eindruck verschaffen, was an diesem Vormittag des 16. März 1939 mit ihrer Heimatstadt geschah. Genau vierundzwanzig Stunden waren vergangen, seit deutsches Militär in die Stadt eingezogen war, Artillerie, Versorgungstruppen, auf Motorrädern, mit Lastwagen und Panzerfahrzeugen. »Hier ist der volksdeutsche Sender Prag zwei«, hatte der Rundfunk seine Reportage begonnen:

»Das Mikrophon ist auf der Galerie des Museums am Wenzelsplatz. Eben hat sich der untere Teil des Platzes mit Menschen gefüllt, sie singen Lieder der Begeisterung. Deutsche Truppen haben den Platz betreten ... überall fliegen die Hände hoch zum Hitlergruß. Der historische Augenblick hat seine Erfüllung gefunden. 15. März 1939, 10.40 Uhr, die Truppen Adolf Hitlers sind auf dem Wenzelsplatz, dem Herzen der Stadt, angelangt.«

Propaganda. Prag war besetzt, die Tschechoslowakische Republik gab es nicht mehr. Ihr Präsident Emil Hácha hatte dem Volk, für das er die Verantwortung trug, mitgeteilt, er habe das Schicksal des Landes in die Hände des Führers gelegt. Der Nebel über der Stadt wollte den ganzen Tag nicht weichen.

Als Alice am Vormittag darauf *ihre* Brücke, die Elisabeth-Brücke mit ihren aufragenden Pfeilern und den langen Trägerketten aus Eisen, überquerte, wehte ihr aus der Innenstadt ein ungewohnter Lärm entgegen. Die Brücke war jetzt offiziell nach Leoš Janáček benannt, dessen Klavierzyklus »Im Nebel« Alice in mehreren Konzerten aufgeführt hatte; doch obwohl sie den 1928 verstorbenen mährischen Komponisten schätzte und durch Václav Štěpán und Max Brods Erzählungen gut kannte, blieb ihr der neue Brückenname fremd.

Für wenige Augenblicke kämpfte die Sonne sich durch und brachte die Moldau zum Glitzern, dann wirbelten wieder Schneeflocken durch die Luft. Alice zog es Richtung Wenzelsplatz. Überall Militär – so, sagte Alice sich, sieht Krieg aus. Am Graben blieb sie in der Menschenmenge stecken und wurde von Schutzleuten zurückgedrängt. Sie mussten Platz schaffen für eine Einheit in grauen Mänteln und Stahlhelmen, die kurz darauf in donnerndem Gleichschritt vorbeimarschierte. Am Deutschen Haus, in dem sich seit den siebziger Jahren des neunzehnten Jahrhunderts deutsche Vereine trafen, wehten Hakenkreuzflaggen, an vielen anderen Häusern auch. Fassungslos sah Alice zwischen den Soldaten und den Menschen hinter den Absperrungen hin und her. Kleine Gruppen, selbst Deutsche, Sudetendeutsche, jubelten den deutschen Soldaten zu.

Vereinzelt nur nahm sie Menschen wahr, die zum Protest pfiffen, die Hände zu Fäusten ballten oder die tschechische Nationalhymne anzustimmen versuchten. Die meisten jedoch blieben stumm, geradezu apathisch, buchstäblich überrollt, wie Alice selbst.
Die vorbeimarschierenden Soldaten, bemerkte sie nun, waren nur die Vorhut gewesen. In einigem Abstand kamen Motorräder den Graben entlanggefahren, die einen Automobilkonvoi eskortierten. In einem dieser offenen Fahrzeuge stand Adolf Hitler. Seinen rechten Arm hatte er zum »Deutschen Gruß« erhoben, seine Augen starrten durch die Menge hindurch. »Aber wohin?« fragte Alice sich. Hatte er ein halbes Jahr zuvor, nach der Besetzung des Sudetenlandes, nicht mehrfach versichert, er erhebe keinen Anspruch auf die »Resttschechei«?
»Er hat uns die ganze Zeit belogen. Was wird ihm als Nächstes einfallen?« Mehr noch als Hitlers Anblick entsetzte Alice ein weißhaariger Mann, den sie als Präsident Hácha – »Dieser Faschist!« – erkannte und der »dem Führer« seinen Arm unterwürfig entgegenstreckte. Was für ein Verrat! Was für eine Demütigung!
Alice versuchte sich zu orientieren und einen Weg zurück nach Hause zu bahnen. Mit einem Mal fühlte sie sich als Außenseiterin. Wohin gehörte sie eigentlich? Sie war Pragerin und im deutschen Kulturkreis aufgewachsen. Jetzt waren es die Deutschen, zu denen sie seit ihrer Kindheit aufgeblickt hatte, aus dem Land von Goethe und Schiller, Bach und Beethoven, die ihre Heimat überfallen hatten. Nein, sie selbst war keine Deutsche ... keine Deutsche mehr. Aber war sie, weil sie sich mit der Tschechoslowakei solidarisierte, deshalb Tschechin? Oder nicht doch in erster Linie Jüdin – auch wenn sie sich für ihre Herkunft und die jüdischen Traditionen bisher nicht sonderlich interessiert hatte? War sie nicht vor allem Mitglied eines Volks, dem sowohl von tschechischer als auch von deutscher Seite Hass entgegenschlug? Das in diesem Land, künftig mehr denn je, unerwünscht sein würde?
»Maminka, komm«, rief Stephan und zog seine Mutter weg von ihren Gedanken vor das Klavier. Er schlug zwei Tasten an, sanft, aber bestimmt, erst hintereinander, dann gemeinsam, und dann noch eine. »Horch, Maminka!«

Ein glücklicher Moment im besetzen Prag (1939)

Schon in den ersten Wochen nach Stephans Geburt hatte Alice bemerkt, dass ihre Hoffungen sich bestätigten: Das Baby reagierte ungewöhnlich stark auf Musik. Inzwischen saugte Stephan nicht nur Alices Spiel mit einer Andacht und Ausdauer auf, die für sein Alter – und das ist keineswegs übertrieben – einzigartig waren, sondern immer häufiger ging er selbst zum Klavier und suchte nach Tönen und Harmonien. Alice nahm Stephan auf den Schoß und gemeinsam gingen sie auf Entdeckungsreise nach Moll- und Dur-Klängen. Später schickte Alice Kind und Kindermädchen an die frische Luft und vertiefte sich selbst ins Klavierspielen.
Als Leopold nach Hause kam, setzte er sich mit Alice vor den Radioapparat. Sie hörten, wie Hitlers Außenminister Joachim von Ribbentrop den »Erlass des Führers und Reichskanzlers über das Protektorat Böhmen und Mähren« verlas:

> »Die volksdeutschen Bewohner des Protektorats werden deutsche Staatsangehörige und nach den Vorschriften des Reichsbürgergesetzes vom 15. September 1935 Reichsbürger. Für sie gelten daher die Bestimmungen zum Schutz des deutschen Blutes und der deutschen Ehre. […] Die übrigen Bewohner von Böhmen und Mähren werden Staatsangehörige des Protektorats Böhmen und Mähren.«

Keine Rede mehr von der ursprünglich zugesagten Souveränität der Tschechen, sondern ihre Degradierung zu Menschen minderen Rechts. Und ein unmissverständlicher Hinweis an Alice und Leopold, dass die Besatzungsmacht sie diskriminieren würde wie die Juden in Deutschland und dem ehemaligen Österreich. War es nur eine Frage von Tagen oder Wochen, ehe die ersten antijüdischen Verordnungen erlassen würden?
Alice hatte zahlreiche jüdische Künstler und Intellektuelle kennengelernt, die in Prag ein vorübergehendes Exil gefunden hatten. Sie waren unmittelbar nach der Machtergreifung der Nationalsozialisten aus Deutschland oder nach »dem Anschluss« im März 1938 aus Österreich geflohen, und viele von ihnen waren nun wieder im Aufbruch – nach Frankreich etwa, nach England, Palästina, in die USA oder nach Südamerika.
Alice und Leopold hatten eine Emigration schon 1938, nachdem Hitler das Sudetenland »heim ins Reich geholt« hatte, in Erwägung gezogen und sich schließlich doch zum Bleiben entschlossen. Ihr Optimismus, dass es »schon nicht so schlimm kommen würde«, war dabei ein Trost, der Grund für ihre schwierige Entscheidung war er aber nicht. Auch wenn Alice viele Stunden des Tages in ihrer fernen Welt der Musik verbrachte, konnte sie sich doch nicht der politischen Wirklichkeit entziehen, die immer neue Hiobsbotschaften über das Los der Juden unter Hitlers Einfluss brachte. Franz Carl Weiskopf etwa, der Bruder ihrer Freundin Helene, war 1933 aus Berlin nach Prag zurückgekehrt und hatte als Chefredakteur der antifaschistischen *Volksillustrierten* über den Terror der Nationalsozialisten berichtet. Und Alices Schwager Felix Weltsch hatte in der *Selbstwehr* »viele Artikel gegen die neue Barbarei in Deutschland geschrieben«.[47]
Es waren die äußeren Umstände, die Alice nach eigenem Empfinden zwangen, in Prag zu bleiben. Da war einerseits Stephan. War einem so kleinen Kind eine Reise ins Ungewisse zuzumuten? Da war andererseits ihre Mutter. Sofie Herz fühlte sich schon wegen ihrer Thrombose nicht in der Lage, in ein fernes Land auszuwandern, und Alice wollte sie auf keinen Fall allein zurücklassen. Und da fehlten drittens die finanziellen Voraussetzungen für eine Emig-

Mizzi und Emil Adler (Mitte) auf dem Schiff nach Palästina

ration. Eine Einreisegenehmigung nach Palästina kostete die für Alice und Leopold astronomische Summe von etwa eintausend englischen Pfund pro Person. Schon ihre Schwestern Mizzi und Irma hatten das Geld nur mit Mühe und Not auftreiben können. Die ganze Familie hatte zusammengelegt, Sofie Herz hatte ihren beiden Töchtern – wohl widerwillig und erst nach aufreibenden Auseinandersetzungen mit ihnen – ihr Erbe ausbezahlt. Und auch Alice hatte den Schwestern Teile ihres Ersparten überlassen.
Zwei Tage zuvor, am Abend des 14. März 1939, waren die Adlers – Mizzi mit ihrem Mann Emil und dem fast elfjährigen Sohn Heinz – und die Weltschs – Irma und Felix mit der nun zwanzigjährigen Ruth – mit schwerem Gepäck nach Palästina aufgebrochen. Alice und Leopold hatten sie auf den Bahnhof begleitet.

***

»Am Dienstag, gegen neun Uhr abends, kamen wir auf dem Wilsonbahnhof, ehemals Franz-Josephs-Bahnhof, an. [...] Auf dem Bahnsteig Nummer zwei an unserem Zug hatten sich viele Freunde eingefunden«, schrieb Max Brod später.[48] Gemeinsam mit Felix Weltsch und einigen anderen gleichgesinnten Bekannten und Freunden hatte er im Oktober 1938, unmittelbar nach dem Münchner Abkommen, die »Immigration in das damals unter britischem Mandat stehende Palästina beschlossen«. Für die Zionisten Weltsch und Brod war es, wie sie sagten, seit ihrer Jugend »ein Lebensprogramm«, eines Tages in das Gelobte Land zu emigrieren.

Einen akuten Grund zur Eile sahen sie allerdings nicht. Hitler hatte doch öffentlich erklärt, mit der Übernahme der sudetendeutschen Gebiete sein Ziel erreicht zu haben. Paris und London hatten dem Abtretungsvertrag zugestimmt – und damit auch der Tatsache, dass die Tschechoslowakei ihre wichtigsten Befestigungsanlagen aufgeben musste. Den »Preis für den Frieden« hatten die späteren Alliierten die Beschneidung der Tschechoslowakei genannt. »Verrat« und »Kuhhandel« sagten die Tschechen selbst dazu, die vor vollendete Tatsachen gestellt worden waren und in der Folge – als ebenso schlüssige wie hilflose Reaktion – die allgemeine Mobilmachung ausgerufen hatten.

Die Ereignisse führten zum Regierungswechsel – ein zwar (noch) nicht »Leib und Leben bedrohender«, so Max Brod, »aber an allen Ecken und Enden behindernder« Ruck nach rechts.[49] Besser würde es, dessen war er sich nach fünf Jahren Nationalsozialismus ebenso sicher wie Felix Weltsch, für die Juden in Mitteleuropa so bald nicht werden – aber möglicherweise noch schlechter. Das geistige Klima in der sogenannten Zweiten Tschechischen Republik, das sie als zunehmend reaktionär wahrnahmen, bekräftigte die beiden Publizisten in ihrer Entscheidung, ihre Heimat endgültig zu verlassen. Staatspräsident Hácha hatte sich ganz offensichtlich die deutschen innenpolitischen Verhältnisse zum Vorbild genommen und Anpassungsfähigkeit selbst an die »Judenpolitik« im Deutschen Reich bewiesen. Intellektuelle wie Weltsch und Brod waren besonders gefährdet.

Eine Verordnung der Regierung Hácha von Anfang Januar 1939 gab den Ausschlag, dass Felix Weltsch schließlich auch seinen jüngeren Schwager Emil Adler überzeugen konnte, sich um eine Einreisegenehmigung nach Palästina zu bemühen. Emil Adler hatte ursprünglich keine zionistischen Ambitionen, er gehörte zu jenen Menschen, die ihren Weg in der Assimilation sahen. Nun aber war ihm in seiner Heimat die Lebensgrundlage genommen worden – seine Arbeit.

Mizzi und Heinz waren im September 1938 – noch vor Unterzeichnung des Münchner Abkommens – aus Gräfenberg nach Prag zurückgekehrt. Dies zu ihrem persönlichen Schutz, denn Emil Adler war ein Mann ohne Illusionen und rechnete nach einem Anschluss der tschechischen Grenzgebiete an Deutschland mit ähnlichen Sanktionen gegen die Juden, wie sie in Österreich bereits verhängt worden waren. Nach zehn Jahren als Oberarzt konnte und wollte er das Prießnitz-Sanatorium nicht Hals über Kopf verlassen und pendelte noch eine Weile zwischen Gräfenberg und Prag hin und her. Anfang Januar 1939 verabschiedete auch er sich endgültig aus der Wahlheimat. Tatsächlich hatte man zwischenzeitlich bereits von Vertreibungen und Morden an Tschechen, an sogenannten Sudetenjuden sowie an Sinti und Roma in den Grenzgebieten gehört.

Der inzwischen achtunddreißigjährige Arzt kam mit großen Plänen nach Prag, er wollte eine Privatklinik eröffnen. Emil Adler hatte ein Stockwerk in einem herrschaftlichen Haus an der Moldau angemietet, in dem sowohl die Klinik als auch die Privaträume der Familie untergebracht werden sollten. Sosehr er auch mit den Vorbereitungen beschäftigt war, entging es ihm nicht, welche Hürden man ihm und seinesgleichen in den Weg zu legen versuchte. Doch selbst als die profaschistische Presse ihn persönlich angriff, ließ er sich noch nicht entmutigen. Bereits als Student in Wien war er mit sozialdemokratischen Kreisen in Berührung gekommen, und in Prag war er zum Vorsitzenden der Sozialdemokratischen Studentenorganisation an der Deutschen Universität gewählt worden – das wurde ihm nun öffentlich zur Last gelegt.

Dass er in Prag keine Zukunft mehr hatte, sah er deutlich, als es plötzlich hieß, für alle Deutschen bzw. deutschsprachigen Tschechen in freien Berufen, die das Sudetenland nach dem 1. Januar 1939 verlassen hatten, gelte in Prag ein Berufsverbot. Betroffen waren unter anderem Ärzte, Architekten und Rechtsanwälte, und zwar ausschließlich jüdische Kollegen, denn die Sudetendeutschen hatten die Ankunft der Wehrmacht mehrheitlich bejubelt und keinen Grund gesehen, ihre Heimat zu verlassen.

In seiner Not suchte Emil Adler Rat bei Felix Weltsch. Der kannte Palästina, denn einer seiner Brüder lebte schon seit etwa zehn Jahren als Architekt in Haifa, und Felix Weltsch hatte ihn besucht. Guten Gewissens ermutigte er seinen Schwager, dass dieses Land im Aufbau gute Ärzte mit offenen Armen aufnehmen würde.

Felix Weltsch wartete selbst seit Wochen auf die Zertifikate für sich und seine Familie und konnte den Adlers bei den mühseligen Ausreiseformalitäten behilflich sein. »Ganz genauso wie in Kafkas ›Schloss‹ war alles auf Verhinderung angelegt. Genaue ellenlange Verzeichnisse mussten in je fünf oder zehn Exemplaren geschrieben werden«, bemerkte Max Brod. »Sie enthielten unzählige Fragen und Unterfragen; die Anzahl der Silberbestecke, die man besaß und mitnehmen wollte, war (beispielsweise) für die Leitenden besonders interessant. Nur die Anzahl? Auch das genaue Gewicht. Schließlich musste ich eine von soundso vielen Amtsstellen abgestempelte Bescheinigung vorlegen, dass ich keine Hundesteuer schulde. Ich hatte nie einen Hund besessen.«[50] Ihr Heimatstaat, so der Eindruck der Emigranten in spe, sah seine Aufgabe nicht darin, ihnen das Entkommen aus der Gefahrenzone zu erleichtern, sondern mit behäbiger Langsamkeit und schikanösen Vorschriften immer wieder neue Netze zu spannen, in denen sie sich verfangen sollten.

Dann endlich stand es fest: Die Weltschs gehörten ebenso wie die Adlers und Max Brod mit seiner Frau Elsa Taussig zu jener Gruppe von etwa hundertsechzig Familien, die – auf Vermittlung der Prager Zionistischen Gesellschaft – am 14. März nachts aus Prag abreisen und sich am 17. März um ein Uhr mittags im rumäni-

schen Hafen Constanza einschiffen sollten. Die »Bessarabia« sollte sie via Istanbul, Piräus, Kreta und Alexandria in den Zielhafen Haifa bringen. Wochen vorher hatten sie einen Möbeltransport auf die lange Reise geschickt.
Abschied nehmen. Hunderte Menschen, unter ihnen viele Kinder, drängten sich auf dem Bahnsteig, um ihren Verwandten und Freunden Lebewohl zu sagen. Angst und Anspannung beherrschten die Erwachsenen. Die Zeitungen hatten gemeldet, dass Staatspräsident Hácha nach Berlin gefahren war, um mit Hitler zu sprechen.
Solange verhandelt wird, kann nichts geschehen, sagten die einen. Die anderen befürchteten Schlimmes. An eine unmittelbar bevorstehende Invasion jedoch dachte kaum jemand. In den Trubel hinein wurden Lieder angestimmt. Sie vereinten die Menschen zu einer großen Familie. Auch Alice war wehmütig – und aufgewühlt. Wann würde sie ihre Liebsten wiedersehen? Würde sie Mizzi überhaupt besuchen können? »Schreib gleich«, gab sie der Zwillingsschwester auf den Weg mit.
Um elf Uhr nachts rollte der Zug aus dem Bahnhof aus. Als er gegen vier Uhr morgens in Mährisch-Ostrau an der polnisch-tschechischen Grenze ankam, hatten die Deutschen die Stadt bereits besetzt und Prag im Visier. Viele der Passagiere erfassten die Situation gar nicht, auch nicht, als ihnen Soldaten mit Hakenkreuzbinden entgegenkamen. »Es ist schwer zu erklären, warum dieser Anblick mich nicht in Schrecken setzte«, sagte Max Brod. »Ich glaube, weil ich so müde, so traumhaft unausgeschlafen [war].«
Die Soldaten hatten Befehl, den Zug passieren zu lassen. Wie knapp die Emigranten davonkamen, wurde ihnen erst nachträglich bewusst. In Krakau erfuhren sie, dass Prag besetzt war. Während der Zug noch durch Galizien rollte, drangen bereits Gestapoleute in die Redaktion der *Selbstwehr* ein.
»Wo ist Felix Weltsch?« sollen sie gefragt haben.
»Gestern Abend abgefahren.«
Zum Abschied aus Europa habe man die Akropolis besichtigt, erfuhr Alice bald, und alle außer Felix Weltsch seien unterwegs seekrank geworden.

Mizzis erste Briefe aus Jerusalem klangen zuversichtlich. Alice konnte gute Nachrichten gebrauchen, denn seit der Besetzung Prags wollten die Gerüchte über Hitlers nächsten Schlag nicht verstummen. Seit Polen die Forderung des »Führers«, ihm Danzig zurückzugeben und exterritoriale Autobahnen und Eisenbahnlinien als Verbindung zwischen Ostpreußen und dem Reichsgebiet einzurichten, abgelehnt hatte, wartete man förmlich auf einen Angriff der Deutschen. Würde Hitler es wagen, Polen zu überfallen? Und wie würden die Engländer diesmal reagieren? Würden sie dann endlich zurückschlagen? Alice erinnerte sich mit Schrecken an den Großen Krieg und seine viele Millionen Todesopfer.
So groß die Unsicherheit in diesen Fragen war, so konkret war die Bedrohung für die Juden im Protektorat. Sie wurden nun Zug um Zug entrechtet.
Es war ein sonniger Spätnachmittag im August 1939, als Alice den spontanen Entschluss fasste, schwimmen zu gehen, und Leopold mit Stephan allein ließ. Seit ihrer frühesten Kindheit war Alice leidenschaftlich gern im Wasser. Eine halbe Stunde lang Bahn um Bahn zu schwimmen, brachte ihr Entspannung und gehörte deshalb zu ihren größten Vergnügen.
Alice stand vor dem Schwimmbad und suchte nach ihrem Portemonnaie, als ihr ein Schild am Eingangstor auffiel, auf dem in tschechischer und deutscher Sprache »Für Juden verboten!« geschrieben stand. Betroffen kehrte Alice um.
Was sind das für Leute, die auf solche Ideen kommen? Und was wird ihnen als Nächstes einfallen? Noch war Alice nicht gewillt, sich von ihrem grundsätzlichen Glauben an das Gute im Menschen abbringen zu lassen.
Wenige Tage später ließ der Angriff Deutschlands auf Polen auch England und Frankreich zu den Waffen greifen.
Krieg. Ein Krieg, der alle Menschen betraf. Die Aufforderung vom 23. September 1939 an alle Juden, ihre Rundfunkgeräte binnen weniger Stunden abzuliefern, wirkte dagegen beinah läppisch. Und doch überkam Alice, als Leopold mit dem Gerät unterm Arm die Wohnung verließ, für einen Moment ein Gefühl von Bitterkeit. Mehr als der Unmut darüber, künftig von den Nachrichten abge-

schnitten zu sein, beschäftigte sie die Erinnerung an die vielen Rundfunkkonzerte, die sie in den letzten sechs Jahren für den Prager Sender gegeben hatte.
Dann kam die Verordnung, dass Juden keine Telefone mehr besitzen durften. Von einem Tag auf den andern war die Leitung tot. Nur Tage später der nächste Schlag. Ein ganz normaler Arbeitstag – und Leopold kam bereits am späten Vormittag nach Hause. Alice saß wie gewohnt am Klavier, als er ins Zimmer trat.
»Ich habe meine Arbeit verloren«, sagte Leopold. Seit einigen Jahren arbeitete er für ein Prager Chemieunternehmen, hatte bisher gut verdient und sich sogar ein Automobil leisten können. »Es werden immer mehr entlassen.«
In Momenten wie diesen konnte man sich auf Alice verlassen. »Es kann nicht lange dauern. Und so lange werden wir von dem leben, was ich mit dem Klavierunterricht verdiene«, versuchte sie Leopold zu beruhigen. Alice gehörte mittlerweile zu den bekanntesten und begehrtesten Klavierpädagoginnen Prags. Schon mit neunzehn hatte sie etwa zwanzig Kinder pro Woche unterrichtet, in den dreißiger Jahren konnte sie sich ihre Schüler, die aus den besonders wohlhabenden Familien Prags kamen, aussuchen. Sie verdiente gut.
»Alice, es betrifft leider auch dich. Ab sofort dürfen Juden keine Nichtjuden mehr unterrichten«, sagte Leopold.
»Aber das ist doch unmöglich« rief Alice empört, »wovon soll ich denn die beiden Mädchen bezahlen?«
»Das erübrigt sich, Alice«, antwortete Leopold und bemühte sich, dabei nicht sarkastisch zu klingen. »Juden dürfen ab sofort keine arischen Hausangestellten mehr beschäftigen.«
Für Alice brach buchstäblich eine Welt zusammen – eine Welt, in der sie sich eingerichtet hatte, um mit jener Intensität üben, unterrichten und konzertieren zu können, die ihr immer so wichtig war.
Unmittelbar nach ihrer Hochzeit hatte sie Anitschka eingestellt. Sie war in Alices Alter, Tschechin und für sämtliche Hausarbeiten zuständig. Sie ging einkaufen, kochte, putzte und kümmerte sich um die Wäsche. Einige Monate nach Stephans Geburt hatte Alice

beschlossen, nach einem deutschsprachigen Kindermädchen zu suchen. Die Wahl war auf die sechzehnjährige Marianna aus dem Sudetenland gefallen. Sie fuhr mit dem Kinderwagen aus, bereitete Stephan das Essen und spielte mit ihm. Beide Mädchen wohnten in der Sommerschen Dreizimmerwohnung. Anitschka stellte jeden Abend ihr Klappbett in der Küche auf, und Marianna schlief in der winzigen Kammer nebenan. Es war eng in der Wohnung, aber es ging liebevoll und harmonisch zu. Die beiden Mädchen wurden wie Familienmitglieder behandelt.
Beim gemeinsamen Abendessen erklärte Leopold den Dienstmädchen die Zwangslage. Ein trauriger Abschied. Acht Jahre hatte Anitschka den Haushalt geführt. Unter Tränen verließ sie am nächsten Morgen das Haus: »Ich habe bei Ihnen die schönste Zeit meines Lebens verbracht.«

***

Die Jahre 1939 bis 1942 zogen als eine Zeit des fortwährenden Abschiednehmens an Alice vorüber – von »Dingen«, von Beziehungen, von ihrer Freiheit. Obwohl Alice sich anpassungsfähiger als viele auf die äußeren Umstände einzustellen verstand, hinterließ doch jeder dieser Abschiede Wunden. »Dinge« spielten in ihrem Leben untergeordnete Rollen. Dass man den Juden Zug um Zug ihre materiellen Werte nahm, machte sie – weil sie das als ungerecht empfand – deshalb zwar vorübergehend wütend, aber es erschütterte sie nicht. Schon am 21. Juni 1939, Stephans zweitem Geburtstag, hatten alle Juden im Protektorat den Befehl erhalten, Gold, Platin, Silbergegenstände und wertvollen Schmuck an die öffentliche Einkaufsagentur Hadega zu verkaufen – selbstverständlich weit unter ihrem Marktwert. Alle Aktien, Pfandbriefe und sonstigen Wertpapiere waren bei einer Devisenbank zu deponieren. Barvermögen wurden auf Sperrkonten übertragen, von denen die Eigentümer nur eine bestimmte monatliche Summe abheben durften. Gerade genug, um sich schlecht zu versorgen.
Alice und Leopold hatten, um sich nicht völlig auszuliefern, nur einen Teil der Werte abgeliefert. Drei Ölgemälde, einige Teppiche,

eine goldene Uhr, Alices wertvolle Halskette. Um einen hübschen, mit zwei Diamanten besetzten Ring tat es Alice besonders leid, denn er symbolisierte die enge Verbindung zu ihrer Schwiegermutter. »Der Ring soll dich immer daran erinnern, dass du mir von meinen Kindern das liebste bist«, hatte Leopolds Mutter zu Alice gesagt, als sie ihr den Ring kurz vor deren Hochzeit mit Leopold geschenkt hatte.

Schwerer traf Alice, dass nach und nach mehr Bekannte und Freunde sich verabschiedeten. Auch Alices beste Freundinnen aus Kindertagen verließen 1939 das Land. Helene Weiskopf, die sich, ihrem Bruder folgend, für den Kommunismus begeisterte, emigrierte mit ihrem mittlerweile dritten Ehemann nach Schweden. Und Trude Hutter hatte mit ihrem Mann Paul und ihrem neunjährigen Sohn Bruno ein Einreisevisum für die USA erhalten. Von den etwa einhundertzwanzigtausend Menschen im Protektorat Böhmen und Mähren, die nach den Nürnberger Gesetzen als jüdisch galten, konnten vor Oktober 1941, als ihnen die Ausreise generell verboten wurde, etwa sechsundzwanzigtausend das Land legal oder illegal verlassen.

Alice ging immer seltener außer Haus. Das lag einerseits daran, dass die Machthaber mit ihren Verordnungen sowohl die zeitliche als auch die räumliche Bewegungsfreiheit der Juden mehr und mehr einschränkten – mit Ausgangssperren und zahlreichen Verboten, die neben vielem anderen auch den Besuch von Theatern und Konzerthäusern untersagten. Andererseits verbrachte Alice, bis die Jüdische Kultusgemeinde schließlich einen Kindergarten einrichtete, den ganzen Tag mit Stephan. In diesen Wochen spielte sie selbst wenig Klavier. Umso begeisterter probierte Stephan verschiedene Tonfolgen aus und versuchte, Melodien mit einem Finger nachzuspielen – oft stundenlang.

Besonders angetan hatte es ihm offensichtlich das E-Dur-Konzert von Bach, an dem Leopold täglich übte. Geduldig begab Stephan sich auf die Suche nach dem ersten Ton des Konzerts. Taste um Taste schlug er an, bis er beim »E« angelangt war. Außer sich vor Glück rief er seine Mutter: »Maminka, ich hab's gefunden!«

Eines Morgens – er soll etwa drei Jahre alt gewesen sein – huschte

Stephan (hintere Reihe, 1. v. li.)
im jüdischen Kindergarten in Prag (1941)

Stephan im Schlafanzug ans Klavier, um die Dur-Dreiklänge auszuprobieren. Seine Hände waren noch zu klein, um drei Töne – den ersten, dritten und fünften einer Tonleiter – gleichzeitig anzuschlagen. Deshalb brachte er zwei Tasten mit der linken und die dritte mit der rechten Hand zum Klingen. Er begann mit dem »C« und spielte den C-Dur-Dreiklang. Dann ging er eine Taste weiter und suchte nach dem D-Dur-Dreiklang. So wiederholte er es mit »E«, »F«, »G« und »A«. Mit dem »H« plagte er sich plötzlich – der Dreiklang ließ sich nicht auf die bewährte Weise erzeugen. Stephan begann also wieder von vorn – und beim »H« stutzte er abermals. Alice bereitete derweil in der Küche das Frühstück vor, und Leopold rasierte sich im Bad. Zeitgleich kamen sie ins Wohnzimmer, um ihrem Sohn aus der Nähe zuzuhören. Leopolds Wangen waren dick eingeseift.

»Da stimmt doch was nicht«, sagte Stephan und schaute mit gerunzelter Stirn zu seinen Eltern auf. Und er hatte recht. Der H-Dur-Dreiklang erfordert im Unterschied zu allen anderen Dreiklängen eine zweifache Erhöhung, nämlich von D nach Dis und von F nach Fis. Verzückt sahen Alice und Leopold einander an. Dass ihr Kind das allein herausgefunden hatte, ließ auf eine außergewöhnliche Musikalität schließen.

Wie musikalisch Stephan war, demonstrierte er seinen Eltern fortan öfter. Als den Juden des Protektorats untersagt wurde, öffentliche Verkehrsmittel zu benutzen, setzten Alice und Leopold, wenn sie in andere Stadtteile unterwegs waren, ihren kleinen Sohn in seinen Kinderwagen, aus dem er längst herausgewachsen war. Einmal in der Woche besuchten sie ihre neuen Freunde, deren Kind wie Stephan in den jüdischen Kindergarten ging. Dafür gingen sie eine Dreiviertelstunde zu Fuß durch Prag. Der Weg führte an mehreren Kirchen vorbei.

Gegen sechs Uhr abends machten sie sich auf den Heimweg. Gerade als sie an einer Kirche vorbeikamen, läuteten die Glocken.

»Ges«, flötete Stephan in seinem Kinderwagen und zeigte auf den Kirchturm. Auch die Glocken der nächsten Kirche läuteten.

»Des«, sagte Stephan mit großer Bestimmtheit.

»Hör dir das an, Leopold.« Alice konnte es kaum fassen. »Stephan hat das absolute Gehör.«

An Freuden wie diese konnte Alice sich klammern, als die Familie immer neuen Schikanen und Demütigungen der Besatzer ausgesetzt wurde.

Der Ausflug zum Spielplatz im nahe gelegenen »Baumgarten« gehörte zu Stephans festem Tagesablauf. Das Kind sollte sich bewegen, und er tat es mit Begeisterung. Klettern, schaukeln, graben. Anfang Mai 1940 brachten die Nationalsozialisten an den Parkeingängen Schilder an. »Für Juden verboten!« stand darauf – in deutscher und tschechischer Sprache. Es kostete Alice einige Mühe, ihre Aufregung zu unterdrücken, als sie das erste Mal vor einem solchen Schild standen.

»Lass uns umkehren, Stephan«, sagte sie mit gespielter Beiläufigkeit. »Der Park ist gesperrt.«

»Ich will aber«, antwortete Stephan kindlich bestimmt und zerrte an Alices Hand.

»Es geht leider nicht, mein Schatz«, versuchte Alice ihren Sohn umzustimmen. »Da schau, das Schild, da steht es.«

»Was steht da?« Nun wollte Stephan es genau wissen.

»Baustelle«, log Alice. »Das heißt, dass der Park repariert wird.« Sie brachte es nicht fertig, ihrem Sohn die Wahrheit zu sagen.

*»Juden Eintritt verboten«:
Stephan vor dem
Eingang zum Park*

»Da, stell dich her«, sagte sie stattdessen, um Stephan abzulenken, und sorgte dafür, dass er sich neben das Schild stellte. Alice trug häufig ihren Fotoapparat mit sich, wenn sie mit Stephan spazieren ging. »Wir machen ein Foto für den Papa.«

Leopold Sommer hielt sich zu dieser Zeit noch in Belgien auf. Bereits im Herbst 1939 dürfte er, so lässt es sich vage rekonstruieren, gemeinsam mit einem Freund nach Brüssel gefahren sein. Die antijüdischen Gesetze, das Erwerbsverbot für Juden im Protektorat, die Nachricht von den ersten Deportationen – in »Umschulungszentren«, wie es hieß – hatten Leopold und Alice überdeutlich vor Augen geführt, dass sie und ihr Kind in Prag in Gefahr waren. Belgien war ein neutrales Land, und das, davon ging man zu diesem Zeitpunkt noch aus, würde es auch im weiteren Kriegsverlauf bleiben.

Ein Freund hatte Leopold die Geschäftsidee schmackhaft gemacht, in den Handel mit Automaten für Zigaretten und Süßigkeiten, wie sie beispielsweise in Bahnhöfen zu finden sind, einzusteigen. Leopolds Ziel war es wohl, Alice und Stephan nachzuholen, sobald er genug Geld verdient hatte, um ihnen eine Lebensgrundlage in Belgien bieten zu können oder mit ihnen von dort weiter zu emigrieren, nach Südamerika vielleicht oder doch nach Palästina.

Das Startkapital für seine Unternehmung streckte ihm seine Schwiegermutter vor. Zwar war Sofie Herz von Natur aus miss-

trauisch, doch hielt sie Leopold für einen grundanständigen und ausgesprochen verlässlichen Menschen, also borgte sie ihm, was für sie ein Vermögen war – einen beträchtlichen Teil des noch vorhandenen Geldes aus dem Verkauf der Fabrik.
Alice vermietete vorübergehend die Wohnung in der Sternberggasse, zog mit Stephan zurück in ihr Elternhaus und wohnte wieder mit ihrer Mutter unter einem Dach. Die Mieteinnahmen und die wenigen jüdischen Schülerinnen, die Alice nach wie vor unterrichtete, reichten knapp zum Leben.
Von Monat zu Monat wurde es schwieriger, Lebensmittel und Güter des täglichen Bedarfs zu organisieren. Zucker, Tabak und Textilien durften schon seit September 1939 nicht mehr an Juden verkauft werden. Und schließlich führten die nationalsozialistischen Beamten unter dem sperrigen Titel »Lebensmittelbewirtschaftungsbestimmungen« mit »J« abgestempelte Lebensmittelkarten ein, mit denen sie von nun an einkaufen mussten. Was sie für ihre Marken bekamen? Alles außer Fleisch, Eier, Weißgebäck, Obst, Marmelade, Käse, Molkereiprodukte, Fisch, Geflügel, Wild, Hefe, Hülsenfrüchte, Sauerkraut, Zwiebeln, Knoblauch, alkoholische Getränke, Honig und Süßwaren. Alles, das waren Kartoffeln und Brot.
In ihrer Not wandten sich viele Juden an ihre tschechischen Mitbürger. Einige zeigten sich auch hilfsbereit und besorgten ihren jüdischen Nachbarn Nahrungsmittel – aber so mancher bereicherte sich an ihnen. Alice war froh, als die Hausmeisterin in der Sternberggasse ihr anbot, zu organisieren, »was immer Sie brauchen«. Erst viel später begriff Alice, dass sie der Frau für ihre Lieferungen mehr als das Doppelte der Marktpreise bezahlen musste. Doch da war der Großteil des versteckten Geldes und Schmucks der Familien Herz und Sommer bereits aufgebraucht.
Mindestens einmal fuhr Alice nach Brüssel, um Leopold zu besuchen. Bei der Gelegenheit gab sie auch ein Konzert. Mit dem Honorar bezahlte sie die Zugfahrkarte. Leopolds Nachrichten, die Alice in der Folge erreichten, klangen jedoch von Mal zu Mal entmutigender. Seine Unternehmung endete im Unglück, auch das Geld der Schwiegermutter war verloren. Die brachte der finanziel-

le Verlust derart auf, dass sie tagelang zeterte, tobte und Leopold mit Vorwürfen überschüttete.
Ob es tatsächlich, wie Alice meinte, an Leopolds Charakter lag, an seiner Noblesse und den fehlenden Ellenbogen? Oder ob ihm nicht doch der Überfall der deutschen Armee auf Belgien am 10. Mai 1940 dazwischenkam, durch den er sich gezwungen sah, schleunigst zu seiner Familie zurückzukehren? Spätere Ereignisse haben Alices Erinnerungen an das Jahr 1940 überlagert.

***

Endstation. Seit einiger Zeit wohnte Sofie Herz, zum ersten Mal in ihrem Leben ohne Familienanschluss, in einem jüdischen Altenheim. Ihr Anwesen in der Bělskýstraße hatte sie verkauft – unfreiwillig und unter seinem Wert, davon muss man, auch wenn eindeutige Belege fehlen, ausgehen.
Danach war sie nur zwei Straßen weiter zu ihrem Sohn Paul in die Veverkastraße gezogen, doch das gemeinsame Leben von Mutter und Sohn ging nicht lange gut. Paul hatte inzwischen eine Ungarin geheiratet, die in ihrem bisherigen Leben keine Bildung genossen, dafür umso mehr Durchschlagskraft und Raffinesse entwickelt hatte. Mary, wie sie sich nannte, pflegte das Mietshaus, in dem sie mit Paul lebte, als Hausmeisterin, ihren ersten Mann und ihr Kind hatte sie in Ungarn zurückgelassen. Mit Paul verband sie offenbar ihr Hang zu Spiel und Alkohol ebenso wie ihr großes Herz und ihre Lebensfreude. Sofie ertrug den ungeregelten Lebenswandel von Sohn und Schwiegertochter nicht lange und zog sich zurück, erst für einige Wochen zu ihrer Tochter Alice, dann ins Altenheim. Dass Paul, wie etwa siebentausend weitere Juden im Reich, als »arisch versippt« galt und damit – zumindest vorläufig – vor der Deportation geschützt war, hatte auf Sofies Meinung über Mary keinen Einfluss.
Alice besuchte ihre Mutter nach wie vor zweimal pro Woche und fand sie jedes Mal schwächer und hoffnungsloser vor. Es muss der Morgen des 10. oder 11. Juli 1942 gewesen sein, als Sofie Herz es nicht einmal mehr schaffte, ihre Tochter zu begrüßen, nachdem

diese zur Tür hereingekommen war. Wortlos drückte sie Alice einen Brief in die Hand. Es war ein Deportationsbefehl. Dazu eine Liste jener Gegenstände, die Sofie Herz in einem Rucksack mitnehmen sollte. Nach Theresienstadt.

Alice las den Text wieder und wieder. Als Edith Kraus einige Tage vorher auf Transport gegangen war, hatte Alice sich damit trösten können, dass die Freundin zum Arbeitseinsatz eingezogen worden war. Als Leopold am 4. oder 5. Juli losgegangen war, um seine Mutter und deren Schwester zur vorgeschriebenen Sammelstelle an der Messehalle zu begleiten, hatte Alice geweint. Die eine fast fünfundsiebzig, die andere sogar zwei Jahre älter. Welchen Arbeitsdienst sollten die beiden noch verrichten? Und nun die eigene Mutter? Eine Thrombosekranke? Mechanisch half sie ihr beim Packen.

Am nächsten Morgen kam Alice wieder, um die Mutter zur Messehalle zu bringen. Das bahnhofsähnliche Gebäude war nur wenige hundert Meter vom Altenheim entfernt.

»Du brauchst deinen Mantel«, sagte Alice, obwohl draußen Sommer war, und griff nach dem schweren Gewand. Dabei fiel ihr Blick auf den gelben Stern mit der schwarzen, hebräische Buchstaben nachahmenden Aufschrift »Jude«, der säuberlich auf die linke Brustseite genäht war. Sofie Herz konnte immer schon perfekt mit Nadel und Faden umgehen.

Seit einem Dreivierteljahr schon musste Alice den Davidstern tragen, und jedes Mal wieder entsetzte sie der Anblick. Anfang September 1941 war allen Juden die Aufforderung zugegangen, die gelben Sterne umgehend zu kaufen und sie, das war auf der Empfangsbestätigung zu quittieren, »sorgfältig und pfleglich zu behandeln und beim Aufnähen auf das Kleidungsstück den über das Kennzeichen hinausragenden Stoffrand umzuschlagen«. Keine andere Verordnung hatte Alice so getroffen wie diese. Sie fühlte sich gedemütigt und, wie von den Nazis beabsichtigt, aussortiert, isoliert, rechtlos. Ihr einziger Trost war, dass Stephan den Stern nicht tragen musste. Die Bestimmung galt für Juden ab sechs Jahren.

Arm in Arm gingen Mutter und Tochter die Straße entlang. Sie sprachen kaum miteinander. Alice trug den schweren Rucksack.

An der Sammelstelle hängte sie ihn Sofie Herz über die Schultern. Da standen sie nun zwischen Hunderten vorwiegend alten Menschen, die dem Aufruf gefolgt waren, und suchten nach Worten der Zuversicht, die ihnen nicht über die Lippen kommen wollten.
Am 24. November 1941 war der erste Deportationszug aus Prag nach Theresienstadt geschickt worden. Seither trafen regelmäßig Transporte in dem Lager ein – nicht nur aus dem Protektorat, sondern auch aus Deutschland, Österreich, dem sogenannten Sudetengau, Holland, Dänemark, der Slowakei und Ungarn. Die Fahrpläne und Passagierzahlen gab Adolf Eichmanns »Judenreferat« im Reichssicherheitshauptamt in Berlin vor. Wer abtransportiert wurde, musste die jüdische Gemeindeleitung selbst bestimmen und auf penibel geführten Listen festschreiben.
Leopold Sommer dürfte vorab gewusst haben, was seiner Schwiegermutter bevorstand. Er arbeitete zu dieser Zeit schon in der »Organisation« der Jüdischen Gemeinde.[51] Seine Aufgabe war es unter anderem, die Deportationslisten zu führen. Darüber sprach er mit Alice nie. Und sie fragte nie nach. Sie schonten sich gegenseitig, um ihren Sohn zu schützen, sie waren froh, dass Leopold regelmäßig Geld, wenn auch geringfügige Summen, nach Hause brachte, und sie versuchten, sich darauf einzustellen, dass man sie, wenn Leopolds Arbeit erledigt war, in einem der letzten Transporte selbst aus Prag deportieren würde.
Gepeinigt vom Schmerz über die Trennung drückte Alice ihre Mutter kurz an sich. Die verabschiedete sich auf ihre Weise: »Grüß mir die Marianne.«
Am 13. Juli 1942 wurde Sofie Herz nach Theresienstadt deportiert, und am 19. Oktober des Jahres weiter in das Vernichtungslager Treblinka. Dort verliert sich ihre Spur.

***

Die folgenden Tage waren für die neununddreißigjährige Alice, was sie rückblickend den bisherigen Tiefpunkt ihres Lebens nannte. Sie schlief nicht, sie aß nicht, sie war nicht in der Lage, klare Gedanken zu fassen, ihr Körper ließ sie im Stich. Niemand konnte

Das letzte Bild von Sofie Herz vor ihrer Deportation (1942)

ihr aus der Verzweiflung helfen, nicht ihr kleiner Sohn, nicht ihr liebevoller Mann, nicht ihr vertrauter Hausarzt. Selbst ihr geliebtes Klavier, das ihr seit drei Jahrzehnten eine scheinbar nie versiegende Quelle der Kraft und Zuversicht war, stand nun stumm und abweisend im Raum. Alice konnte nicht spielen.
In seiner Hilflosigkeit brachte Leopold seine Frau zu einem Nervenspezialisten. Doch auch er konnte Alice nur raten, sich Zeit zu geben. Als sie am nächsten Tag ziellos und niedergeschlagen durch die Straßen Prags irrte, sprach plötzlich eine innere Stimme zu ihr: »Übe die 24 Etüden – das wird dich retten!«
Frédéric Chopins Werk – viel gerühmt als perfekte Verbindung von höchster Virtuosität und musikalischer Genialität – hatte Alice immer wieder beschäftigt. Die Fähigkeit, alle 24 Etüden zu beherrschen und in einem Konzert en suite aufzuführen, war für sie der Beweis höchster Meisterschaft und schien ihr für sich selbst unerreichbar. Selbst der berühmteste Chopin-Interpret des zwan-

zigsten Jahrhunderts, Arthur Rubinstein, hatte sich sein Leben lang davor gescheut, ja sogar, wie er einmal gestand, davor Angst gehabt.[52] »[Ich] hatte am Ende praktisch den gesamten Chopin aufgenommen, abgesehen von den Etüden. Viele davon habe ich im Konzert gespielt, aber einige ließ ich aus, weil ich nicht glaubte, ihnen gerecht werden zu können.«[53] Manche der Etüden liegen tatsächlich an der Grenze zum Unspielbaren.

An der Seite ihres Lehrers Václav Štěpán hatte Alice nach Abschluss der Musikakademie ein Etüdenkonzert erlebt. Alice war hingerissen von der Leistung des amerikanischen Pianisten Alexander Brailowsky. Und sie war schockiert.

»Dieses Niveau werde ich nie erreichen«, hatte sie zu Štěpán gesagt. »Am besten, ich begrabe meine Hoffnung, Pianistin zu werden. Und zwar sofort.«

Štěpán hatte sie erst gerügt und ihr dann ins Gewissen geredet. Es sei nicht so wichtig, die Weltspitze zu erobern, sondern man spiele in erster Linie Klavier, um sich selbst zu beglücken.

»Und wenn du in der Lage bist, dich selbst glücklich zu machen«, hatte der Lehrer gesagt, »wirst du auch deine Zuhörer glücklich machen.«

Im Juli 1942 wurden die 24 Etüden Chopins zu Alices Rettungsanker, an dem sie sich – aus eigener Kraft und mit der Kraft der Musik – aus der Verzweiflung zog. Wenn der Gedankenblitz, den vielleicht schwersten Zyklus, der je für Klavier geschrieben wurde, einzustudieren, auch gar nicht so fern lag, wenn er letztlich auch Ausdruck ihres ausgeprägten Willens zur Selbsthilfe war, so empfand sie den Moment der Entscheidung doch als irrational, als Eingebung: Nimm dir eine schier unüberwindbar schwierig scheinende Aufgabe vor und wachse dabei über dich hinaus.

Schon am nächsten Morgen saß sie am Klavier und übte bis mittags um zwei. So hielt sie es von nun an wieder alle Tage, und schon nach wenigen Wochen hatte sie sich ihr inneres Gleichgewicht zurückerobert. Dabei war auch wieder ihr Organisationstalent als Mutter gefragt. Leopold war den ganzen Tag außer Haus. Neben seiner Beschäftigung bei der Jüdischen Gemeinde lernte er in einem Umschulungskurs das Schlosserhandwerk. Also bezahlte

Hauskonzert bei den Sommers in der Sternberggasse, v. l. n. r.: Paul Herz, Leopold Sommer, Jóši Haas, Erich Wachtel (um 1941)

Alice ein jüdisches Mädchen, um Stephan gegen acht Uhr morgens abzuholen und ihn in den Kindergarten der Kultusgemeinde zu bringen. Am frühen Nachmittag kam Stephan wieder nach Hause. Manchmal unterbrach Alice ihr Pensum für wenige Minuten und einen kleinen Imbiss, manchmal auch nicht. Jeder Tag brachte einen Fortschritt, und mit jedem Fortschritt wuchsen ihre Kräfte – gerade deshalb, weil sie sich beim Spielen laufend an die Grenzen ihrer Kräfte begab, der seelischen wie körperlichen. Die Umstände, unter denen Alice spielte, gefährdeten ihr Leben. Längst hatten alle Juden ihre Musikinstrumente abgeben müssen, auch Alices Försterflügel war konfisziert worden. Ihr Pianino jedoch hatten die SS-Männer übersehen, und obwohl darauf die Todesstrafe stand, hatte Alice es nicht gemeldet. Dabei war den Juden auch das Musizieren längst streng untersagt. Selbst die Hauskonzerte der Sommers waren nun illegal.

Jeden Sonntagnachmittag hatten Alice und Leopold Freunde und Musikliebhaber eingeladen, bis zu zwanzig Menschen hatten sich im Wohnzimmer versammelt. Man spielte Kammermusik oder Piano, oder man sang zur Klavierbegleitung.

Stephan saß stundenlang unter den Erwachsenen und hörte mit offenem Mund zu. Als sich ihm ein Neuling in der Runde mit »Gustav« vorstellte, sprang der Fünfjährige begeistert auf und fragte: »Gustav Mahler?«
Zu den Gästen der Hauskonzerte gehörte auch der Komponist und Schönberg-Schüler Viktor Ullmann, dessen höfliche Art – er begrüßte die Damen mit Handkuss – und außergewöhnliche Bildung Alice besonders schätzte. Am 8. September 1942 wurde Ullmann nach Theresienstadt deportiert.
Im Stockwerk über Alice und Leopold hatte man inzwischen eine deutsche Offiziersfamilie einquartiert. Eines Tages klopfte es plötzlich laut und nachhaltig an ihre Wohnzimmerdecke. Fühlte der Offizier sich von ihrem Spiel gestört? Würde er Meldung machen? Vor Entsetzen schlug Alice tagelang keinen Ton mehr an, bis die Hausmeisterin kam und sie ermutigte, sich wieder ans Klavier zu setzen.
»Der Herr Herrmann über Ihnen mag Ihre Musik so gern. Er ist ganz traurig, weil Sie nicht mehr spielen. Er hat schon gedacht, Sie seien jetzt auch abtransportiert worden.«

***

Die Umstände gewährten Alice ein Jahr, alle 24 Etüden Chopins zur Konzertreife einzustudieren. Zuerst nahm sie sich die sogenannte »Revolutionsetüde« vor.
Wie sehr gerade dieses Stück die Situation von tödlicher Bedrohung und Auflehnung widerspiegelt, offenbart seine Entstehungsgeschichte. Als Frédéric Chopin es im September 1831 niederschrieb, muss er in einer ähnlichen Verfassung wie Alice beim Abschied von ihrer Mutter gewesen sein. Er weilte gerade in Stuttgart, als ihn die Nachricht von der Niederschlagung des Warschauer Aufstands durch die russischen Besatzer erreichte.
Chopin galt als ebenso vornehmer wie verschlossener Mensch, der seine Gefühle nur in seiner Musik ausdrücken konnte. Ein einziges Mal, so ist es zumindest überliefert, schrieb er über das Schicksal Warschaus und seiner Familie. In seinem Tagebuch, das

als »Stuttgarter Aufzeichnungen« in die Musikgeschichte einging, fragte er:

> »Wo seid ihr, Vater, Mutter, Geschwister? Lebt ihr nicht mehr? [...] Die Vorstädte sind vernichtet, eingeäschert, Jeannot und Wilus sind sicher auf den Barrikaden umgekommen. O Gott, gibt es dich noch? Rächst du uns nicht? Ist es nicht genug der Schandtaten? Vater, teurer Vater, vielleicht hungert ihr, und du kannst meiner Mutter kein Brot kaufen. Meine Schwestern, seid ihr vielleicht der Wut der Soldateska erlegen? Mutter, du hast deine Tochter [Emilia] überlebt und musst nun zusehen, wie ihr Grab geschändet wird ... Und was ist mit ihr? Wo ist die Arme? Vielleicht in den Händen der Moskowiten? Würgen, morden, töten sie sie? Ich bin hier untätig. Manchmal nur stöhne ich auf und vertraue dem Klavier mein Aufstöhnen und meine Verzweiflung an. O Gott, vernichte diese Welt ...«[54]

Seine tobende Leidenschaft, seine quälenden Schmerzen, seine aufflackernden Hoffnungen – all dies übersetzte Chopin in Musik und schrieb, noch in Stuttgart, die später als »Revolutionsetüde« berühmt gewordene c-Moll-Etüde.
Waren es auch Trauer und Verlustschmerz, die Alice dazu bewegt hatten, sich auf die 24 Etüden einzulassen, so wandelte sich ihre Ohnmacht schon in den ersten Tagen des Übens in Protest, in ihre persönliche Art, sich den Nationalsozialisten zu widersetzen und sich ihre Würde nicht nehmen zu lassen.

* * *

Nun stand das Datum fest. Am 3. Juli 1943 sollten Alice, Leopold und Stephan Sommer »auf Transport gehen«. Das Protektorat galt als weitgehend »judenrein«, die Verwaltungsarbeit der Jüdischen Gemeinde war deshalb so gut wie erledigt. Fast alle ihre Mitarbeiter würden ebenfalls deportiert werden.

In der Vergangenheit hatte Leopold seine Frau nie mit Details seiner Arbeit belastet, und schon gar nicht mit den Gewissenskonflikten und Ängsten, die ihn plagten. Bei seinem Einstellungsgespräch hatte man ihm klar gemacht, dass die Jüdische Gemeinde keine andere Wahl hatte, als sich den Vorschriften der SS zu fügen.

Anfang Juni 1943 musste er Alice auf ihre Deportation vorbereiten – zahlreiche Formalitäten waren bis zur Abreise zu erledigen, und vor allem musste Stephan auf die neue Situation eingestimmt werden. Sein sechster Geburtstag stand bevor. Alice beschloss, die Feier auf einen »besseren Tag« zu verschieben. Behutsam erklärte sie ihrem Sohn, dass die Familie in einigen Tagen ihre Wohnung aufgeben würde, um in das Ghetto Theresienstadt zu übersiedeln. Stephan stellte Fragen, und jede Antwort führte zu neuen Ungewissheiten.

»Warum dürfen wir nicht in unserer Wohnung bleiben? Sie ist doch so schön.«

»Warum müssen alle Juden aus Prag weg?«

»Was sind Juden überhaupt?«

»Wann dürfen wir wieder zurück?«

»Krieg? Wer macht Krieg? Wann ist er endlich zu Ende?«

»Wir sind bei dir, mein Schatz«, versuchte Alice den Buben zu trösten. »In ein paar Wochen, vielleicht in ein paar Monaten dürfen wir wieder nach Hause.«

Mit großer Ernsthaftigkeit bezog Alice das Kind in die Abreisevorbereitungen ein. Sie nähte ihm eine Umhängetasche nach seinem Geschmack. Er half ihr, die vorgeschriebenen Nummern auf die Rucksäcke und Namensschilder auf Decken und Kleidungsstücke zu nähen. Gemeinsam besorgten sie – das fand Stephan abenteuerlich – echte Feldflaschen, blechernes Essgeschirr und drei Taschenmesser. Ein eigenes Taschenmesser für Stephan. Tage im Voraus packten sie zur Probe ihre Rucksäcke. Eine warme Decke für jeden musste mit, dazu Unterwäsche, Pullover, Bettwäsche, Ohrenschützer und Handschuhe, ebenso Proviant für fünf Tage.

»Der Papa hat gesagt, es kann einige Tage dauern, bis unser Zug abgefertigt ist«, sagte Alice. Immer wieder stellte sie die Rucksäcke auf die Waage, packte aus und wieder dazu, denn das zugelassene Höchstgewicht des Reisegepäcks durfte keinesfalls überschritten werden.

Die Nacht vor der Deportation durchwachten Alice und Leopold. Stephan schlief bis zum Aufbruch im Nebenzimmer.

Gegen vier Uhr morgens drang plötzlich die Hausmeisterin in die Wohnung ein und musterte die wenigen verbliebenen Wertgegenstände. Durch Alice und Leopold sah sie hindurch, dann verschwand sie wieder. Kurze Zeit später kam sie wieder, mehrere Nachbarn folgten der Frau. Sie schleppten weg, was nicht niet- und nagelfest war, Bilder, Teppiche, Möbel, und zankten sich um die besten Stücke.

»Schau sie dir an, Leopold, wie die Aasgeier sind sie«, flüsterte Alice und fasste ihren Mann an der Hand. »Das gibt es doch gar nicht.«

»Ich glaube«, erwiderte Leopold ergeben, »für die sind wir schon tot.«

7
Theresienstadt

»Maminka, warum dürfen wir nicht nach Hause?«

Mein lieber guter Wunderrabbi, bitte, bitte hilf mir, dass die Mutter noch diese Woche nach Hause kommt und nicht in den Transport kommt. Ich danke Dir! Deine Dita.«
Dieser von Kinderhand geschriebene Zettel fand sich 1946 beim Öffnen einer Sammelbüchse am Grab des berühmten Rabbi Löw auf dem alten Prager Judenfriedhof.[55] Er spiegelt die Angst vor dem Eintreffen des Deportationsbefehls wider, der zwischen dem 6. Oktober 1941 und dem 16. März 1945 für 46 067 Prager Juden der Beginn ihres Leidenswegs war.[56]
Der »Transport« riss die Menschen aus ihrem vertrauten Umfeld und führte in eine bedrohliche Zukunft im Ghetto von Theresienstadt oder in den Konzentrationslagern des Ostens. Schon das Wort »Transport« flößte Angst ein, denn, soviel wussten die Betroffenen bereits, es stand für die Zerstörung der vertrauten Bindungen und den Verlust allen Besitzes.
Bereits ein Jahr zuvor, als er in der Verwaltung der »Jüdischen Kultusgemeinde« zu arbeiten begonnen hatte, war Leopold klar geworden, dass – sobald er seinen Auftrag ausgeführt hatte – auch er und seine Familie nach Theresienstadt deportiert würden. Vor wenigen Wochen hatte Otto Zucker, ein führendes Mitglied der Jüdischen Selbstverwaltung in Theresienstadt, Alice übermitteln lassen, dass sie gleich nach ihrer Ankunft im Ghetto ihr erstes Klavierkonzert geben könnte.

»Wenn man dort sogar Konzerte veranstaltet«, hatte Alice zu Leopold gesagt, »wird es schon nicht so schlimm werden.« Diese Aussicht hatte ihr in den letzten Wochen vor der Deportation Zuversicht gegeben.

Am frühen Morgen des 5. Juli 1943 hatten die Sommers sich am »Messepalast« einzufinden. Am Himmel hing eine dicke Wolkendecke, und es nieselte. Stephan war zu müde, um Fragen zu stellen. Verschlafen trottete er zwischen Mutter und Vater die Straße entlang. Eigentlich sahen die drei mit ihren großen Rucksäcken wie eine kleine Familie auf dem Weg zum Urlaub in den Bergen aus, mit festem Schuhwerk und warmer Kleidung. Die drei Rucksäcke galten als »Handgepäck«. Das Hauptgepäck – oder »Mitgepäck« – war bereits eine Woche zuvor abgeholt worden. Jede Person durfte fünfzig Kilogramm mitnehmen – umgerechnet etwa zwei mittelgroße, vollgepackte Reisekoffer.

Die Jüdische Kultusgemeinde in Prag war gezwungen, eng mit der Jüdischen Selbstverwaltung Theresienstadts zusammenzuarbeiten. Leopold wusste deshalb gut Bescheid, was ihn und seine Familie im Ghetto erwartete, und er hatte Alice gebeten, den Inhalt des »Handgepäcks« sorgfältig zu planen und alles, was ihr für das Überleben notwendig schien, unbedingt dort hineinzutun. Man hatte ihm zugetragen, dass die SS seit geraumer Zeit das separat nach Theresienstadt transportierte »Mitgepäck« beschlagnahmte und den Häftlingen lediglich ihr »Handgepäck« ließ.[57] Deshalb waren die drei Rucksäcke von Leopold, Alice und Stephan auch größer und schwerer als das »Handgepäck« der meisten anderen Häftlinge.

An der »Sammelstelle« holte Leopold drei jeweils an einer Schnur festgebundene Pappkärtchen aus seiner Umhängetasche. Darauf standen die Transport- und Häftlingsnummern. Er hängte Stephan das Schild DE 164 um den Hals und sich selbst die Nummer DE 162. Alice war die Nummer DE 163 zugeteilt worden.

Tschechische Polizisten bewachten das Gelände. Alices Blick fiel auf Dutzende aus Holz gezimmerte Aborte. Hier musste man seine Notdurft unter freiem Himmel verrichten, vor den Augen der Anstehenden. »Das kann nicht wahr sein«, murmelte Alice. »Sie

wollen uns unsere Würde nehmen.« Der erste Schock. Der zweite folgte unmittelbar nach dem Betreten des Gebäudes.
Der »Messepalast« war eine hölzerne Ausstellungsbaracke, düster, verwahrlost, unbeheizbar. An vielen Stellen tropfte das Regenwasser durch die Decke. Leopold, Alice und Stephan stellten sich in die lange Reihe, die sich vor der »Aufnahmekanzlei« gebildet hatte. Sie bestand aus fünf Tischen, an denen Mitarbeiter der Transportabteilung der Kultusgemeinde saßen und unter der Aufsicht des SS-Wachpersonals die bürokratischen Formalitäten zu erledigen hatten. Die Männer kannten Leopold von vielen Monaten gemeinsamer Arbeit, und sie wussten alle, dass man sie, ebenso wie Leopold und seine Familie, bald selbst nach Theresienstadt deportieren würde. Wahrscheinlich waren sie deshalb besonders freundlich zu Alice und ihrem Sohn. Aber Stephan ließ sich weder durch Gesten noch durch Scherze ablenken. Er starrte gebannt auf die Menschen, die niedergeschlagen auf Strohsäcken saßen oder lagen. Viele von ihnen weinten. Der Bub zog seine Mutter ganz nah an sich heran.
»Mama«, flüsterte er ihr auf Deutsch ins Ohr. »Lass uns umkehren. Ich will nach Hause gehen.«
»Stepanku«, antwortete Alice auf Tschechisch. »Das dürfen wir leider nicht.«
Mühelos wechselte der Sechsjährige ins Tschechische: »Maminka, wer verbietet uns denn, nach Hause zu gehen?«
Alice deutete vorsichtig auf zwei unweit von ihnen stehende SS-Männer: »Die dort in den schwarzen Uniformen.«
Stephan ließ nicht locker: »Bitte frag sie, warum wir nicht nach Hause dürfen. Wir haben doch nichts Böses getan.«
»Stepanku, es ist verboten, Fragen zu stellen. Sie würden mich sofort bestrafen, wenn ich frage.«
Stephan verstand die Welt nicht mehr. Alice musste hinnehmen, dass er enttäuscht und resigniert auf ihre Antworten reagierte. Wie sollte er sie auch verstehen.
Sie drückte ihn zärtlich an sich. »In ein paar Wochen ist es vielleicht schon vorbei«, sagte sie. »Bis dahin müssen wir gut aufpassen, dass wir uns nie verlieren. Und wir sprechen nur noch

tschechisch. Hörst du, Stepanku. So können sie uns wenigstens nicht verstehen.«

In der Reihenfolge ihrer Transportnummern wurden ihnen die Liegestellen 162, 163 und 164 zugewiesen, durchgelegene, staubig-schmuddelige Strohsäcke, auf denen die Menschen die folgenden Nächte verbringen mussten, liegend, manche lümmelnd, den Kopf mit dem Arm abgestützt, andere sitzend.

Leopold, Alice und Stephan hatten gerade erst die Rucksäcke zu ihren Schlafstellen gebracht, als ihre Nummern ausgerufen wurden und sie sich beim ersten Tisch melden mussten. Dort wurde ihr Wohnungsschlüssel mit dem Code DE 162-164 versehen und einbehalten. Das ging vergleichsweise schnell, doch vor dem zweiten Tisch staute sich eine Menschenschlange. Hier mussten die Lebensmittelstammkarten und die restlichen Lebensmittelmarken wie Kartoffel-, Eier- und Seifenmarken abgeliefert werden.[58] Dabei wurde strengstens kontrolliert, ob die Karten korrekt geführt und die Marken auch wirklich nur nach Vorschrift verbraucht worden waren. Es kam zu bösen Auseinandersetzungen und körperlichen Züchtigungen, so dass die Warteschlange ohne Rücksicht auf die Kinder, die Alten, Kranken und Gebrechlichen immer länger wurde. Mehr als vier Stunden standen Alice, Leopold und Stephan dort an, ehe sie abgefertigt wurden.

Am dritten Tisch mussten sie ihre »Vermögenserklärung« abgeben, einen acht Seiten langen Fragebogen, den sie eine Woche vor dem Transporttermin erhalten und für jedes einzelne Familienmitglied penibel ausgefüllt hatten.[59] Auch an diesem Tisch warteten die Menschen stundenlang, weil jeder Fragebogen genau kontrolliert wurde. Wortlos beobachtete Stephan, wie die Menschen auch noch ihr vorhandenes Bargeld vorzählen und abgeben mussten. Die meisten trugen wenig bei sich, doch einzelne hatten ihre Brieftaschen voller Scheine, und einer zählte sein Geld sogar aus einem Schuhkarton vor. Mehr als fünf Stunden – Leopold hatte sogar an einen tragbaren Klappstuhl gedacht, auf dem Stephan sich von Zeit zu Zeit ausruhte – dauerten die demütigenden Prozeduren bereits, als Alice und Leopold schließlich an die Reihe kamen, wie alle künftigen Ghettoinsassen eine Erklärung zu unterschreiben,

wonach sie zugunsten des »Auswanderungsfonds« auf ihr gesamtes Vermögen verzichteten. Natürlich »freiwillig«.
Immer mehr Menschen gerieten im Verlauf der Stunden aus dem Gleichgewicht. Hysterische Anfälle, Weinkrämpfe, Nervenzusammenbrüche. Stephan, zunehmend verunsichert, taute erst wieder auf, als das Abendessen ausgegeben wurde. Suppe und Brot. Kärglich zwar, aber reichlicher, als Alice es unter den Umständen erwartet hatte.
Erschöpft legten sie sich auf ihre provisorischen Nachtlager. Stephan schlief schon während der Gute-Nacht-Geschichte seiner Mutter ein. Alice hatte sich tagsüber völlig verkrampft, ihr Rücken schmerzte, und es tat ihr gut, sich auf dem Strohsack auszustrecken. »Leopold«, flüsterte sie, »was kommt da auf uns zu?« Statt zu antworten, drückte er zärtlich ihre Hand und sah sie mit nachdenklichen Augen an, die ihr sagten: »Wir müssen das durchstehen, und wir müssen vor allem unseren Stephan behüten!«
Mit einem Mal begann es Alice an Körper und Kopf eigenartig zu jucken. Tagsüber hatte sie bereits Kakerlaken durch die Halle laufen gesehen, aber das unangenehme Beißen und Brennen, das sich jetzt auf ihrem ganzen Körper ausbreitete, musste von Flöhen kommen, oder von Läusen oder gar Wanzen. Alice kannte derlei Getier bisher nur aus Naturkundebüchern.
Als sie auch noch Ratten zwischen den Strohsäcken umherhuschen sah, verstand sie, warum viele Menschen es vermieden, ihren Kopf auf den Boden zu legen und stattdessen im Sitzen oder Lümmeln schliefen. Überdeutlich wurden ihr Bitterkeit und Ausweglosigkeit ihrer Lage bewusst. Sie waren der Willkür der Nationalsozialisten ausgeliefert.
Am folgenden Tag setzten sich die demütigenden Prozeduren fort. Bereits am frühen Vormittag standen sie in der Schlange vor dem vierten Tisch, an dem man die Menschen mit besonders strengen Kontrollen und Befragungen wie in einem Kreuzverhör zwang, ihre Wertsachen – Goldmünzen, Schmuck, Silbergegenstände – abzuliefern. Und selbst danach ließ man sie nicht in Ruhe. Eigens dafür eingesetzte SS-Kommandos fielen grob über die Menschen auf ihren Strohsäcken her und kontrollierten, ob sie wirklich den

gesamten Schmuck, alles Geld und alle Tabakwaren ausgehändigt hatten. Wer Wertgegenstände zu verstecken versuchte, wurde verprügelt. Einige der SS-Männer schienen richtig Spaß zu haben an den Überfällen auf ihre wehrlosen Mitmenschen. Es gelang Alice nicht, Stephans Aufmerksamkeit von den brutalen Szenen wegzulenken.
Leopold und Alice trugen außer ihren Eheringen, die man ihnen ließ, wohlweislich keinen Schmuck bei sich. Trotzdem dauerte es bis zum späten Nachmittag, ehe sie in der Warteschlange vor dem letzten Tisch standen. Hier wurde ihre »Bürgerlegitimation« abgestempelt. Entwertet. »Ghettoisiert« stand nun quer über ihre Ausweise geschrieben. Ein formaler Schritt zur längst beschlossenen Ausbürgerung der Juden.
In den frühen Morgenstunden des dritten Tages mussten die sechshundertdrei Häftlinge des Transports DE zum Appell antreten und – zerbissen und zerstochen von dem Ungeziefer – stundenlang auf dem Hof des Messegeländes strammstehen. Zahlreiche Alte und Kranke brachen vor Erschöpfung zusammen und wurden auf Tragen weggeschafft. Endlich kam der Befehl, sich zum nahen Vorstadtbahnhof in Bewegung zu setzen, bewacht von tschechischer Polizei und deutschen SS-Angehörigen. Jeweils fünfzig bis sechzig Personen bestiegen nach ihren Transportnummern geordnet einen Waggon. Fast drei Stunden vergingen, ehe der Zug zum Abfahren bereit war.

***

Nach dem tagelangen Dahinvegetieren in der Prager Sammelstelle empfanden die Menschen die zweieinhalbstündige Fahrt nach Theresienstadt fast als Erholung. Je näher der Zug seinem Ziel kam, um so lieblicher wurde die Landschaft, geprägt von Eger und Elbe. Dort, wo die Flüsse sich vereinten, lag – lediglich sechzig Kilometer von Prag entfernt – die Festungsstadt, umschlossen von einem Wassergraben und zwei hohen Wällen. Kaiser Joseph II. hatte Theresienstadt zu Ehren seiner Mutter Maria Theresia 1780 als Bastion gegen die Preußen errichten lassen. Entlang der mächtigen Wälle standen elf große Kasernen für ursprünglich bis zu dreitausendfünfhundert Soldaten. Innerhalb der Festungswälle gruppierten sich um einen Hauptplatz dreireihige Häuserblocks, in denen früher die Offiziere und jene Zivilpersonen wohnten, die die sternförmig angelegte Garnisonsstadt versorgten. Ihr äußerer Umfang betrug zwölfhundert Meter. Nur an zwei gut zu bewachenden Stellen an den Ausfallstraßen konnte man in die Anlage gelangen. Auch deshalb erschien sie dem stellvertretenden Reichsprotektor von Böhmen und Mähren und SS-Führer Reinhard Heydrich bestens dafür geeignet, mit geringem Aufwand und in günstiger Nähe zu Prag ein gut bewachtes Ghetto zu errichten.[60] Im November 1941 gab er deshalb Befehl, das Militär abzuziehen, etwas später wurde auch die dort lebende Zivilbevölkerung umgesiedelt.

***

Bis Anfang Juni 1943 endeten alle Transporte auf dem drei Kilometer entfernten Bahnhof in Bohušovice, so dass die für gewöhnlich schwerbepackten Neuankömmlinge erst einen mühsamen Fußweg auf sich nehmen mussten. Inzwischen war die neue Eisenbahnlinie eröffnet worden, und der Zug, mit dem Alice, Leopold und Stephan ankamen, fuhr direkt ins Lager.

Vom Zugfenster aus sah Alice tschechische Gendarmen, die mit ihren Gewehren und aufgepflanzten Bajonetten Angst und Schrecken zu verbreiten schienen. Im nächsten Augenblick wurde ihr klar, dass nicht von ihnen, sondern von der SS Gefahr drohte. Manche Gendarmen versuchten sogar – wenn sie sich von der SS unbeobachtet fühlten –, die Häftlinge zu beruhigen und aufzumuntern. Ein SS-Mann hingegen trat einen Deportierten mit den Füßen, ein anderer ohrfeigte einen älteren Mann so lange, bis er zusammenbrach.

Am Bahnsteig schärfte Alice ihrem Sohn immer wieder ein, ja nie wegzulaufen und vor allem auf den Rucksack zu achten, den er auf den Schultern trug. Die meisten Menschen verhielten sich in ihrer Unsicherheit und zunehmenden Furcht still, doch einige ver-

loren angesichts der menschenverachtenden Zustände die Fassung und brachen in Weinkrämpfe aus.
Stephan hatte während der gesamten Zugfahrt geschlafen – erschöpft von den kräftezehrenden Tagen und Nächten in der Sammelstelle. Nun saß er ganz durcheinander auf dem Rucksack seines Vaters.
»Warum fahren wir nicht wieder nach Hause?«
Stephan stellte die Frage immer wieder, denn keine der Antworten seiner Eltern überzeugte ihn. Alice nahm ihn in die Arme und flüsterte: »Stephan, es wird bestimmt nicht lange dauern. Und dann fahren wir wieder nach Hause. Aber bis dahin dürfen wir uns nie aus den Augen verlieren. Hörst du, niemals! Du musst immer an meiner Hand bleiben, immer.«

***

Mehr als zwei Stunden ließ man die Gefangenen vor dem Zug warten, dann hallte der Befehl zum Abmarsch über den Bahnsteig: »Antreten in Viererreihen!« Nun ging es in die »Schleuse«, eine Art Kontroll- und Aufnahmestation mit Quarantänefunktion. In den vergangenen zwei Jahren waren dafür stets die schlechtesten Räume verwendet worden, Kasematten, Ställe oder Dachböden, in denen man die Menschen zusammenpferchte. Zwei Tage dauerte es in der Regel, ehe ein Transport von oft mehr als tausend Menschen die Aufnahme ins Lager überstanden hatte.
Entsetzt beobachtete Alice, dass der Inhalt des Handgepäcks in Stichproben kontrolliert wurde. Die tschechischen Gendarmen fahndeten unter anderem nach Medikamenten, Konserven, verpackten Lebensmitteln, Taschenlampen, Kerzen, Zündhölzern, Feuerzeugen, Batterien, kosmetischen Artikeln, Wärmeflaschen, Thermosflaschen und Schokolade – große und kleine Lebenshilfen, die den Gefangenen den Alltag im Ghetto erträglicher hätten machen können und die deshalb verboten waren.[61] Vergeblich versuchte Alice sich zu wehren, als man ihr nicht nur die Thermosflasche mit dem kleinen Rest Kaffee wegnahm, sondern auch sämtliche Zahnpastatuben und Seifenstücke. Ihre große Wasser-

flasche trug sie zum Glück in ihrer Handtasche, und die wurde – ebenso wie Leopolds Handgepäck – aus reinem Zufall nicht kontrolliert.
In der »Schleuse« mussten auch die Fragebögen für die »Arbeitszentrale« ausgefüllt werden. Bereits in Prag hatte Leopold erfahren, dass handwerkliche Fertigkeiten das Leben im Lager erleichterten. Handwerker waren gesucht. Aus gutem Grund hatte er deshalb einen Schlosserlehrgang absolviert. Alice gab als Beruf »Pianistin« an.
Langwierig und aufreibend waren die medizinischen Untersuchungen und die »hygienischen Maßnahmen«, denn in den letzten zwei Jahren hatten in dem völlig überfüllten Ghetto unentwegt Infektionskrankheiten gewütet. Auf dem Dachboden der Schleuse mussten die Neuankömmlinge ihre Oberkörper frei machen. Allesamt wurden geimpft, ohne dass vorher auch nur ein Wort der Erklärung abgegeben wurde. Personen zwischen drei und fünfundsechzig Jahren gegen Typhus, Kinder und Jugendliche zwischen einem halben und achtzehn Jahren zusätzlich gegen Diphtherie.[62]
Stephan schmiegte sich verängstigt an seine Mutter, doch schon packte ihn ein Sanitäter, und ein zweiter stieß ihm die Spritze direkt in die Brust. Der Junge schrie vor Schmerz auf und weinte bitterlich. Ehe er sich von seinem Schock erholen konnte, wurde er ein zweites Mal gestochen.
Die folgende Nacht – ihre letzte gemeinsame – verbrachten Leopold und Alice unter Hunderten Schicksalsgenossen sitzend auf einer Matratze. Stephan schlief ruhig, den Kopf im Schoß seiner Mutter.

***

In der Schleuse wurden den neuen Ghettoinsassen auch ihre Quartiere zugewiesen. Männer und Frauen kamen in getrennte Unterkünfte, und die Kinder ab zwölf Jahren steckte man in Kinderheime, Stephan durfte bei seiner Mutter bleiben. Leopold versprach, so bald wie möglich zu Besuch zu kommen.
Der Weg von der Schleuse durch die Straßen Theresienstadts hin

zu ihrem Quartier öffnete Alice die Augen für das, was sie hier erwartete. Noch nie im Leben hatte sie so viele Menschen auf so engem Raum gesehen. Wie ein außer Rand und Band geratener Ameisenhaufen eilten die Menschen durch die Straßen. Mit mehr als 44 000 Häftlingen[63] war die Bevölkerungsdichte im Ghetto Anfang Juli 1943 fast fünfzigmal so hoch wie in der Weltstadt Berlin.

Alice fiel auf, dass die Häuserblöcke alle identisch gebaut waren, ebenso die elf Kasernen, gewaltige, düstere Gebäude mit, wie sie bald erfahren musste, schlecht funktionierenden, völlig überlasteten sanitären Anlagen. Die meist nur einstöckigen Bauten waren heruntergekommen und hatten abweisende, unbegrünte Hinterhöfe, in die sich kein Sonnenstrahl verirrte.

Für die alteingesessenen Häftlinge war die Ankunft jedes Transports ein Ereignis. Oft wusste man schon vorher, wer mit dem nächsten Zug aus Prag kommen würde. An den Straßenrändern versammelten sich viele Menschen, die auf Bekannte, Verwandte und Freunde warteten.

Plötzlich rief jemand laut nach Alice. Sie drehte sich um und traute ihren Augen nicht. Es war eine gute alte Bekannte, deren Stimme vertraut klang, die aber so abgemagert und mitgenommen aussah, dass sie kaum noch zu erkennen war. Die beiden Frauen wechselten schnell ein paar Worte, doch Alice wagte nicht, stehen zu bleiben. Während des Fußmarsches sprachen sie noch etliche Prager Bekannte an. Sie alle schienen um viele Jahre gealtert. Als ihnen ein unheimlich wirkendes, mit Jutesäcken beladenes Gefährt entgegenkam, von dem ein übler Geruch ausging, fasste Alice die Hand des Jungen noch fester und zog ihn weiter. Zum ersten Mal sahen Mutter und Sohn, dass hier Menschen zu Zugtieren degradiert wurden. Alice begriff sofort, dass die schwer atmenden Männer einen Leichenwagen zogen.

***

Der Dachboden der Kaserne war groß, düster, verdreckt und stickig, denn es gab nicht einmal eine kleine Dachluke, die sich hätte öffnen lassen. Lediglich die zahllosen Matratzen wiesen darauf hin, dass hier Menschen untergebracht werden sollten. Der Häftling, der die Neuankömmlinge hierher gebracht hatte, tröstete die entsetzten Mütter. In wenigen Wochen würden sie in ein neues Quartier für Mütter und Kinder verlegt werden. Die Kasernen, wusste der Mann, waren schon seit Juli 1942 völlig überfüllt. Im August waren dann auch alle anderen Häuser zum Bersten voll, und ab September 1942 ging man dazu über, sogar Stallungen und Gänge zur Unterbringung der Häftlinge zu nutzen. Und die fensterlosen Dachböden, auf denen es in der Nacht sehr kalt und tagsüber oft unerträglich heiß wurde. Schließlich wurden sogar die unterirdischen Kasematten der Festung als Häftlingsunterkünfte genutzt. Die Einweisung dorthin war für viele ein Todesurteil, denn die Räume waren modrig feucht und kalt.
Als Alice und Stephan die vielen Treppen erklommen hatten, war der Dachboden schon so überfüllt, dass sie nur mit Mühe einen Platz auf dem Boden finden konnten. Mehr als hundert Mütter und Kinder wurden hier zusammengepfercht, so dass für jeden weniger als eineinhalb Quadratmeter Platz blieb. Der Schmutz und Gestank, das Wimmern der Menschen, das Weinen der Kinder – eine fürchterliche Atmosphäre. Als Stephan auf die Toilette musste, stellte Alice fest, dass es auf dem Dachboden weder Aborte noch Wasserleitungen gab. Nach langem Suchen fand sie in dem großen Gebäude endlich zwei Toiletten, von denen ein bestialischer Gestank ausging. Dutzende von Menschen standen davor an, und keiner ließ Stephan vor, jeder hatte seine eigenen Probleme.
In der ersten Nacht tat Alice kein Auge zu. Stephan war gottlob so müde, dass er sich an seine Mutter kuschelte und wenig von den chaotischen Verhältnissen wahrnahm.
Schon am nächsten Tag erkrankten viele der neu angekommenen Kinder – eines von ihnen hatte Scharlach eingeschleppt. Auch der Junge auf der übernächsten Matratze, mit dem Stephan am Vorabend gespielt hatte, lag mit hohem Fieber darnieder. Alice packte

ihren Sohn, eilte die vielen Treppen hinunter und fragte sich nach Dr. Felix Weiß durch, der Stephan vom ersten Tag seines Lebens an betreut hatte. Von Leopold wusste sie, dass der Kinderarzt seit geraumer Zeit in Theresienstadt lebte. Nach mehr als zwei Stunden fand sie ihn endlich und schilderte ihm die Situation. Stephan schien die unerwartete Begegnung Sicherheit zu geben, denn er kannte den Doktor gut, und er mochte ihn. Alice war erleichtert, als der Arzt ihr erklärte, Stephan hätte schon in seinem ersten Lebensjahr so viele Krankheiten überstanden, dass er nicht nur gegen Scharlach, sondern auch gegen viele andere Kinderkrankheiten immun sei. Wann auch immer sie sein Zustand beunruhigte, solle sie aber sofort in seine Praxis kommen, eine dunkle Kammer mit Tisch, Stuhl und kaum medizinischen Instrumenten.

Nach drei Tagen im Ghetto stand Alice vor dem nächsten Problem. Sie bekam Fieber, und man diagnostizierte Angina. Die Krankheit bewahrte Alice letztlich vor der »Hundertschaft«. Es gehörte zu den strengen Regeln, dass jeder neue Häftling harte körperliche Arbeit leisten musste – und das hundert Tage lang –, ehe man ihm eine Arbeit zuwies, die seinen Fähigkeiten entsprach.

Stephan fühlte sich verantwortlich für seine fiebernde Mutter und wich kaum von ihrer Seite. Er war umsichtig und fand schnell heraus, wie er Alice mit sauberem Wasser und Nahrung versorgen konnte. Bei Tagesanbruch holten die Mütter eine braune Brühe, die sich Morgenkaffee nannte, aus der Küche und mittags Suppe, Kartoffeln oder – selten – eine einfache Mehlspeise. Das Nachtmahl bestand wieder aus Ersatzkaffee, manchmal einem kleinen Gebäckstück oder einer Einbrennsuppe. Stephan reihte sich in die Schlange ein und erklärte dem Essenausteiler, wie krank seine Mutter sei. Der Mann hatte Mitleid und gab ihm eine Extraration.

Sechs Tage lang organisierte Stephan Sonderportionen, und Alice kam rasch wieder zu Kräften. Kaum konnte sie aufstehen und das Essen selbst holen, erhielt sie nur noch die knapp bemessenen Standardrationen.

Die Häftlinge litten fortwährend Hunger. Besonders schlimm, erfuhr Alice in den folgenden Wochen von Alteingesessenen und Bekannten, war es ihnen im Spätsommer 1942 ergangen. 58 491 Menschen wurden am 18. September in dem überfüllten Lager gezählt,[64] die wenigen Küchen im Ghetto waren jedoch nur auf die Versorgung von zehntausend Menschen ausgerichtet. Das zu schnell gebackene Brot schimmelte schon nach kürzester Zeit. Trotzdem war es zusammen mit den fauligen Kartoffeln die Hauptnahrung der Häftlinge. Wer schwere körperliche Arbeiten verrichtete, bekam mittags eine doppelte Ration und insgesamt größere Mengen Lebensmittel – auf Kosten der Alten und Kranken, deren Zuteilungen entsprechend knapp gehalten wurden. Alice beobachtete immer wieder umherirrende Alte und Kranke, die um Wassersuppe bettelten und in Haufen verdorbener Essensreste wühlten. Nachdem innerhalb von nur zehn Tagen, zwischen dem 19. und 29. September 1942, mehr als zehntausend Häftlinge in polnische Vernichtungslager deportiert worden waren, hatte sich die Versorgungs- und Unterbringungslage im Ghetto geringfügig verbessert.[65] Die zurückgebliebenen Häftlinge ahnten lange Zeit nicht, dass ihre Leidensgenossen dafür mit dem Leben bezahlten.

***

Schnell hatte sich in Theresienstadt herumgesprochen, dass die in Prag bekannte und geschätzte Pianistin Alice Herz-Sommer eingetroffen war. Schon am Anfang ihrer zweiten Woche, um den 15. Juli 1943, überbrachte ein Mitarbeiter der »Freizeitgestaltung« ihr die Nachricht, sie könne in der folgenden Woche ihr erstes Konzert geben. Mit der Aussicht, wieder täglich Klavier spielen zu können und Woche für Woche aufzutreten, wuchs ihre Zuversicht. Zusätzlichen Auftrieb gab ihr eine Neuigkeit, die Leopold von seiner »Hundertschaft« mitbrachte. Jeden Morgen musste er zum zwölf Kilometer langen Fußmarsch von Theresienstadt über Leitmeritz zur Baustelle antreten. Die Häftlinge hatten eine Schießstätte für deutsche Soldaten zu errichten. Den ganzen Tag lang hatten sie pausenlos Erde zu schaufeln, vollbeladene Schubkarren im Laufschritt einen künstlichen Wall hinaufzuschieben und anschließend wieder zurückzurennen, um die Schubkarren erneut zu beladen.

Auf einem der Fußmärsche lernte Leopold den zweiundzwanzigjährigen Sohn von Ota Freudenfeld kennen, dem legendären Leiter des jüdischen Waisenhauses in Prag. Er hieß Rudolf und erzählte Leopold von dem Vorhaben, in Theresienstadt die von Hans Krása komponierte Kinderoper »Brundibár« aufzuführen. Die Proben – alle Rollen wurden von Kindern gespielt – hatten bereits Ende 1941 im Waisenhaus begonnen.[66] Anfangs hatte sie der Dirigent Rafael Schächter geleitet, und Hans Krása hatte ihn tatkräftig unterstützt. Als Krása und Schächter 1942 nach Theresienstadt deportiert wurden, hatte der Bühnenbildner František Zelenka die Regie übernommen, und Rudolf Freudenfeld hatte das kleine Orchester aus Klavier, Violine und Schlagzeug dirigiert.

Im Dezember 1942 war das Werk illegal uraufgeführt worden – längst durfte die Musik jüdischer Komponisten nicht mehr öffentlich gespielt werden. Die etwa einhundertfünfzig geladenen Gäste mussten einzeln zum Waisenhaus kommen, um unter keinen Umständen die Aufmerksamkeit der patrouillierenden Wachmannschaften zu erregen.

Zeitgleich mit Leopold, Alice und Stephan waren auch Rudolf und sein Vater Ota mit einigen »seiner Waisenkinder« in Theresienstadt eingetroffen. Wie ein Lauffeuer hatte sich unter den schon vorher deportierten Kindern die Nachricht verbreitet, dass Ota Freudenfeld eingetroffen sei. Noch am selben Tag veranstaltete Rafael Schächter – von seinen Freunden Rafik genannt – zu Ehren des von den Kindern so geliebten »Chefs« auf einem Dachboden eine konzertante Aufführung von Smetanas »Die verkaufte Braut« mit Klavier statt Orchester.

An diesem Abend wurde die Idee geboren, »Brundibár« aufzuführen, denn Rudolf Freudenfeld war es gelungen, die Noten ins Lager zu schmuggeln.[67] Er kannte Alice von ihren Prager Konzerten, und er hatte auch von Stephans außergewöhnlicher musikalischer Begabung gehört. Ob der Sechsjährige nicht an den Proben für die geplante Aufführung teilnehmen wolle?

***

Als Leopold zur abendlichen Besuchszeit kam, erwartete ihn Stephan bereits an der Treppe.
»Stepanku«, rief Leopold ihm lächelnd entgegen. »Ich habe eine große Überraschung für dich.«
»Wo ist sie denn?« wollte Stephan wissen und versuchte, in Leopolds Hosentasche zu fassen.
»Warte, bis wir bei Maminka sind.«
Stephan hüpfte vor Aufregung wie ein Känguru an das Krankenlager der Mutter. »Maminka«, platzte es aus ihm heraus, »Dadinka hat eine große Überraschung mitgebracht.«
Der Vater setzte sich neben Alice, nahm den Jungen auf seinen Schoß und begann zu erzählen: »Stell dir vor, Stepanku, ab morgen könntest du an den Proben für eine Kinderoper teilnehmen. Eine richtige Oper für Kinder mit Hauptdarstellern, Chor und Orchestermusik.«
Das hörte sich zwar großartig an, aber Stephan konnte sich nicht recht vorstellen, welche Rolle er dabei spielen sollte. Der Vater versuchte es ihm zu erklären: »Die Oper erzählt die Geschichte von zwei bettelarmen Kindern, denen der Leierkastenmann Brundibár arg mitspielt. Aber mit der Hilfe von Hund, Katze und Spatz gewinnen die Kinder den Kampf gegen den bösen Mann.« Glänzende Kinderaugen strahlten Leopold an, als er fortfuhr: »Nun werden also Kinder für den Chor gesucht und für die Hauptrollen. Morgen ist wieder Probe, da werden wir bestimmt mehr erfahren.«
Als Nachtgeschichte sollte Alice ihrem Sohn von dem Komponisten Hans Krása erzählen. Sie kannte ihn aus Prag, weil sie mit seiner Schwester Fritzi befreundet war. Es dauerte lang, ehe Stephan endlich Ruhe fand und einschlief.
Immer noch geschwächt von der Angina brachte Alice ihren Sohn um sechs Uhr des folgenden Abends auf den Dachboden der Dres-

dener Kaserne. Dort wartete man bereits, dass der Chorleiter Rudolf Freudenfeld von seiner »Hundertschaft« zurückkam, um mit der Probe zu beginnen.
Alice freute sich, als sie Hans Krása erblickte. Er war im Februar 1942 aus Prag deportiert worden, sie hatten daher viel zu besprechen. Alice ließ sich von ihm auch die Vorgeschichte der Oper erzählen – ein Stoff, aus dem sie Stephans Nachtgeschichten für die nächsten Tage schöpfte.
Die Hauptrollen des Stücks waren bereits besetzt.[68] Regisseur Rafael Schächter hatte in den zurückliegenden Monaten »Die verkaufte Braut« einstudiert und griff für seine »Brundibár«-Inszenierung auf zwei erfahrene jugendliche Sänger zurück. Für die Rolle des Geschwisterpaares Pepiček und Aninka, die die Kraft der Gemeinschaft entdecken und den Leierkastenmann besiegen, hatte er Pinta Mühlstein und Greta Hofmeister ausgesucht. Auch die Rollen des Hundes, der Katze und des Spatzen waren vergeben. Den Hund sang Zdenek Orenstein, ein dreizehnjähriger Junge, der der Bühne treu blieb und später Schauspieler wurde. Die Katze spielte Eva Stein und den Spatzen Maria Mühlstein. Honza Treichlinger, der so herrlich mit dem aufgeklebten Schnurbart wippen konnte, riss die Zuschauer als Leierkastenmann mit. Er war der unumstrittene Kinderstar von Theresienstadt.
An diesem Probentag wollten Regisseur und Komponist aber noch weitere Kinder für den Chor und – besonders musikalische – als Zweitbesetzungen für die Hauptrollen aussuchen. Rudolf Freudenfeld lud deshalb noch einmal zum Vorsingen. Er spielte kurze Melodien auf dem Harmonium vor, und die Kinder mussten sie nachsingen. Nach Stephans Auftritt waren die Experten sich einig, dass der Sechsjährige mit seiner erstaunlichen Musikalität und seiner schönen Stimme die Idealbesetzung für die Rolle des Spatzen war.[69] Er durfte deshalb im Wechsel mit Maria Mühlstein in vielen der folgenden Aufführungen auftreten.
Nach der Probe fiel Stephan überglücklich auf seine Matratze und wünschte sich als Gute-Nacht-Geschichte die Handlung der Kinderoper. Alice begann das Märchen, das sie erst vor wenigen Tagen zum ersten Mal gehört hatte, mit den gängigen Worten: »Es

Stephan (vordere Reihe, 4. v. li.) bei der Aufführung der Kinderoper Brundibár *für den NS-Propagandafilm (1944)*

waren einmal ... zwei Geschwister, Pepiček und Aninka. Sie lebten zusammen mit ihrer Mutter, der Vater war schon lange tot ...«
»Warum war der Vater tot?«
»Das weiß ich auch nicht«, antwortete Alice. »Vielleicht hatte er eine schlimme Krankheit. Jedenfalls war es sehr schwer für die Mutter und die beiden Kinder, ohne Vater auszukommen. Als die Mutter krank im Bett lag, sorgten Pepiček und Aninka sich sehr. Um wieder zu Kräften zu kommen, brauchte sie Milch, aber zu Hause fanden die Kinder keine einzige Münze, um Milch zu kaufen. Als sie sahen, dass die Menschen dem Leierkastenmann Brundibár für seine Musik Geld zuwarfen, kamen die beiden Geschwister auf die Idee, auf der Straße hübsche Lieder zu singen. Vielleicht würden ihnen die Menschen dann auch Geld schenken.
Die beiden Kinderstimmen waren aber viel zu leise, niemand hörte sie, und so nahmen sie auch keinen Kreuzer ein. Als der Leierkastenmann die Kinder bemerkte, wurde er sehr böse und jagte sie fort. In der Nacht kamen die Tiere – der Hund, die Katze und der

Spatz – zu Pepíček und Aninka und gaben ihnen den Rat, so viele Kinder wie möglich zusammenzutrommeln und mit ihnen gemeinsam zu singen. Dann würden die Menschen ihre Stimmen laut genug hören, und sie könnten sich auch besser gegen Brundibár wehren. Die drei guten Tiere halfen mit, die Schulkinder zusammenzurufen. Gemeinsam sangen sie schließlich ein schönes Wiegenlied, alle Menschen blieben begeistert stehen und warfen Groschen über Groschen in die Mützen. Doch plötzlich sprang der böse Leierkastenmann dazwischen und stahl das Geld. In einer aufregenden Jagd gelang es den Kindern, Brundibár im letzten Moment zu besiegen, und endlich konnten Pepíček und Aninka ihrer Mutter Milch kaufen. Die Mutter wurde gesund, und alle waren froh und glücklich, weil sie den bösen Leierkastenmann gemeinsam überlistet hatten. Und wenn sie nicht gestorben sind, dann …«
Die letzten Sätze hörte Stephan nicht mehr. Er schlummerte bereits selig an der Seite seiner Mutter.

***

Von nun an probten die Kinder mehrfach in der Woche. Die Melodien waren einfach und gingen so wunderbar ins Ohr, dass Stephan schon nach wenigen Tagen alle Lieder auswendig konnte.
Für gewöhnlich setzte Leopold, der erschöpft von der »Hundertschaft« kam, sich in ein Eck des Dachbodens und hörte den Kindern zu. An den probefreien Abenden besuchte er seine Familie in ihrer Unterkunft. In seiner zurückhaltenden Art erzählte er kaum von seiner Arbeit, doch Alice sah ihm an, wie hart er in diesen ersten hundert Tagen schuften musste. Leopold war klein und zierlich, aber so zäh, dass ihm die körperlichen Anstrengungen weniger zusetzten als den meisten anderen. Er erwähnte es auch nur beiläufig, als er nach einigen Wochen in die Landwirtschaft versetzt wurde. Alice bemerkte jedoch, dass er nun abends noch erschöpfter war als vorher.
Das Ehepaar hatte sich darauf geeinigt, an einem der nächsten probefreien Tagen Stephans sechsten Geburtstag nachzufeiern.

Am vereinbarten Abend wartete Stephan schon an der Treppe, als der Vater pünktlich zu Beginn der Besuchszeit eintraf. Es sprudelte nur so aus Stephan heraus, so viele Eindrücke aus den Proben wollte er seinem Vater schildern.
Mühsam bahnten die beiden sich einen Weg vorbei an den mehr als hundert Bettstellen und den Bergen aus Gepäck zu Alices Matratze. Besonders schön sei der Schlusschor, erklärte Stephan, in dem der Sieg über den bösen Brundibár besungen wird. In seiner Begeisterung sang Stephan dem Vater das Lied gleich vor. Die Melodie erinnerte an Marschmusik.

»Ihr müsst auf Freundschaft bauen,
den Weg gemeinsam gehen,
auf eure Kraft vertrauen
und zueinander stehen.«

Alice hörte ihren Männern still zu. Für einen kurzen Augenblick war sie richtig glücklich. Leopold zog ein Tuch aus der Tasche und breitete es sorgfältig auf dem Boden aus. »Heute machen wir drei eine kleine Feier«, sagte er zu Stephan und zauberte zwei Büchsen Ölsardinen, die in Theresienstadt als Kostbarkeit gehandelt wurden, aus seiner Umhängetasche, dazu Brot, das er sich buchstäblich vom Mund abgespart hatte. Daneben legte er zwei Päckchen mit hübschen Schleifen.
»Was feiern wir denn heute?« fragte Stephan.
Alice drückte ihren Sohn an sich und sagte leise: »Deinen Geburtstag. Wir feiern heute deinen sechsten Geburtstag.«
»Heute habe ich Geburtstag?« fragte Stephan ungläubig.
»Heute eigentlich nicht«, erklärte ihm Leopold, »aber als du im Juni Geburtstag hattest, mussten wir uns gerade auf den Transport hierher vorbereiten. Da haben wir beide uns gedacht, dass wir eben hier eine kleine Feier machen …«
Alice war stolz, dass es Leopold gelungen war, die Geschenke ins Lager zu schmuggeln. Neugierig öffnete Stephan die Schleifen, wickelte sie sorgsam auf und gab sie seiner Mutter, denn er hatte längst verstanden, dass in Theresienstadt jeder Besitz kostbar war.

Das größere Päckchen enthielt ein Buch mit den schönsten Gedichten von Wilhelm Busch. Bücher zum Vorlesen waren hier kostbare Schätze. Aus dem zweiten Päckchen holte Stephan zwei Tafeln Schokolade.
»Keine Feier ohne Musik«, sagte Leopold in die beglückende Stille.
»Wie sollen wir denn ohne Instrumente Musik machen?« stutzte Stephan.
»Ganz einfach«, sagte der Vater. »Du singst noch einmal die Schlusshymne aus Brundibár, ich spiele die zweite Geige dazu.«
Stephan sah den Vater zweifelnd an.
»Fang nur an, du wirst schon hören.«
Da begann der Junge zu singen.
»Ihr müsst auf Freundschaft bauen,
den Weg gemeinsam gehen …«
Und Leopold zwinkerte Stephan zu, begann eine zweite Stimme zu summen und strich dazu mit seinem feinen Sinn für Komik so hingebungsvoll seinen Luftbogen über seine Luftgeige, dass Alice hingerissen in die Hände klatschte.
Das Duett klang so herrlich, dass auch die Nachbarn spontan applaudierten und die beiden ihr Lied wiederholen mussten, zweimal und ein drittes Mal, bis schließlich viele mitsummten und einige Kinder im Marschrhythmus klatschten.
Aus der kleinen Geburtstagsfeier wurde eine Feier mit vielen Gästen. Und weil es solche Freude machte, sang Stephan auch noch das Wiegenlied aus Brundibár. So drollig der Text aus dem Mund eines Sechsjährigen auch klang – die Mütter Theresienstadts traf er wie ein Dolch.

»Mutter, es ist so weit,
aus ist die Kinderzeit,
denkst du daran,
wie rasch sich alles ändern kann.«

***

Es vergingen Wochen, ehe Alice sich einigermaßen an die entsetzlichen Lebensbedingungen zu gewöhnen begann. Dennoch trieb sie vom ersten Tag an die Frage um, was ihrer Mutter widerfahren war. Seid dem Abschied auf dem Sammelplatz im Juli 1942 hatte sie kein Lebenszeichen mehr von ihr erhalten. War sie hier gestorben? War sie gleich nach ihrer Ankunft weiterverschleppt worden, mit einem der »Transporte« in den Osten, von denen hier angstvoll die Rede war?

Die meisten Hinweise bekam sie von ihrer Freundin Edith Kraus, die bereits wenige Tage nach Alices Ankunft auf den Dachboden gekommen war, um sie zu begrüßen. Groß war die Wiedersehensfreude. Aber Edith erzählte furchtbare Einzelheiten über die vergangenen Monate, die sie im Lager durchgestanden hatte. Zwar wusste sie auch nichts Konkretes über das Schicksal von Sofie Herz, doch ließen ihre Schilderungen kaum Hoffnung. Gegenwärtig sei es nahezu paradiesisch im Vergleich zu den Zuständen vor fast zwei Jahren, als das Ghetto noch im Aufbau war.

Zum ersten Mal hörte Alice nun Genaueres über die wechselvolle Geschichte des Konzentrationslagers Theresienstadt.[70] Sie begann am 24. November 1941 mit dem ersten Transport jüdischer Häftlinge. Insgesamt dreihundertzweiundvierzig junge jüdische Handwerker und Arbeiter hatten den Auftrag bekommen, in der kleinen Garnisonsstadt ein Lager zu errichten. Am 30. November und am 2. Dezember kamen zweitausend weitere Häftlinge nach, diesmal Männer, Frauen, Kinder und alte Leute. Am 4. Dezember folgten noch einmal tausend junge Arbeiter als Verstärkung des Aufbaukommandos.[71]

Eine Flut von Verboten und Befehlen regelte fortan das Zusammenleben: »Männer dürfen nicht mit Frauen zusammentreffen.« – »Der Briefverkehr mit der Heimat ist untersagt.« – »Das Schmuggeln von Briefen wird mit der Todesstrafe geahndet.« – »Mit der nichtjüdischen Bevölkerung ist jeder Verkehr untersagt.« – »Rauchen wird bestraft.« – »Alle müssen sich die Haare abschneiden lassen.« – »Niemand darf auf dem Gehsteig gehen.« – »Uniformträger sind zu grüßen.«[72] Außerdem war es – nach den Erinnerungen eines Häftlings – verboten, »auf der Straße zu pfeifen oder zu singen, Kastanien aufzuklauben, Feldblumen zu pflücken und einen Rauchfangkehrer anzufassen, damit der Glück bringe. Die Häftlinge müssen alles Geld, Marken und Briefpapier, Zigaretten, Tabak, Konserven, Medikamente und viele andere Dinge abgeben. Für kleinere Vergehen werden sie mit zehn bis fünfzig Stockhieben bestraft, für größere erhalten sie zusätzlich noch mehrere Monate Kerker. Die Prügelstrafe wird häufig verhängt. Sie muss von Mithäftlingen unter der Aufsicht des SS-Mannes Bergel vollzogen werden, der mit großem Vergnügen auch selbst prügelt. Wenn der Häftling, der die Strafe vollzieht, nicht genügend stark zuschlägt, erhält er selbst die gleiche Anzahl Stockhiebe wie der Verurteilte.«[73]

Den wenigen Ghetto-Insassen, die überhaupt noch Zuversicht hatten, den Krieg in Theresienstadt unter halbwegs annehmbaren Verhältnissen zu überleben, wurde sie durch die Hinrichtungen im Januar und Februar 1942 genommen. Wegen geringfügiger Verstöße gegen die Lagerordnung – etwa einem kurzen und heimlichen Gespräch mit der eigenen Frau, die angereist war, um ihren Mann zu besuchen, oder einer Nachricht, die ein Häftling heimlich seiner Mutter zugesandt hatte – wurden am 10. Januar 1942 neun Häftlinge gehängt. Das makabre Schauspiel wiederholte sich am 26. Februar 1942, als sieben weitere Häftlinge ähnliche Vergehen zugaben. Ein Soldat der Wachmannschaft hatte ihnen zugesichert, sie würden straflos davonkommen, wenn sie die Wahrheit sagten.[74]

Dass Theresienstadt keineswegs als Altenheim oder Prominenten-Ghetto vorgesehen war, zeigte sich am 9. Januar 1942, als der erste Transport mit tausend Personen in ein Vernichtungslager im Osten losgeschickt wurde. Von diesem Tag an hing die nächste Deportation wie ein Damoklesschwert über den Häftlingen, die das Unheil ahnten, aber noch nichts Konkretes von der Vernichtung durch Gas wussten. Nachträglich geben die Zahlen Aufschluss: Von den mehr als neunundachtzigtausend aus Theresienstadt deportierten Häftlingen überlebten höchstens dreitausendfünfhundert.[75]

8
Glückseligkeit
»Zwei Löffel Suppe für Bachs Partita«

Der Raum im Erdgeschoss der Magdeburger Kaserne war winzig und so schäbig wie alle Unterkünfte im Ghetto. Er ähnelte eher einer Abstellkammer als einem Übungsraum für Pianisten. Im Zimmer standen lediglich zwei Stühle und ein altes Klavier, das ein Fachmann aber sorgfältig gestimmt hatte. Das einzige Fenster klemmte. Drei in den Türpfosten geschlagene Nägel dienten als Kleiderhaken. Der Putz bröckelte von den Wänden, als sei der kleine Raum jahrzehntelang leer gestanden. Und doch waren die Pianisten von Theresienstadt dankbar für die Gelegenheit, ungestört zu sein – und war es auch nur für sehr begrenzte Zeit. Inzwischen lebten so viele Berufspianisten im Ghetto, dass jedem nur eine halbe Stunde pro Tag zugebilligt werden konnte.[76] Viele derer, die hier täglich übten, trugen europaweit bekannte Namen:

- Alices Freundin Edith Kraus, das Wunderkind, das als eine der begabtesten Schülerinnen von Arthur Schnabel galt;[77]
- Gideon Klein aus Prag, ein phantastisch vielseitiges Talent, dem sich auch wegen seiner außerordentlich attraktiven Erscheinung und seiner Liebenswürdigkeit kaum jemand entziehen konnte. Er leitete in Theresienstadt die »Abteilung Musik« der »Freizeitgestaltung« und engagierte sich intensiv in der »Jugendfürsorge«, um den Kindern Bildung zu vermitteln;[78]
- der mutige Brünner Pianist und Musikpädagoge Bernhard Kaff,

der in Theresienstadt sogar russische Musik wie Mussorgskijs »Bilder einer Ausstellung« vortrug. Er spielte so meisterhaft, dass ihm der Ruf vorausging, er könne seine Zuhörer auch noch auf dem schlechtesten Instrument verzaubern;[79]

- Renée Gärtner-Geiringer aus Wien, die zweiunddreißig verschiedene und damit rekordverdächtig viele Konzertprogramme im Ghetto aufführte;[80]
- der Komponist Viktor Ullmann, Schüler von Arnold Schönberg, der in den zwei Jahren bis zu seiner Deportation nach Auschwitz zwanzig neue Kompositionen schuf, darunter die später weltberühmt gewordene Oper »Der Kaiser von Atlantis«.[81]

In der dritten Juliwoche 1943 saß Alice zum ersten Mal in Theresienstadt am Klavier. Ihre tägliche Übungszeit war für neun Uhr anberaumt. Es mögen Nuancen des Selbstbetrugs gewesen sein, die ein Leben nicht nur erträglicher machen, sondern es retten können, Nuancen des Selbstbetrugs, die Alice in diesem Augenblick und immer wieder und gegen ihre bisherige Erfahrungen jenen Satz denken ließen, den sie in Prag so oft zu Leopold gesagt hatte: »Wenn man in Theresienstadt Konzerte veranstaltet, dann kann es nicht so schlimm sein.«

Sogar im Ghetto schien sich ihr Lebensgrundsatz zu bewähren, dem Dasein seine hoffnungsvollen, positiven Seiten abgewinnen zu wollen. Die Freude, mit der ihr Sohn den Proben zur Kinderoper entgegenfieberte, war wie ein Lichtstrahl, der ihren Blick vom überwiegend dunklen Alltag weglenkte und sie täglich von neuem Mut schöpfen ließ.

Seit einigen Tagen brachte sie Stephan frühmorgens zum »Kindergarten«, in dem den Kindern bis sieben Jahren heimlich das Grundwissen in Lesen, Schreiben und Rechnen beigebracht wurde.[82] Die SS hatte zwar einen geregelten Schulunterricht streng verboten, doch der Jüdischen Selbstverwaltung die Einrichtung einer »Jugendfürsorge« für die mehr als fünfzehntausend Kinder zugestanden. Offiziell erlaubt waren dort allerdings nur künstlerische Tätigkeiten, Singen, Zeichnen, Handarbeiten.

Stephan ging vom ersten Tag an sehr gern dorthin, vor allem deshalb, weil er dort seinen besten Freund, den gleichaltrigen Pavel Fuchs wiedertraf, mit dem er den jüdischen Kindergarten in Prag besucht hatte. Besonders gern meldeten sich die beiden zum Wachestehen. Wenn sich eine Kontrolle der SS näherte, wurden auf ein musikalisches Pfeifkommando alle Lernmaterialien versteckt, und die Kinder stimmten ein Lied an.

***

In Theresienstadt hatte sich in den Monaten, bevor Alice, Leopold und Stephan eintrafen, vieles verändert. Das Wort vom »Paradies-Ghetto« machte die Runde, denn seit Herbst 1942 lag der SS daran, der zunehmend beunruhigten internationalen Öffentlichkeit eine normal funktionierende Stadt mit zufriedenen Einwohnern vorzutäuschen. Die Posten vor den Kasernen verschwanden, und auf einmal durften die Häftlinge ohne Durchlassscheine auf die Straßen.[83] Die Machthaber wurden nicht müde zu behaupten, in Theresienstadt könnten ältere Menschen ihren Lebensabend in gesicherten Verhältnissen verbringen, und Prominente würden gemäß ihrer Verdienste zusätzliche Privilegien genießen. Ein durchaus geschickter Schachzug dieser neuen Politik war es, ein von den Lagerhäftlingen selbst organisiertes Kultur- und Musikleben nicht nur zuzulassen, sondern sogar zu fördern. Der kluge und durchsetzungsstarke Ingenieur Otto Zucker übernahm im März 1943 die Leitung der Abteilung »Freizeitgestaltung« (FZG) und sorgte für eine »Hochzeit« des Kulturlebens. Musik sollte in die breite Masse getragen werden.[84]

Alice hatte nicht erwartet, dass die »Freizeitgestaltung« das Kulturprogramm so effektiv und professionell organisierte. Otto Zucker hatte sie um eine Repertoireliste gebeten. Aus den außergewöhnlich vielen Werken, die Alice jemals einstudiert hatte und die sie so gut wie alle auswendig beherrschte, stellte sie insgesamt vier Programme zusammen und übergab die Liste der für die wöchentlichen Konzerte verantwortlichen Mitarbeiterin. Diese riet ihr, jeweils am Montagvormittag zur Magdeburger Kaserne

zu kommen. Dort wäre der jeweils aktuelle wöchentliche Konzertplan ausgehängt, aus dem sie ihre Konzerttage und -orte ersehen könne.
»Für eine Pianistin eigentlich der Idealzustand«, kam es Alice in den Sinn, als sie zum ersten Mal vor den Listen stand und die Vielzahl von Konzertangeboten bestaunte. »Keine Mühe mit der Organisation, nur täglich üben und jede Woche mindestens ein Konzert geben. Was kann einer Künstlerin eigentlich Besseres widerfahren?«
Für ihr erstes Konzert, das in knapp einer Woche stattfinden sollte, hatte sie drei sehr unterschiedliche Werke ausgewählt. Ludwig van Beethovens Appassionata, die B-Dur-Partita von Johann Sebastian Bach und eine Auswahl von Chopin-Etüden. Die Appassionata erschien ihr deshalb so passend, weil es für Alice kaum eine andere Klavierkomposition von so fesselnder Dramatik und zugleich so leidenschaftlichem Temperament und faszinierender Klanglichkeit gab.
Die B-Dur-Partita von Johann Sebastian Bach – für Alice ein Paradebeispiel vollkommener Tonkunst – liebte sie ganz besonders wegen ihrer Spiritualität. In der berühmten Bach-Biographie von Johann Nikolaus Forkel, die bereits 1802 erschienen war, hatte sie Jahre zuvor gelesen, wer diese Partiten gut vortrage, »könne sein Glück in der Welt damit machen«.[85]
Die Chopin-Etüden wollte sie nicht nur spielen, weil sie in den vergangenen zwölf Monaten ein Anker gewesen waren, der sie aus ihrer Verzweiflung gerettet hatte, sondern weil die musikalischen Botschaften die Höhen und Tiefen menschlicher Existenz in einer einzigartigen Weise widerspiegeln. Die Etüden waren technisch weitaus anspruchsvoller als die anderen Stücke, deshalb begann Alice ihr Übungsprogramm mit ihnen.
Während sie mit größter Konzentration spielte, ging unbemerkt die Tür auf und Hans Krása trat herein. Er setzte sich auf den Stuhl und hörte andächtig zu. Als einer der maßgeblichen Mitarbeiter der Abteilung »Freizeitgestaltung« spielte er eine zentrale Rolle bei der Organisation des Konzertbetriebs.[86] Außerdem komponierte er und begleitete auch viele Künstler am Klavier. Mit Be-

dacht hatte er seine Übungszeit unmittelbar im Anschluss an Alice Herz-Sommers gewählt.
Krása wusste von dem bevorstehenden Konzert, und er kannte das angekündigte Programm. Nun hoffte er, Musik von Frédéric Chopin zu hören, die er besonders liebte. Als Alice zu spielen aufhörte, stand der heimliche Zuhörer auf und applaudierte. Alice drehte sich erschrocken um und freute sich, als sie Hans Krása erkannte. Er galt als einer der talentiertesten Komponisten der Gegenwart, der aus seinem überragenden Talent allerdings bislang vergleichsweise wenig gemacht hatte. Alice zeichneten ein unbändiger Fleiß und ein ausgesprochenes Pflichtgefühl aus, Krása war das Gegenteil.[87] Er hatte in Prag vor der Besatzung das Leben eines Bourgeois und Bohemiens geführt.
Um die Mittagszeit, wenn Alice bereits vier Stunden intensiv geübt hatte, pflegte Hans Krása aufzustehen. Am frühen Nachmittag sah er meist für ein, zwei Stunden am Tschechischen Theater vorbei, wo er stundenweise als Korrepetitor arbeitete. Danach zog es ihn zu seinem Freund, dem Kulturredakteur des *Prager Tagblatts*, um mit ihm zu plaudern und vor allem die tägliche Partie Schach zu spielen. Später gesellten sich Freunde hinzu, und der Abend endete meist feucht-fröhlich in großer Runde. Alice mochte Hans Krása gut leiden. Seine Frohnatur war ansteckend und sein Charme bezwingend.
»Verehrte Alice, dürfte ich Sie um den Gefallen bitten, das b-Moll-Scherzo von Chopin für mich zu spielen?« Es war sein Lieblingsstück.
Chopins ungewöhnliches Scherzo passte, so fand Alice, in einer ganz besonderen Weise zu ihm. Das Stück strahlte Humor, Heiterkeit, Energie und Freude aus. Andererseits hatte es auch dunkle und dramatische Momente, die Hans Krása faszinierten.
Gäbe es in Theresienstadt Blumen, sagte Hans Krása, er würde ihr zum Dank den schönsten Strauß pflücken. Ob er denn, ab und an, ihren Übungsstunden beiwohnen dürfe, fragte er sie zum Abschied. Durchaus, entgegnete Alice, aber die nächsten vier Übungstage brauche sie wirklich für das erste Konzert und deshalb für sich allein. Krása hielt sich an die Abmachung. Er ließ Alice in den

folgenden Tagen in Ruhe üben, doch danach kam er immer wieder und hörte still und in sich versunken zu. So manches Mal wünschte er sich ein bestimmtes Stück, weit mehr als ein Dutzend Mal allein das b-Moll-Scherzo.
Drei Tage vor ihrem ersten Konzert sah Alice sich den ehemaligen Rathaussaal an, der vor kurzem als neuer Konzertsaal freigegeben worden war. Wochenlang hatte die »Ghettowache«, eine Wachmannschaft aus rund fünfundzwanzig Männern der Jüdischen Selbstverwaltung, unter Leitung von Kurt Frey den völlig heruntergewirtschafteten Saal renoviert.[88] Eine neue Bühne mit Vorhang, Bänke mit Rückenlehnen, sogar elektrische Beleuchtung gab es nun. Auch eine Toilette mit Wasserspülung für die Konzertbesucher hatte man gebaut, ein Luxus, den man in Theresienstadt sonst vergeblich suchte.

***

Das erste Konzert. Stephan war aufgeregt und stolz, als der Kartenkontrolleur ihn an der Hand seiner Mutter vor allen anderen in den Saal ließ. Damit Alice ihm alles zeigen konnte, waren sie schon eine halbe Stunde vor Vorstellungsbeginn gekommen.
Bevor sie sich zurückzog, versprach Alice ihm, dass sie ihm gleich nach der Verbeugung zu Beginn des Konzerts einen kurzen Blick zuwerfen würde, damit er ihr zuzwinkern könne. »Dann werde ich besonders gut spielen«, sagte sie.
Leopold schaffte es im letzten Moment, neben Stephan Platz zu nehmen – er hatte einen langen Marsch von der »Hundertschaft« zurück ins Lager hinter sich.
Der Rathaussaal hatte keine Hinterbühne, so dass die Künstler durch den Publikumseingang eintreten und durch den Mittelgang zur Bühne gehen mussten. Als Alice an den Sitzreihen vorbeischritt, verdrängte ein Gefühl tief empfundener Glückseligkeit die Anspannung und Nervosität, die sie sonst unmittelbar vor den Konzertauftritten plagten. Sie spürte förmlich die Erwartung der fast dreihundert Zuhörer.
Beim Verbeugen bemerkte sie, wie Stephan ihr zuzuzwinkern ver-

suchte, und lächelte selig. Der Funke schien allein durch den Optimismus, den die Pianistin ausstrahlte, zum Publikum überzuspringen. Sie begann mit der B-Dur-Partita, in die Johann Sebastian Bach die lebendigen und temperamentvollen Springtänze des Volkes ebenso genial verarbeitet hatte wie die gemessenen Schritttänze des Hofes. Die vier Hauptsätze entsprachen den Tänzen Allemande, Courante, Sarabande und Gigue.

Alices Spiel klang kristallklar und meisterlich und erntete begeisterten Beifall. Nun folgte die Appassionata mit ihren Vulkanausbrüchen menschlicher Leidenschaften. Die drei Sätze drücken in ihrer Abfolge gedankliches Ringen, Trost und Besinnung auf die eigene Kraft aus. Der Dirigent Rafael Schächter, der in einer der vorderen Reihen saß, war derart begeistert von Alices Interpretation, dass er wenige Tage später seinen Chorsängern zurief: »Wenn ihr wissen wollt, was Leidenschaft ist, dann geht zu Alice Herz und hört euch die Appassionata an.«

Nach einer kurzen Pause folgte im zweiten Teil die Auswahl von Etüden, die Chopin zwar als Übungsstücke konzipiert hatte, die dank seiner Genialität jedoch Meisterwerke von ungeahnter Kraft und Schönheit waren. Am Ende des Konzerts spielte Alice die »Revolutionsetüde«. Das Stück beginnt mit einem gewaltigen Akkord. Dann folgt ein regelrechter Sturm von Sechzehntelpassagen in der linken Hand, während die rechte Hand das feurige Motiv spielt. In der Folge verstärkt sich die Spannung immer mehr.

Alice spielte die wellenartig auf- und niederwogenden Passagen der linken Hand mit atemberaubendem Tempo, während ihre rechte Hand das zentrale Motiv erklingen ließ. Das Thema gleicht einem Fanfarenstoß, bestehend aus nur wenigen Tönen, gewaltig und aufrüttelnd. Während sich die Klangfärbung ändert, werden die Akkorde immer mächtiger und leidenschaftlicher. Nach der ersten Hälfte nimmt die Melodie, die anfangs bedrohlich und gewalttätig klingt, einen triumphalen Charakter an. Aber diese Sieg verheißende Stimmung hält nicht lange an. Es folgt eine Atmosphäre heftiger Qual. Doch endlich weicht dieses schmerzerfüllte Motiv dem Pathos der Einleitung, nun noch leidenschaft-

licher, noch dramatischer, bis alle Spannung in Erschöpfung endet.
Der Schluss der Etüde brach über die Zuhörer wie eine Explosion herein. Alices Hände glitten in furiosen, von hohen bis ins Bassregister zickzackartig fallenden Sechzehntelläufen über das Klavier und ließen am Schluss vier Akkorde erklingen, die wie verzweifelte Schreie wirkten.
Die Zuhörer waren tief betroffen und wagten kaum zu atmen. Endlich dann der erlösende Applaus, der kein Ende nehmen wollte. Unbekannte Menschen umarmten Alice mit Tränen in den Augen. Es war ihr nicht möglich, zu ihren beiden Männern zu kommen, die sich auch von den Plätzen erhoben hatten und so begeistert applaudierten wie alle anderen. Erst nach zwei Zugaben konnte sie Stephan und Leopold in die Arme schließen.
Etwas abseits stehend beobachtete ein Musikliebhaber, der in einer der Theresienstädter Krankenstationen als Arzt arbeitete, das begeisterte Publikum. Nach einer Weile ging er auf Alice zu: »Ich kann nicht ausdrücken, was Sie für Gefühle und Erinnerungen in mir auslösen. Ich danke Ihnen sehr.« Dann bot er ihr an, von nun an einmal pro Woche mit ihrem Sohn in die Krankenstation zu kommen und dort warm zu duschen. Ein außergewöhnliches Privileg in diesem hoffnungslos überfüllten Ghetto, das Alice dankbar annahm.
Am Tag nach dem Konzert stellte Alice sich zur Mittagszeit wie üblich mit ihrem Blechgeschirr bei der Essenausgabe an, Stephan an der Hand. Ein tschechischer Jugendlicher hatte die Aufgabe, an alle Häftlinge gleich große Portionen zu verteilen. Als Alice an die Reihe kam, geriet er über ihre Interpretation der Gigue in Bachs B-Dur-Partita ins Schwärmen. Er liebe dieses Stück ganz besonders. Zum Dank gab er ihr zwei statt einer Schöpfkelle Suppe.

***

Wenige Tage später, es muss bereits Anfang August 1943 gewesen sein, waren Alice und Stephan wie gewöhnlich zur Mittagszeit auf dem Weg vom Kindergarten zur Essenausgabe. Stephan plauderte munter, doch plötzlich ließ er die Hand seiner Mutter los, blieb wie angewurzelt stehen und starrte auf zwei Männer mit hochroten Köpfen, die einen sichtlich überladenen Leiterwagen zogen. Die Last war mit einem schwarzen Tuch bedeckt, unter dem leblose Arme und Beine hervorbaumelten. Alice versuchte ihren Sohn zum Weitergehen zu bewegen, aber der, buchstäblich starr vor Entsetzen, tat keinen Schritt. Die Minuten zogen sich wie eine Ewigkeit hin, ehe der Wagen sich in Richtung Krematorium entfernt hatte.

»Maminka«, fragte Stephan an diesem Tag noch viele Male, »woher kommen die vielen toten Menschen auf dem Wagen?«

»Es sind vor allem alte Menschen, die hier sterben. An Krankheiten oder Unterernährung.«

»Und woher kommen die Krankheiten?«

»Es gibt zu wenig Wasser zum Waschen. Überall ist Dreck und Schmutz. Das macht die Menschen krank.«

»Und warum können die alten Menschen nicht duschen gehen?«

»Weil es hier viel zu wenige Duschen gibt.«

»Und warum dürfen wir duschen und die anderen nicht?«

»Weil der Doktor sich so über mein Klavierkonzert gefreut hat und uns deshalb etwas Gutes tun wollte.«

»Konnten die Toten auf dem Wagen wegen uns nicht duschen?«

»Nein, Stepanku, wir haben den Menschen nichts weggenommen. Bestimmt nicht. Sie haben nicht genug zu essen bekommen.«

»Aber warum denn?«

»Weil die Lagerleitung angeordnet hat, dass die Schwerarbeiter und Kinder mehr zum Essen bekommen als die alten Menschen, die nicht mehr arbeiten können.«

»Müssen die Alten sterben, weil die Kinder ihnen alles wegessen?«

Alice drohte an dem Drängen in Stephans Stimme zu verzweifeln. Aber sie wollte ihrem Sohn keine Antwort schuldig bleiben, auch wenn ihr das schwer fiel.

»Stepanku, die Kinder können doch nichts dafür. Es gibt ja nicht einmal genug, um die Kinder satt zu bekommen.«
Inzwischen standen die beiden vor der Essenausgabe, und offensichtlich erinnerte Stephan sich jetzt daran, dass seine Mutter als Dank für ihr erstes Konzert eine doppelte Portion bekommen hatte.
»Maminka, und wenn der Junge dir heute wieder mehr Suppe gibt, muss dann ein alter Mensch dafür hungern?«
»Nein, ganz bestimmt nicht. Jeder bekommt Suppe.«
Alice war froh, dass an diesem Tag ein anderer Häftling Dienst hatte und ihnen die gleiche Portion auftat wie allen anderen.
Nach dem Essen fragte Stephan weiter. Wohin die Toten kämen, warum auch kleine Kinder dabei seien, was ein Krematorium sei und was mit der Asche geschehe. Und schließlich wollte er einmal mehr wissen, warum die Menschen hier eingesperrt wurden, wann sie endlich nach Hause dürften, warum der Krieg noch immer nicht aus und wer schuld daran sei.
In den folgenden Wochen und Monaten war Alice noch aufmerksamer als bisher, solche Erlebnisse möglichst zu vermeiden. Doch das gelang nicht immer. Der Tod gehörte in Theresienstadt zum Alltag. Immer wieder brachen Infektionskrankheiten aus, die sich rasch ausbreiteten und die geschwächten Menschen dahinrafften. Starben im Juli 1942 täglich durchschnittlich zweiunddreißig Häftlinge, so waren es im August bereits fünfundsiebzig und im September einhunderteinunddreißig. Als Anfang Juli 1943 Alice mit ihrem Sohn ins Lager kam, hatten die hygienischen Verhältnisse sich zwar gebessert, doch starben nach wie vor Tausende an Infektionskrankheiten. Zwischen August 1942 und Ende März 1943 zählte man insgesamt 20582 Tote, das waren mehr als zweitausendfünfhundert pro Monat oder etwa fünfundachtzig pro Tag.[89] Insgesamt starben in Theresienstadt 34261 Menschen.[90]

* * *

Nach fast sechs Wochen auf dem Dachboden zogen die Mütter und ihre Kinder Mitte August 1943 in eines der »Blockhäuser« in der Seestraße. In dem knapp zwölf Quadratmeter großen Zimmer gab es drei Doppelstockkojen für zwölf Menschen, einen kleinen Eisenofen, ein Fenster und nicht den geringsten Platz, um Tisch oder Stühle aufzustellen, die man aber ohnehin erst hätte »organisieren« müssen. Alice musste sich blitzschnell entscheiden: oben oder unten? Unten ist die Luft besser, fand sie, und man kommt leichter aus dem Bett, besonders nachts, wenn der Strom abgeschaltet ist. Sie entschied sich für eine untere Koje in der Nähe des Fensters. Stephan inspizierte sie mit Interesse, denn bisher hatten sie auf dünnen Matratzen auf dem Fußboden geschlafen.

Bei der ersten Liegeprobe verschwand Stephan regelrecht, denn die Kojen waren wie schmale tiefe Kisten gebaut, etwa fünfundsechzig Zentimeter breit. Am Kopfende hatten sie eine Art Stauraum, der aber zu klein war, um auch nur die wenigen Habseligkeiten unterzubringen, die den Menschen geblieben waren. Der Rest blieb im Rucksack und wurde unter das Bett geschoben. Im Gegensatz zu den Kasernen hatten die eingeschossigen »Blockhäuser« keine Waschräume, sondern nur Wasserstellen.

***

Täglich zwischen sechs und Viertel vor acht Uhr abends durften die Väter zu ihren Frauen und Kindern. Mit jedem Vater, der die beengte Unterkunft aufsuchte, stieg der Lärmpegel. Über Alices Kopf johlten zwei Kinder vor Begeisterung über die Geschichte ihres Vaters. Der kleine Junge nebenan kletterte unaufhörlich auf die Bettkante und sprang mit Poltern und Jauchzen wieder herunter. Einige Mütter versuchten ihre Kinder zu beschwichtigen und zischten dabei in kaum duldbarer Tonlage. Ein in der Ecke stehendes Ehepaar sprach so laut miteinander, als wäre es in Streit geraten.

Als der Lärm so unerträglich wurde, dass man sein eigenes Wort nicht mehr verstand, sprang Alice auf und trompetete mit einer durchdringenden Stimme, die man einer so zierlichen Person gar

nicht zugetraut hätte: »Achtung, Achtung, an alle Kinder – Achtung, Achtung, an alle Kinder – Achtung, Achtung, an alle Kinder!«
Die Ansage erfolgte so unerwartet und laut, dass schlagartig alle verstummten. In die Stille hinein sagte Alice mit nun gesenkter Stimme, freundlich, aber entschieden: »Jedes Kind nimmt jetzt die Türklinke in die Hand und schließt so leise wie möglich seine Tür.«
Alle sahen sich verdutzt an, und eine der Mütter flüsterte: »Mein Gott, jetzt ist sie verrückt geworden.«
Doch im nächsten Moment wiederholte Alice ihre Aufforderung, griff, wie in einem Pantomimenspiel, nach der unsichtbaren Klinke und zog die ebenso unsichtbare Tür langsam und leise in ihr unsichtbares Schloss.
Alice wiederholte ihr stummes Schauspiel so oft, bis alle Anwesenden sie verstanden hatten und es ihr gleichtaten – und auch alle sechs Kinder eifrig mitmachten.
Alices Auftritt prägte sich allen ein. Wann immer es während der täglichen Besuchszeit zu laut zu werden drohte, rief eine der Mütter, manchmal auch eines der Kinder: »Türen schließen!«
Auch ihren Vorschlag, zweimal pro Woche das Zimmer so weit wie möglich auszuräumen, die Matratzen zum Ausklopfen in den Hof zu bringen und Boden und Betten zu schrubben, nahmen ihre Mitbewohnerinnen an. Wenigstens die Wohnverhältnisse verbesserten sich also – ein kleiner, aber bedeutsamer Fortschritt, ein Rettungsanker für manche, denn alles andere blieb unverändert, der Tagesablauf, der Hunger, die Bedrohung durch Krankheit und Tod. Die Wanzen, Flöhe und Läuse ließen sich aber auf Dauer nicht besiegen.[91] Sobald das Licht ausging, stürzte das Ungeziefer sich auf die Menschen. Einige Male nahmen sie sogar jedes Bett einzeln auseinander, weil die Ritzen im Holz beliebte Schlupfwinkel für die Tiere waren.

***

Alice wusste um ihre privilegierte Stellung im Lager. Ihre fünf Mitbewohnerinnen mussten täglich, nachdem sie ihre Kinder zur »Beschäftigung« gebracht hatten – die bis zu Siebenjährigen in den »Kindergarten« und die Älteren in die »Kinderheime« –, zehn bis zwölf Stunden hart arbeiten, entweder in einer der Produktionsstätten von Theresienstadt oder in der Versorgung, etwa in einer der Küchen, in der Krankenbetreuung oder in der Verwaltung.
Alice war vorerst von körperlicher Arbeit befreit. Sie galt als Mitarbeiterin der »Freizeitgestaltung« mit dem Auftrag, Soloabende und Kammerkonzerte vorzubereiten. Alices Arbeitsbefreiung, von Otto Zucker angeordnet, hatte sicher auch mit dem sechsjährigen Stephan zu tun, den sie versorgen musste. So konnte Alice ihren Sohn bereits mittags vom Kindergarten abholen, oft auch seinen Freund Pavel mitnehmen und sich um beide kümmern.
In Theresienstadt war bei Alice alles auf einen Gedanken ausgerichtet: ihr Kind zu behüten, ihm Wärme zu geben und Leid von ihm fern zu halten. Nacht für Nacht schlief er im Bett seiner Mutter. Eng an sie geschmiegt war das beruhigende Gefühl von Geborgenheit für ihn selbstverständlich. Tagsüber hatte sie drei Probleme zu bewältigen, die den kleinen Jungen belasteten: Langeweile, Lärm und Hunger. Am schlimmsten war es für sie, ansehen zu müssen, wie ihr Sohn vergeblich um Essen bat und hungern musste. Wenn sie sich mit einem Konzert ein Stück Margarine oder Brot verdiente, gab sie es selbstverständlich an Stephan weiter. Und doch reichte es oft nicht, um wenigstens für kurze Zeit satt zu werden.
Ein einziges Mal in ihrem Leben ließ Alice sich deshalb sogar zu einem Diebstahl hinreißen. Es war einer der seltenen Augenblicke, als von den zehn Mitbewohnern gerade niemand im Zimmer war. Stephan weinte vor Hunger, aber Alice hatte nichts mehr, was sie ihm geben konnte. Da sah sie ein Stück Brot auf dem Nachbarbett liegen, warf alle Bedenken über Bord und griff blitzschnell zu.

***

Stephan war abends immer so müde, dass er sofort einschlief, nachdem der Vater gegangen war. Dafür wachte er um kurz nach fünf Uhr morgens auf, lange vor den anderen. Das war insofern ein Vorteil, als Mutter und Sohn dadurch Gelegenheit hatten, ihre Morgentoilette ohne Anstehen zu verrichten. Nach sechs Uhr warteten die Menschen in langen Reihen, was die Lagerkrankheit Durchfall allen Betroffenen zur Qual machte. Eine »Klowache« hatte den Tag über für Ordnung und Sauberkeit zu sorgen – weitgehend vergeblich.

Bis zum offiziellen Wecken blieb Alice und Stephan meist noch eine Stunde Zeit. Da es keine Sitzgelegenheit gab, stiegen sie nach der Morgentoilette wieder in ihr Bett.

Während Alice gern noch einmal eingeschlafen wäre, langweilte sich Stephan. Eines Morgens hatte er die rettende Idee: »Lass uns rechnen.« Alice wunderte sich, denn sie wusste, dass Stephan Rechnen zuwider war. Und sie hatte Verständnis dafür. Auch sie hatte nie gern gerechnet. Trotzdem – und weiterhin über Stephans Hintergedanken rätselnd – rechneten sie von nun an jeden Morgen bis zur Befreiung im Mai 1945. Immer wieder wiederholten die beiden das Einmaleins in allen denkbaren Reihen und Formen und stellten sich gegenseitig Multiplikations- und Divisionsaufgaben, die zu lösen nicht nur Stephan, sondern auch Alice forderten.

***

Anfang September 1943 erlebte Alice zum ersten Mal mit, wie in Theresienstadt Panik ausbrach. Anlass gab ein schon mehrere Wochen zurückliegender Befehl der SS-Kommandantur. Am 24. Juli 1943 hatten zwei der Kasernen Hals über Kopf geräumt werden müssen.[92] Grund dafür war die Anweisung aus Berlin an eine Gruppe von SS-Offizieren, in den freigeräumten Kasernen Platz für die Archive des Reichssicherheitshauptamts zu schaffen. Innerhalb von sechsunddreißig Stunden waren 6422 Häftlinge notdürftig in anderen Kasernen untergebracht worden. Auch Leopold hatte es getroffen. Später erzählte er Alice, in welcher

Hast die Häftlinge mit dem wenigen, was ihnen geblieben war und was sie zum täglichen Leben brauchten, ihre Unterkunft verlassen mussten.
Da Theresienstadt zu diesem Zeitpunkt schon restlos überfüllt war, hatte man die 6422 Häftlinge auf die Dachböden und die Keller der Kasernen verteilt. Von nun an war jeder Winkel im Ghetto besetzt. Die geräumten Gebäude standen indes drei Wochen lang leer, ehe die Akten über die Naziverbrechen des Reichssicherheitshauptamts dort archiviert wurden.
Um das entstandene Chaos zu beenden, machte die SS kurzen, mörderischen Prozess. Sie befahl für den 6. September den Abtransport von fünftausend Menschen in den Osten, die Auswahl erfolgte nach einer grässlichen Systematik.[93] Laut SS-Befehl sollten die Betroffenen aus Böhmen und Mähren stammen und nicht älter als fünfundsechzig Jahre sein. Die Kriterien passten auf rund zwölftausend Häftlinge. Da zusätzlich eine Reserve von weiteren tausend Personen bereitgestellt werden musste, drohte jedem zweiten Häftling aus Böhmen und Mähren die Deportation. Die Künstler der »Freizeitgestaltung« genossen zwar »Transportschutz«, Leopold Sommer aber nicht.
Das Lager in Aufruhr. Über die Verhältnisse, die die Deportierten im Osten erwarteten, waren bisher nur Vermutungen im Umlauf. Der Name Auschwitz kursierte unter den Häftlingen, doch noch gab es keine Gerüchte über Massenermordungen und systematische Vergasungen. Jedenfalls, dessen war man sich sicher, würden die Bedingungen dort noch schwieriger und schlechter sein als in Theresienstadt.
Von einem Tag auf den anderen schlug die Atmosphäre im Lager um. Die Menschen schlichen verängstigt durch die Straßen. Das Miteinander war von Misstrauen geprägt.
Die diffuse Angst wurde gefährliche Gewissheit, als die SS dem Judenältesten schließlich den Befehl zur Aufstellung der Deportationslisten erteilte. Sofort musste der »Ältestenrat« einberufen werden. Nach internen Richtlinien wurden dann die fünftausend Namen ausgewählt.
Eine Sekretärin tippte die Listen mit fortlaufenden Nummern und

in mehreren Durchschlägen auf der Schreibmaschine. Zuerst die Personennummer, danach die Transportnummer, dann der Vor- und Zuname, Geburtsjahr und Anschrift im Ghetto. Schließlich wurde einer der Durchschläge zerschnitten, so dass je ein Name auf einem schmalen Streifen stand. Diese Streifen wurden durch Boten der Kommission direkt an die Gebäude und Hausältesten geschickt. Diese wiederum hatten die Betroffenen zu informieren und eigenhändig den Abschnitt zu überreichen.

Die endgültige Zusammenstellung der Transporte erfolgte stets durch eine »Kommission«, die der »Ältestenrat« einberief. Alle »Abteilungen« der Jüdischen Selbstverwaltung waren mehr oder weniger stark beteiligt und verfielen in eine fieberhafte Geschäftigkeit.

An solchen Tagen herrschte im Treppenhaus von Gebäude B5, wo die Kanzlei untergebracht war, ein unvorstellbares Gedränge, das nach Bekanntmachung der Liste lebensbedrohlich werden konnte.[94] Viele versuchten zu reklamieren und zu begründen, warum sie wieder von der Liste genommen werden müssten.

Alle Abteilungen führten in der Regel Qualifikationslisten der Beschäftigten mit vier Kategorien: unentbehrlich, relativ unentbehrlich, bedingt entbehrlich, entbehrlich. Einen strikten »Transportschutz« gab es nur für zwei kleine Gruppierungen in Lager: Zum einen die von der SS ausgewählten »Prominenten«, die aus sehr unterschiedlichen Gründen, doch jeweils immer aus einem bestimmten Interesse der SS, vor dem Tod durch Vergasen bewahrt werden sollten. Rund einhundertzwanzig Personen fielen in diese Kategorie – ein verschwindend geringer Anteil.[95] Zum anderen standen die Mitglieder des Ältestenrates und die ihm intern etwa gleichgestellten Funktionäre der Jüdischen Selbstverwaltung unter »Transportschutz«. Diese privilegierte Gruppe hatte sogar das vereinbarte Recht auf eine »persönliche Schutzliste von dreißig Personen«, doch auf manchen dieser Listen sollen bis zu siebzig Namen gestanden haben.[96]

SS-Kommandant Anton Burger nutzte die angespannte Situation, um sich missliebiger Personen zu entledigen. Er ließ auch viele Angehörige der ersten beiden Aufbaukommandos deportieren, obwohl man ihnen versprochen hatte, dass sie für immer davor geschützt seien. Da Burger gewaltsame Widerstandsaktionen der jüdischen Ghettowache befürchtete, befahl er den Abtransport eines Großteils der Wache in den Osten. An einem einzigen Tag, dem 6. September 1943, verließen fünftausendsieben Häftlinge das Lager, darunter dreihundertsiebenundzwanzig Kinder unter fünfzehn Jahren. Nur siebenunddreißig Menschen überlebten.[97] An diesem Tag verschonte das Schicksal Leopold, Alice und Stephan noch.

***

Die Illusion ist eine – zumeist heiter gestimmte – Halbschwester der Hoffnung.
Häufig kam Stephan fröhlich trällernd von seiner Probe zurück, öffnete die Tür, und alle Anwesenden stimmten in sein Lied ein. Die Geschichte, wie er eines Tages vor Freude auf das Doppelstockbett kletterte, von dort aus mit einen Kochlöffel den Chor – seinen Chor – aus Müttern und Kindern dirigierte, machte in Theresienstadt schnell die Runde.
Anfang Juli 1943 waren noch alle davon ausgegangen, dass »Brundibár« nur mit Klavierbegleitung aufgeführt werden könne. Doch bald darauf erhielten die Organisatoren die elektrisierende Nachricht, dass die SS die Nutzung bisher beschlagnahmter Instrumente und damit den Aufbau eines kleinen Orchesters genehmigte.
Tatsächlich standen hinter der überraschenden Entscheidung Arglist und Kalkül. Adolf Eichmann beabsichtigte, eine Delegation des Internationalen Roten Kreuzes nach Theresienstadt vorzulassen, der es vorzutäuschen galt, dass »die Juden hier doch alle Freiheiten haben«.
Hans Krása kannte die genauen Hintergründe nicht, aber die Möglichkeit, mit einem Orchester zu arbeiten, begeisterte ihn natürlich. Fieberhaft schrieb er die Klavierauszüge für die nun verfügbaren Instrumente um. Eine Reihe namhafter Musiker stellte sich dem Orchester liebend gern zur Verfügung, unter ihnen Karel

Fröhlich, Fredy Mark, Romuald Süssmann, die Brüder Kohn, Fritzek Weiss und Gideon Klein.[98]
Die Premiere von »Brundibár« fand am 23. September 1943 im Veranstaltungssaal der Magdeburger Kaserne vor weit mehr als zweihundertfünfzig Menschen statt. »Es war eine feierliche Premiere«, erinnerte sich Jahrzehnte später Rudolf Freudenfeld. »Zelenka ließ die Oper wieder vor einem Holzzaun mit Plakaten spielen.« – Plakate, auf denen die handelnden Tiere abgebildet waren. »Kamilla Rosenbaum war die Choreographin. Das Orchester musste vor der Bühne Platz nehmen. Auf diese gelangte man vom Gang aus. Noch ein liebevoller Blick für alle Kinder. Ein Lächeln, das vortäuscht, es könne ohnehin nichts passieren, es würde ohnehin alles glatt gehen. Lichter aus! Es geht los! Ich gehe durch die kleine Tür zum Orchester, und in diesem Augenblick vergesse ich, dass ich ein Häftling bin. Dass wir alle Häftlinge sind. Alle vergessen wir für eine Weile und durchleben mit den Kindern Augenblicke, an die wir uns immer erinnern werden.«[99]
Die Kinderoper wurde zum größten musikalischen Erfolg in Theresienstadt. »Die verkaufte Braut« hatte man fünfunddreißig Mal aufgeführt, »Brundibár« wurde zwischen September 1943 und September 1944 fünfundfünfzig Mal gespielt.[100] Immer war der Saal so überfüllt, dass man kaum noch atmen konnte. Auch der Dirigent Karel Ančerl und sein kleiner Sohn kamen viele Male zur Aufführung. Sie hatten das Privileg, den Saal jederzeit heimlich durch die Hintertür betreten zu dürfen.[101]
Bald kannten alle Theresienstädter »Brundibár«. Die symbolträchtige Geschichte, die ansteckende Begeisterung der spielenden und singenden Kinder, das mitreißende Spiel des Orchesters, all das trug dazu bei, dass die Oper zur Ermutigung für Tausende von Häftlingen wurde. Das Schlusslied sangen sie als eine Art geheime Hymne.

»Rühret die Trommel,
wir haben gesiegt …
weil wir uns nicht unterkriegen ließen,
weil wir uns nicht gefürchtet haben.«

Zu welchen Rücksichtslosigkeiten die SS in der Lage war, offenbarte sich einmal mehr am 11. November 1943 bei der »Volkszählung«, die kein Überlebender je vergaß.[102] Vorangegangen war der Vorwurf der SS an den damaligen Ältestenratsvorsitzenden Jakob Edelstein, er und seine Mitarbeiter hätten die Tagesmeldung über die Zahl der Häftlinge gefälscht und die Flucht von insgesamt fünfundfünfzig Personen aus dem Lager begünstigt. Edelstein und drei seiner Mitarbeiter wurden am 9. November in den Bunker abgeführt und später ermordet.
Am 11. November gegen vier Uhr morgens wurden sämtliche Häftlinge aus ihren Häusern getrieben. Alice zog Stephan die wärmsten Sachen an, die sie finden konnte, und schulterte ihren Rucksack. Der Marsch in die Bauschowitzer Senke dauerte über eine Stunde. Das gesamte Gelände war mit tschechischen Gendarmen umstellt, die ihre Maschinengewehre auf die Häftlinge gerichtet hatten. Mehr als siebzehn Stunden mussten die vierzigtausend Menschen bei Regen und Kälte im Stehen ausharren. Die Kinder wurden mit den sich hinziehenden Stunden immer unruhiger, weinten, bettelten um ihre Schlafstelle.
Alice hatte einen kleinen Klappstuhl und einen Regenschirm bei sich. Auf ihrem rechten Knie saß Stephan, auf dem linken ein fremdes Kind. Alice erzählte den beiden immer neue Geschichten. Zur Abwechslung las sie ihnen Wilhelm-Busch-Verse aus Stephans Buch vor und lernte sie mit ihnen auswendig. Den ganzen Tag über hatte sie nach Leopold geschaut, ihn aber in dem Menschenmeer nicht finden können.
Gegen Abend kamen drei SS-Offiziere und befahlen den Häftlingen, sich in Zehnerreihen aufzustellen. Alice nahm Stephan auf den Arm. Sie rechnete fest damit, dass sie nun erschossen würden.
Angst? Keine Angst. Große Nähe zu ihrem Kind. Vor ihren Augen ein schwarzer Vorhang. Dunkelheit.
Die Gendarmen schossen nicht. »Zurück ins Ghetto!« tönte es plötzlich auf Tschechisch aus einem Lautsprecher. So nah, dachte Alice, können Hölle und Paradies beieinander liegen.
Alles rannte durch die Dunkelheit in Richtung Ghetto. Panisch.

Ohne Rücksicht auf Schwächere. Kinder drohten überrannt und erdrückt zu werden. Verzweifelt versuchten ihre Mütter sie zu schützen.

Erst gegen Mitternacht war der Talkessel wieder leer – bis auf die alten Menschen, die vor Erschöpfung zusammengebrochen und gestorben waren. Etwa dreihundert Menschen ließen an diesem Tag ihr Leben.

9
Vor dem Inferno
»Die edelsten Glanzstücke entarteter Kunst ...«

An den Händen Wollhandschuhe ohne Finger, auf dem Kopf eine Mütze und über der Strickjacke den warmen Wintermantel – so saß Alice im Januar 1944 im Übungsraum der Magdeburger Kaserne und bereitete die Theresienstädter Premiere ihres vierten Programms vor: Ludwig van Beethovens D-Dur-Sonate op. 10, Schumanns C-Dur-Fantasie, die sie 1922 beim Abschlusswettbewerb der Musikakademie gespielt hatte, und Smetanas Tänze, von ihrem Lehrer Václav Štěpán so brillant für Klavier umgeschrieben.

Klirrende Kälte und hoher Schnee lagen über dem Land und setzten den Häftlingen in ihren miserabel beheizten Quartieren zu. Ein Segen, dass Alice vorgesorgt und bei ihrer Deportation aus Prag die gefütterten Schnürschuhe eingepackt hatte – obwohl es Hochsommer war. So behielt Leopold in der eisigen Schlosserwerkstatt zumindest warme Füße. Und Stephan, der es seit drei Tagen besonders eilig hatte, in das »Tagesheim«, de facto seine Schule, zu kommen, weil die Kinder in den Pausen Schlitten fahren durften, taten die warmen Schuhe im Schnee besonders gut.

Ihre bisherigen Programme waren vom Publikum mit großer Begeisterung angenommen worden. Immer wieder hatte Alice sie in den vergangenen Monaten wiederholen müssen. Nun war die Zeit reif für ein neues Programm. Leopold ermunterte seine Frau seit

längerem, die Beethoven-Sonate mit dem berühmten d-Moll-Largo zu spielen, weil das Stück besonders eindrücklich die Situation der Häftlinge in Theresienstadt widerspiegelte.
Es entsprach Alices Wesen, sich voll und ganz auf eine neue Aufgabe zu konzentrieren. Wenn sie sich auf ein Konzert vorbereitete, perfektionierte sie also tage-, oft wochenlang ausschließlich die Stücke, die auf dem Programm standen. In Theresienstadt hatte sie sich jedoch angewöhnt, in jeder Übungseinheit zusätzlich zwei der 24 Chopin-Etüden zu spielen. Jeden Tag zwei andere, denn sie wollte das hart erarbeitete Repertoire in konzertreifer Qualität sozusagen auf Abruf bereithalten.
Auch an diesem Tag hielt sie es so. Nachdem die letzten Töne der Sonate verklungen waren, nahm Alice sich einige Augenblicke Zeit, ehe sie sich entschied, die dritte Etüde E-Dur, op. 10, zu spielen. Wie oft hatte sie Stephan diese herrliche, eindringliche Melodie, die später mit dem Text »In mir klingt ein Lied, ein kleines Lied« zu Weltruhm kam, in Prag zum Einschlafen vorgespielt. Auch hier in Theresienstadt summte sie ihm das Thema der Etüde zur Schlafenszeit oft vor.
Im Ghetto war die Beziehung zwischen ihr und ihrem Sohn noch inniger geworden. Sie gingen zur selben Stunde ins Bett, standen gemeinsam auf und verbrachten mit Ausnahme der Schulstunden fast den ganzen Tag zusammen. Und selbst wenn Stephan abends oft allein Musikkonzerte besuchte und vorübergehend für sie nicht sichtbar war, hatte sie immer das Gefühl, als halte sie ihn an ihrer Hand. Solange er sich geborgen, sich getragen fühlen konnte, war seine Welt heil.
Alice begann das ruhig dahinfließende Stück zu spielen. Er habe in seinem Leben niemals eine ähnlich ergreifende Melodie geschrieben, offenbarte Chopin einmal seinem Schüler Adolf Gutmann.[103] Die Etüde wirkt auf die Zuhörer wie eine verträumte, wehmütige Geschichte, die sich im Mittelteil zum erschütternden Drama wandelt. Alice erzählte dieses Drama in der Sprache der Musik. Schritt um Schritt wuchsen die Emotionen, und die Spannung steigerte sich ins geradezu Unerträgliche.
Plötzlich riss ein dunkler Gedanke sie aus ihrem Spiel. »Mein

Sohn ist in höchster Gefahr, jetzt, in diesem Moment«, schoss es ihr durch den Kopf. Als Alice den dramatischen Höhepunkt des Stücks hinter sich gebracht hatte und die Beklemmung tatsächlich nicht mehr zu ertragen war, sprang sie auf und rannte, getrieben von einer Angst, die sie bisher nicht gekannt hatte, zur Tür. Der Stuhl ging zu Boden, der Klavierdeckel fiel dröhnend zu. Alice rannte, so schnell ihre Beine sie trugen.
Als sie in die Nähe des Kindergartens kam, sah sie, erst noch schemenhaft, ein Kind mit einem weißen Tuch um den Kopf, einer Art Notverband.
Sie wusste sofort: »Das ist mein Stephan!« Atemlos erreichte sie die Menschen, die ihrem Sohn erste Hilfe leisteten. Er war mit seinem Schlitten an einen Baum geprallt. Das Blut floss aus einer gefährlich aussehenden Platzwunde an der Nase. Ein Dank den Helfern, dann packte Alice ihren Sohn auf den Schlitten und rannte zu dem Chirurgen, der bisher jedes ihrer Konzerte besucht hatte. Er beruhigte Stephan und tröstete die Mutter. Zwar war das Nasenbein gebrochen, doch sehe alles viel schlimmer aus, als es eigentlich sei. Die Platzwunde musste jedoch genäht werden, und Alice wurde aus dem Zimmer geschickt. Erst nach einer Viertelstunde bangen Wartens ging die Tür zum Arztzimmer wieder auf. Stephan erschien mit tränenverschmiertem Gesicht und dramatisch aussehendem Kopfverband – und rang sich ein tapferes Lächeln ab. Die zurückbleibende Narbe erinnerte ein Leben lang an den Unfall.
Leopold staunte nicht schlecht, als er seine Lieben am Abend besuchte.
»Wie ist denn das passiert?« fragte er Stephan.
»Beim Wettrodeln.«
»Da ist dir aber ein Kunststück gelungen. Auf dem Hügel vor dem Kindergarten ist doch genug Platz, um links und rechts an dem einsam stehenden Baum vorbeizufahren.«
»Ja schon, aber wer am engsten an dem Baum vorbeifährt, ist am schnellsten unten.«
»Vielleicht liegt gerade da der Hase im Pfeffer«, antwortete der Vater.

»Der Hase liegt wo? Ich bin doch kein Hase. Ich bin doch ganz toll gerodelt!«
»Das war vielleicht ein Fehler. Es geht doch im Leben nicht nur darum, andere zu besiegen oder zu bezwingen. Das wahre Glück liegt anderswo.«
»Hätte ich denn nicht mitrodeln sollen?«
»Wettrodeln soll doch ein Spaß sein, oder? Wenn die Wettkämpfer zu verbissen werden, ist es mit dem Spaß schnell vorbei, nicht wahr?«
Stephan überlegte. »Das verstehe ich nicht«, entgegnete er etwas provozierend. »Ein bisschen Wettkampf – ja, aber ein richtiger Wettkampf – nein?«
Leopold freute sich insgeheim, wie Stephan argumentierte. »Pass auf, ich will es dir anders erklären«, setzte er trotzdem dagegen. »Deine Mutter liebt das Klavierspiel über alles.« Stephan nickte. »Aber sie gibt niemals Konzerte, um besser als andere zu sein. Sie spielt einfach aus Freude an der Musik und will die Freude an die Zuhörer weitergeben. Den Wettbewerb führt sie nur gegen sich selbst, täglich beim Üben. Sie will so gut wie möglich spielen. Aber auf der Bühne gibt es keinen Wettbewerb.«
Da wandte Stephan sich zu seiner Mutter. »Maminka«, sagte er, »bei uns zu Hause über dem Flügel hing doch diese große Urkunde. Du hast mir doch selbst gesagt, dass du sie beim Klavierwettbewerb in Wien bekommen hast. Also hast du doch bei einem Wettkampf mitgemacht. Stimmt's?« Das Wort »Wettkampf« klang in diesem Zusammenhang so seltsam, dass alle drei herzlich lachen mussten. »Aber«, stieß Alice heraus, »ich bin dabei nicht an den Baum gefahren.«

***

Zwei Tage später stand Alices wöchentlicher Besuch bei Hannah Eckstein an, ihrer etwa gleichaltrigen Bekannten aus Prag. Den jüngeren ihrer beiden Söhne hatte Alice in Prag unterrichtet. Die beiden Frauen waren einander sympathisch, und so hatte Alice

Frau Eckstein so manches Mal zu ihren privaten Vorspielabenden eingeladen.
Dem Ehepaar Eckstein war es gelungen, die beiden zwölf und vierzehn Jahre alten Söhne noch kurz vor der Deportation nach Schweden zu schicken. Dort lebten sie als »Ferienkinder auf Zeit« bei einer gütigen Bauernfamilie. So oft es ging, schrieben sie den Eltern nach Theresienstadt. Weil die Postzustellung sehr unregelmäßig erfolgte, kam oft monatelang kein Schreiben, und dann trafen wieder drei, vier Postkarten kurz hintereinander ein.
Alice schätzte die Gelassenheit, die Hannah Eckstein in Theresienstadt entwickelt hatte, doch an diesem Tag fand sie sie in heller Aufregung vor. Sie erzählte, dass sie vor einigen Tagen schon am frühen Abend eingenickt und plötzlich mit einem gellenden Schrei aufgewacht war, weil sie im Traum gesehen hatte, wie ihr zwölfjähriger Sohn in tiefem Wasser gegen das Ertrinken kämpfte. Nun war ein Brief ihres Sohnes eingetroffen, in dem er schilderte, wie er beim Schlittschuhlaufen eingebrochen und fast ertrunken wäre.
»Wie ist diese Art von Gedankenübertragung nur möglich?« fragte sie Alice immer wieder. Alice erzählte Frau Eckstein, wie sie selbst mitten im Klavierspiel aufgesprungen war, weil sie gefühlt hatte, dass etwas Schlimmes geschehen war.
»Wahrscheinlich kann die Liebe zwischen einer Mutter und einem Kind so groß werden«, so ihr Versuch einer Erklärung, »dass so etwas Unbegreifliches möglich wird.«
Weder Alice noch Leopold neigten in ihrer ausgeprägten Rationalität zu übersinnlichen Deutungen. Doch über diese beiden Begebenheiten sprachen die beiden in den Wochen und Monaten, die ihnen noch blieben, oft. Alice ging dabei auch durch den Kopf, welche eigenartige Rolle die Chopin-Etüden bisher für sie gespielt hatten. Eigentlich zog es sie viel mehr zu Robert Schumann als zu Frédéric Chopin. Und doch waren es nicht Schumanns romantische Kompositionen, sondern die Werke Chopins, die ihr nun schon zum zweiten Mal aus der Bedrohung und Verzweiflung geholfen hatten. Und so fasste sie den Entschluss, endlich einmal alle 24 Etüden in einem einzigen Konzert zu präsentieren. Doch erst

einmal stand die Premiere des vierten Konzertprogramms vor der Tür.

***

Der Saal war wie immer bis auf den letzten Platz besetzt, Leopold und Stephan saßen – wie so oft bei Alices Konzerten – in der ersten Reihe. Ein paar Plätze weiter entdeckten sie den Komponisten Viktor Ullmann, Papier und Bleistift in der Hand.

Unter den Musikenthusiasten Theresienstadts waren die Kritiken Ullmanns eine kleine Sensation. Selbst im Ghetto legte dieser Mann die Messlatte unerbittlich hoch und urteilte nach so harten Maßstäben, als fänden die Konzerte unter normalen Umständen statt.[104]

Der Erfolg des vierten Programms war, gemessen an der Reaktion des Publikums, überwältigend. Was aber würde Ullmann schreiben? Während Alice spielte, hatte er sich unentwegt Notizen gemacht. Seine Artikel wurden im Büro der »Freizeitgestaltung« abgetippt, vervielfältigt und dann an die Konzertkenner ausgeliehen.

»Sie ist die Freundin Beethovens, Schumanns und Chopins; wir danken ihr seit Jahren vor und in Theresienstadt so manche köstliche Stunde. Alice Herz-Sommer am Klavier bedeutet schlichtes, klares, intensives Spiel, Augenblicke – oft ganze Sätze – wahrer Größe und echter Kongenialität mit dem Meister.«[105] Mit diesen Sätzen begann Ullmann seine Einschätzung, eine von insgesamt sechsundzwanzig Kritiken, die er in den Jahren 1943 und 1944 in Theresienstadt schrieb.

Heute lässt sich nicht mehr eindeutig rekonstruieren, ob diese Rezensionen auf persönliche Initiative Ullmanns oder im Auftrag der »Freizeitgestaltung« entstanden sind.[106] Ohne die Förderung oder zumindest Billigung der Jüdischen Selbstverwaltung wäre die Verbreitung der Kritiken jedoch kaum möglich gewesen. Ullmann war auf die Zuteilung von Schreibpapier angewiesen und auf die Schreibkräfte in den Büros der Selbstverwaltung. Nur dort konnten Texte zumindest in begrenzter Zahl vervielfältigt werden.[107]

Kurz vor seinem Abtransport nach Auschwitz am 16. Oktober 1944 übergab Ullmann seine Sammlung von Kritiken zusammen mit seinem kompositorischen Nachlass seinem Freund Emil Utitz, der vor dem Krieg als Ordinarius an der Prager Deutschen Universität gearbeitet hatte. Utitz war ein europaweit geachteter Kulturwissenschaftler, der sich mit seinen Veröffentlichungen unter anderem auf dem Gebiet der Charakterologie einen Namen gemacht hatte. In Theresienstadt baute er die Ghettobibliothek auf und begeisterte seine Zuhörer mit Vorträgen über historische und psychologische Themen.[108] Er überlebte Theresienstadt und übergab Ullmanns Artikel 1946 an Hans Günther Adler, den Autor des ersten umfassenden Buches über Theresienstadt.[109] Adler hatte zweiunddreißig Monate im Ghetto verbracht und anschließend Auschwitz und Buchenwald überlebt.

»Goldkörner« nannte der Schriftsteller und Musiker Thomas Mandl, selbst Überlebender, die so geretteten Ullmann-Arbeiten, »die in Satans Retorte, genannt Ghetto Theresienstadt«, gefunden wurden.[110] »Sie lassen Schlüsse auf eine Kultur zu, deren Vernichtung einen schmerzlichen Verlust bedeutet, uns aber auch ahnen lässt, welcher Leistungen der menschliche Geist im Angesicht der Vernichtung fähig ist.«[111]

Eines dieser »Goldkörner« ist Ullmanns Kritik über Alices viertes Theresienstädter Konzertprogramm:

> »… Für [Alice Herz-Sommer] heißt Reproduzieren wirklich Nachschaffen, Identifikation mit dem Werke und seinem Schöpfer. Folgerichtig stellt sie ihre eminente Technik, ihr ganzes großes Können in den Dienst des Werkes; sie gehört nicht zu den Klavierteufeln, deren Virtuosität Selbstzweck und Selbstsucht ist; sie hat mehr Wärme als Glanz, mehr Innigkeit als Brio. Ihr Spiel hat sich in den letzten Jahren merklich abgeklärt und entwickelt; denn auch diese hochbegabte Künstlerin war einstmals eine Temperaments-Virtuosin. Nach dem Gesagten müsste sie die berufene Interpretin der Romantiker sein, und sie ist es. Wahrhaft beglückend spielt sie beispielsweise den unbeschreiblich schönen Schlusssatz

der C-Dur-Fantasie Schumanns op. 17; entrückt und schwebend gleitet diese Jean Paulisch fabulierende Hochromantik an dem ergriffenen Hörer vorüber, und er vergisst, dass das vorangehende Marsch-Scherzo der Künstlerin im Zeitmaß entglitten war; mit Schnelligkeit kommt man diesem Satz, dessen Problematik und rhythmische Monotonie einer so durch und durch musikalischen Interpretin natürlich aufgefallen ist, nicht bei. Der Schlichtheit des ›wirkungslosen‹ Beethoven steht Alice Herz-Sommer sehr nahe; in dieser Sonate op. 10, Nr. 3, ist immer wieder die Schubert-Nähe des d-Moll-Largos ein Erlebnis und bedeutet wohl auch den Höhepunkt unserer Künstlerin. Zum Schlusse schenkte uns Frau Herz-Sommer die reizvoll-harmlosen ›Tschechischen Tänze‹ von Smetana mit dem berühmten ›Furiant‹. Hier gibt sich die tschechische Volksseele ein Rendezvous mit Franz Liszt.«[112]

Jedes ihrer Programme musste Alice nach eigenem Erinnern während ihrer zwei Jahre im Ghetto bis zu zwanzig Mal wiederholen, so groß war die Nachfrage. Für ihr fünftes Programm hatte sie die 24 Chopin-Etüden ausgewählt, die ein gutes Jahrhundert zuvor eine Revolution in der Klaviermusik ausgelöst hatten. Warum hatte sie so lange gezögert, diese Stücke, die ihr nach zwölf Monaten exzessiven Übens so geläufig waren, ihren Mithäftlingen vorzuspielen? Nach ihrer Ankunft in Theresienstadt brauchte Alice nach eigener Aussage viele Monate, um die notwendige innere Stärke zu entwickeln, sich der extremen körperlichen und seelischen Kraftanstrengung zu stellen, die Chopins Etüden ihren Interpreten abverlangen. Bis heute sind die spieltechnischen Schwierigkeiten berüchtigt, vor die der junge Chopin selbst die virtuosesten Pianisten stellte.
Zur technischen kam die seelische Belastung. Alice verband die Etüden mit der Verzweiflung, die sie bei der Deportation ihrer Mutter im Juli 1942 erlebt hatte. Und doch überwog letztlich die Begeisterung. »Von den vierundzwanzig Etüden«, so Alice schwärmerisch, »ist jede eine Welt für sich. Alles ist drin, alles, das ganze menschliche Leben und alle Gefühle.«

Mit seinen Etüden hat Chopin nahezu alle Grundmuster der menschlichen Empfindungen ausgedrückt: Trauer, Klage und Verzweiflung ebenso wie Wehmut und Sehnsucht, Leidenschaft und Heldentum, selbst Frohsinn, Eulenspiegelei und Humor, aber auch Geheimnisvolles und Phantastisches. Betörend originell ist die musikalische Ausdruckskraft, die in den Etüden steckt. Musik, die »zum Vollkommensten gehört, das die Musikgeschichte überhaupt hervorgebracht hat«.[113]
Warum aber konzipierte Chopin die Etüden als so extreme technische und auch physische Herausforderung? Im frühen 19. Jahrhundert wetteiferten die Komponisten Europas darin, die Virtuosität des Klavierspiels ständig zu steigern. Chopin trieb diese Bestrebung zur höchsten Blüte. Auch wenn er dem eigentlich praktischen Zweck von Etüden, bestimmte Bewegungen und Techniken zu üben und zu perfektionieren, treu blieb, so revolutionierte er dennoch die Gattung. Es kam ihm nicht allein darauf an, bestimmte Bewegungen der Hände zu verbessern und die Geläufigkeit der Finger zu steigern, sondern er wollte dem Klavier mit völlig neuartigen pianistischen Effekten noch nie gehörte Klänge entlocken. Tatsächlich verkommt die technische Meisterschaft nicht zum Selbstzweck, sondern stellt sich ausschließlich in den Dienst der Musik. Chopin ließ sich bei seinen Etüden von der kompositorischen Strenge des »Wohltemperierten Klaviers« Johann Sebastian Bachs leiten. Ihn schätzte und bewunderte er sehr. Bach gab in seinen Präludien und Fugen jedem einzelnen Stück eine typische strukturelle Formel, die er dann zu musikalisch prachtvollen Einheiten formte. Daran orientierte Chopin sich zwar, aber er beschritt völlig neuartige, eigenständige Wege. Wenn man seine Etüden in langsamem Tempo spielt, so offenbaren sich die perfekte Konstruktion und eine bestechende Logik. Die Komplexität der einzelnen Figuren enthüllt – besonders in langsamem Tempo – eine ungemeine Originalität. Abgesehen vom virtuosen Glanz faszinieren die oft betörend schönen Melodien und die herrlichen harmonischen Wendungen, so dass in jeder Etüde ein anderer Klangeindruck vermittelt wird und eine andere Farbigkeit entsteht.

Als Alice die Etüden zum ersten Mal in ihrem Leben in Theresienstadt öffentlich spielte, blickten die Häftlinge trotz aller Demütigungen, trotz der unmenschlichen Lebensbedingungen und der hohen Sterblichkeitsrate noch mit Hoffnung in die Zukunft, auch wenn sich die Angst und der Schrecken vor den drohenden Deportationen nicht dauerhaft verdrängen ließen. Mittlerweile gibt es nur noch wenige Zeitzeugen, die über die Aufführung der Etüden in Theresienstadt und ihre dabei empfundenen Gefühle berichten können, etwa Alices Freundin, die Pianistin Edith Kraus (Jerusalem), die Buchautorin Zdenka Fantlová (London), die Klavier- und Gesangspädagogin Anna Hanusová-Flachová (Bratislava) und der Schriftsteller und Geiger Thomas Mandl (USA und Deutschland). Darüber hinaus gibt es eine Reihe überlieferter Zeitzeugenberichte.
Seit der Entstehung der Etüden haben sich nur wenige Pianisten an das Vorhaben gewagt, alle 24 Etüden in einem Konzert zu spielen – und daran hat sich bis heute nichts geändert. Sehr unterschiedliche Gründe werden dafür angeführt. Die einen meinen, dass es trotz der hohen musikalischen Qualität Etüden bleiben, Übungsstücke eben, die schon deshalb nicht Gegenstand eines eigenen Konzerts sein sollten. Andere plädieren dafür, lediglich einzelne Etüden in einen Chopin-Abend zu integrieren. Vor allem aber hält die extreme physische Herausforderung die meisten Pianisten von einem so gewagten Vorhaben ab.
Wenn sich ein Künstler doch zur Aufführung aller Etüden entschließt, bringt er für gewöhnlich den ab etwa 1831 in Warschau begonnenen, vor allem in Wien, München und Stuttgart komponierten und in Paris vollendeten Zyklus von zwölf Etüden (op. 10) in einem ersten Teil zu Gehör. Nach einer Pause folgt dann der zweite Zyklus (op. 25), den Chopin fast zur Gänze zwischen 1834 und 1835 in seiner frühen Pariser Periode schuf.
So hielt es auch Alice in Theresienstadt – am 29. Juni 1944 wohnten die Häftlinge einem Konzert bei, das viele für das eindrucksvollste aller Theresienstädter Klavierkonzerte hielten.

Die »Heroische« op. 10 Nr. 1, C-Dur

Die mächtigen Tonwogen der ersten Etüde in C-Dur, die über den stolz und kühn dahinschreitenden Grundbass fließen, zogen Willi Mahler im Saal des Theresienstädter Rathauses vom ersten Moment an in ihren Bann. Unter den Händen von Alice Herz-Sommer wären die Klaviertasten zu Leben erwacht, schrieb er in sein Tagebuch. »Sie rasen, wachsen, beunruhigen, erzählen, illustrieren, beruhigen, lassen vergessen und versetzen in fast rauschhafte Wonne.«[114]

Die ernste, majestätische Melodie, die die linke Hand im Bass erklingen ließ, wirkte auf ihn wie in Stein gehauen, machtvoll und unerschütterlich. Er war fasziniert, wie Alices rechte Hand in schwindelerregender Weise auf und ab wogend über die Klaviertastatur glitt. Stolz, kühn, heroisch nannte er die Musik.

Der siebenunddreißigjährige Willi Mahler spürte, welche Kraft ihm dieses Musikerlebnis verlieh. Er gehörte, wie ein beträchtlicher Teil der Anwesenden, zum erfahrenen und gebildeten bürgerlichen Konzertpublikum, das in den Jahren vor dem Krieg die Konzertsäle Prags, Wiens und Berlins gefüllt hatte. Vor seiner Deportation nach Theresienstadt am 13. Juni 1942 hatte er als Journalist bei der tschechischen Zeitung *Lidové noviny* gearbeitet und sich darüber hinaus als musikalischer Laie ein gründliches Wissen auf dem Gebiet der klassischen Musik angeeignet.[115] Ihm entging daher auch nicht die erstaunliche Ähnlichkeit dieser Etüde mit der Musik Johann Sebastian Bachs, insbesondere mit dem ersten Präludium des »Wohltemperierten Klaviers«. Chopin hat diese Gemeinsamkeit dadurch hervorgehoben, dass seine Etüde ebenfalls in C-Dur notiert ist und auch mit einem C-Dur-Akkord beginnt. Während Bach aber im mittleren Bereich der Tastatur blieb, entfaltete Chopin denselben Akkord über die gesamte Klaviatur und rief dadurch die verzaubernden Klangeffekte hervor, die auf den Tasteninstrumenten des Barock noch unmöglich waren. Chopin trieb nicht nur die manuellen Schwierigkeiten in zuvor nie er-

reichte Höhen, sondern er schuf auch eine noch nie gehörte Klangfülle und Mehrstimmigkeit, indem die rechte Hand in gebrochenen Dreiklängen die gesamte Tastatur überdeckte. Als erfahrener Zuhörer bemerkte Willi Mahler, wie die Pianistin durch den behutsamen Einsatz des Pedals eine Wirkung hervorbrachte, als sei diese Musik acht-, zehn- oder gar zwölfstimmig. Diese Effekte schufen Musik von vollendeter Schönheit in vielfältigen, ornamentreichen und brillanten Klangfarben.
Was aber war die Botschaft dieser ersten Etüde für das Theresienstädter Konzertpublikum? Willi Mahlers Tagebucheintrag sagt viel über die Wirkung von Musik in Theresienstadt aus: »Ich ergab mich ganz dem Zauber der Musik … Ich vergaß ganz, wo ich mich befand. Nur schwer wurde ich mir nachher dessen bewusst, dass ich in einem modernen Ghetto des zwanzigsten Jahrhunderts neben meiner jetzigen Freundin saß, unter lauter mit dem sechszackigen schwarzgelben Stern und der Aufschrift ›Jude‹ gekennzeichneten Menschen. Uns gegenüber saß ein älteres Ehepaar. Er mochte an die siebzig sein, sie um sieben Jahre jünger. Sie hielt noch immer seine Hand und drückte ihre tränenbenetzte Wange hinein. Es war rührend, wenn auch ein Ausdruck von Schwäche, sicher hervorgerufen durch schöne Erinnerungen.«
Es waren Künstlerinnen wie Alice Herz-Sommer und Stücke wie diese C-Dur-Etüde, die den Häftlingen die seelische Kraft gaben, sich ihren Glauben an das Gute im Menschen zu bewahren und sich ihrer Würde bewusst zu werden.

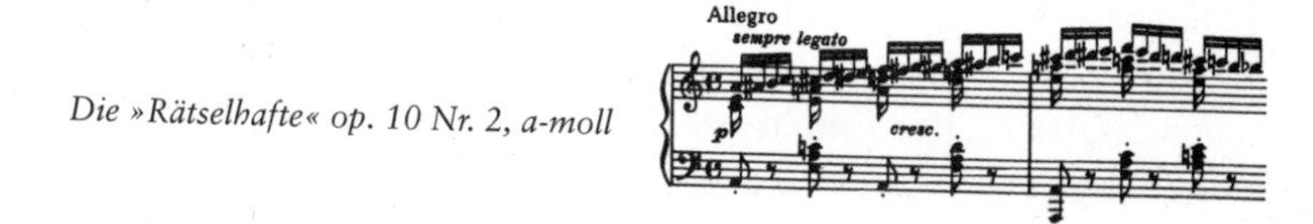

Die »Rätselhafte« op. 10 Nr. 2, a-moll

Noch waren die Häftlinge gebannt von der Macht und Magie der ersten Etüde, als nach einer winzigen Pause die zweite erklang – wie ein leiser Windhauch. Im traditionellen Sinne fehlt dieser Etüde in a-moll jedwede Melodie. Stattdessen sind chromatische Wellenbewegungen in einer schlangenähnlichen Linienführung zu hören, die zum Mittelteil hin immer unruhiger, ja verwickelter werden, so dass dem Zuhörer fast schwindlig wird. Der Musikkritiker Joachim Kaiser sagte einmal über diese Etüde, sie sei nicht nur eine der vertracktesten chromatischen Balladen, die je geschrieben wurden, sondern sie stehe an der Grenze des Unspielbaren.[116]

Die Pianistin Edith Kraus musste am Beginn des Konzertes, als sich Alice vor dem Publikum verbeugte, unwillkürlich an ihre erste Begegnung mit der Freundin im Jahr 1937 denken, als sie die damals Hochschwangere in ihrer Wohnung aufgesucht hatte, um mit ihr die Interpretation der Martinu-Tänze zu erörtern. Lächelnd erinnerte sie sich, wie tolerant Alice reagiert hatte, als ihr Hund Pucki mit seinen schmutzigen Pfoten auf das hellbezogene Sofa gesprungen war.

Nun war der Junge, der zwei Monate nach ihrem Besuch geboren wurde, ein Kinderhäftling, saß wenige Plätze von ihr entfernt und lauschte voller Spannung der Musik seiner Mutter.

Einige dieser Etüden hatte Edith Kraus selbst im Repertoire. Beim Erklingen der von stakkatoartigen Akkorden begleiteten Sechszehntelfiguren kam ihr wieder in den Sinn, dass es die Musik von Johann Sebastian Bach, Wolfgang Amadeus Mozart und Frédéric Chopin gewesen war, die sie vor der Deportation in den Osten gerettet hatte. Edith war viel früher als Alice nach Theresienstadt gekommen und bereits 1942 einmal auf der Transportliste gestanden. Als sie davon erfahren hatte, gab ihr jemand den Rat, sie solle als ausgewiesene Pianistin vorschlagen, für die Theresienstädter Häftlinge ein abendliches Klavierkonzert zu veranstalten.[117] Zu diesem Zeitpunkt gab es noch kein offiziell erlaubtes Kulturleben. Die Künstler mussten sich mit einem alten, demolierten und sogar fußlosen Flügel zufrieden geben, den der Mediziner und Musikliebhaber Dr. Rudolf Pick zusammen mit dem Pianisten Gideon Klein mühsam hergerichtet hatte.

Ediths Vorschlag wurde angenommen. Man brachte das fußlose Piano in die Magdeburger Kaserne, stellte es auf einige Kisten, und die Pianistin gab ihr erstes Konzert in Theresienstadt mit auswendig vorgetragenen Werken von Bach, Chopin und Mozart. Sie wurde von der Transportliste gestrichen. Viele Male gab sie in den folgenden Monaten Solo-Konzerte, besonders gern spielte sie Bachs Toccata und Fuge in D-Dur.

Die »unsagbar Schöne« op. 10 Nr. 3, E-Dur

Mit der dritten Etüde in E-Dur erklang eine zärtliche, eine verträumte Melodie voller Wehmut. Als Adolf Gutmann seinem Lehrer Chopin die Komposition eines Tages vorspielte, hob dieser die gefalteten Hände und rief: »Oh, mein Vaterland!«[118]
Anfänglich fließt die Melodie ruhig und vertraut dahin. Erst im virtuosen Mittelteil entlädt sich eine unbändige Leidenschaft.
Alice war, wenn man so will, eine begnadete Erzählerin. Ihrer Interpretation des erschütternden Dramas war keine Routine anzumerken. Schritt um Schritt ließ sie die Spannung wachsen, bis sie mit den Schauer und Schmerz erregenden chromatischen Sextenkaskaden, gespielt von beiden Händen in auseinander strebende Richtungen, den Gipfel der Dramatik erreichte.
Urplötzlich glätten sich die stürmischen Wogen, löst sich die Spannung, indem leise und zärtlich wieder das Ausgangsthema erklingt. Durch den Kontrast zur vorangegangenen Explosion wirkt die Melodie noch intensiver, noch wehmütiger. Wie viele mögen gerade bei dieser sehnsuchtsvollen Melodie an ihre verlorene Heimat oder an ihre geliebten Menschen gedacht haben …
Als die neunzehnjährige Zdenka Fantlová dieser Musik lauschte, lagen schon sehr bittere Erfahrungen hinter ihr. Am 20. Januar 1942 war sie zusammen mit ihrer Mutter und ihrem Bruder nach Theresienstadt deportiert worden. Zwei Jahre zuvor hatte sie ihre große Liebe gefunden: Arno sah gut aus, war sportlich und hatte dunkle weiche Haare und braune Augen:

> »Wir sahen einander an – und ein Blitz durchzuckte uns. Liebe auf den ersten Blick … Wenn er kam, um mich abzuholen, pfiff er unter meinem Fenster ein paar Takte, die er Dvořáks Sinfonie ›Aus der neuen Welt‹ entliehen hatte. Wenn unsere Kennmelodie ertönte, ließ ich alles stehen und liegen

> und flog in Arnos Arme ... Die Welt schien uns ein Paradies zu sein, die deutsche Okkupation war von unserem Horizont verschwunden, wir lebten nur in unserer Welt und sahen keinerlei Gefahren. Und wenn – wir fürchteten nichts, denn die Liebe überwindet bekanntlich alle Hindernisse.«[119]

Das Glück währte nicht lange. 1942 wurden die beiden Liebenden in getrennten Transporten nach Theresienstadt gebracht. Gegenseitige Besuche der Häftlinge waren damals noch streng verboten. Zdenka wusste aber, dass Arno irgendwo im Ghetto wohnen musste. Der Gedanke, dass ihr Liebster hier in der Nähe lebte, atmete, schlief und sicher ebenso an sie dachte wie sie an ihn, tat ihr gut. Eines Tages hörte sie klar und deutlich ihre gemeinsame Melodie. Wie vom Blitz getroffen, sprang sie zum Fenster und wäre um ein Haar aus dem zweiten Stock gestürzt. Sie entdeckte Arno in einem Trupp von sechs Männern, der Kartoffeln austeilte. Wie von Sinnen raste sie die Treppen hinunter und reihte sich in die Schlange der Frauen ein, die zum Kartoffelschälen eingeteilt wurden. »Der Abstand zwischen uns betrug nur wenige Schritte. Verzweifelt versuchten wir einander näher zu kommen. Aber wie und wo?«[120]
Unter Lebensgefahr fanden sie in einem leeren Keller zueinander, der zufällig offen stand: »Gleich hinter der Tür begannen wir in schrecklicher Finsternis uns leidenschaftlich zu küssen und zu umarmen. Alles um uns war versunken – nicht nur die Kaserne und die Deutschen, sogar Theresienstadt und die Zeit. Nur wir waren da. Jetzt. Miteinander. Eine Seele, ein Leib. Allein im Weltall.«[121]
Die Zeit stand still. Doch plötzlich hörten sie Schritte:

> »Soldatenstiefel. Kein Zweifel. Eine deutsche Patrouille. Nach dem Rhythmus der Schritte waren es drei. Dann hörten wir auch ihre befehlsgewohnten Stimmen. Es war klar, dass unser Ende unmittelbar bevorstand. Wenn sie uns hier fänden, würden wir mit dem Tod bestraft werden. (...) Sie schlossen die erste Tür auf und sahen in den Raum. Dann die zweite. Wir drückten uns eng umschlungen an die Wand.

> Jetzt waren wir an der Reihe. Sie waren überrascht, dass die Tür nicht verschlossen war. ›Was ist da los?‹, sagte einer von ihnen und riss die Tür auf. Im engen Raum allerdings krachte die Türkante an die Mauer, wodurch ein Dreieck blieb, das nicht eingesehen werden konnte. Und gerade dort befanden wir uns, ineinander verschlungen. Wir hörten auf zu atmen. Der SS-Mann trat in den Eingang, wir sahen seine Schuhe. Nur die Tür stand zwischen ihm und unseren Tod. ›Macht doch mal Licht‹, kam ein Befehl. Uns blieb das Herz stehen. Der Lichtkegel einer Taschenlampe kreiste durch den Raum. Endlos lange. Der aufgewirbelte Staub kroch mir in die Nase und reizte mich zum Niesen. Mit größter Anstrengung widerstand ich und wendete so die sichere Katastrophe ab. ›Weitergehen!‹ lautete der Befehl.«[122]

Doch das Unheil ließ sich nicht aufhalten. Arno gehörte zu den zweitausend Verurteilten, die als Vergeltung für das Attentat auf Heydrich in zwei Transporten am 12. und 13. Juni 1942 nach Auschwitz in den Tod geschickt wurden. Es gelang ihm, morgens um vier Uhr, kurz vor dem Abtransport, noch einmal zu seiner Zdenka zu kommen, um ihr einen selbstgefertigten schmalen Blechring zu bringen, in den er »Arno 13.6.1942« eingraviert hatte: »Das ist unser Trauring. Er wird dich schützen. Sollten wir überleben, werde ich dich nach dem Krieg schon irgendwie finden.«[123]
Zdenka sah Arno nie wieder. Keiner der zweitausend Deportierten überlebte.

Die »Urgewaltige« op. 10 Nr. 4, cis-moll

Nach der träumerischen und sehnsuchtsvollen dritten Etüde lässt sich ein stärkerer Kontrast schwerlich vorstellen. Die vierte Etüde in cis-moll ist voller Energie und Vitalität. Rasend schnell, aber mit einem unerschütterlichen Rhythmus, der einem Uhrwerk gleicht. Von Beginn an entwickelt sich eine ungeheure Kraft, die

der Musik den Charakter dämonischer Wildheit verleiht und eine Spannung wie vor einem gewaltigen Sturm gibt, die nie nachlässt, sondern ständig zunimmt. Funkensprühende Musik, erfüllt von Urgewalt, Kraft und Zuversicht – trotz der dunklen Farben.
Solch eine unbeugsame Kraft trug Karel Berman, einen tschechischen Bassisten, durch das Ghetto Theresienstadt und das Vernichtungslager Auschwitz. Berman war wenige Wochen vor Alice, am 5. März 1943, nach Theresienstadt transportiert worden.[124] Dort musste er bei der Müllabfuhr arbeiten. Der Mithäftling und Dirigent Rafael Schächter gewann ihn für sein Opernensemble, und zwischen beiden entwickelte sich eine tiefe Freundschaft. Sie studierten zusammen Mozarts Zauberflöte, bereiteten ungezählte Konzerte vor und schmiedeten ständig Pläne für die Zukunft, die Zeit nach dem KZ und nach dem Krieg.
Alice kannte Berman aus der Prager Zeit. Es ist deshalb sehr wahrscheinlich, dass Berman Alices Etüdenkonzert besuchte – gemeinsam mit seinem Freund und hochgeschätzten Kollegen Franta Weissenstein.
In der Theresienstädter Aufführung von Smetanas »Kuss« traten die beiden Künstler auf. Weissenstein sang den Lukasch, Karel Berman spielte den Paloucky. Beide wurden am 28. September 1944 zusammen mit 2497 Mithäftlingen nach Auschwitz geschickt: »Bei der Selektion in Auschwitz ging [Weissenstein] gerade vor mir. Der SS-Arzt Mengele wies ihn mit dem Daumen nach rechts, mich nach links«, schrieb Berman später. »Wir nahmen schweigend Abschied voneinander und blickten uns lange in die Augen. Dann bestieg er ein Lastauto. Die Todesfabrik arbeitete bereits auf vollen Touren.«[125]

Die »Humorvolle« op. 10 Nr. 5, Ges-Dur

Ein regelrechtes Feuerwerk an brillanter Klaviermusik wird mit der fünften Etüde in Ges-Dur entfacht, das in die Musikgeschichte als die »Schwarze-Tasten-Etüde« einging. Wie bei einer Humoreske wirkt der mehrfache abrupte Wechsel zwischen dem Forte im ersten und dem Piano im nachfolgenden Takt, der der Etüde etwas Übermütiges und Unbeschwertes verleiht, ohne dass der durchweg vornehme und elegante Charakter verloren geht. »Sie ist graziös, von feinem Witz, ein wenig boshaft, schlau und schelmisch und von vorzüglicher Erfindungskraft.«[126]

Mit dieser Komposition, die dank einschmeichelnder Melodik, mitreißender Rhythmik und atemberaubend perlendem Spiel heute zu den beliebtesten und am häufigsten ausgeführten Werken Chopins gehört, beging der Komponist einen zweifachen Tabubruch: Während üblicherweise in Klavierkompositionen alle acht Töne einer Tonart genutzt werden, beschränkte sich Chopin auf die nur fünf Töne der fünf schwarzen Tasten einer Oktave und damit auf eine pentatonische Skala. Diese sogenannte Pentatonik ist die älteste nachweisbare Tonleiter aller Musikkulturen, die heute noch in der Folklore erhalten ist.

Der zweite Tabubruch bestand in der Ignoranz gegenüber der Auffassung, die etwas höher stehenden schwarzen Tasten dürften niemals mit dem Daumen, sondern immer nur mit den anderen, sogenannten privilegierten Fingern gespielt werden. Nunmehr tollte der Daumen munter auf allen schwarzen Tasten herum und der bis dahin »verbotene« Daumenübergriff wurde berühmt.

Der Charakter des Stücks und die bewusste Beschränkung der rechten Hand auf die schwarzen Klaviertasten verweisen auf die heitere, gelöste Stimmung, in der Chopin dieses musikalische Kleinod komponiert haben muss.

Alice, so ihre Worte, war immer glücklich, wenn etwas bei Chopin humorvoll war, weil sie mit seiner Traurigkeit mitfühlte. Die vierte Etüde ist unbedingt optimistisch, Chopin sieht die Welt in schönem Licht.

Der Zuhörer kann sich dem humorvollen Charakter dieses Stücks nicht entziehen, und unwillkürlich kommen ihm heitere Gedanken und Episoden in den Sinn. Eine solch amüsante Geschichte erzählte man sich in Prag und Theresienstadt über Reinhard Heydrich, der als stellvertretender Reichsprotektor Böhmen und Mähren seit September 1941 in Prag residierte.

Der vom Hass gegen die Juden regelrecht besessene Heydrich war

Sohn eines Komponisten, begeisterter Violinspieler und ein großer Liebhaber und Förderer der Musik. Doch seine Begeisterung hatte dunkle Seiten: Heydrich hatte es sich zum Ziel gesetzt, die deutsche Musik von allen jüdischen Einflüssen zu reinigen. Bei einer der ersten Inspektionen in Prag soll er deshalb angeordnet haben, die Skulptur des jüdischen Komponisten Felix Mendelssohn Bartholdy vom Dach des Opernhauses zu entfernen. Sofort schickte man einige SS-Soldaten auf das Dach, die in luftiger Höhe angekommen nicht wussten, um welche der eindrucksvollen Figuren sie sich zu kümmern hatten. Sie baten deshalb um Entscheidungshilfe und erhielten die Antwort, sie sollten einfach den Komponisten mit der größten Nase herunterschlagen. Gesagt, getan – der so eindeutig zu identifizierende Delinquent wurde vom Dach gestoßen.
Es war das Abbild von Richard Wagner, das auf dem Erdboden zerschellte.

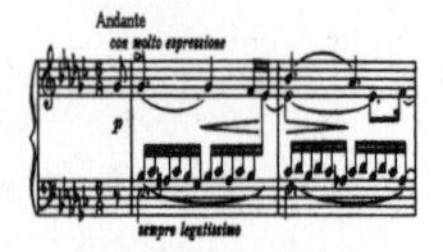

Die »Schmerzerfüllte« op. 10 Nr. 6, es-moll

Schwermut, Schmerz und eine tiefe Traurigkeit verbreitet die sechste Etüde in es-moll, die wie ein »dunkles, klagendes Nocturne«, ein langsam gespieltes Musikstück zur Nacht, erklingt.[127] Die Melodie gleicht einer stillen Klage. Durch zunehmende Dissonanzen und chromatische Tonfolgen steigert sich diese Klage, bis »nur noch der Eindruck eines verzweifelten Umherirrens übrig bleibt«.[128] Auch wenn das Stück mit einem Dur-Akkord leise und versöhnlich ausklingt, so bleibt das Gefühl von grenzenloser Hoffnungslosigkeit. Der Zuhörer kann sich den erstickenden Schmerzen der Melodie kaum entziehen.
Noch wusste niemand, was das Schicksal mit den nach Auschwitz Deportierten vorhatte. Es sind Geschichten voller Trauer und Hoffnungslosigkeit, Geschichten wie das Schicksal von Otto Sattler.[129] Er war einer der bekanntesten und beliebtesten Geiger im Prag der dreißiger Jahre und spielte noch bis zum November 1939 im »Elyse«, einer luxuriösen Bar in Prag, in der die Reichen ver-

kehrten und seit der Okkupation die hohen Wehrmachts- und SS-Offiziere prassten.
Sattlers treuer Gefährte war der Pianist und Harmonikaspieler Kurt Meyer. Das Können der beiden war legendär und erinnerte an die Virtuosität ungarischer Zigeunermusiker. Obwohl per Anschlag längst verkündet worden war, dass Juden in den noblen Räumen des »Elyse« nichts zu suchen hätten, spielten sie noch acht Monate lang dort, ehe sie in das Kaffeehaus »Litze« wechselten, das bis zu seiner endgültigen Schließung im Herbst 1942 das einzige Restaurant für die jüdische Bevölkerung war.
Als Otto Sattler und Kurt Meyer im September 1942 in Theresienstadt eintrafen, bat man sie noch in derselben Woche, öffentlich aufzutreten. Das Duo kam in Theresienstadt zu Berühmtheit. Es spielte in Kellern, auf Dachböden, in Krankenstuben und selbst in den schäbigsten Räumen, um die Menschen, die nach Musik hungerten, mit ihren einzigartigen Melodien zu erfreuen.
Als das »Kaffeehaus« des Ghettos eröffnet wurde, traten Sattler und Meyer dort fast täglich auf. Sie spielten immer ohne Noten, und sie waren in der Lage, so gut wie jede gewünschte Melodie zu improvisieren. So erklangen an einem Abend mit dem Duo nicht nur russische Romanzen und englische, dänische, norwegische, amerikanische Schlager und Evergreens, sondern vor allem auch die verbotenen jüdischen Lieder, nach denen das Publikum am meisten hungerte.
Als Alice ihr Etüdenkonzert gab, gehörten Sattler und Meyer noch – ohne dass sie es ahnten – zu jenen, die ihre überragende Musikalität vor dem Transport in den Osten schützte. Vorübergehend. Am 28. September 1944 wurde zuerst Sattler, wenige Tage später auch Meyer nach Auschwitz verschleppt. Doch auch in Auschwitz wusste man, dass die beiden wahre Könner waren. Das rettete sie vor der Gaskammer.
Als »Könige der Barmusik« mussten sie drei Monate lang Tag und Nacht für die SS bei ihren Gelagen aufspielen. Otto Sattler verzweifelte in dieser Zeit fast. Sein Vater war bereits in Theresienstadt verhungert, seine Frau und seine drei Söhne waren inzwischen in den Gaskammern von Auschwitz ermordet worden. Als

Sattler in ohnmächtiger Verzweiflung in den elektrisch geladenen Zaun laufen wollte, hielt ihn ein Wächter mit den Worten zurück: »Du musst noch für uns spielen!«[130]
Anfang 1945 wurde Sattler nach Sachsenhausen deportiert und musste sich von dort später auf den langen Hunger- und Todesmarsch nach Dachau begeben, wo er am 29. April 1945 befreit wurde.
Auch das Überleben seines Mitstreiters Kurt Meyer grenzt an ein Wunder. Infolge der Evakuierung von Auschwitz kam Meyer in das KZ Buchenwald, wo er an Flecktyphus erkrankte. In der Annahme, er sei schon tot, wurde er auf einen Leichenberg geworfen. Dort muss er mehrere Tage gelegen haben, bis ihn ein alter Freund aus Karlsbad entdeckte und feststellte, dass er noch atmete. Es war der Tag, an dem die Alliierten Buchenwald befreiten.

Die »Geheimnisvolle« op. 10 Nr. 7, C-Dur

»Zuweilen scheint diese Etüde wie klares Licht, das durch die Bäume eines geheimnisvollen Waldes glitzert. (...) Ist jemals Schönheit und Pflicht so trefflich in einem Gespann vereinigt worden?« rief begeistert der amerikanische Musikkritiker James Huneker aus.[131] Doch die Leichtigkeit und Anmut der siebten Etüde in C-Dur blitzt nur dann auf, wenn der Pianist große technische Fertigkeiten mit einem Höchstmaß an Spielfreude verbindet.
Beides zeichnete den jungen Violinspieler Thomas Mandl aus, der als Sechzehnjähriger in das Ghetto von Theresienstadt kam. Er war einer der jüngsten Mitarbeiter in der »Freizeitgestaltung« und spielte im Orchester. Alice mochte er gern – ihre Ausstrahlung beeindruckte ihn. »Sie war ein erfreulicher Lichtblick in Theresienstadt ...«[132] Sie hatte »nichts von der gedrückten Stimmung des normalen, sogenannten Ghettoinsassen«.[133] Da Mandl oft beim Einlass aushalf, durfte er zur Belohnung auch ohne Karte – die nur schwer zu bekommen war – in den Konzertsaal.
Thomas Mandl war ein ähnlicher Leidensweg auferlegt wie Leopold Sommer. Beide wurden nach Auschwitz transportiert, beide

überlebten die Selektion an der Rampe, und beide wurden dann weiter in das KZ Dachau verschleppt. Thomas Mandls Bericht über seinen Weg von Auschwitz nach Dachau gibt uns eine Vorstellung davon, was die Menschen dabei durchlitten: »In Auschwitz wurde man eines Tages vom Block hinausgetrieben an einen bestimmten Ort ... Dann wurde man auf unglaubliche Weise von SS-Ärzten untersucht und in einen Waggon verbracht ... Wir wurden in die Viehwaggons gedrängt, dann fuhr der Zug ab. Tagelang in dem Waggon. Wo ich war, versuchte ein Mithäftling auf groteske Weise Selbstmord zu begehen.«[134] In jedem dieser Waggons wurde jeweils ein Kanonenofen von einem SS-Mann bewacht. »Der Mann setzte sich mit seinem nackten Hintern auf die rotglühende Platte. Das erschütterte den SS-Mann dermaßen, dass er, sooft der Zug hielt, den Waggon verließ und uns Wasser zum Trinken brachte. Dann sagte er: ›Ich war bei der kämpfenden Truppe der SS und wurde verwundet. Als Belohnung kam ich hierher nach Auschwitz. Aber der Betrieb ist so, dass ich mich freiwillig wieder an die Front melde, denn hier in Auschwitz werden lebende Kinder im Krematorium verbrannt.«[135]

Die »Funkelnde« op. 10 Nr. 8, F-Dur

Wer die unfehlbare Wirkung der oft gespielten achten Etüde in F-Dur zu beschreiben versucht, stößt auf Begriffe wie Heiterkeit, Erhabenheit und Farbigkeit. Sie ist ein Musterbeispiel Chopinscher Musik. Mit Ausnahme eines einzigen Taktes wird die melodische Struktur ausschließlich durch die linke Hand geschaffen. Diese Melodie wirkt nicht nur fröhlich, sondern hat auch einen heroischen Charakter, wobei die starke Rhythmik fast an einen Marsch erinnert. Die Prägnanz dieser Melodie »die immer wieder in den gleichen rhythmischen Formeln eingezwängt erscheint und doch immer neue Ausblicke, hauptsächlich in harmonischer Hinsicht bietet, ist bewundernswürdig«.[136]
Die Etüde wirkt »wie ein wundersam dichter, in phantastischen

Farben funkelnder Regen. In der Reprise wird man dann durch neue Entwicklungen der Melodie in der linken Hand sowie durch harmonische Wendungen überrascht, die eine ruhige Stimmung und ein gleichsam zartes Lächeln erzeugen – um im nächsten Moment von humorvollen Figuren und Passagen voll vitaler Freude in der Coda hinweggefegt zu werden.«[137] Die unbändige Vitalität und nie versiegende Kraft und Einsatzfreude, die so typisch für dieses Stück ist, zeichnet auch Alices Persönlichkeit aus.

Ein Beispiel dafür ist ein Konzert mit moderner Musik, das Viktor Ullmann initiierte. »Zuletzt ein Wort an unsere Pianisten: der löbliche Wetteifer, mit dem sie uns die Romantiker vorführen, sei durchaus respektiert«, schrieb er. »Aber es gibt eine große Zahl von Komponisten, die unser Interesse nicht nur dadurch verdienen, dass sie Juden sind, sondern auch dadurch, dass sie Talent und Genie haben und trotzdem in der umgebenden Welt nicht gespielt werden. Ich nenne Mendelssohn, Carl Goldmark, Paul Dukas, Arnold Schönberg, Ernest Bloch, E. W. Korngold, Wilhelm Grosz, Erwin Schulhoff, Kurt Weill, Hanns Eisler, Carol Rathaus, Egon Wellesz, Ernst Toch, ich könnte noch viele nennen, wobei ich von Theresienstädter Komponisten absehe. Und ich finde, dass diese alle interessante Klavierwerke geschrieben haben.«[138]

Die Kritik blieb nicht ohne Folgen. Im »Studio für neue Musik«, das Viktor Ullmann in Theresienstadt gegründet hatte, beteiligte Alice sich an der Erarbeitung von Programmen, in denen »die edelsten Glanzstücke entarteter Kunst«[139] zu hören waren.

In einem dieser Konzerte stellten Alice Herz, Hedda Grab-Kernmayr und Viktor Ullmann an einem Abend zwölf Klavierstücke von Max Reger »Aus meinem Tagebuch«, Lieder von Arnold Schönberg und Alexander Zemlinsky, eine Auswahl aus »Des Knaben Wunderhorn« von Gustav Mahler, eine Komposition von Bruno Walter und drei Klavierstücke von Alois Hába vor.[140] Außerhalb der Mauern von Theresienstadt hätte die Gestapo alle Mitwirkenden spätestens nach dem Konzert verhaftet.

Die »Dämonische« op. 10 Nr. 9, f-moll

Nervöse Unruhe, unterdrückte Leidenschaft und eine dämonische Dramatik prägen die Stimmung der neunten Etüde in f-moll, deren Melodie von einer nahezu aufreizenden Morbidität ist. »Man findet hier eine Stetigkeit der Wiederholung, die schon den Chopin der späteren, traurigen Jahre vorausahnen lässt.«[141] Die durchweg zu spürende unterdrückte Leidenschaft bricht sich immer wieder Bahn in ausdruckstarken, vorwärtstreibenden Floskeln.
Unterdrückte Leidenschaft – ein Gefühl, das wohl alle in Theresienstadt inhaftierten Musiker kannten. Mit der heimlichen ersten Aufführung eines Orchesterwerkes am 16. September 1942 hatte sich diese Leidenschaft ein Ventil geschaffen. Großer Wagemut und ein heute kaum mehr vorstellbares Maß an Zivilcourage waren hierfür notwendig. Dieses erste Konzert hatte in der Betstube der Magdeburger Kaserne zu einer Zeit stattgefunden, als Musik noch streng verboten war. Aufgeführt wurde die »Theresienstädter Symphonie« des Komponisten Carlo Taube, mit der er die Erfahrungen des Ghettos zu verarbeiten versuchte.[142] Der kleine Saal war voll besetzt, und auf dem Podium saß ein Streichorchester.
Da es keinerlei Blech- und Holzblasinstrumente gab, behalf man sich mit einem Akkordeon. Die ersten beiden Sätze beherrschten jüdische und slawische Themen. Besonders der dritte Satz erschütterte die Zuhörer, denn die Frau des Komponisten sang ein selbst verfasstes, zutiefst ergreifendes »Wiegenlied einer jüdischen Mutter«.

Im furiosen Finale wiederholten sich die ersten vier Takte von »Deutschland, Deutschland über alles« immer und immer wieder. Die Hymne wurde dabei jedes Mal wütender und gewaltsamer vorgetragen, bis das »Deutschland, Deutschland« sich nicht mehr in einem »über alles« fortsetzte, sondern in einer grauenhaften Dissonanz erstarb. Jeder verstand, was damit gemeint war, und ein Sturm von Ovationen dankte den beiden Musikern Carlo und Erika Taube.[143]

Ein sich bis zum Aufschrei steigerndes Wiederholen ist auch für die neunte Etüde charakteristisch – als handle es sich um ein Beschwörungsritual oder einen Fluch. Die Botschaft wird immer schmerzhafter und pessimistischer. Dann kommt es zur dramatischen Explosion, die in sanften, delikaten Figuren beider Hände ausläuft. Alles wird auf einmal ruhig und leise, wie das Rauschen eines Bächleins …

Die »Melodische« op. 10 Nr. 10, As-Dur

Der Dirigent und Pianist Hans von Bülow sagte, »dass jeder, der die zehnte Etüde in As-Dur auf eine wirklich vollkommene Weise zu spielen vermag, sich selbst dazu gratulieren könne, die Höhe des Parnass' der Pianisten erklommen zu haben.«[144] Beide Hände müssen hier technisch Enormes leisten, doch noch schwieriger ist die Fähigkeit, die beiden Hände in ihren gegenläufigen Rhythmen und Akzentverschiebungen zu koordinieren.

In einem übertragenen Sinne stand der Arzt und Musiker Dr. Kurt Singer vor einer vergleichbar schwierigen Aufgabe, als er 1933 zur treibenden Kraft beim Aufbau des Jüdischen Kulturbundes wurde, der das vom Nationalsozialismus zunehmend bedrohte jüdische Kulturleben in Deutschland erhalten wollte. Singer war es mit zu verdanken, dass in Deutschland nach 1933 unter anderem vier jüdische Theaterensembles, vier Symphonieorchester, viele Chöre und auch zwei Opernensembles entstanden, während alle Einrichtungen ihre jüdischen Musiker entließen.

Fünf Jahre lang führte Singer den Kulturbund mit mehr als siebzigtausend Mitgliedern, ehe er die Leitung an einen Jüngeren abgab. Als alter und ehrwürdiger Mann kam er 1943 nach Theresienstadt und spielte dort als Musikkritiker eine wichtige Rolle. Alle Musikerkollegen schätzten und achteten Singer für seine überragenden Leistungen als früherer Direktor der Berliner Oper, als Leiter des Kulturbundes und als begnadeten Chorleiter und Musikkritiker.[145]

Er besuchte viele von Alices Konzerten, und zwischen beiden entwickelte sich ein inniges, freundschaftliches Verhältnis. Alice schätzte seine kritischen Analysen, und sie empfand ein besonderes Mitgefühl und Mitleid mit diesem ehrwürdigen Musikkenner, der sich einsam und wie verloren in sein Häftlingsschicksal fügte. Chopins Etüde in As-Dur wird als ausgesprochen phantasievoll gerühmt. Ebenso zeichneten Singer sein Geist und Ideenreichtum aus. Seine Humanität wie auch seine überragende Rolle im Theresienstädter Kulturleben verdeutlichte sich besonders im Konflikt mit seinem Kollegen und Freund Rafael Schächter. Dieser hatte sich Mitte 1943 entschlossen, Verdis Requiem im Ghetto zur Aufführung zu bringen, obwohl sich in der Theresienstädter Bibliothek auch Noten von Oratorien befanden, die sich mit jüdischen Themen beschäftigten, etwa Händels »Solomon« und »Israel in Ägypten« oder auch »Judas Makkabäus«.[146]

Singer hielt es für unangebracht, dass ein jüdischer Künstler sich in einem Lager wie Theresienstadt mit einem christlich-katholischen Oratorium statt einem vom Alten Testament inspirierten Werk beschäftigen wollte. Schächter wollte dagegen mit Verdis Requiem ein Zeugnis für das Ideal der Humanität ablegen. Seine Begeisterung kannte keine Grenzen, und tatsächlich stellte seine Aufführung alles in den Schatten, was bisher in Theresienstadt einstudiert worden war. Deshalb verneigte am Ende auch Singer sich vor der einzigartigen Leistung:

> »Sicher aber war die Aufführung die größte künstlerische Tat, die bisher in Theresienstadt geboren und geboten wurde, eine Leistung auch in der allersorgfältigsten Vorbereitung. Ein Erlebnis im Artistischen gewiss, leider fern von allem, was Juden angehen sollte, solange sie in Theresienstadt leben. (...) Eine Meisterleistung Rafael Schächters, der das Werk im Lauf eines Jahres so einstudiert hatte, dass alle Choristen ohne Noten sangen. Dazu mit absoluter Sauberkeit, rhythmisch und dynamisch jedem leisen Wink des auswendig dirigierenden Schächter folgend. Die Liebe, die der Dirigent für das Werk in seinem Herzen trägt, ging spürbar auf jedes einzelne dieser frischen Mädel und jungen Burschen über. (...) Ein triumphaler Erfolg ... Als alter Regens Chori

freue ich mich, dies neidlos allen in halber Öffentlichkeit sagen zu dürfen.«[147]

Bald darauf erkrankte Singer schwer. Einen letzten Bericht über sein Schicksal hat die Schauspielerin Käthe Starke verfasst, die in Theresienstadt in der Putzkolonne arbeitete und zufällig im Haus Q 410 auf den kranken Singer traf. Sie hörte, wie er leise, ohne Pathos Faust zitierte, der den Sonnenuntergang beklagt:

»... O dass kein Flügel mich vom Boden hebt,
ihr nach und immer nach zu streben!
Ich säh im ew'gen Abendstrahl die stille Welt
zu meinen Füßen,
entzündet alle Höhn, beruhigt jedes Thal,
den Silberbach in goldne Ströme fließen ...«[148]

Wenige Tage später wurde er zum Sterben in das Siechenheim verlegt. Alice besuchte ihn dort mehrmals und dankte ihm für seine Zuwendung. Sie hielt seine Hände, als er starb.

Die »Träumerische« op. 10 Nr. 11, Es-Dur

Wie seelenvoll gespielte Gitarrenklänge wirken die zarten Arabesken der elften Etüde in Es-Dur, luftig, zitternd, schwebend. Diese Etüde ist eigentlich ein Nocturne, ein Nachtstück, das in einer glückseligen Stimmung beginnt. Doch sehr bald legt sich der Schleier einer wehmütigen Grazie über das Stück, und die träumerische Melodie wandelt sich in Klage und Schmerz.
Chopins Zeitgenossen waren schockiert über diese Komposition, denn sie beruht auf einer provozierenden neuartigen kompositorischen Idee: Die einzelnen Noten der Akkorde werden zeitlich etwas versetzt als sogenannte Arpeggien gespielt. Die jeweils höchsten Akkordtöne werden etwas lauter angeschlagen, so dass die reizvolle Melodie entsteht:

»Dieser märchenhafte Flug ins Blaue, dieses Nocturne, das vor dem Sonnenaufgang gespielt werden sollte, rief damals die Verwunderung Mendelssohns, den zornigen Schrecken Moscheles und den Hohn Rellstabs hervor,[149] des Redakteurs der *Iris,* der in dieser Zeitung im Jahr 1834 von den Etüden op. 10 schrieb: ›Alle Besitzer von verrenkten Fingern können sie wieder in die richtige Stellung bringen, indem sie diese Etüden üben; aber alle Menschen mit geraden Fingern sollten sich hüten, sie zu spielen. Wenigstens nicht, wenn kein Chirurg zur Hand ist.‹«[150]

Wutentbrannt über Rellstabs Demütigung und Verhöhnung schrieb der amerikanische Musikkritiker Huneker 1921:

»Welches chirurgische Kunststück hätte es gebraucht, um in den Schädel dieses beschränkten Kritikers eine Ahnung von der Schönheit dieser Kompositionen hineinzuhämmern. In künftigen Jahren werden die Chopin-Etüden um ihrer Musik willen gespielt werden, ohne jeden Gedanken an die darin aufgestellten technischen Probleme.«[151]

An die extremen Schwierigkeiten, die Alices Hände bewältigen mussten, dachte die vierzehnjährige Zuzana Růžičková sicher nicht, als sie gebannt und wie verzaubert im Konzertsaal saß. Die Etüde ähnelt dem Verlauf von Zuzanas Leben und Schicksal in geradezu frappierender Weise: Es hatte in Geborgenheit und Zuversicht begonnen, ehe das Mädchen Theresienstadt, Auschwitz und Neuengamme erleiden musste. Und doch wendete es sich so beglückend, wie es die Coda des Stückes vermittelt: Am Ende bestimmt ein heiter-serenadenhafter Charakter die träumerische Melodie.
Zuzana Růžičková war als dreizehnjähriges Mädchen mit ihren Eltern im Januar 1942 nach Theresienstadt gekommen. Sie hatte in Pilsen eine wunderbare Kindheit verlebt und war dort mit ihrer gleichaltrigen Cousine wie mit einer Zwillingsschwester aufgewachsen. Unmittelbar vor der Deportation besuchte Zuzana

heimlich ein letztes Mal ihre geliebte Klavierlehrerin Marie Pravazniková und spielte mit ihr vierhändig die Dvořák-Serenade in A-Dur.

Als Achtjährige hatte Zuzana mit dem Klavierunterricht begonnen. Da sie sich als ausgesprochen talentiert erwies, stand bald fest, dass sie nach dem Ende der Schulzeit nach Paris gehen sollte, um dort bei der berühmten Cembalistin Wanda Landowska zu studieren. Doch als im März 1939 die Deutschen in die »Resttschechei« einmarschierten, durfte die Elfjährige als Jüdin künftig weder die Schule besuchen noch Klavierunterricht nehmen. Der Traum von Paris und der Musikerlaufbahn schien geplatzt.

Ihre Lehrerin war so mutig, ihr dennoch heimlich Klavierunterricht zu geben und dabei ihr eigenes Leben aufs Spiel zu setzen. Beim Kommen und Gehen verbarg die junge Zuzana den »Judenstern« in ihrer Tasche.[152]

Im Ghetto von Theresienstadt sang sie bei der legendären Aufführung von Bedřich Smetanas »Die verkaufte Braut« im Chor mit. Sie hörte die Pianisten Gideon Klein, Bernard Kaff und später auch Alice Herz-Sommer – und fühlte sich bestärkt, ihren Traum von der Musikerlaufbahn niemals aufzugeben.

Die Sarabande aus der Französischen Suite E-Dur von Johann Sebastian Bach wurde in dieser Zeit zu ihrem Lieblingsstück, so dass sie sich die Noten auf einen kleinen Zettel notierte und immer bei sich trug. Er brachte ihr Glück, und er rettete ihrer Mutter wahrscheinlich das Leben. Als die beiden im Dezember 1943 in Auschwitz ankamen, nahm man ihnen alles Gepäck ab. »Der Wagen mit Zuzana war schon voll, und die Mutter wurde zu einem anderen gedrängt. Zuzana versuchte krampfhaft, wenigstens das Blatt mit den Noten zu behalten, doch im Wind und im Gedränge wurde es ihr aus der Hand geweht. Die Mutter lief hinter dem Stück Papier her, denn sie wusste, wie wichtig es für Zuzana war. Als sie Zuzana das Papier hochreichen wollte, zog sie irgendjemand noch auf den Wagen.«[153]

Dem Tod in der Gaskammer von Auschwitz entgingen Zuzana und ihre Mutter nur durch einen ungewöhnlichen Umstand: Als die Deutschen nach den Bombenangriffen auf Hamburg dringend Arbeitskräfte brauchten, schickte man kurzerhand tausendfünfhundert jüdische Frauen aus Auschwitz nach Hamburg-Neuengamme. Ohne Schutz vor der Kälte und mit bloßen Händen mussten sie die Straßen von Trümmern räumen, beschädigte Erdölleitungen freilegen und Gräben zuschütten. Im Februar 1945 wurde Hamburg-Neuengamme »evakuiert«, und es begann der Todesmarsch nach Bergen-Belsen. In dem hoffnungslos überfüllten Lager wüteten Epidemien, es fehlte an allem. »Bergen-Belsen war die Hölle.«[154] Durch Zufall traf Zuzana dort ihre Cousine, die schon im Sterben lag. Der Schmerz, die Wahlschwester erst wiedergefunden zu haben, um ihr dann in den letzten Stunden beizustehen und sie gleich wieder zu verlieren, grub sich tief ein.

Als die britischen Truppen Bergen-Belsen am 15. April 1945 befreiten, fanden sie sechsundfünfzigtausend verhungernde, verdurstende, sterbende Menschen vor, die unter unvorstellbaren hygienischen Bedingungen lebten. Auch Zuzana und ihre Mutter mussten drei Monate im Lazarett liegen, ehe sie sich vom Flecktyphus erholt hatten. Im August 1945 kehrten sie nach Pilsen zurück.

Ihr erster Weg führte die nun Siebzehnjährige zu ihrer geliebten Klavierlehrerin. Die Freude des Wiedersehens war überwältigend. Doch als die alte Dame Zuzanas zerschundene, ja geradezu verkrüppelt wirkende Hände sah, brach sie in Tränen aus. Ein weiteres Klavierstudium schien ihr mit diesen steif gewordenen Händen unmöglich. In hilflosen Worten versuchte sie ihre ehemalige Schülerin zu trösten. Sie sei doch so sprachbegabt …

Zuzana wollte sich mit ihrem Schicksal nicht abfinden. Sie besorgte sich aus dem Nationalfonds ein Klavier und fing noch einmal von vorn an, Ton für Ton. Mit unbändiger Willenskraft begann sie mit Fingerübungen, täglich zehn bis zwölf Stunden lang. Ihr Fleiß und ihre Willenskraft trugen Früchte: Sie begann in Prag zu studieren, sie gewann die ersten Preise, unter anderem beim ARD-Musikwettbewerb von 1956, und sie entwickelte sich zu einer weit über die Tschechoslowakei hinaus berühmten Cembalospielerin. Mit besonderem Stolz erfüllt sie eine Schallplattenaufnahme von Johann Sebastian Bachs gesamtem Cembalowerk, darunter auch die Sarabande aus der Französischen Suite E-Dur, die sie nicht spielen kann, ohne an ihre Mutter und an Auschwitz zu denken.

Die »Revolutionsetüde« op. 10 Nr. 12, c-moll

Einem plötzlich hereinbrechenden, unheimlichen Orkan gleicht die zwölfte Etüde in c-moll, die unter dem Namen »Revolutionsetüde« berühmt geworden ist. Sie wirkt, als berste der Komponist vor Verzweiflung, Schmerz und Wut. Von den ersten schrillen Dissonanzen bis zum letzten überwältigenden Akkord fasziniert sie ob ihrer Größe, Gewalt und atemberaubenden Geschwindigkeit. Sie spiegelt ein Drama wider, wie es der Rabbiner Leo Baeck – die unbestrittene moralische Autorität in Theresienstadt – erlebte.
Leo Baeck galt als der Führer des Judentums in Deutschland. In seiner Person vereinigten sich Würde, Anstand und persönliche Furchtlosigkeit.[155] Dies äußerte sich auch in der aufrechten Haltung dieses schönen, stattlichen Mannes mit den lebhaften Augen und dem schlohweißen Haar. 1873 geboren, hatte er am Jüdischen Theologischen Seminar in Breslau und an der Hochschule für die Wissenschaft des Judentums in Berlin studiert, wo er 1897 zum Rabbiner ordiniert wurde. Schon damals weigerte er sich, eine Deklaration gegen den Zionismus zu unterschreiben, und bewies damit seine intellektuelle Integrität.
Weltweit bekannt wurde er 1905 mit seinem Buch »Das Wesen des Judentums«, einer Antwort auf die 1900 erschienene Schrift des protestantischen Theologen Adolf von Harnack über »Das Wesen des Christentums«. Leo Baeck war ab 1933 Präsident der Reichsvertretung der deutschen Juden, wurde zusammen mit den letzten Angehörigen der Berliner Gemeinde deportiert, traf am 28. Januar 1943 mit dem Transport 1/87 in Theresienstadt ein und bekam die Nummer 187 984 zugeordnet. Ein Schock, der ihn beschließen ließ, »nicht zur bloßen Ziffer [zu] werden und immer den Respekt vor sich selbst [zu] wahren«.[156]

In Theresienstadt wurde er zum Ehrenvorsitzenden des Ältestenrates der Juden ernannt, wobei er mit seinen Vorträgen, Reden und Predigten die Hoffnung und den Überlebenswillen seiner Leidensgenossen stärkte.
Knapp ein Jahr vor dem Etüdenkonzert, im August 1943, suchte ein ehemaliger Freund, der Ingenieur Grünberg, Leo Baeck tief in der Nacht auf. Erst nach dem Krieg lüftete Baeck das ihm damals anvertraute Geheimnis:

> »Ich wurde in dieser Nacht von meinem besten Freund geweckt, den ich seit langer Zeit nicht gesehen hatte. Ich wusste, dass er nicht nach Theresienstadt verschickt worden war, und darum fragte ich ihn, wie er hergekommen sei. Er schnitt meine Rede ab und sagte mir, gut zuzuhören. Er hätte mir etwas zu sagen. Ich müsste es wissen. Aber erst müsste ich versprechen, es keinem zu sagen. Er ist Halbjude und wurde nach dem Osten verschickt. Er kam in das große Lager von Auschwitz. Wie jeder wurde er dort einer Selektion unterworfen und zur Sklavenarbeit bestimmt. Die anderen wurden weggeführt und durch Gas getötet. Er weiß es bestimmt, jeder in Auschwitz weiß es. Er wurde in ein Arbeitslager geschickt, wo er entfloh und seinen Weg nach Prag zurückfand. Wie er nach Theresienstadt gekommen ist? Ein tschechischer Gendarm draußen nahm Bestechung an. [...] Ich habe hart mit mir gekämpft, um die Entscheidung, ob es meine Pflicht war, Grünberg davon zu überzeugen, dass er vor dem Ältestenrat, dessen Ehrenmitglied ich war, wiederholen müsse, was er gehört hatte. Schließlich beschloss ich, dass es niemand wissen sollte. Wenn der Ältestenrat informiert wäre, würde es das ganze Lager innerhalb weniger Stunden wissen. In der Erwartung des Todes durch Vergasung zu leben würde das Leben nur noch schwerer machen. Und dieser Tod war ja nicht allen gewiss; es gab eine Selektion zur Sklavenarbeit, und vielleicht gingen nicht alle Transporte nach Auschwitz. So kam ich zu dem schwerwiegenden Entschluss, niemandem etwas zu sagen. Gerüchte jeder Art verbreiteten sich

ständig im Ghetto und nicht lange darauf auch Gerüchte über Auschwitz. Aber zumindest wusste es niemand ganz sicher.«[157]

***

Pause. Obwohl nach der Intensität und Leidenschaft der Musik alle eine Erholung nötig hatten, die Pianistin wie auch die Zuhörer, wollte der Beifall für Alice nicht enden. Für viele Kenner unter den Zuhörern waren ihre Darbietungen beispiellos. Nach der Pause folgte der zweite Zyklus op. 25 mit den weiteren zwölf Etüden.

Als Alice die letzten Töne der »Göttlichen« ausklingen ließ und sich erschöpft lächelnd ihrem begeistert klatschenden Publikum stellte, wurden ihr stehende Ovationen dargebracht.

»Unvergesslich für immer!« schrieb Zdenka Fantlová Jahrzehnte später über dieses Konzert. »Ich hörte wie in Trance zu.«[158] Während des Beifalls erhob sich Leo Baeck, der in der ersten Reihe saß, und ging auf Alice zu. Er schloss sie behutsam in die Arme und sagte: »Unsere große kleine Künstlerin.«

10
Inferno

»Niemals freiwillig! Egal, was sie versprechen!«

Ich habe heute in einem Film mitgespielt. Mit Scheinwerfern und großen Kameras.« Am Abend des 20. August 1944 begrüßte Stephan seinen Vater überschwänglich.
»Und war der Regisseur mit dir zufrieden?«
»Er war sehr streng«, antwortete Stephan. »Aber er hat gesagt, der kleine Spatz, der macht das sehr gut!«
Gegen ein Uhr Mittag hatte das Brundibár-Ensemble sich in der Aula der Sokolovna versammelt, dem größten und modernsten Gebäude der Festungsstadt, lang vor der Besatzung als Mehrzweckgebäude für den Turnverein Sokol errichtet, nun – anlässlich der »Stadtverschönerung« – grundlegend restauriert und zum Veranstaltungsort für die »Freizeitgestaltung« umgebaut. Ein nicht nur für Theresienstädter Verhältnis prachtvoller Ort, mit Rosenbeeten und Birken vor dem Eingang, einer breiten Außentreppe und einem Theatersaal in eleganten Blautönen, wie man ihn aus Weltstädten kannte. Dort musste das Ensemble eine Sondervorstellung für ein tschechisches Filmteam geben. Im Publikum saßen an diesem Tag nicht nur Ghettohäftlinge, sondern – auf den besten Plätzen am Balkon – auch die Frauen der SS-Offiziere mit ihren Kindern.[159]
Für die kleinen Schauspieler war die Aufführung besonders aufregend und anstrengend, denn sie spielten zum ersten Mal auf dieser Bühne. Die meisten der bisher über fünfzig Vorstellungen hatten

in dem wesentlich kleineren Saal der Magdeburger Kaserne stattgefunden – die neue Raumaufteilung bereitete den jungen Künstlern Schwierigkeiten. Auch deshalb mussten sie nach der Aufführung mehrere Szenen für die Kamera wiederholen, so oft, bis Regisseur Kurt Gerron endlich zufrieden war. »Der Paul«, platzte es aus Stephan heraus, »hat so laut die Trompete geschmettert wie noch nie. Ich musste mir die Ohren zuhalten.«

Seit Tagen war »der Film« das Gesprächsthema Nummer eins in Theresienstadt. Er sollte der Weltöffentlichkeit vorgaukeln, dass die Juden in Großdeutschland ein wohlbehütetes, selbstverwaltetes Leben in einer eigenen Stadt und abseits der Kriegsschrecken führten, während die Zivilbevölkerung Europas schwer zu leiden hatte. Auftraggeber des makabren Betrugs war die SS, Ausführender die tschechische Filmgesellschaft »Aktualita«. Die Aufnahmen hatten am 16. August 1944 begonnen und dauerten bis 11. September.[160]

Erst filmte das Team die Menschen bei ihren angeblichen Bankgeschäften. Dazu hatte man an der Fassade der Bank der Jüdischen Selbstverwaltung die Aufschrift »Spareinlagen, Auszahlungen und Einzahlungen« angebracht. Eine Verhöhnung der Ghettobewohner.

Dann das Postamt der Jüdischen Selbstverwaltung. Die Häftlinge mussten vor dem Schalter anstehen, Pakete in Empfang nehmen und sie nach den Filmaufnahmen sofort wieder abgeben. Der Ältestenrat der Selbstverwaltung wurde beim Tagen aufgenommen. Für die Kamera wurde die Sitzung aus der düsteren Magdeburger Kaserne in einen eigens dekorierten Saal der Sokolovna verlegt.

Um die Welt glauben zu machen, das Ghetto verfüge über ein eigenes Strandbad, richtete man am Ufer der Eger kurzerhand eine Badeanstalt ein. Schaukeln wurden aufgebaut, auf denen sich die Kinder während der Filmaufnahmen vergnügen sollten. Der tschechoslowakische Meister im Turmspringen und eine Reihe weiterer Sportler mussten für die Kamera ein Schauspringen veranstalten. Eine der Meisterinnen durfte allerdings nicht teilnehmen, weil sie blond war und dem nationalsozialistischen Klischee einer Jüdin nicht entsprach.

Der Film sollte zudem den gesamten selbstverwalteten Betrieb zeigen, die Schlosser- und Klempnerwerkstätten, die Tischlerei, die Wäscherei, die Schusterei, die Schneiderei. Und vor allem war man bemüht – schließlich musste der antisemitische Nerv des Publikums getroffen werden –, das »idyllische Leben der Prominenten im Jüdischen Siedlungsgebiet Theresienstadt« einzufangen. Inhaftierte unter Sonnenschirmen, mit Sektgläsern in feiner Abendgarderobe, beim Flanieren im Garten oder beim Tanzen auf der Terrasse der Sokolovna.

Gipfel des Zynismus: Die Filmproduzenten zwangen die Häftlinge nicht nur, in einem Schauspiel mitzuwirken, das vom Massenmord an den Juden ablenken sollte, sondern den Film auch selbst zu finanzieren. Die Produktionskosten in Höhe von dreihundertfünfzigtausend Kronen wurden aus beschlagnahmtem jüdischem Vermögen beglichen.[161]

Regisseur Kurt Gerron musste freilich unentgeltlich zur Verfügung stehen. Der Berliner Schauspieler, Kabarettist und UFA-Regisseur war 1933 erst nach Frankreich, dann nach Österreich und Ende 1935 schließlich nach Holland emigriert, wo ihn die Nationalsozialisten schließlich doch einholten. Im Herbst 1943 war er ins Durchgangslager Westerbork deportiert worden und im Februar 1944 kam er als prominenter Häftling nach Theresienstadt, wo er in kürzester Zeit »Das Karussell« zusammenstellte, ein attraktives Programm aus Operettenarien, Chansons und Liedern, unter anderem aus der »Dreigroschenoper« von Bertolt Brecht und Kurt Weill.[162]

Als Polizeichef Brown in der Uraufführung der »Dreigroschenoper« am Berliner Theater am Schiffbauerdamm war Gerron berühmt geworden. Zudem hatte er eine respektable Filmkarriere vorzuweisen und unter anderem mit Marlene Dietrich in »Der blaue Engel« und mit Heinz Rühmann in »Die drei von der Tankstelle« gespielt.

Die SS beziehungsweise das »Zentralamt zur Regelung der Judenfrage in Böhmen und Mähren« zwangen Gerron, das Drehbuch für den Propagandafilm zu schreiben, sämtliche Aufnahmen zu planen, die Aufträge zur Einberufung der notwendigen Statisten

auszugeben und täglich Berichte über die Fortschritte des Films zu verfassen. Sein Einsatz schützte ihn nicht. Wie die meisten Mitwirkenden wurde er drei Monate später in Auschwitz ermordet.
Der Film schürte Zwist unter den Häftlingen. Die Mitarbeiter der Crew trugen weiße Armbinden mit der Aufschrift »Film«. Sobald einer von ihnen auftauchte, verschwand die Mehrzahl der anwesenden Ghettobewohner, die als Statisten herhalten sollten, so schnell wie möglich – ihre Form des Widerstands gegen diese Farce. Andere – die Minderheit – waren freiwillig zur Mitarbeit bereit, wohl, weil sie das Projekt als Schwäche der Deutschen auffassten. Die Alliierten waren Anfang Juni in der Normandie gelandet und – das gab Anlass zu neuer Hoffnung – dabei, Westeuropa von den Nationalsozialisten zu befreien.
Stephan blickte an diesem Nachmittag zum ersten Mal hinter die Kulissen des Films, sah einen Tonwagen, einen Lichtwagen, Beleuchter, Kameramänner und Hilfsregisseure. Das Treiben gefiel ihm. Sogar ein Friseur war beauftragt worden, die Kinder vor den Filmaufnahmen hübsch zu machen. Als der Junge von seinem Vater wissen wollte, warum überhaupt gedreht wurde, wusste Leopold keine kindgerechte Antwort.
Von dem Film sind lediglich Fragmente von wenigen Minuten Länge erhalten geblieben. Auf einem davon ist die Schlussszene von »Brundibár« zu sehen. Mehr als fünfundzwanzig Kinder stehen auf der Bühne, und einer fällt besonders auf: Es ist Stephan Sommer, der Kleinste von allen. Man hatte ihn auf ein Podest gestellt.
Aufrecht und stolz steht er da in einem weißen Hemd. Seine Haltung lässt sein Glücksgefühl erahnen, in allen der fünfundfünfzig Aufführungen mitgespielt zu haben. Dass die SS die Oper zur Manipulation und Täuschung der Öffentlichkeit missbrauchte, verstand Stephan erst Jahrzehnte später. Für ihn, alle anderen Mitwirkenden und Tausende von Häftlingen war sie ein Kraftquell – und damit ein Symbol des Widerstands, zuallererst gegen den eigenen Untergang.[163]

***

Als Leopold etwa eine Woche nach der Brundibár-Verfilmung abends zu Besuch kam, traf er nur seine Frau an. Stephan hatte man kurzfristig gebeten, dem Pianisten in einem Kammerkonzert die Noten umzublättern. Für gewöhnlich nutzten Alice und Leopold die seltenen Stunden der Zweisamkeit vor allem, um über ihren Jungen zu sprechen. Wie konnten sie ihn vor bösen Erlebnissen bewahren, wie seine Bildung noch besser fördern? Wie ihn musikalisch weiterbilden? Diesmal war Leopold jedoch so aufgebracht über das, was er über den Fortgang »des Films« erfahren hatte, dass er es unbedingt Alice berichten musste.
Schon seit einigen Monaten war Leopold mit einem früheren Orchestermusiker befreundet, den Dirigent Karel Ančerl für sein Symphonieorchester ausgesucht hatte, das er mit Billigung der SS gegründet hatte. Innerhalb weniger Wochen hatte Ančerl zwölf erste Geigen, zehn zweite Geigen, acht Bratschen, acht Violoncelli und einen Kontrabass besetzt, allesamt aus dem Fundus beschlagnahmter Instrumente.[164] Für das klangliche Gleichgewicht im Orchester ließ er den Kontrabass noch durch zwei Violoncelli verstärkten. Es war wohl Zufall, dass dem Orchester bis auf eine Ausnahme nur Männer angehörten. Eine Berufsmusikerin bediente das größte und tiefste Instrument, den Kontrabass.
Die Begeisterung der Spieler prägte die Atmosphäre und beflügelte alle Mitwirkenden, das anspruchsvolle Probenprogramm zu bewältigen: Händels Concerto grosso in F-Dur, Mozarts Kleine Nachtmusik und Bachs Violinkonzert in e-Moll. Die Noten hatten sich nach langem Stöbern in der Ghettobibliothek gefunden. Das dringend nötige Papier zum Vervielfältigen der Noten wurde »organisiert«. Nächtelang arbeiteten alle Orchestermitglieder daran, das Papier zu linieren, um die Partituren niederzuschreiben. Die Premiere des ersten Programms wurde mit großer Spannung erwartet – und wurde zur Sensation in Theresienstadt. Auch Leopold war unter den Zuhörern. Der Saal war so überfüllt, dass viele Menschen in den Gängen auf dem Boden saßen.[165]
Ende Juli, Anfang August 1944 begannen Ančerl und sein Orchester, ein zweites Programm einzustudieren, das ausschließlich der tschechischen Musik gewidmet war. So sollte Dvořáks Serenade

für Streichinstrumente aufgeführt werden, ebenso Josef Suks Meditation über den Choral des heiligen Wenzel. Eigens für die Aufführung hatte der bereits seit Ende 1941 im Ghetto lebende Brünner Komponist und Janáček-Schüler Paul (Pavel) Haas eine Studie für Streichinstrumente komponiert.

Die Konzentration auf die tschechische Musik und die Prager Musiktradition interessierte Leopold besonders. Wann immer er es einrichten konnte, besuchte er – wie viele seiner Mithäftlinge – die Proben.

An jenem Tag nun wusste Leopold zu berichten, dass die SS aus heiterem Himmel befohlen hatte, das Orchester habe das Programm am Abend im sogenannten Caféhaus für die SS-Wachmannschaft zu spielen. Ančerl ahnte nichts Gutes und fühlte sich bestätigt, als er in einen fast leeren, jedoch mit Blumen prachtvoll geschmückten Saal kam.[166] Die SS hatte für alle Musiker schwarze Anzüge austeilen lassen. Das Dirigentenpodest war mit Topfblumen so umstellt, dass man die Holzschuhe des Dirigenten Ančerl nicht sehen konnte.

Die Tür ging auf, und ein ranghoher offizieller Besucher in SS-Uniform kontrollierte den Saal. Schließlich trat das Filmteam ein, und Ančerl erhielt den Befehl, das Programm für die Kameras ablaufen zu lassen. Nach der Uraufführung der Komposition von Paul Haas musste der Dirigent in begeisternden Worten den Komponisten Paul Haas vorstellen. Das Jubeln des Publikums sollte in der Nachbearbeitung eingespielt werden.

Leopold und Alice litten mit dem geplagten Karel Ančerl, doch als Stephan kurz nach halb acht mit strahlenden Augen in das Zimmer trat und von seinem Konzert erzählte, legte Leopolds Freude an dem musikbegeisterten Jungen sich über Kummer und Betroffenheit. »Hat alles gut geklappt?« fragte er seinen Sohn.

»Er hat sich zweimal verspielt, aber das war nicht meine Schuld.«

Mit seinen sechs Jahren war Stephan unter den Musikern Theresienstadts der begehrteste »Umblätterer«, und darauf waren Alice und Leopold durchaus stolz.

***

Hoffnungen. Falsche Hoffnungen? Täglich machten nun neue Gerüchte über die Vorstöße der Alliierten die Runde. Auch am Himmel über Theresienstadt tauchten im September 1944 wiederholt alliierte Flugzeuge auf. Die Theresienstädter Chronistin Eva Roubičková notierte damals in ihr Tagebuch: »Die Wirkung dieser Ereignisse auf das Ghetto ist ungeheuer, die Leute sind glücklich, überall freudige Gesichter, täglich ein- bis zweimal ist Fliegeralarm.«[167]

Zudem erzählte man sich euphorisch von einem bevorstehenden tschechischen Aufstand im Protektorat Böhmen und Mähren. Der Judenälteste Paul Eppstein hielt es deshalb für notwendig, am 16. September 1944 in seiner Ansprache zum jüdischen Neujahrsfest, mit dem das Jahr 5705 begrüßt wurde, vor über eintausendfünfhundert Häftlingen eine Warnung auszusprechen. »[...] im Interesse von uns allen«, bat er inständig, »diese Zeit noch auszuhalten und Ruhe zu bewahren, denn es ist ein falsches Heldentum, wenn unverantwortliche Menschen glauben, sie müssten für ihre Befreiung etwas tun, es ist vollkommen falsch, und jeder kleine Zwischenfall kann ganz Theresienstadt zum Verderb sein.«[168] Theresienstadt sei momentan wie ein Schiff, beschwor er die Menschen, das dem Hafen sehr nahe sei. »Dieser Hafen ist jedoch mit Minen umgeben, und einzig der Kapitän weiß einen Weg, zwar einen Umweg, aber welcher uns heil zum Hafen bringt. Die Besatzung hört vom Hafen Stimmen, die sie rufen, und Aufmunterungen kommen, und die Besatzung ist bereits ungeduldig und kann den Hafen nicht erwarten, und es ist doch das einzig Richtige, zu warten.«[169]

Eppsteins geradezu flehentliches Warnen kam nicht von ungefähr: Bereits seit Tagen kursierte im Lager ein weiteres Gerücht. Nach Fertigstellung der Filmaufnahmen sollten bis zu siebentausend Häftlinge deportiert werden – und zwar nur arbeitsfähige junge Männer.[170]

Keine Woche verging in Theresienstadt, ohne dass neue, oft abenteuerliche Gerüchte aufkamen. Die Quellen waren in der Regel nicht zu rekonstruieren, und viel Gerede erwies sich im Nachhinein als falsch. Die Hiobsbotschaften über bevorstehende Trans-

porte in den Osten bewahrheiteten sich früher oder später jedoch immer.
Drei Monate lang hatte es in Theresienstadt keinen Transport mehr gegeben, und das Kulturleben blühte. Trügerischer Friede. Während die Mehrzahl der Häftlinge die vielen unterschiedlichen Kulturangebote – oft mehr als zehn täglich – mit großer Dankbarkeit nutzte, gab es Kritiker, die die kulturellen Veranstaltungen als einen Tanz auf dem Vulkan bezeichneten. Sie würden die Sinne trüben für das, was eigentlich im Lager geschah – so der Vorwurf.[171]
Die Nachricht über die bevorstehenden Deportationen hatte der Zivilangestellte Ludwig August Bartels aufgebracht. Er leitete seit November 1942 die Wirtschaftsabteilung in der SS-Lagerkommandantur, die die neutrale Bezeichnung »Dienststelle« trug.[172] Wenn sein Hinweis stimmte, dann würde auch Leopold deportiert werden. Er war arbeitsfähig, jung und kräftig. Wollte man mit dieser Aktion auf einen Schlag sämtliche Männer aus Theresienstadt entfernen, die einen Aufstand gegen die militärisch schwer angeschlagenen Deutschen hätten organisieren können? Hatte die SS Angst vor den vielen ehemaligen Offizieren aus aller Herren Länder, die sich unter den Häftlingen befanden und schon seit Sommer 1944 versuchten, sich zu Gruppen zusammenzuschließen? Oder ging es tatsächlich, wie die Lagerleitung vorgab, lediglich um die Konzentration von Arbeitskräften für die Rüstungsindustrie?
Leopold hatte als Mitarbeiter der Jüdischen Gemeinde in Prag Erfahrungen mit der Denk- und Vorgehensweise der SS gesammelt. Und er hatte Kontakt zu einigen Mitarbeitern der Selbstverwaltung. Zwar musste er selbst tagein, tagaus seiner Arbeit in der Schlosserwerkstatt nachgehen, doch nutzte er jede Gelegenheit, um Informationen zu sammeln und neue Hinweise auf ihren Wahrheitsgehalt zu prüfen.
In den folgenden zwei Septemberwochen verdichtete sich das Gerücht zur Gewissheit: Die SS plante die Deportation von fünf- oder gar siebentausend Gefangenen, und zwar ausschließlich Männer bis maximal fünfundfünfzig Jahren. Sie sollten, so kam

Leopold zu Ohren, zur Festung Königsstein bei Dresden gebracht werden, um dort ein neues Arbeitslager zu errichten. Es gab aber Stimmen, die die Rede vom neuen Arbeitslager als Lügenkonstruktion bezeichneten, einen Vorwand, um möglichst problemlos alle »wehrfähigen« Männer in eines der geheimnisumwitterten Lager Polens zu verschleppen.
Schließlich hieß es sogar, die angekündigte Deportation sei nur der Anfang einer Reihe von Transporten, mit denen später die Frauen ihren Männern, die Kinder ihren Vätern folgen sollten. Angeblich auf freiwilliger Basis.
Leopold schöpfte Verdacht. Warum brachte man die Familien dann nicht gleich zusammen in die neu errichteten Arbeitslager? Welche Irreführung steckte hinter dem scheinbar verlockenden Angebot an die Frauen, selbst entscheiden zu dürfen, wo sie künftig leben wollten?
Bestimmt, dessen war Leopold sich inzwischen sicher, war das ein übler Trick der SS.

***

Am 23. September wurde die Leitung der Jüdischen Selbstverwaltung Theresienstadts – Paul Eppstein, Otto Zucker und Benjamin Murmelstein – auf die SS-Kommandantur bestellt. SS-Sturmbannführer Hans Günther, SS-Hauptsturmführer Ernst Möhs – eigens aus Prag angereist – und SS-Obersturmführer Karl Rahm teilten den Funktionären der Selbstverwaltung nun offiziell mit, dass die Kriegssituation neue Anstrengungen erforderte, die wirtschaftlichen Kapazitäten des Reiches zu stärken.[173] Eine ranghohe Besichtigung der Theresienstädter Werkstätten hätte ergeben, dass hier im Ghetto die Voraussetzungen für die geforderte Kriegsproduktion nicht gegeben seien. Deshalb müssten in Kürze fünftausend Männer zum Arbeitseinsatz verschickt werden.
Am folgenden Tag informierten die »Mitteilungen der Jüdischen Selbstverwaltung Theresienstadt« über den bevorstehenden Arbeitstransport. Leopold las den Aushang am Abend in seiner Kaserne:

»Im Hinblick auf den totalen Arbeitseinsatz ist, wie seitens der Dienststelle eröffnet wurde, erwogen worden, die Arbeitsmöglichkeiten in Theresienstadt den derzeitigen Erfordernissen entsprechend zu erweitern. Infolge des Raummangels und infolge technischer Schwierigkeiten hat sich dies jedoch nicht in dem notwendigen Maße als möglich erwiesen. Die arbeitsfähigen Männer müssen daher außerhalb Theresienstadts zu vordringlichen Arbeiten, ähnlich wie die Außenarbeitsgruppe Barackenbau, eingesetzt werden. Zu diesem Zwecke werden über Weisung der Dienststelle Dienstag, den 26. 9. und Mittwoch, den 27. 9. 1944 je ein Arbeitseinsatztransport mit je zweitausendfünfhundert Männern im Alter von sechzehn bis fünfundfünfzig Jahren aus der Siedlung in das Reichsgebiet abgefertigt. Von der Leitung der Jüdischen Selbstverwaltung wurde Ing. Otto Zucker dazu bestimmt, die Leitung der Transporte zu übernehmen. Den Angehörigen ist, wie beim Barackenbau, Transportschutz zugesichert worden. Postverbindungen in kurzfristigen Abständen sind vorgesehen. Von den Transporten werden alle Männer der Jahrgänge 1889 bis 1928 erfasst. Alle angeführten Männer müssen sich deshalb ohne Verzug für den Transport vorbereiten und mit ihrer Einberufung rechnen. Transportausschließungsgründe bestehen nicht. Transportunfähige Personen können ausschließlich in der Schleuse aufgrund ärztlichen Gutachtens ausgeschieden werden. Beschwerden und Reklamationen können daher nicht entgegengenommen werden; alles andere Gepäck ist bei den Angehörigen in der Siedlung zu belassen.«[174]

Am 26. September 1944 begann man in aller Frühe, die Deportationsbefehle auszutragen. Es herrschte Totenstille, als der Hausälteste in den Unterkunftsraum, in dem Leopold Sommer hauste, trat, die Betroffenen dem Alphabet nach aufrief – »Vortreten« – und ihnen die Zettel wie ein Urteil überreichte.
Leopold rechnete fest damit, dass er, als noch nicht einmal vierzigjähriger, arbeitsfähiger Mann, einen Aufruf bekommen würde.

Der Buchstabe S rückte immer näher. Es traf einen nach dem anderen der vertrauten Mitgefangenen. »Sommer, Leopold«, schnitt die Stimme des Hausältesten wie ein Fallbeil in die Stille.
Mechanisch nahm Leopold den schmalen Papierstreifen entgegen. »Wir haben Ihnen hierdurch mitzuteilen«, las er gefasst, »dass Sie in den Transport eingereiht wurden. Sie haben sich zur Abfertigung pünktlich nach Anweisung des Gebäude- bzw. Hausältesten am Sammelplatz Lange Straße 5 (3) einzufinden.«[175] Die Betroffenen hatten ihr Gepäck sofort vorzubereiten. »Gepäck darf nur in einem der Arbeit entsprechenden, möglichst beschränkten Umfang mitgenommen werden, aber nur persönlich tragbares Handgepäck mit Arbeitskleidung, Wäsche, Decken usw. Das Gepäck muss von Ihnen persönlich in die Schleuse mitgebracht werden. Zur Vermeidung behördlicher Maßnahmen ist pünktliches Erscheinen unbedingt erforderlich.«[176] Leopold blieben nur noch vierundzwanzig Stunden Zeit.
Was führte die SS im Schilde? Selbst die Linientreuesten mussten sich doch eingestehen, dass der Krieg so gut wie verloren war.
Heute wissen wir, dass zu jener Zeit zwei Flügel der SS rivalisierten. Der eine wollte das Programm zur Vernichtung der Juden mit aller Konsequenz zu Ende führen. Dazu zählten die Männer um Ernst Kaltenbrunner, seit Heydrichs Tod Chef des Reichssicherheitshauptamts, sowie Oswald Pohl und Adolf Eichmann. Der andere, eine Reihe hoher SS-Funktionäre aus der unmittelbaren Umgebung von Heinrich Himmler, etwa der Personalsekretär Rudolf Brandt sowie Walter Schellenberg, wollte eine gemäßigte »Judenpolitik« entwickeln, um ihr eigenes Überleben nach dem Krieg zu sichern.[177]
Einig waren die beiden Gruppierungen sich aber offensichtlich darin, mit dem Abtransport der fünftausend kräftigsten Männer die Widerstandskraft Theresienstadts mit einem Schlag zu brechen. Die SS versuchte den Argwohn der Ghettoinsassen zu zerstreuen, indem sie bekannt gab, dass der bisherige stellvertretende Judenälteste und Leiter des Zentralsekretariats, Otto Zucker, der eigentlich unentbehrlich war für die Funktionsfähigkeit von Theresienstadt, den neuen »Aufbaustab« leiten würde. Darüber hin-

aus wurde der Leiter der Wirtschaftsabteilung, Schließer, der als einer der einflussreichsten Männer in der Jüdischen Selbstverwaltung galt, bestimmt, den Transport »zu begleiten«. Kurzzeitig flößte das vielen Häftlingen Vertrauen ein, und so meldeten sich sogar zahlreiche freiwillig. Leopold blieb skeptisch.
Am späten Nachmittag erfuhr er von der Verhaftung des Judenältesten Paul Eppstein. Das konnte nur Unheil bedeuten! Es bestärkte ihn in seiner Ansicht, die SS organisiere ein großangelegtes Täuschungsmanöver. Erst lange Jahre nach dem Krieg wurde bekannt, dass Eppstein noch am Tag seiner Verhaftung auf die Kleine Festung in Theresienstadt gebracht und erschossen wurde.

***

Alice erfuhr von dem bevorstehenden Transport, noch ehe Leopold zu seinem täglichen Besuch kam. Nacheinander hatten bereits drei Familienväter ihren Frauen die Nachricht überbracht. »Wir müssen weg. Schon morgen.«
Als Leopold schließlich in das Zimmer trat, brauchte er kein einziges Wort zu sagen. Alice sah ihn an, und beide wussten, was die Stunde geschlagen hatte.
Leopold schloss seinen Sohn in die Arme. Der hatte längst mitbekommen, welches Drama sich abspielte, und schmiegte sich fest an seinen Vater.
»Alice, das ist erst der Anfang, es wird Transport auf Transport folgen, und sie werden versuchen, die Frauen und Kinder nachzuschicken«, flüsterte Leopold nun mit einem Nachdruck, den Alice so noch nie von ihm gehört hatte. »Wenn sie dir anbieten, dass du und Stephan zu mir fahren dürft, dann lehne ab. Hörst du?! Verlasse Theresienstadt unter keinen Umständen, egal, was sie euch zusichern! Solange du freiwillig entscheiden kannst, darfst du niemals auf die Lockungen der SS eingehen. Versprich es mir!«[178]
Alice war zu keiner Antwort fähig. Sie sah ihren Mann an, nickte stumm und schluckte die aufsteigenden Tränen hinunter. Du darfst es ihm jetzt nicht noch schwerer machen, ging es ihr durch den Kopf.

Ohne ein weiteres Wort saßen die drei still beieinander, Stephan zwischen Leopold und Alice. Die Unruhe im Zimmer nahmen sie nicht wahr. Als Leopold sich erhob, griff Stephan mit seiner Linken beinahe energisch nach der Hand des Vaters, mit der Rechten nach der Mutter. Ich lasse euch nie los, sagte er damit, keinen von euch beiden. Ich brauche euch doch.
Schweigend gingen sie vor die Tür des »Blockhauses«. Leopold umarmte seinen Jungen und gleichzeitig Alice. Er sagte nur noch ein einziges Wort: »Versprochen?«
Es dauerte lange, ehe Alice die Antwort herausbrachte: »Versprochen!«
Es kam, wie Leopold es vorhergesehen hatte. Der zweite Transport hatte am 29. September Theresienstadt gerade erst verlassen, als die SS bekannt gab, im folgenden dritten Transport dürften fünfhundert Frauen oder Verlobte ihren Männern folgen. Sie warteten am Bestimmungsort auf die Familienzusammenführung.
Der Andrang der Frauen war offensichtlich größer als die Zahl der verfügbaren Plätze. Innerhalb weniger Stunden waren alle Plätze vergeben. Eine Mutter gab sogar ihren fünfjährigen Sohn in Obhut, um zu ihrem Mann zu fahren.[179]
Als Edith Kraus die Chance sah, ihren Mann bald wieder in die Arme schließen zu können, lief sie zu Moritz Henschel, dem Leiter der »Freizeitgestaltung«, den alle wegen seiner Liebenswürdigkeit »Papa Henschel« nannten. Er war über sechzig und Edith in väterlicher Freundschaft verbunden. Henschel riet ihr heftig ab – mit einem einzigen, unmissverständlichen Satz: »Sie werden ihn nicht wiedersehen.«[180]
Auch Frau Zucker meldete sich für den Transport. Als privilegierte Gefangene und Ehefrau des stellvertretenden Judenältesten billigte man ihr die Mitnahme von insgesamt acht Koffern zu. Als sie in den Zug stieg, erklärte der SS-Lagerkommandant Rahm dem deutschen Transportleiter: »Das ist Frau Zucker. Sie bürgen mir dafür, dass sie noch heute in den Armen ihres Gatten liegt.«[181] Rahm wusste, dass Zucker sofort nach seiner Ankunft in Auschwitz in die Gaskammer geschickt worden war.
Der Zug mit eintausend Männern und fünfhundert zuversicht-

lichen Frauen verließ Theresienstadt am Montag, dem 1. Oktober 1944, und schon am nächsten Tag durcheilte eine Meldung das Ghetto, die viele als Sensation werteten. Sämtliche Angehörige der fünftausend Deportierten dürften folgen, sofern sie das Alter von fünfundsechzig noch nicht überschritten hätten.[182]
Inzwischen waren Postkarten eingetroffen, die von der guten Ankunft, von der neuen Arbeit und vor allem von der besseren Verpflegung berichteten.[183] Das steigerte die Euphorie der Reisewilligen. Jahre später wurde bekannt, dass die ersten Deportierten bereits während der Fahrt, noch bevor ihr Zug Dresden erreicht hatte, gezwungen wurden, ihren Frauen die erfolgreiche Ankunft am Bestimmungsort mitzuteilen. Vor allem sollten sie sie auffordern, so bald wie möglich nachzureisen.
Drei der sechs Mütter in Alices Unterkunft erhielten solche Karten. Sie wollten die Skepsis von Alice nicht teilen – und ließen sich in ihr Verderben schicken.

***

Dem vierten Transport folgten am Freitag, dem 5. Oktober, der nächste und bald darauf der übernächste.[184] Und mit jedem Zug, der Theresienstadt verließ, wuchs das Misstrauen der verbliebenen Häftlinge. Umso größer war das Interesse der SS, den täglichen Kulturbetrieb vorerst aufrechtzuerhalten. Es sollte ja nicht der Eindruck entstehen, das Lager stünde vor seiner vollständigen Evakuierung. Zudem lenkten Musik, Theater und Vorträge die Menschen ab.
Nach wie vor planten die Mitarbeiter der »Freizeitgestaltung« die Konzerte und Veranstaltungen jeweils für eine Woche im Voraus. Mehr als zweihundert aktive Künstler waren noch im Lager, einzelne, wie der Dirigent Carlo Taube, der zweite Violinist des legendären Theresienstädter Ledeč-Quartetts, Henry Cohn, oder der Sänger Machiel Gobets waren bereits deportiert worden.[185] Und neue Gerüchte drohten an, dass bald alle Mitarbeiter der »Freizeitgestaltung« folgen sollten. Aber noch wurde der Schein aufrechterhalten.

Darbietungen

DER FREIZEITGESTALTUNG

für die Zeit vom 7.-13.4.1945

Samstag 7.4.1945	Uhr	
Westg.3/Bühnensaal	19.00	"G l ü h w ü r m c h e n" Kindersingsp
Westg.3/Terrassens.	19.15	B e e t h o v e n-K o n z e r t (Wiedh Mitw. Alice Sommer, Ada Schwarz-Klein, Prof. Hermann Leidensdorf.
Parkstr. 14	19.15	Konzert Marion Podolier (Gesang) Edith Steiner-Kraus, Beatrice Pimentel (Klavier zu 4 Händen) (Schubert, Dvorak Brahms)
Hauptstr.2/241	19.15	"Der Kammersänger" groteske Tragikomödie von Frank Wedekind.

Bis zuletzt organisierte die »Freizeitgestaltung« Konzerte: Programmblatt vom April 1945

In diesen Tagen gab Alice einmal mehr ihr viertes Konzertprogramm zum Besten, in dem sie auch die Sonate D-Dur op. 10 Nr. 3 von Ludwig van Beethoven spielte, die einen der am meisten bewunderten Sätze aus Beethovens Klavierwerk enthält. Der berühmte Mittelteil ist Ausdruck der Verzweiflung, ein Aufbäumen, das in stiller Schicksalsergebenheit endet. Die beunruhigenden Zustände im Ghetto vor Augen, begannen an dieser Stelle viele der Zuhörer zu weinen. Vor dem Konzertsaal stand, unbemerkt von den Gästen, ein SS-Mann, der der Musik ergriffen und andächtig lauschte.

Alice liebte es, nachdem alle Zuhörer den Rathaussaal verlassen hatten, noch eine Weile sitzen zu bleiben und still und allein ihren Gedanken nachzuhängen. Es war gegen halb acht, als sie aus dem Gebäude trat. Langsam ging sie in Richtung Seestraße, bis zur Ausgangssperre war noch Zeit. Plötzlich trat ein SS-Offizier auf sie zu. Alice erschrak sehr, als er sie ansprach: »Sind Sie Alice Herz-Sommer?«

»Mein Gott«, fragte sie sich, »wenn er mich jetzt erschießt, was wird aus meinem Sohn?«[186]

Der Unbekannte begann in einem leisen, kultivierten Tonfall zu sprechen.[187] Seit Wochen und Monaten höre er allen ihren Kon-

zerten zu, von draußen. Er liebe diese Musik und die Art, wie sie sie spiele, über alles. Vor allem das Adagio aus der Beethoven-Sonate berühre ihn zutiefst. In solchen Momenten könne er den Wahnsinn des Krieges und die Zustände im Ghetto vergessen.
Alice hörte still zu, doch plötzlich bemerkte sie eine merkwürdige Angst in sich aufsteigen. Wie würden ihre Mitgefangenen reagieren, wenn sie sich mit einem SS-Mann unterhielt? Kurz angebunden versuchte sie den Mann darauf hinzuweisen, dass sie schnell in ihre Unterkunft zurückmüsse. Die Sperrstunde stehe bevor und ihr Junge warte. Das Gesicht des Mannes, fiel ihr auf, passte gar nicht zu der SS-Uniform.
Alice war schon etliche Meter entfernt, als ihr der Offizier nachrief: »Und dann wollte ich Ihnen noch sagen, Sie und Ihr Sohn werden nicht auf der Transportliste stehen.«
Alice, erregt, verunsichert, in Eile, drohte die Aussage des SS-Mannes völlig aus der Fassung bringen.
»Und wer wird statt mir auf der Liste stehen«? rief sie spontan zurück und lief davon. In ihrem Rücken hörte sie den SS-Mann: »Behüten Sie Ihren kleinen Sohn.«[188]

***

An einem herbstlich trüben Sonntag, dem 15. Oktober 1944, erhielten die Mitarbeiter der »Freizeitgestaltung« den Aufruf zum Arbeitseinsatz. Schon am übernächsten Morgen würden sie »auf Transport« gehen.
»Auf einem schmalen Streifen farbigen Papiers waren Name und Transportnummer verzeichnet. Ganz einfach, kurz und bündig«, schrieb Zdenka Fantlová, damals neunzehn Jahre alt und Schauspielerin bei der »Freizeitgestaltung«.[189] »Terezin bebte. Alle Schauspieler, Regisseure, Musiker und Dirigenten waren zum Abtransport bestimmt worden. Ich nenne nur Gustav Schorsch, František Zelenka, Hans Krása, Viktor Ullmann, Pavel Haas, Gideon Klein, Rafael Schächter und Karel Ančerl – der Transport war für tausendfünfhundert Leute bestimmt ...«[190]
Auch Alices Freundin Edith Kraus hatte den Deportationsbefehl

erhalten. Die einzige Hoffnung, die ihr blieb, war ihr väterlicher Freund Moritz Henschel, der die »Freizeitgestaltung« nach wie vor leitete. In Einzelfällen gelang es manchmal doch, durch Intervention eines einflussreichen Repräsentanten der Selbstverwaltung und Angabe triftiger Gründe Personen von der Transportliste zu streichen. Zwei Jahre zuvor, 1942, war Ediths Name schon einmal auf der Liste gestanden, und damals war es ihr wie durch ein Wunder gelungen, zu intervenieren.[191]
Diesmal machte Henschel ihr keine Hoffnung. Die SS habe angeordnet, lediglich eine Pianistin im Lager zu lassen, und da Alice Herz-Sommer einen siebenjährigen Sohn habe, hätte man sich bereits für sie entschieden.[192] Edith gab auf, doch in den folgenden vierundzwanzig Stunden geschah ein weiteres Wunder: Wieder – und niemals erfuhr sie, warum – wurde sie von der Transportliste gestrichen.
Zweihundertsechsundsiebzig Künstler und Mitarbeiter der »Freizeitgestaltung« mussten Theresienstadt am 16. Oktober 1944 verlassen. »Die vorhandenen Bänke reichten bei weitem nicht aus, viele von uns mussten sich mit engstem Raum am Boden begnügen. Bald war die Luft stickig, und man konnte nur schwer atmen«, hielt Zdenka Fantlová das Erlebte für die Nachwelt fest. »Für menschliche Bedürfnisse gab es in jedem Waggon nur zwei Kübel – an Scham, Benehmen und Rücksichtnahme war nicht zu denken. In diesen Augenblicken kam uns die Verurteilung zu Untermenschen am schmerzlichsten zu Bewusstsein. […] Die kleinen Kinder weinten vor Hunger und Durst. Manche suchten Trost im Gebet, doch die meisten hatten bereits alle Hoffnung aufgegeben.«[193] Zdenka Fantlová war eine der wenigen aus dem Transport, die Auschwitz überlebten.

***

Nach den Oktobertransporten waren Stephan und Alice plötzlich allein in dem zwölf Quadratmeter großen Raum, den sie bisher mit zehn anderen geteilt hatten. Es war still geworden, totenstill. In dieser bedrückenden Situation erreichte Alice die Anordnung,

sie habe sich am nächsten Morgen um fünf vor der Wäscherei einzufinden. Wie würde ihr Sohn reagieren, wenn er frühmorgens aufwachte und sie schon zur Arbeit weg wäre?
Stephan spürte die Bedrohung. Noch nie hatte er seine Mutter so verzweifelt erlebt. Er bekam panische Angst, dass nach dem Vater auch die Mutter für immer verschwinden würde, weinte bitterlich und bekam auf der Stelle hohes Fieber. Alice nahm das fiebernde Kind an die Hand und eilte von Haus zu Haus. Sämtliche umliegende Häuser standen leer. Alle Bewohner waren bereits deportiert. Schließlich entdeckte sie doch eine alte Frau, die sie bat, am nächsten Morgen nach Stephan zu sehen.
Voller Angst verließ sie am nächsten Morgen um halb fünf das Haus und ging zur Wäscherei. Stephan wollte ihren Beteuerungen, sie würde am Abend wieder da sein, keinen Glauben schenken. »Jetzt bin ich ganz allein auf dieser Welt«, klagte er unter Tränen, und seine Worte gruben sich für immer in Alices Seele ein.[194]
Während sie die Arbeit in der Wäscherei verrichtete, kreisten ihre Gedanken nur um ihren Sohn: Wie kann ich ihn retten? Ohne Edith Kraus, die wie sie in der Wäscherei arbeiten musste, hätte sie, so Alice, die Tage nicht überstanden. Im Gespräch mit der Freundin fand sie eine mögliche Antwort auf ihre Sorge: »Leo Baeck!«
Seit ihrem ersten Konzert saß Rabbiner Leo Baeck stets in der ersten Reihe und lauschte ihrer Musik. Nach ihrem Etüden-Konzert hatte er sie zu seinen freitäglichen Gesprächsrunden eingeladen, die er Woche für Woche für einen kleinen Kreis Auserwählter ausrichtete, um auch über Dinge zu sprechen, die über den Lageralltag hinauswiesen. In den vergangenen Monaten hatte sie dieses Privileg sehr gern wahrgenommen. Von Leo Baeck erhoffte sie sich Hilfe, denn seine Stimme hatte Gewicht in der Selbstverwaltung.
Von der Arbeit zurückgekehrt, rannte sie zu ihm, und er empfing sie sofort. Sie klagte ihm ihre Not, und er veranlasste, dass Alice noch am selben Abend zu Klara Hutter ziehen konnte, der Mutter ihrer Freundin Trude Hutter.[195]
Im Mondlicht schob Alice eine Karre mit ihrem gesamten armse-

ligen Gepäck in das neue Quartier, vorbei an den leerstehenden Kasernen und den stinkenden Abfallbergen, die seit Tagen nicht mehr abtransportiert worden waren.[196] Ein trauriger Anblick. Stephan hatte ein Seil an die Karre geknotet und sich wie ein Zugpferd davor gespannt, denn Alice konnte die schwere Schubkarre unmöglich allein halten. Neben den Habseligkeiten trug das Fahrwerk auch zwei Matratzen und Reste von Brennholz und Brettern, die Alice und Stephan noch in ihrem Zimmer gefunden hatten und die in der kalten Zeit Leben retten konnten.

Ein gespenstischer Schatten zog neben dem Gespann her, der Alice an die Zeichnungen von Käthe Kollwitz denken ließ. Was würden Mutter und Sohn noch durchstehen müssen? Stephan wuchsen für sein Alter erstaunliche Kräfte zu. Seine Mutter war wiedergekommen. Es ging in ein neues Zuhause. Er kannte Klara Hutter, und er wusste, seine Mutter würde am nächsten Abend wieder bei ihm sein. Auch am übernächsten und an allen folgenden Tagen.

***

Das neue Haus sah genauso aus wie das vorherige. Das Zimmer war genauso groß, aber sie mussten es nur mit Klara Hutter und drei weiteren Frauen über siebzig teilen.

Alle vier schlossen Stephan vom ersten Moment an in ihr Herz. Alice konnte jeden Tag beruhigt in die Wäscherei gehen, denn das Kind war in der neuen Gemeinschaft sehr gut aufgehoben. Im Gegensatz zu ihrer Freundin Edith war die kräftezehrende Arbeit für Alice kein Problem – sie nahm Edith, die noch zierlicher und weniger kräftig als ihre Freundin war, viel Arbeit ab. Unterdessen gingen die Transporte weiter.

Sämtliche Versorgungseinrichtungen brachen zusammen – es fehlte an Personal. Die Küchen arbeiteten nicht mehr, auf den Krankenstationen gab es keine Krankenschwestern mehr. Patienten, die stürzten, blieben hilflos auf dem Boden liegen. Mit dem Transport vom 19. Oktober 1944 hatte man den größten Teil der Mitarbeiter des Gesundheitswesen, Ärzte und Schwestern, deportiert.[197] Das Ghetto versank im Chaos.

Früher hatte die Jüdische Selbstverwaltung die Listen für die Transporte selbständig erstellen müssen. Seit ein Transport auf den nächsten folgte, mischte die SS kräftig mit. Ständig schickte sie Weisungen, wer zu deportieren sei und wer nicht. Die Organisation der beiden letzten Transporte, die für den 23. und den 28. Oktober geplant waren, übernahm SS-Lagerleiter Rahm persönlich. Der neue Judenälteste Benjamin Murmelstein durfte ihm nur noch assistieren.[198] Als die Rede auf die letzten noch verbliebenen Mitglieder der »Freizeitgestaltung« kam, soll Rahm in seinem Wiener Dialekt geraunzt haben: »Wissen S' was, lassen S' as da. Sollen s' dann wieder spielen und singen.«[199]
Gemeint waren Alice Herz-Sommer, Edith Kraus, Marion Podelier, Hedda Grab-Kernmeyer, Ada Schwarz-Klein, Hilde Aronson-Lindt, Anni Frey und Gisa Wurzel. Allerdings ordnete der SS-Kommandant an, dass die Frauen ab sofort den Dienst in der Glimmerspalterei antreten müssten.

***

Die Rote Armee bereits im Nacken, stellte die SS den Betrieb der Gaskammern in Auschwitz am 2. November 1944 ein. Für Tausende von Theresienstädter Ghettobewohnern kam die Wende zu spät. Innerhalb von gut vier Wochen hatte man in elf »Herbsttransporten« mehr als achtzehntausend Menschen in den Gastod nach Auschwitz geschickt, darunter eintausendachthundert Kinder unter fünfzehn Jahren.[200]
Mit dem letzten Transport am 28. Oktober 1944 wurden auch die meisten der Mitglieder des Ältestenrates samt ihren Familien, insgesamt siebzig Personen, nach Auschwitz geschickt. Sie reisten in zwei komfortablen Sonderwaggons in den Tod.
Kurz nach der Ausfahrt aus dem Bahnhof in Bohušovice wurden zwanzig junge Männer bestimmt, die wieder aus dem Zug steigen mussten, um die 1942 in der Nähe hingerichteten und verscharrten Männer auszugraben und ihre Überreste zu vernichten. Es sollte keine Spur des Massakers zurückbleiben. Danach brachte man sie in die Kleine Festung und erschoss sie.

»Nur ein paar hundert arbeitsfähige Männer sind noch im Lager, alle Arbeit stockt, niemand fährt den Kehricht ab, es gibt niemanden, der sich um die alten Leute kümmert, niemand kocht«, erinnerte sich später der Überlebende Josef Polak. »Aber die Nazis denken nicht daran, das Arbeitstempo zu vermindern. Als ob nichts geschehen wäre, wird für sie ein Speisesaal, eine Küche und ein Kinosaal hergerichtet. Überall treten Frauen an die Stelle von Männern, eine Gruppe von Frauen übernimmt sogar das Speditionswesen und transportiert schwere Lasten. Langsam beginnt das Lager wieder zu funktionieren ...«[201]

Das Leben in Theresienstadt ging weiter. Am 31. Oktober 1944 waren noch elftausendachtundsechzig Gefangene registriert. Dringend musste eine neue Jüdische Selbstverwaltung aufgebaut werden, denn neue Transporte sollten bald in Theresienstadt eintreffen.[202]

11
Nach dem Inferno

»Auf den Trümmern des Ghettos werden wir lachen ...«

Der Fußmarsch vom Ghetto zu den Baracken der Glimmerproduktion dauerte eine Dreiviertelstunde. Die Arbeitsräume waren dürftig beheizt – die Frauen froren. Stundenlang saßen sie vornübergebeugt an langen Tischen und spalteten Schiefer. Im Akkord. Das Glimmerspalten galt als »kriegswichtig«, denn das gewonnene hitzebeständige Material wurde als Isolator in elektrischen Geräten verwendet und vor allem für den Flugzeugbau benötigt.[203]

Die Künstlerinnen der »Freizeitgestaltung« saßen um einen Tisch, neben Alice und ihrer Freundin Edith Kraus waren das sechs deutschsprachige und zwei dänische Frauen. Drei Tage in der Woche hatten sie von sechs Uhr morgens bis mittags um zwei Frühschicht zu verrichten, drei Tage Spätschicht, von zwei bis zehn Uhr abends.

Am Beginn der Schicht erhielt jede von ihnen eine Schachtel voller Glimmerstücke, die exakt abgewogen waren und die sie mit einem speziellen Werkzeug spalten mussten – kleinen, gefährlich scharfen Messern, mit denen die übermüdeten Frauen sich oft böse Schnittwunden zufügten. Die fertigen transparenten Blättchen wurden nach ihrer Größe und Stärke sortiert, am Ende der Arbeitsschicht mussten mindestens fünfzig Gramm davon in der Schachtel liegen. Die SS-Aufseher drohten den Frauen ständig mit dem »Transport«, falls sie ihr Tagessoll nicht erreichten. Manche hatten so

große Angst, dass sie zu Diebinnen wurden, um genügend Blättchen abliefern zu können.
Alice verabscheute diese Arbeit. Die zermürbende Monotonie setzte ihrem aktiven Wesen zu, die verkrampfte Haltung schmerzte ihre empfindsamen Finger. Zu viel Zeit zum Nachdenken! Dazu die ständige Bedrohung, doch noch auf »Transport« geschickt zu werden. Während in der Wäscherei sie ihrer Freundin Edith beigestanden war, musste die Freundin nun sie trösten. Immerhin hätten sie doch ein Dach über dem Kopf und dürften bei der Arbeit sogar sitzen, nach ein paar Stunden würde es sogar etwas wärmer in der Baracke ... und sie könnten doch die Zeit nutzen, um sich nebenbei ganz leise zu unterhalten. Doch alle Frauen flüsterten miteinander, und Alice empfand das dauerhafte Gemurmel als zusätzliche Belastung.
Ediths gutes Zureden kam deshalb nicht gleich an. Eines Tages ließ Alice während der Arbeit plötzlich ihr Werkzeug fallen, sprang auf und rannte aus der Baracke. Vor der Tür lief sie wie ein Panther im Käfig hin und her. Kein Ausweg! In diesem Moment tiefster Verzweiflung setzten sich einmal mehr ihre eiserne Disziplin und ihr positives Denken durch, und eine innere Stimme erinnerte sie an ihre Lebenskraft: »Halte durch!«
Diese Worte waren ihr mehr Offenbarung denn Mahnung, so dass sie tatsächlich gestärkt zurück an die Arbeitsbank ging. Stunde um Stunde, Tag um Tag unterhielten Edith und Alice sich von nun an über die Vergangenheit und träumten gemeinsam von der Zukunft, planten Konzerte in Freiheit und schwelgten in der Musik. In diesen zwölf Wochen in der Glimmerspalterei, so erinnerte Alice sich später, habe sie sich mit ihrer Freundin Edith intensiver ausgetauscht als mit ihrem Mann in den zwölf Jahren ihrer harmonischen Ehe.[204]

***

Nach den Herbsttransporten hatte es viele Wochen gedauert, ehe das Lagerleben wieder einigermaßen geregelt ablief.[205] Tausende Stellen in der Versorgung und Verwaltung waren neu zu besetzen,

Frauen mussten nun die Männerarbeit, oft körperliche Schwerstarbeit, übernehmen. Am 13. Dezember 1944 wurde die »Neuordnung der Jüdischen Selbstverwaltung« verkündet.[206] Neben den »Sachgebieten« Bevölkerungswesen, Gebäudeleitung, Raumwirtschaft, Wirtschaft, Arbeitseinsatz, Technik, Betriebe, Landwirtschaft, Gesundheitswesen, Fürsorge und Rechtswesen schuf man auch ein Referat für Kultur und erweckte damit die »Freizeitgestaltung« zu neuem Leben.

Obwohl außer jenen Frauen, mit denen Alice in der Glimmerproduktion arbeitete, alle Künstler nach Auschwitz verschleppt worden waren, gab es ab Ende Dezember 1944 wieder Veranstaltungen und Konzerte.[207]

Die SS-Lagerleitung glaubte längst nicht mehr an den »Endsieg« und spekulierte, sich mit der Wiederbelebung der »Freizeitgestaltung« ein Alibi vor den Alliierten zu schaffen. Wer seinen Häftlingen so viel Freiraum lässt, dem könne das drohende Kriegsgericht doch nichts nachweisen. Zudem sollte das Internationale Rote Kreuz getäuscht werden. Die Hilfsorganisation übte immer stärkeren Druck auf die Deutschen aus und verlangte Zugang zu den Konzentrationslagern. Ihr eigentlicher Plan war, in allen Konzentrationslagern eine Gruppe von Mitarbeitern einzuquartieren, um – die bevorstehende Niederlage Deutschlands vor Augen – noch möglichst viele Häftlingsleben zu retten.

Die Künstlerinnen empfanden die neuerlich organisierte »Freizeitgestaltung« als Geschenk des Himmels. Wer abends auf der Bühne stand, durfte die Spätschicht bereits gegen fünf Uhr beenden. Alice verließ – bei aller Vorfreude auf ihren bevorstehenden Auftritt – die Baracke stets mit einem unguten, beklemmenden Gefühl. Die weit mehr als hundert hart arbeitenden Frauen, die ihr mit neidischen Augen nachblickten, taten ihr von Herzen leid.

***

Am Weihnachtsabend 1944 hatte Alice Spätschicht. Wie gewöhnlich verließen die Frauen die Glimmerspalterei gegen zehn Uhr. Ihr Weg durch die Dunkelheit zurück ins Lager führte sie über einen

Hügel und vorbei an der Unterkunft der tschechischen Gendarmen, die die Baracken bewachten. Doch an diesem Abend waren die Männer nicht zu sehen, sie hatten sich bereits in ihr Wachhaus zurückgezogen, einen kleinen Weihnachtsbaum aufgestellt und festlich geschmückt.

Durch das Fenster strahlten den Arbeiterinnen die brennenden Kerzen wie ein Symbol der Hoffnung entgegen. »Das kleine Bäumchen leuchtete uns nicht nur, es wärmte uns auch. Und etwas vom Liebesmut derer, die es aufgestellt hatten, leuchtet und wärmt uns noch heute«, schrieb die deutsche Jüdin Gerty Spieß, die an einem der Nachbartische von Alice in der Glimmerspalterei saß, in ihren Lebenserinnerungen.[208]

So ergriffen und ermutigt Alice auch in ihrer Bleibe ankam, so froh war sie, dass Stephan schon schlief und sie nicht in Versuchung kam, ihm von dem Weihnachtsbaum zu erzählen. Der Junge hätte ihr nur Fragen gestellt und sie womöglich in ein Gespräch verwickelt, für das ihr nach den furchtbaren Herbstwochen immer noch die Kraft fehlte. »Was ist Weihnachten? Warum feiern es die Christen und wir Juden nicht?«

Alice genoss den arbeitsfreien ersten Weihnachtstag. Endlich wieder ein ganzer Tag mit Stephan. Pavel Fuchs kam, wie fast jeden Tag, zu Besuch. Die beiden Freunde spielten unbeschwert miteinander, und Alice hörte sie oft so herzlich lachen, als lebten sie in Freiheit.

***

Das neue Jahr begann verheißungsvoll. Das Deutsche Reich stehe kurz vor dem Zusammenbruch, hieß es. »Rückzug an allen Fronten! Es kann nicht mehr lange dauern!« Die Konzerte wurden täglich mehr zu Symbolen der nahenden Befreiung.[209]

Mitte Januar 1945 dann ein neuerlicher Rückschlag für Alice und ihre Künstlerkollegen. Die SS verhängte eine – die letzte – Kollektivstrafe über die Lagerinsassen und untersagte vorübergehend jede Form der »Freizeitgestaltung«. Angeblich waren verbotene Tabakerzeugnisse ins Lager geschmuggelt worden.[210] Doch bereits

Anfang Februar wurde das Verbot wieder aufgehoben, es gab wieder Konzerte, mehr denn je sogar, und wie eh und je rissen sich die Häftlinge um die Eintrittskarten.
Am 7. Februar 1945 spielte Alice einmal mehr die 24 Chopin-Etüden. Von dem denkwürdigen Konzert im vollbesetzten Rathaussaal ist eine fünf Seiten lange handschriftliche Rezension erhalten, deren Verfasser bis heute nicht eindeutig ermittelt ist. Vieles spricht dafür, dass eine Frau den Text schrieb, offensichtlich eine deutschsprachige Musikexpertin, die wohl erst kurze Zeit vorher ins Lager gekommen war. Offenbar hatte sie gute Beziehungen zu einer Münchener Musikzeitschrift, in der sie die Rezension nach der sich abzeichnenden Befreiung veröffentlichen wollte.
»Das künstlerische Theresienstadt stand gestern abend, 7. II. 1945, im Zeichen des großen Chopin-Abends von Frau Sommer-Herz. […] Ich habe Raoul von Koczalski, den Schüler Rubinsteins, dessen Meister Chopin war, gehört …« Der Text begann also mit einem Irrtum der Verfasserin, denn der Lehrer von Koczalski war nicht Rubinstein, sondern Carl Mikuli, einer der wichtigsten Chopin-Schüler. Für ihren Vergleich ist er aber bedeutungslos. Ausschlaggebend ist, dass Alices Spiel die Rezensentin tiefer berührte als das des unmittelbar in der Chopin-Tradition stehenden Pianisten. Euphorisch setzte sie deshalb fort: »Wenn Frankreich seine große Tragödin Sarah Bernhardt die ›Göttliche Sarah‹ nennt, warum solle man die große Interpretin Chopins, Frau Sommer-Herz, nicht den göttlichen Spiegel Chopins nennen …« In der Folge kam sie auf die tiefe Betroffenheit der Zuhörer zu sprechen:

> »Ihr Wunderspiel zieht die Register der Melancholie, der Leidenschaft, des machtvollsten Geschehens wie der bestechendsten Lieblichkeit des französischen Temperaments, gerade der Eigenschaften, die in der kranken Natur des Komponisten höchst eigenartig verkörpert sind. Wenn die Künstlerin mit zauberhafter Fingervibration wahre Gemütsstürme entfesselt, in denen die eigentümliche Mischung des Naturells zweier Nationen, der slawischen und französischen, wie ein Tonrelief vor das geistige Auge tritt, dann hat be-

stimmt der Genius der Muse bei ihr Pate gestanden, und die Hörgemeinde kniet vor ihrer Tonrede wie im Gebet.«[211]

Die »Harfenetüde« op. 25 Nr. 1, As-Dur

»Ein Zauber! Sie ist eine verzaubernde Etüde, ganz einzigartig in ihrer Schönheit.« Auch noch mit hundert Jahren gerät Alice Herz-Sommer über die »Harfenetüde« op. 25 Nr. 1 in mädchenhaftes Schwärmen. »Vom ersten Ton an reißt sie den Zuhörer mit.« Von dieser Musik geht Geborgenheit, Wärme und Hoffnung aus. Robert Schumann schrieb 1837, nachdem ihm Frédéric Chopin das Stück selbst vorgespielt hatte: »Nach der Etüde wird's einem wie nach einem sel'gen Bild, im Traum gesehen, das man schon halb wach noch einmal erhaschen möchte ...«[212]
Für die Häftlinge, die Alice andächtig zuhörten, dürfte, was sie zwei Tage zuvor, am 5. Februar 1945, miterlebt hatten, wie ein Traum gewesen sein, der die Hoffnung auf baldige Freiheit beflügelte wie kein anderes Ereignis der letzten Tage und Wochen. Am 3. Februar hatte die SS-Lagerleitung verkündet, dass in zwei Tagen eintausendzweihundert Personen in die Schweiz ausreisen dürften.[213] Zunächst hatte kaum jemand dieser Botschaft geglaubt. Schon die Auswahlkriterien hatten die Menschen verunsichert: Nur Leute in guter körperlicher Verfassung sollten ausreisen dürfen, jedoch keine Verwandten von Häftlingen, die nach Polen deportiert worden waren. Auch dürften keine Intellektuellen oder Persönlichkeiten von Rang mitreisen.[214]
Am Tag der Abreise verstummten die Skeptiker. Ein Eilzug mit hocheleganten Waggons traf ein, jeder der eintausendzweihundert Passagiere bekam einen Sitzplatz. Die Transportnummern mussten von den Koffern entfernt werden. Rahm kontrollierte persönlich, dass nur anständig aussehendes Gepäck mitging und alle Mitreisenden mit ausreichend Reiseproviant versorgt wurden. Die SS half den alten Leuten beim Einsteigen und hob ihnen das Gepäck in den Waggon. Während der Reise mussten alle Judensterne

entfernt werden. Schon nach wenigen Tagen trafen die ersten Briefe aus der Schweiz ein.

Die Rettungsaktion hatte eine mehrmonatige Vorgeschichte. Bereits im August 1944 versuchte eine Gruppe Schweizer Persönlichkeiten über den Leibarzt Himmlers, Felix Kersten, an den Reichsführer SS heranzutreten und ihn zur Freilassung von zwanzigtausend Juden in die Schweiz zu bewegen.[215] Anfangs weigerte Himmler sich, doch am 8. Dezember gelang es Kersten, ihm ein Teilzugeständnis abzuringen, mit dem Himmler und sein unmittelbares Umfeld ein einziges Ziel verfolgten: ihre Haut zu retten.

Die »Zärtliche« op. 25 Nr. 2, f-moll

Nach der Glück und Hoffnung verheißenden ersten Etüde des zweiten Zyklus erklang die charmante f-Moll-Etüde, die »Zärtliche«. »So reizend, träumerisch und leise, etwa wie das Singen eines Kindes im Schlafe.«[216]

Zum Einschlafen sang Alice ihrem Sohn oft Lieder vor, und solange sie noch in Prag lebten, hatte sie manchmal auch leise Klavierstücke für ihn gespielt, gern auch die zweite Etüde. Der nun Siebenjährige kannte das Stück deshalb sehr genau und folgte dem Spiel seiner Mutter nicht nur mit Begeisterung, sondern mit einer Konzentration und Hingabe, die wenigen Erwachsenen gegeben ist.

Die zarte wundersame Melodie bewegt sich stets in den Grenzen von piano und pianissimo und gleicht in ihrer Stille und Introvertiertheit einem behutsamen Windhauch. Der bezaubernde Charme des Werks ist vergleichbar mit dem liebenswürdigen Wesen Leopold Sommers. Doch die Etüde ist nicht in Dur, sondern in moll geschrieben, und so liegt ein Hauch von Melancholie über ihr.[217]

Wo war Leopold? Lebte er noch? Waren ihm, wie vielen Menschen in Theresienstadt, Abende wie dieser vergönnt, an denen er sich aufrichten konnte? Seit die Nationalsozialisten ihr Leopold weggenommen hatten, waren Alices Konzerte immer auch eine Art Bittgebet um das Leben ihres Mannes, ein Flehen um ein Wiedersehen mit ihm.

Die »Wagemutige« op. 25 Nr. 3, F-Dur

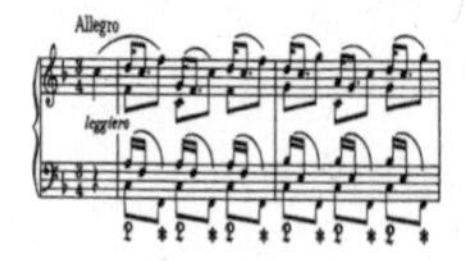

Sowohl klanglich als auch ästhetisch ist die dritte Etüde in F-Dur, die »Wagemutige«, ein Beispiel für Chopins kompositorische Phantasie. Es steckt viel Kapriziöses, Anmutiges und Scherzhaftes im ersten Motiv, das mit einem zweiten melancholischen, flehenden Motiv wechselt. Die Anmut und Heiterkeit der Melodie spiegeln sich auf geheimnisvolle Weise im Wesen von Zdenka Fantlová. Tief haben sich die Etüden in ihrem Inneren verankert und sie ein Leben lang begleitet.

Als am 18. Oktober 1944, nach qualvollen Tagen im Viehwaggon, die Schiebetür endlich aufgezogen wurde, sie die Aufseher mit ihren Hunden und den Knüppeln in den Fäusten an der Rampe von Auschwitz stehen sah und sie die Luft »voll von süßlichem Rauch«, »als ob man irgendwo Fleisch verbrannte«, einatmete, da begriff Zdenka Fantlová plötzlich, »dass es jetzt ums nackte Leben geht«. »Hier regiert der Tod, und die Gefahren sind groß. Du bist bedroht ... wenn du Glück hast, werden sie dich nicht töten ... du musst selbst alle Kräfte mobilisieren, um zu überleben ...«[218] Dazu gehörte auch und ganz besonders, sich die Musik, das Theater und die Konzerte in Erinnerung zu rufen, die ihr in Theresienstadt so viel Kraft gegeben hatten.

Nun aber stand sie an der Rampe zwischen eintausendfünfhundert Deportierten, die von drei SS-Offizieren abgefertigt wurden.

> »Die Stiefel hatte jemand auf Hochglanz gebürstet, und der Totenkopf an der Mütze verriet nur allzu klar, wozu sie da waren. Alle drei schauten sehr streng drein. Der in der Mitte, mit Handschuhen, gab mit der rechten Hand Befehle. Sichtlich sortierte er: ›Links! Rechts! Links! Links! Links! Rechts!‹ ... Jetzt war die Reihe an uns dreien. Meine Mutter war voller Angst und böser Vorahnung. Ich blickte den Offizier direkt an. Ein schöner Mann, der weder streng noch gar böse aussah, nur seine hellblauen Augen hatten einen stählernen Glanz. ›Links‹ hieß es ohne Bedenken für meine Mutter und

ebenso sicher ›Rechts‹ für mich. Auf meine sechzehnjährige Schwester reagierte er nicht ausdrücklich. Also packte ich sie blitzschnell am Arm und zog sie mit mir nach rechts. Noch hatte ich Zeit für einen Blick in Mutters Gesicht. Es spiegelte ihr ganzes Entsetzen und die Verzweiflung, uns nie mehr wiederzusehen. Dann verlor sie sich schnell in der Menge.«[219]

Nach der Selektion kam die Leibesvisitation. Es war bei Todesstrafe verboten, persönlichen Besitz zu haben:

»In einem kleinen Raum mussten wir uns völlig entkleiden … standen nackt da, eine neben der anderen. Den Ring von Arno behielt ich allerdings am Finger. Ich war nicht gewillt, mich von ihm zu trennen. Ganz im Gegenteil. Er wird mein Talisman, meine Kraft und Hoffnung werden. Meine Flamme, die mich am Leben erhalten wird. Im Gänsemarsch mussten wir durch eine enge Öffnung, hinter welcher ein SS-Mann kontrollierte, ob wir tatsächlich nichts mehr bei uns hatten. Schon war ich beinahe an der Reihe, als uns Schreien, Weinen, Bitten, Schläge aus der Fassung brachten. Was war passiert? Ein Mädchen hatte ihren Verlobungsring unter der Zunge versteckt, aber der Mann in Uniform hatte ihn entdeckt. Er schlug sie fürchterlich und führte sie ab.
Eine Leidensgenossin sah den Ring an meinem Finger. ›Um Gottes willen, tu den Ring weg! Du bist verrückt, man wird dich erschlagen. Ein Stück Blech steht doch wohl nicht dafür. Du hast doch gesehen, was mit der vor uns passiert ist.‹ … Trotz des Zwischenfalls, entgegen allen Gefahren, nahm ich den Ring in den Mund und trat, dem Schicksal ergeben, vor den kontrollierenden SS-Mann.
Ich war mir aller etwaigen Konsequenzen bewusst, aber mein Entschluss stand fest, und ich war bereit, jeden Preis zu zahlen. Er begann meine Haare zu durchsuchen, und ich wartete nur noch auf den Befehl, auch die Lippen zu öffnen. Aber in diesem Augenblick mischte sich eine höhere Charge in die Kontrolle ein, mit dem Befehl, sie zu beschleunigen. Also

wurde ich weitergeschubst, und die nächsten kamen dran. ›Schnell! Los!‹ So hatte ich den Ring behalten. Es war dies meine erste vom Schicksal auferlegte Prüfung – und ich hatte sie bestanden …«[220]

Die »Tänzerische« op. 25 Nr. 4, a-moll

Die vierte Etüde in a-moll ist ausgesprochen effektvoll und rhythmisch mitreißend, mit ihrer ungestümen Melodie hat sie den Charakter eines mehrstufigen Liedes. Man könnte sie die »Tänzerische« nennen. Den Ungarn Stephen Heller, der zu den großen Pianisten des 19. Jahrhunderts zählte, erinnerte sie an den ersten Takt des Kyrie aus dem Mozartschen Requiem.

Die damals dreizehnjährige Anna Flachová – eine der wenigen Überlebenden aus dem Brundibár-Ensemble – stand an die Wand des Rathaussaals gelehnt und nahm die Musik – von ihrem Zauber wie entrückt – in sich auf.

Flaška, so wurde sie genannt, hatte 1937 mit sieben Jahren Klavier zu spielen begonnen. Zwei Jahre später erhielt sie ihre ersten Gesangsstunden. Der Einmarsch der deutschen Truppen in die Tschechoslowakei wurde zur unbarmherzigen Zäsur ihrer Kindheit. Sie war gerade zehn und trug den gelben Stern an ihrem Mantel, als zwei deutsche Soldaten sie im Vorbeigehen musterten: »So ein schönes Mädchen. Nur schade, dass sie eine Jüdin ist.«[221] Das war noch harmlos im Vergleich zu den anderen antisemitischen Attacken, die das Mädchen erlebte. Als die Mutter ihr weiße Filzstiefel gekauft hatte, blieb eine Frau stehen, zeigte auf Flaškas Füße und schrie: »Du Saujüdin, gib die Stiefel her. So eine wie du darf solche Stiefel gar nicht haben!«[222]

An ihrem elften Geburtstag, dem 26. November 1941, kam die Aufforderung zur »Einreihung in den Transport« – zum ersten Mal sah sie ihre Mutter weinen. Seit dem 2. Dezember 1941 lebten sie in Theresienstadt.

Die Etüden gingen Flaška so unter die Haut, dass ihr plötzlich ein klares Ziel vor Augen stand: »Wenn ich das Ghetto überlebe, dann werde ich Pianistin.« Flaška überlebte den Holocaust. Sie studierte in Prag Klavier und Gesang, wurde eine erfolgreiche Künstlerin und brachte es zu einer Professur am Brünner Konservatorium.[223]

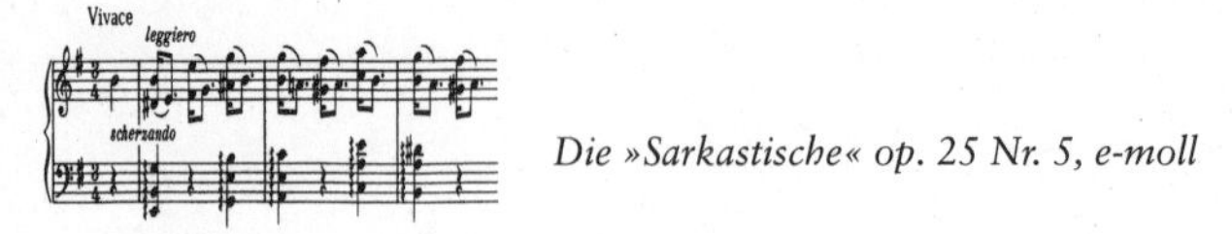

Die »Sarkastische« op. 25 Nr. 5, e-moll

Die Einleitung der e-Moll-Etüde hat etwas Spöttisches, das auch Karel Švenk, dem populärsten Theatermann im Ghetto, eigen war. Vor dem Krieg war er – von Beruf Koch – als Amateur über den »Klub der ungenutzten Talente« auf die Bühne gestolpert. »Seine komische Neigung zu einer lächerlich wirkenden Korpulenz, zusammen mit seiner Unentschlossenheit, machte ihn zu einer erschütternd komischen Figur als Podkolesin in Gogols ›Hochzeit‹.«[224]
Er war mit dem ersten Transport, dem sogenannten Aufbaukommando, Ende 1941 nach Theresienstadt gekommen und hatte gleich in den ersten Wochen sein Kabarett gegründet, das – trotz mancher Alternativen – bis zum Schluss das beste und mitreißendste im Lager blieb. Karel Švenk war ein erstaunliches Allroundtalent: Autor und Dramaturg, Liedertexter, Komponist und Regisseur in einer Person. Selbst seine großen Erfolge nahmen ihm nichts von seiner Bescheidenheit, seiner Unschuld und seiner Mitmenschlichkeit:

> »Švenk war vor allem ein großer Clown. Von nichtintellektueller Herkunft, dort stehend, wo man ihn hinstellte, ungeschickt, lächerlich, aber gut, den bösen Gegner durch einen bloßen Blick entwaffnend und demaskierend – das war seine Grundgestalt. Er hatte die großen traurigen schmunzelnden Augen der uralten Schelme, die immer Opfer der Gerissenen und Rücksichtslosen werden, jedoch ob es diesen passt oder nicht – bleiben sie die Überlebenden.«[225]

Sein Stück »Der letzte Radfahrer« war derart provokativ, dass der Ältestenrat sich zum ersten Mal in der facettenreichen Geschichte

des tschechischen Theaters von Theresienstadt genötigt sah, zum Mittel der Zensur zu greifen. Er bewilligte die Aufführung nur unter der Bedingung, dass der Schluss gestrichen würde.
Zum Schein ging der Autor darauf ein, doch bei der Aufführung zeigte er das Stück, das von Deportation und Diktatur handelte und mit der hinlänglich bekannten Redensart von »den Juden und Radfahrern, die an allem schuld sind« spielte, dennoch ungekürzt. Am Ende wurde die Diktatorin vernichtet und die Zuhörerschaft aufgefordert, nach Hause zu gehen. Die Herrschaft der Narren sei zu Ende. Vorhang.
Als spräche er einen Epilog, meldete sich schließlich ein anderer Schauspieler zu Wort und fügte warnend hinzu, dass »dort unten und draußen« die Narrenherrschaft weiterhin andauere. Noch dürfe man nicht sagen, was man denke.
In diesem Moment ging der Vorhang wieder auf und vom Klavier her ertönten die Akkorde eines weithin bekannten Kampflieds. Nun stand das gesamte Ensemble Hand in Hand auf der Bühne und bewegte leise die Lippen in einer Weise, als sänge es den aufrührerischen Text des Liedes mit. Das Publikum verstand die Anspielung genau und dankte mit nicht enden wollendem Applaus.
Karel Švenks vielfältiges Talent zeigte sich auch darin, dass er, ohne eine einzige Note schreiben zu können, die einzige echte Hymne des Ghettos komponierte. Ihre letzten Worte lauteten: »… auf den Trümmern des Ghettos werden wir lachen.« [226]
Švenk selbst erlebte dieses Lachen nicht mehr. Er wurde mit einem der Herbsttransporte in ein Vernichtungslager deportiert. Zum Zeitpunkt der Befreiung war er bereits dem Tod geweiht. Auf dem Weg zurück in die Heimat starb er an Erschöpfung.

Die »Terzenetüde« op. 25 Nr. 6, gis-moll

Sie wirke wie ein »Totentanz«, wurde über die sechste Etüde in gis-moll geschrieben, die mit ihren chromatischen Terzen als eines der schwierigsten Klavierstücke gilt, das je komponiert wurde. So sagenhaft schwierig die Spieltechnik, so geheimnisvoll ist ihr musikalischer Ausdruck. »Mit seiner gedämpften Dynamik (sotto voce), der Chromatik und dem huschenden Tempo erinnert das Stück an die in der Romantik so beliebten Walpurgisnachtschilderungen von Berlioz (Songe d'une Nuit du Sabbat) und Mendelssohn (Scherzo aus op. 20).«[227]

Die unheimliche Stimmung dieser Etüde entsprach den Gerüchten, die seit wenigen Tagen durch Theresienstadt geisterten. Anfang Februar 1945 hatte die SS-Kommandantur zwei Aufträge an die Jüdische Selbstverwaltung übermittelt: Zum einen sollte der Bau von gasdichten Räumen realisiert werden, zum anderen ein großes Plateau an den Wallmauern fluchtsicher umzäumt werden. Das Gerücht von den Vergasungen in Auschwitz hatte das Ghetto zu diesem Zeitpunkt bereits erreicht. Kaum ein Gefangener, der nicht misstrauisch wurde und Todbringendes ahnte.

Lagerkommandant Karl Rahm versuchte die Häftlinge zu beruhigen: »Wo denkt ihr hin, in Theresienstadt machen wir keine Gaskammern!«[228] Dem Judenältesten Benjamin Murmelstein erklärte er, man wolle ein bombensicheres Lebensmittellager und eine diebstahlsichere Geflügelfarm bauen. Die Techniker und Bauleute misstrauten ihren Auftraggebern zutiefst – und widersetzten sich den Anordnungen aus Berlin.

Eine Analyse des sogenannten Lüftungssystems, das eingebaut werden sollte, schien zu bestätigen, was die Bauleute befürchteten: dass es sich um Leitungen handelte, durch die Gas in die Kammern geleitet werden konnte. Einer der Techniker, Ingenieur Erich Kohn, unterrichtete Murmelstein davon und erklärte, Juden würden nicht an der Errichtung von Installationen mitarbeiten, die der Vergasung von Juden oder anderen Menschen dienen könnten. Eher würden sie sich vor den Augen der ganzen Welt erschießen lassen, als diese Arbeit fortzusetzen. Die ganze Nacht lang wurde heftig diskutiert. Am nächsten Morgen sprach Murmelstein beim Lagerkommandanten vor.

Schließlich ließ Rahm Kohn kommen. Ob er wirklich glaube, dass es sich um den Bau von Gaskammern handle?! Kohn bejahte. Rahm zog darauf seinen Revolver und versetzte Kohn vor den Augen der versammelten jüdischen Arbeiter Ohrfeigen und Fußtritte.[229]

Noch am selben Tag schickte die SS einen Bericht über den Widerstand nach Berlin. Daraufhin wurden die Bauarbeiten ebenso eingestellt wie die Einzäumung des Plateaus.[230] Offensichtlich war die SS-Führung bereits so verunsichert, dass sie nicht mehr wagte, in der gewohnt brutalen Weise gegen die Opponenten vorzugehen. Später, als der Kommandant der Kleinen Festung vor Gericht stand, bestätigten sich die bestialischen Pläne. Neben der Gaskammerversion hatte man alternativ das umzäumte Plateau geplant, um dort mit Flammenwerfern Tausende von Gefangenen bei lebendigem Leibe zu verbrennen.[231] Ohne den mutigen Widerstand der Bauleute wäre es der SS womöglich gelungen, einen letzten, alles vernichtenden »Totentanz« in Theresienstadt zu inszenieren.

Die »Wehmütige« op. 25 Nr. 7, cis-moll

Die siebte Etüde in cis-moll ist die einzige langsame des Zyklus. Sie als die »Schmerzvolle« zu bezeichnen wäre auch zutreffend, denn sie ist eine ergreifende, von großer Trauer und Verzweiflung durchdrungene Elegie.

Unter den Zuhörern saß auch der Ingenieur Arnošt Weiss, der als Leiter der Abteilung »Bauausführung« im Ghetto eine Schlüsselstellung innehatte, die ihn vor den bisherigen Transporten bewahrt hatte.

Arnošt war ein leidenschaftlicher Kammermusiker. Obwohl er in seiner Jugend lange mit einem Musikstudium geliebäugelt hatte, war er an die Technische Hochschule in Wien gegangen und ein tüchtiger Zivilingenieur in Olmütz geworden.

Kammermusikabende gehörten in der Familie zum festen Programm, selbst als sie 1940 aus ihrer Heimatstadt Olmütz nach Prag ausgewiesen wurde. Dort knüpfte Arnošt Weiss neue Freundschaften, so zum Violinpädagogen Professor Erich Wachtel, und vor allem zum Freundes- und Verwandtenkreis von Alice Herz-Sommer. An den Wochenenden musizierten sie oft im Quartett: Arnošt Weiss spielte die Viola, Alices Bruder Paul Herz die Primgeige, Leopold Sommer die zweite Geige und Dr. Jóši Haas das Cello.[232]

Doch dann kam um Weihnachten 1941 der Erlass der deutschen Machthaber, alle Juden hätten unter Androhung schwerster Bestrafung die in ihrem Besitz befindlichen Musikinstrumente sofort abzugeben. Zu jener Zeit sah man viele bedrückte Menschen mit aller Art von Musikinstrumenten zum Depot im Josephsviertel wandern. Doch das waren erst die Vorzeichen.

Am 27. Januar 1942 musste sich Arnošt Weiss mit seiner Frau und seinem Sohn unter den Nummern 825, 826 und 827 an der Sammelstelle einfinden. Dort verbrachten sie drei extrem kalte Nächte auf dem Fußboden der ungeheizten Halle, ehe sie mit dem Transport V nach Theresienstadt kamen.

Arnošt Weiss, der als Leiter der Abteilung »Bauausführung« das KZ überlebte, schrieb Jahrzehnte später: »Arme Kinder! Arme Erwachsene! Eintausend Juden waren mit diesem Transport V deportiert worden. Nur zweiunddreißig Erwachsene und fünf Kinder überlebten die Schreckensherrschaft der Nazis.«[233]

Schon als kleiner Junge begeisterte Arnošt Weiss seine Mitmenschen mit seiner faszinierenden Art, Melodien zu pfeifen. In Theresienstadt brachte er es darin zu wahrer Meisterschaft:

> »So pfiff ich auch im Lager oft vor mich hin, ohne mir dessen bewusst zu sein. Es geschah auf dem Abort, dass mir ein älterer Mann zurief: ›Hören Sie, junger Mann, wissen Sie, was Sie da pfeifen?‹ – ›Gewiss‹, antwortete ich, ›Beethovens Rasumofsky-Quartett Nr. I.‹ Mit Tränen in den Augen kam der Mann auf mich zu und stellte sich als Freudenthal, ehemaliger Berliner Philharmoniker, zuletzt Konzertmeister der Oper in Aussig, vor. Er pfiff nun die Primstimme, und ich pfiff und brummte die übrigen drei Instrumente dazu. Mein erstes Quartettspiel in Theresienstadt.«[234]

Die »Grazile« op. 25 Nr. 8, Des-Dur

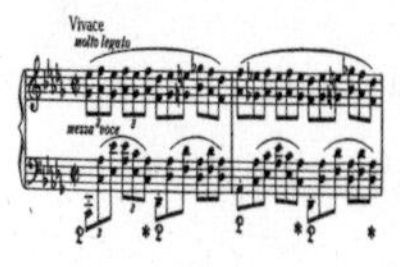

Die achte Etüde in Des-Dur ist ein sehr kurzes und leises Meisterwerk von betörender Anmut und unnachahmlicher Grazie. »Das Werk bekam den lebendigen Hauch, die Schönheit und Vollkommenheit unter der modellierenden Hand des Künstlers, der in ihr ein göttliches Fluidum hatte.«[235] So manch einer der Zuhörer mag bei diesem vollkommenen Meisterwerk an das bittere Leben der vielen Kinder Theresienstadts gedacht haben.
»Hier flogen keine Schmetterlinge, hier wuchsen keine Bäume und blühten keine Blumen. Aber Kinder mussten hier leben. Kinder und junge Leute – Gefangene wie alle anderen ... Furchtbare hygienische Bedingungen in dem überfüllten Städtchen – Mangel an Nahrungsmitteln ... Überfüllte Quartiere ... Ein menschlicher Ameisenhaufen ... Schmutz, Flöhe, Wanzen, Läuse, Mäuse, Ratten. Ansteckende Krankheiten wüteten ... Mehr als fünfzehntausend Kinder passierten das Ghetto Theresienstadt, nur ungefähr einhundert kamen zurück«, schrieb Irma Lauscherová in ihrem 1968 veröffentlichten Artikel über »Die Kinder von Theresienstadt«. Lauscherová war sozusagen die Seele des heimlichen Schulsystems im Ghetto:

> »Ich möchte auch wissen, ob sich Frau Alice Herz-Sommer im fernen Jerusalem, wo sie an einem Konservatorium unterrichtet, noch an ihre Tätigkeit in Theresienstadt erinnert. Sie ist eine hervorragende Musikpädagogin, die einigen begabten Kindern nach der Morgenschicht im Saale des Rathauses auf dem alten Klavier Unterricht gab, oder aber vor der Nachmittagsschicht in der Glimmerspalterei. Das genügte ihr jedoch nicht. Die musikalische Erziehung sollte einen größeren Kreis von Jugendlichen erfassen. So begannen die Konzerte für Jugendliche. Jeden Samstag setzte sie sich am späten Nachmittag inmitten ihrer stillen Zuhörer ans Klavier. Sie spielte dann ein Motiv vor, erklärte es, spielte wieder einige Takte, erklärte sie neuerlich – und schließlich spielte sie vir-

tuos, mit der Perfektion einer großen Künstlerin, ihrer jungen Zuhörerschaft ganze Werke vor.«[236]

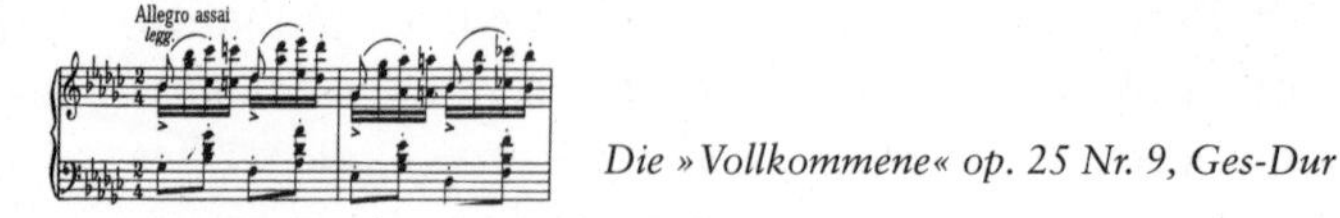

Die »Vollkommene« op. 25 Nr. 9, Ges-Dur

Es folgte die neunte Etüde in Ges-Dur, deren schöne Melodie an das Thema aus dem dritten Satz der Sonate G-Dur op. 79 von Beethoven erinnert. In der klassischen Formsprache der Beethovenschen und Schubertschen Tradition erreicht diese Etüde »den Gipfel an Vollkommenheit und Kunstfertigkeit«.[237]
Vollkommenheit in der Musik strebte auch der prominenteste Komponist Theresienstadts, Viktor Ullmann, in seinem Werk an. Alice und Ullmann kannten sich gut und schätzten einander sehr. Ullmann widmete ihr seine vierte Sonate. Zwischen Sommer 1943 und Frühjahr 1944 hatte er die heute weltbekannte Oper »Der Kaiser von Atlantis« geschrieben[238] – das symbolträchtige und hochaktuelle Libretto stammte aus der Feder von Peter Kien. In Theresienstadt kam die Oper wegen ihres Inhalts nie zur Aufführung, denn sie handelt von einem Diktator, der einen grausamen Krieg gegen den Rest der Welt führt. Ohne Erbarmen mordet er, so dass der Tod sich schließlich weigert, seine Aufgabe weiterhin zu erfüllen. Von nun an sterben die Menschen nicht mehr. Todkranke kriechen herum und warten vergeblich auf ihre Erlösung. Schließlich lädt der Kaiser den Tod ein und bittet ihn um Hilfe. Der Tod zögert erst, dann erklärt er sich bereit, seine Arbeit wieder aufzunehmen, machte es jedoch zur Bedingung, dass der Kaiser sein erstes Opfer sei. Viktor Ullmann wurde im Oktober 1944 in Auschwitz ermordet.

Die »Oktavenetüde« op. 25 Nr. 10, h-moll

Die »Oktavenetüde« in h-moll, es ist die zehnte in diesem Zyklus, ist voller Dramatik und Anklage. Das Stück gleicht einem Taifun, so gewaltig ist die Wirkung der düsteren und dämonischen Oktavenläufe.

Im Juni 1944 hatte die »Affäre der Maler« Theresienstadt erschüttert.[239] Anlass dazu hatte eine Visite einer Kommission des Internationalen Roten Kreuzes gegeben. Ein Kommissionsmitglied wollte sich offensichtlich nicht zufrieden geben mit der Besichtigung der restaurierten Häuserzeilen und Straßenzüge, die vorher von jüdischen Häftlingen auf Hochglanz gebracht worden waren. Er verlangte auch hinter die Fassade der Potemkinschen Dörfer zu blicken und sorgte damit für Unmut bei der SS. Die stellte bei der Gelegenheit fest, dass in den vorangegangenen Monaten offensichtlich Zeichnungen Theresienstädter Künstler in die Schweiz geschmuggelt worden waren.
Im Juni 1944 wurden deshalb die Theresienstädter Maler und Graphiker Bedřich Fritta, Otto Ungar, Felix Bloch und Leo Haas verhört – von Adolf Eichmann höchstselbst. Die SS legte Zeichnungen als Beweismittel vor, etwa eine Skizze von Häftlingen, die ausgemergelt und ausgehungert nach Kartoffelschalen suchen.
»Wie konnten Sie sich so etwas ausdenken und zeichnen, das der Wirklichkeit derart Hohn spricht?« wurde Leo Haas gefragt. »Behaupten Sie wirklich, dass im Ghetto gehungert wird? Das Rote Kreuz hat das keineswegs festgestellt.«[240] Schließlich erhob die Prager Gestapo Anklage wegen »Gräuelpropaganda und deren Verbreitung im Ausland«.
Felix Bloch wurde bereits in der Kleinen Festung von Theresienstadt erschlagen, Bedřich Fritta starb in Auschwitz, Otto Ungar in Buchenwald. Nur Leo Haas überlebte die Haft in Sachsenhausen.[241]

Die »Eroica« op. 25 Nr. 11, a-moll

Die sowohl in ihrem Ausmaß als auch im Ideengehalt monumentale elfte Etüde in a-moll ist unzweifelhaft die leidenschaftlichste des zweiten Zyklus und ähnelt in gewisser Weise der »Revolutionsetüde«. Diese unbändige Leidenschaft war prägend für Rafael Schächter, der sich als Dirigent und Komponist in Theresienstadt zur überragenden Figur der Musikszene entwickelt hatte. Er war bereits am 30. November 1941 nach Theresienstadt gekommen. Als das Musizieren noch verboten war, hatte er begonnen, mit den Männern mehrstimmig tschechische Volkslieder einzuüben.[242] Mit unendlicher Geduld baute er einen sechzig Sängerinnen und Sänger zählenden Chor auf und brachte es fertig, am 28. November 1942 Smetanas »Verkaufte Braut« aufzuführen. »Bei den ersten Takten von ›Warum sollen wir nicht fröhlich sein‹ weinte fast jeder.«[243]

Zahlreiche Inszenierungen folgten, doch zum Höhepunkt von Schächters Schaffen im Ghetto wurde die Aufführung von Verdis Requiem. Seine Idee, den Schmerz und das Leid der Juden in Theresienstadt mit einer katholischen Totenmesse auszudrücken, war im Ghetto kontrovers diskutiert worden. Aber »seine Begeisterung für Verdis Werk grenzte an Fanatismus; zu einer Zeit, zu der jeder Häftling im Innersten nur noch um sein Leben bangte, erarbeitete er wie ein Besessener eine Totenfeier, das Requiem aller Opfer der Nazi-Verbrechen«.[244]

Das Unternehmen stand unter keinem guten Stern. Am 6. September 1943 fand die Premiere statt. Doch unmittelbar danach ging ein Transport von Theresienstadt nach Auschwitz. Fast alle Mitglieder des Chors wurden deportiert.

Nach diesem fürchterlichen Schlag gab Schächter nicht auf, sondern machte sich auf die Suche nach neuen Sängern. Am 2. Januar 1944 erfolgte die »zweite Premiere« mit dem neuen Chor im Beisein des Vorsitzenden des Ältestenrates. Doch auch die einhundertfünfzig Mitglieder des zweiten Chors mussten schon bald in die Viehwaggons, die sie nach Auschwitz brachten. Schächter versuchte es ein drittes Mal. Er schaffte es auch diesmal, doch mit den Herbsttransporten 1944 war das Schicksal des Chors und seines Dirigenten besiegelt. »Wer die Geschichte der Aufführungen von Verdis Requiem in Theresienstadt kennt, der wird in den Klängen dieses Oratoriums immer die Verzweiflung, das moralische Sichaufbäumen der Theresienstädter Musiker mit vernehmen.«[245]

Die »Göttliche« op. 25 Nr. 12, c-moll

Die zwölfte und letzte Etüde in c-moll ist die wahrscheinlich intensivste, erfüllt von heroischer Dramatik. Man meint, ein Bild des stürmischen Meeres und der brechenden Wellen vor sich zu haben.[246] Alice nennt diese Etüde die »Göttliche«. Eine Augenzeugin des Konzerts vom Februar 1945 schrieb über die Aufführung: »Diese Inspiration voller Wehmut und Lieblichkeit eines jungen Chopin kann in naturhafter Vollendung nur eine Interpretin in Wiedergeburt und Auferstehung fortleben lassen, und das ist die gottbegnadete Künstlerin Frau Sommer-Herz.«

12
Befreiung
»So schnell meine Füße mich tragen konnten«

Paul? ... Paul!«
Paul Herz hatte keine Kraft, sich nach der Stimme in seinem Rücken umzudrehen. Seit dem frühen Morgen war er mit drei weiteren Häftlingen vor einen Wagen gespannt. Wie Ackergäule zogen sie das Gefährt zwischen dem Anschlussgleis vor der Hamburger Kaserne und der Baustelle am historischen Festungswall hin und her. Beladen mit Bauhölzern in die eine Richtung, mit Schutt und Erde in die andere.

Direkt nach seiner Ankunft in Theresienstadt am 11. Februar 1945 war Paul Herz einer Sondereinheit der Bauabteilung zugeteilt worden.[247] Mehrere hundert Häftlinge waren abkommandiert, um einen Teilabschnitt der beiden Wälle, die parallel zueinander um die ehemalige Garnisonsstadt liefen, mit zwei Mauern zu einem Geviert zu verbinden. So sollte nach offizieller Mitteilung ein künstlicher Teich für die geplante Entenzucht entstehen. Bald sprach sich jedoch herum, dass die Häftlinge in Wahrheit damit beschäftigt waren, ihr Grab zu schaufeln. Möglicherweise plante die SS, die Gefangenen unter dem Vorwand einer neuerlichen Zählung in den Graben zu locken und ihn dann zu fluten. Etwa fünfzehntausend Menschen, hatte die SS errechnet, könnte man so auf einen Schlag ertränken. Die wenigen Fliehenden, von denen auszugehen war, wären mit einer einzigen Maschinengewehrsalve zu erledigen.[248]

Als Paul jemanden einige Takte aus Beethovens erstem Rasumofsky-Quartett pfeifen hörte, hellte sein Gesicht sich auf. Er drehte sich zur Seite und sah – er hatte sich also nicht getäuscht – seinem Freund Arnošt Weiss ins Gesicht.
»Paul, der Geiger! ... Du bist es wirklich!« Arnošt Weiss, mit dem Paul daheim in einem Streichquartett musiziert hatte, war der Leiter der Abteilung »Bauausführung« innerhalb der Jüdischen Selbstverwaltung – und Pauls Rettung.
»Seit wann ...?« wollte er wissen.
»Mein vierter Tag«, antwortete Paul Herz knapp. Als »arisch versippter Jude« war er in Prag unter Hausarrest gestanden und zum Arbeitsdienst herangezogen worden. Bis zuletzt hatte er gehofft, von der Deportation verschont zu bleiben. Ende Januar 1945 hatten die Deutschen doch noch begonnen, die bis dahin »geschützten« Juden nach Theresienstadt zu verschleppen. Mehr als dreieinhalbtausend Menschen aus sogenannten Mischehen wurden bis März 1945 aus dem gesamten Protektorat nach Theresienstadt gebracht.[249]
»Kannst du mir sagen, was mit meiner Schwester ist ...?« fragte Paul. Seit Juli 1943 hatte er kein Lebenszeichen von Alice erhalten.
»Am Samstagnachmittag gibt sie wieder ein Konzert«, wusste Arnošt Weiss. »Für Kinder und Jugendliche.« Pauls müde Augen blitzten auf. »Halte noch ein paar Tage durch. Ich kümmere mich ...«, riet ihm der Freund.
Am späten Nachmittag schleppte sich der vierundvierzigjährige Paul Herz in seine Unterkunft, ließ sich auf seine Schlafstelle fallen, unfähig, sich nach Alice und ihrer Familie zu erkundigen, unfähig sogar, zu essen oder sich zu waschen. Er flüchtete in den Schlaf, bis am nächsten Morgen um sechs Uhr die Sirene heulte. Beim anschließenden Appell hörte er seinen Namen. »Paul Herz meldet sich sofort beim leitenden Ingenieur Weiss in der ›Bauausführung‹.«

***

»Das nenne ich Glück«, begrüßte Arnošt Weiss seinen alten Freund. »Ich brauche einen Mitarbeiter für das Materiallager, und da kommst just du vorbei. Du wirst gleich in deine neue Aufgabe eingewiesen. Komm mit, Paul.« Und im Gehen: »Im Übrigen suche ich auch jemanden, der am Abend mit mir musiziert.«
»Lange wird das hier nicht mehr dauern. Meinst du nicht?« Paul übte sich in Zuversicht. Der Zusammenbruch von Hitlers Armee stehe doch an allen Fronten unmittelbar bevor. Es könne sich doch eigentlich nur noch um Tage handeln, bis der Krieg zu Ende sei und sie wieder nach Hause fahren würden. Arnošt warnte Paul. »Mag sein, dass die Deutschen kapitulieren müssen, aber vorher wollen sie uns noch loswerden.« Dann erzählte er, wie er den Bau des vermeintlichen Ententeichs zu boykottieren oder wenigstens zu verzögern versuchte. Dabei wäre dieser Teich neben den geplanten unterirdischen Räumen, die angeblich mit gasundurchlässigen Türen und Lüftungssystemen versehen werden sollten, nur eine weitere Maßnahme, mit der man die Juden im Ghetto vernichten wolle.
Gleich am ersten Tag durfte Paul Herz früher Schluss machen, denn es war Samstag. »Alice spielt um fünf im Rathaus«, sagte Arnošt Weiss. »Und jetzt geh ...«

***

Im vorderen Teil des Rathaussaals drängten sich etwa einhundert Kinder und Jugendliche, hinten hatten Dutzende Erwachsene Platz genommen. Paul Herz setzte sich in die letzte Reihe und beobachtete seine Schwester. Ihre lebhaften Gesten entzückten ihn. Alice stand am Klavier und unterhielt sich mit einer der Betreuerinnen. Später erfuhr Paul, dass sie Irma Lauscherová hieß und die heimliche »Schuldirektorin« von Theresienstadt war. In der vordersten Reihe entdeckte Paul auch seinen Neffen Stephan. Er war ordentlich gewachsen. Und er sah zufrieden aus.
Jeden Samstag machte Alice ihr Publikum mit einem neuen Komponisten bekannt – diesmal spielte sie ein Werk des Tschechen Vítězslav Novák, dann erzählte sie aus dem Leben des Künstlers.[250]

Mit didaktischem Geschick, hinreißender Natürlichkeit und einer Begeisterungsfähigkeit, der ihr Publikum sich gern anschloss, ging sie auf eine Reise ins Mähren der Jahrhundertwende, dessen Natur und Volksweisen Nováks Musik entscheidend geprägt hatten. Im Gegensatz zu seinem berühmteren Zeitgenossen Leoš Janáček war Novák kein Avantgardist, sondern ein Repräsentant der tschechischen Spätromantik.

»Es geht ihm letztlich immer um die Schönheit und Erhabenheit der Natur und ihre Sinnhaftigkeit«, schwärmte Alice. Dann führte sie am Klavier vor, mit welch einfachen Mitteln der Dvořák-Schüler, der seinerzeit in der ostböhmischen Kleinstadt Skuteč gelebt hatte und fünfundsiebzig Jahre alt geworden war, beispielsweise den Ruf des Kuckucks in seine Kompositionen einbaute. Alice ließ die Kinder alle zusammen »kuckuck« rufen, und sie antwortete mit der Tonsequenz, in der Novák den Kuckuck imitierte. Darauf meldeten sich wieder die Kinder zu Wort, und daraus entstand ein munteres Zwiegespräch, das schließlich in Gelächter aufging.

»Novák kann aber auch blühende Bäume und das Azurblau des Himmels in Musik umsetzen«, fuhr Alice fort. »Hört gut zu!« Die Melodie kündete vom Frühling, der früher oder später jedem Winter folgt, das Licht, das – irgendwann – die Dunkelheit vertreibt …

Alices Botschaft war unmissverständlich: Kinder, vertraut auf den nächsten Frühling. Männer, Frauen, eure Befreiung steht bevor. Um dem Nachmittag seine Leichtigkeit nicht zu nehmen, erzählte Alice noch einige Anekdoten von ihrem Lehrer Václav Štěpán, dessen engem Freund Vítězslav Novák und ihrer gemeinsamen Liebe zur Natur. Zum Ausklang spielte sie ein weiteres Novák-Lied.

Als das Publikum sich verabschiedet hatte, erhob Paul sich von seinem Stuhl und ging auf Alice zu. Sie bemerkte den Bruder noch immer nicht – so vertieft war sie in ihre Arbeit.

»Onkel Pavel!« Stephan drehte sich aufgeregt zwischen seiner Mutter und Paul Herz hin und her. »Maminka, Pavel ist da, schau doch«, rief er, dann warf er sich in die Arme seines Lieblingsonkels. In Prag hatten sie weniger als zehn Gehminuten voneinander

entfernt gelebt, Paul war jede Woche bei Alice und Leopold zu Gast gewesen, um mit dem Schwager oder mit der Schwester zu musizieren.
Paul nahm sich alle Zeit, Stephan zu liebkosen, dann wandte er sich seiner Schwester zu.
»Wir hatten gehofft, es bleibt dir erspart«, sagte Alice und musterte ihren wohlgenährten Bruder überrascht.
»Mary hat ihre Quellen, egal, wonach einem der Sinn steht«, und das klang beinah, als fühlte Paul sich ertappt. »Ich habe meine Geige mitgebracht.«

***

Hinter den Kulissen liefen unterdessen Verhandlungen zwischen der SS-Spitze und dem Internationalen Komitee des Roten Kreuzes; denn abermals begehrte eine Delegation der Hilfsorganisation Einlass nach Theresienstadt. Erst reagierte die SS erwartungsgemäß ablehnend auf die Forderungen des Roten Kreuzes – KZ-Häftlinge seien keine Kriegsgefangenen und das Rote Kreuz ausschließlich für diese zuständig. Schließlich setzte Heinrich Himmler sich jedoch gegen seine internen Widersacher durch und lenkte ein. Im Fall von Theresienstadt sei eine Ausnahme zu machen.
Am 3. März 1945 inspizierte Adolf Eichmann das Lager abermals – auf Himmlers Anweisung und, wie es hieß, widerwillig. Eichmann sollte feststellen, ob das »Ghetto« und seine Häftlinge in einem vorzeigbaren Zustand waren.[251]
»Theresienstadt, so wie es ist, muss jedem gefallen«, stellte Eichmann nach seinem Rundgang fest. Nichts daran müsse verändert werden. Doch Himmler genügte das nicht. Sein Eifer, das Rote Kreuz wohlmeinend zu stimmen, gehörte offenbar bereits zu seiner Strategie, mit der er einen – hinter Hitlers Rücken verhandelten – Separatfrieden mit den westlichen Alliierten anstrebte. Jedenfalls änderte Eichmann auf Himmlers Anordnung schon am Tag darauf seine Meinung und ordnete eine neuerliche »Verschönerung« von Theresienstadt an.
Und auch Ernst Kaltenbrunner musste einlenken. In der zweiten

Märzwoche empfing der Chef des Reichssicherheitshauptamts der SS den amtierenden Präsidenten des Internationalen Roten Kreuzes, Carl Jacob Burckhardt, und vereinbarte mit ihm, in jedes Konzentrationslager einen Vertreter der Organisation einzulassen, um an Ort und Stelle Hilfsaktionen einzuleiten. Zugleich lag Kaltenbrunner daran, den Termin für die Visite hinauszuzögern. Er wurde schließlich auf den 6. April 1945 festgelegt.
Bis dahin mussten auf ausdrücklichen Befehl Eichmanns die Wände der Häftlingsquartiere gekalkt, die Fassaden der Kasernen und Häuser gestrichen, die Parkanlagen instand gesetzt und die hygienischen Bedingungen in den Küchen verbessert werden.[252] Außerdem musste ein Bethaus her, und dem Ältestenrat wurden neue, mit Telefon und Teppichen ausgestattete Büroräume in einem noch gut erhaltenen Haus auf dem Hauptplatz zugeteilt. Als Gipfel der Hinterlist sollten ein jüdischer Friedhof errichtet und die Toten ab sofort nicht mehr verbrannt, sondern beerdigt werden – wie die jüdische Religion es vorsieht. Und vor allem sollte das Kulturleben wieder auf sein höchstmögliches Niveau gebracht werden – damit hatte das Rote Kreuz sich schließlich schon im Juli 1944 täuschen lassen.

***

»Ich brauche eine Kinderoper!«[253]
Wenige Tage nach Eichmanns Besuch befahl der Lagerkommandant Karl Rahm die umgehende Wiederaufnahme von »Brundibár« – und übersah dabei, dass seit den letzten Aufführungen im September 1944 fast alle Ensemblemitglieder, Kinder wie Erwachsene, nach Auschwitz deportiert und ermordet worden waren. Von den Kindern waren nur noch der siebenjährige Stephan Sommer und einige wenige Mädchen aus dem Chor in Theresienstadt.
Als man Rahm darauf hinwies, gab er sich pragmatisch. Dann müsse eben ein neues Ensemble aufgestellt werden, und zwar sofort. Nichts beeindrucke die internationale Kommission so sehr wie singende und spielende Kinder.

Die Leitung der Inszenierung sollte Hanuš Thein übernehmen, ein bekannter Prager Opernregisseur, der zudem mit einer wunderbaren Bassstimme gesegnet war. Als »arisch versippter« Jude war auch er Anfang 1945 in Theresienstadt eingetroffen.

»Thein, ich brauche eine Kinderoper!« So abwegig Rahms Befehl rückblickend auch klingen mag – Hanuš Thein sah darin eine Chance. Er konnte viele der Neuankömmlinge in die Produktion einbeziehen und – nach Jahren des Auftrittverbots – wieder in seinem Beruf arbeiten.

»Brundibár« bis zum Eintreffen der Rote-Kreuz-Delegation auf die Bühne zu bringen war schon aus Zeitmangel unmöglich, das musste Rahm einsehen. Auch an eine Inszenierung von Humperdincks aufwendiger Oper »Hänsel und Gretel« war nicht zu denken.

Als Alternative bot sich das »Glühwürmchen« an, der tschechische Kinderbuchklassiker, den die Schauspielerin Vlasta Schoenová gemeinsam mit der Choreographin Kamilla Rosenbaum bereits Anfang 1943 als Tanzpoem auf die Bühne gebracht hatte. Schoenová hatte die Kindergeschichte in kurzen Kapiteln rezitiert, dazwischen hatten dreißig der jüngsten Kinder Theresienstadts tschechische Volksweisen gesungen und dazu getanzt. Das Publikum war so angetan, dass die Inszenierung bis zum Oktober 1944 achtundzwanzig Mal aufgeführt wurde.

Vlasta Schoenová gehörte wie Alice Herz-Sommer zu den wenigen Mitarbeitern der »Freizeitgestaltung«, die von der Deportation in den Osten verschont geblieben waren. Doch sie weigerte sich, das »Glühwürmchen« noch einmal zu inszenieren und damit an dem »Betrugsmanöver« teilzunehmen, mit dem die tatsächlichen Verhältnisse im Ghetto verschleiert werden sollten.

Hanuš Thein hielt dagegen. Die Volkslieder in ihrer Muttersprache würden an das Nationalbewusstsein des tschechischen Publikums appellieren und die Menschen ermutigen.

***

Die verordneten »Festspiele« im Lager veränderten auch den Tagesablauf von Alice und ihrem Bruder Paul grundlegend. Am 7. März kam ein SS-Aufseher in die Baracke der Glimmerspalterei und wandte sich an den »Tisch der Freizeitgestaltung«. Dies sei ihr letzter Arbeitstag in dieser Abteilung, teilte er ihnen mit. Ab sofort hatten die Frauen noch mehr Konzerte zu geben und sich auch tagsüber auf ihre Auftritte vorzubereiten.[254]

Alice studierte mit dem niederländischen Violinvirtuosen Herman Leydensdorff zwei neue Programme ein, eines davon ein Beethovenabend, an dem auch die Sängerin Ada Schwarz-Klein mitwirkte und der mehrmals wiederholt wurde.[255] Edith Kraus trat viele Male mit ihrem Bachprogramm auf, und zudem gestaltete sie mit den neu eingetroffenen Pianistinnen Beatrice Pimentel und Elsa Schiller Abendkonzerte auf zwei Klavieren.

Paul hatte sich für ein Kammerorchester anwerben lassen. Jeden Morgen ging er nun statt in die Werkstatt in die Sokolovna, die ehemalige Turnhalle, die seit der »Verschönerungsaktion« im Juni 1944 als Gemeinschaftshaus mit Bühne, Betstube und Bibliothek für die Freizeitgestaltung im Einsatz war.

Einige der Orchestermitglieder hatten – wie Paul – ihr Instrument ins Lager mitgebracht, die anderen durften sich im Fundus bedienen. Sämtliche Streichinstrumente des inzwischen legendär gewordenen Orchesters von Karel Ančerl lagerten noch auf einem Dachboden.

Zum Orchesterleiter wurde Robert Brock ernannt, ein erfahrener Musiker, der häufig in der Tschechoslowakei und in Russland dirigiert hatte. Neben den täglichen Orchesterproben sollte er auch eine Ouvertüre für das »Glühwürmchen« komponieren und »Hoffmanns Erzählungen« auf die Bühne bringen. Und er musste die Lagerleitung schon deshalb überzeugen, weil sie launenhaft und willkürlich über Tod oder Leben der Musiker – und aller anderen Häftlinge – entschied.

Während Alice sich in ihrer Welt der Musik offenbar gut aufgehoben fühlte, hinterfragte Paul Herz, welche Absichten der Lagerleitung sich hinter den scheinbaren Privilegien der Musiker verbargen – und brachte auch seine Schwester zum Nachdenken. »Die

SS will ihre Haut retten, Alice. Sie will der Welt noch zeigen, wie gut sie uns Juden in Theresienstadt behandelt hat.« Die Geschwister beschlossen, jeden noch so kleinen Freiraum, den ihnen die Lagerleitung ließ, zu nutzen und auch einen gemeinsamen Auftritt vorzubereiten – mit Beethovensonaten. Paul hatte die Noten ins Lager geschmuggelt, einige der Sonaten hatte er noch nie zuvor mit Alice gespielt.

Gespannt verfolgte Stephan die wenigen Proben in einem kleinen Übungsraum der Magdeburger Kaserne, zu denen Alice und Paul Zeit fanden. »Ich habe gehört, dass du hier der beste Umblätterer bist«, sagte Paul zu seinem Neffen. »Können wir dich engagieren?« Der Siebenjährige war begeistert.

Die folgenden Wochen behielt er in besonders guter Erinnerung. Um neun Uhr begann Stephan den Tag mit einer Stunde Klavierunterricht, danach durfte er sich – wer hatte in einem Konzentrationslager schon Gelegenheit, irgendetwas frei zu entscheiden? – aussuchen, ob er lieber seiner Mutter beim Einstudieren ihrer Stücke zuhörte oder seinem Onkel bei den Orchesterproben, die ihm so gut gefielen, dass er beschloss, Dirigent zu werden.

Die Proben von »Pavel und Maminka« versäumte er nie, und wenn er nicht gerade umblättern musste, saß er still in einer Ecke und beobachtete die beiden.

»Weißt du noch ...«, Paul war dabei, seinen Notenständer aufzubauen, die Geige zu stimmen und den Bogen mit Kolophonium zu bestreichen; Alice saß am Klavier und ordnete die Noten, »... das D-Dur-Adagio aus der sechsten Beethoven-Sonate?«

Und ob – natürlich wusste Alice, dass das Adagio bereits Pauls Lieblingsstück war, als sie es mit zehn und elf Jahren der Mutter vorspielten. Sofie Herz wünschte sich das Stück damals fast so häufig wie die herrlich melodische Dvořák-Sonatine, die sie am liebsten mochte. »Wir beginnen wie früher«, sagte Paul. »Erst das Adagio und dann die Sonatine.« Beide Stücke spielten sie seit drei Jahrzehnten auswendig.

Alice wartete auf ihren Einsatz. Vertraute Momente, wie Paul sich vor jedem Stück konzentrierte und sich dann ein leichter, aber für sie unverkennbarer Ruck durch seinen Körper zog und seine Bereitschaft signalisierte. Mit dem plötzlichen Anheben seiner linken Schulter und einem energischen Kopfnicken setzte er schließlich das Zeichen für den ersten Ton. Um ihre Einsätze makellos sauber zu spielen, sah sie immer wieder zu ihrem Bruder – und schwermütige Gedanken drehten sich in ihrem Kopf.

Warum war sie die einzige der drei Schwestern, die sich mit Paul verbunden fühlte? War es wirklich nur die gemeinsame Liebe zur Musik? Es tat Alice weh, dass Mizzi und Irma ihren Bruder einen Tunichtgut, Faulenzer und Spieler, ja einen trinkfreudigen Abenteurer genannt und sich von ihm abgewandt hatten. Die beiden Schwestern hatten gute Gründe für ihre kritische Haltung. Aber setzten sie nicht falsche Maßstäbe? War es wirklich so schlimm, dass Paul keinem ernsthaften Beruf nachging? Er tat doch niemandem etwas zuleide. Er war ein Bohemien, das stimmte wohl, doch er war auch ein glücklicher und offener Mensch, hilfsbereit und lebensbejahend. Kam es nicht genau darauf an? Auch Alice hatte sich gewünscht, dass Paul mehr aus seiner überdurchschnittlichen musikalischen Begabung machte. Aber niemand konnte ernsthaft behaupten, dass er als Orchestermusiker oder gar als Geigenvirtuose ein besserer Mensch geworden wäre. Paul war menschenfreundlich und warmherzig, er ruhte in sich selbst und er liebte das Leben. Und für all das liebte sie ihren Bruder.

Paul besuchte Alice und Stephan nun fast täglich vor dem Zubettgehen.

Häufig übernahm er es, Stephan die Gutenachtgeschichte zu erzählen. »Kennst du eigentlich das Märchen vom Glühwürmchen?« fragte Stephan seinen Onkel an einem dieser Abende. Der Junge hatte das Stück nie gesehen, denn es war für »die Kleinen« gestaltet worden, und er hatte sich schon seit seiner Ankunft in Theresienstadt als Sechsjähriger zu den »Großen« gezählt.

»Aber ja«, erwiderte Paul. »Als ich ein Kind war, hat deine Großmutter mir und deiner Maminka das Märchen oft vorgelesen. Jedes Kind in der Tschechoslowakei kannte damals die Geschichte. Ein tschechischer Minister hat sie geschrieben. Er hieß Jan Karafiat, und ich kann mich gut erinnern, dass er sein Buch eine Geschichte ›für kleine und große Kinder‹ nannte. Soll ich sie dir

erzählen?« Stephan lächelte. »Dann leg dich hin, und mach die Augen zu, du großes Kind …«
Paul wartete ab, bis Stephan einen bequemen Platz auf seiner Matratze gefunden hatte, dann begann er leise zu sprechen.
»Es waren einmal eine Glühwürmchenmama und ihr Glühwürmchensohn. Sie bewohnten ein Glühwürmchenhaus in einer wunderhübschen Blume. Sie wuchs auf einer üppigen Blumenwiese. Endlich war das Kind groß genug, um fliegen zu lernen, und von da an übte es jeden Tag, und jeden Tag flog es ein bisschen weiter. Eines Tages geschah ein großes Unglück. Kinder spielten auf der Wiese und traten auf das Glühwürmchenkind …«
»War es tot?« Stephan riss seine Augen auf und griff nach der Hand seiner Mutter.
»Nein, tot war es Gott sei Dank nicht, aber schwer verletzt. Die Glühwürmchenmama pflegte ihren kleinen Sohn und päppelte ihn mit gutem Essen auf, bis ein starker junger Mann aus ihm wurde, er eine Glühwürmchenfreundin fand und die beiden Glühwürmchenhochzeit feierten.«
»Und dann?«
»Dann lebten sie glücklich bis an ihr …«
»Ach so.«
Jetzt musste Paul lächeln. »Auf der Bühne ist das Stück besonders schön, weil die Kinder viele bekannte Volkslieder dazu singen.«
Stephan hatte Bruchstücke der jüngsten Auseinandersetzungen um die »Glühwürmchen«-Aufführung aufgeschnappt und versuchte nun, die Zusammenhänge zu verstehen.
»Und warum soll dein Dirigent jetzt eine Ouvertüre dazu schreiben?«
»Es soll eine besonders festliche Aufführung werden … und dazu gehört eine festliche Ouvertüre. Und weil es sie noch nicht gibt, muss Robert Brock sie ganz schnell erfinden.«
Tatsächlich hatte die Lagerleitung dem Dirigenten den Befehl erteilt, innerhalb von drei Tagen und drei Nächten ein Stück zu komponieren. Dafür wurde ihm ein eigenes Zimmer zugeteilt und so viel Bohnenkaffee, wie er brauchte, um sich wachzuhalten.[256]

»Wir haben Robert Brock versprochen, dass wir seine Noten gleich abschreiben, sobald er sie fertig komponiert hat. Jeder Musiker unseres Orchesters braucht ja Noten, und je früher sie abgeschrieben sind, desto früher kann er mit dem Üben beginnen. Ab morgen bin ich eingeteilt, und wenn du mitkommst und mir hilfst, sind wir schneller fertig.«
Stephans Augen leuchteten. »Weißt du, dass jeder, der mithilft, zwei Freikarten für die Premiere bekommt?!« erwähnte Paul noch. »Die Aufführung ist schon am 20. März in der Sokolovna, das ist in vierzehn Tagen. Und jetzt schlaf gut.«
An den folgenden drei Tagen kam Paul jeden Morgen, um Stephan abzuholen und mit ihm zur Magdeburger Kaserne zu gehen. Stundenlang saßen sie nebeneinander, und während Paul die Noten mit routinierter Hand aufs Papier setzte, malte Stephan seine Notenbilder mit großer Andacht. Am Abend des dritten Tages wurde er mit zwei Freikarten belohnt. Stolz brachte er die Karten seiner Mutter, und am 20. März erlebten die beiden eine ungewöhnliche Premiere. Brock hatte die schönsten tschechischen Volkslieder ausgewählt und daraus eine Art »Orchestermedley« zusammengestellt.

»Es war eine saubere, bis ins Detail durchdachte Ausführung; die Kinder wurden zu keinen schauspielerischen Leistungen genötigt, sie behielten ihre Natürlichkeit«, beschrieb Vlasta Schoenová die Vorstellung rückblickend. »Den Chor der Glühwürmchen bei der Hochzeit spielten slowakische Kinder, die mit ihrer Natürlichkeit und großem Können slowakische Lieder sangen und tanzten. An die siebenhundert Häftlinge füllten den Saal, in den Sesseln auf der Galerie saßen SS-Männer. Aber schon nach den ersten Takten der Musik hatte das Publikum deren Anwesenheit vergessen. Es erklang ›Ihr grünen Haine‹ und ›Der Frühling kommt‹, und die Zuhörer bekamen feuchte Augen, und als gar die Worte zu hören waren: ›Und es war Frühling und alles stand in Blüte …‹, brachen alle Dämme.«[257]

Den Zuhörern entging nicht, dass Robert Brock die tschechische Nationalhymne in die Ouvertüre hineinkomponiert hatte und damit diese Aufführung, die als Betrugsmanöver gedacht war, zur Demonstration der Hoffnung auf eine baldige Befreiung machte.
Bei der zweiten Aufführung wenige Tage später war der Andrang so groß, dass viele, die nicht zu den siebenhundert Glücklichen mit offiziell ausgegebenen Eintrittskarten gehörten, durch die Fenster einzusteigen versuchten. Weitere dreizehnmal wurde das »Glühwürmchen« in den folgenden vier Wochen bis zum 20. April noch gegeben, jedes Mal vor ausverkauftem Haus, und jedes Mal nahm das Publikum die sehnsuchtsvollen tschechischen Melodien als Manifest: Wir halten durch! Unser Leiden hat bald ein Ende.

***

Wie angekündigt ließ sich am Freitag, dem 6. April 1945, ein Mitglied des Internationalen Roten Kreuzes durch Theresienstadt führen. Es war der Schweizer Paul Dunant, begleitet von Obersturmbannführer Adolf Eichmann und Standartenführer Rudolf Weinmann. Statt des erkrankten Lagerkommandanten Karl Rahm empfing sein Adlatus Hans Günther die Delegation.[258]
Alice war so auf ihre Arbeit am Klavier konzentriert – tagsüber Proben, abends Konzerte, eine ebenso große körperliche wie seelische Herausforderung, dass sie erst im Nachhinein von dem Besuch erfuhr. Paul hingegen war ein Teil des Betrugsmanövers der SS. Das Kammerorchester mit ihm als einem der Geiger musste für Dunant und ein Publikum aus SS-Offizieren die Dvořák-Serenade spielen.
Bis heute ist umstritten, warum Dunant bei seiner Kurzvisite so große Distanz hielt – zur SS ebenso wie zu den jüdischen Häftlingen. Ließ er sich gar von der falschen »Schönheit« Theresienstadts täuschen und sah deshalb keine unmittelbare Gefahr für die Häftlinge? Wollte er keine Unruhe stiften, weil er schon wusste, dass er bald mit Verstärkung wiederkommen würde? Den Zusammenbruch der nationalsozialistischen Schreckensherrschaft vor Au-

gen, müssen Dunant die Konzert- und Theatervorstellungen am helllichten Tage wie ein makabrer Irrsinn vorgekommen sein. Jedenfalls fuhr er noch am selben Tag wieder ab und hinterließ viele verunsicherte Häftlinge.
Vier Tage später, am 10. April 1945, traten Alice und Paul erstmals in Theresienstadt gemeinsam auf. Weil sie so viele andere Konzertverpflichtungen hatten und ihnen die Zeit zur Vorbereitung fehlte, hatte Paul vorgeschlagen, die Aufführung der Beethoven-Sonate zu vertagen und stattdessen ein kleineres Konzert zu veranstalten – sozusagen ein persönliches Geschenk an die vielen Freunde und Bekannten im Lager.
Als Dank an Arnošt Weiss und zur Erinnerung an die gemeinsame Zeit in Prag eröffnete Alice das Konzert mit den Smetana-Tänzen, die Weiss bei einem von Alices Hauskonzerten vor seiner Deportation kennen- und liebengelernt hatte. Nun saß Weiss in der ersten Reihe des Terrassensaals der Sokolovna und kämpfte gegen seine Tränen.
Kernstück des Konzerts war zum Andenken an die verschollene Mutter die Dvořák-Sonatine. Und weil bei einem Dankes- und Erinnerungskonzert Chopin nicht fehlen durfte, ohne den Alice nach der Deportation der Mutter verzweifelt wäre, wählte sie für den zweiten Teil der Aufführung zwölf Etüden mit heroischem Charakter aus, die den mehr als hundert Zuhörern Hoffnung machen sollten.
Je näher der Tag der Befreiung rückte, desto umfangreicher wurde das tägliche Kulturangebot. Wie intensiv die Künstler in Theresienstadt ihre interessierten Mitgefangenen selbst in den letzten Kriegstagen noch »betreuten«, lässt sich beispielsweise dem Wochenprogramm der »Freizeitgestaltung« vom 7. bis 13. April 1945 entnehmen. Theater- und Musikveranstaltungen, Kabaretts, Liederabende, Kammermusikabende und Solokonzerte wurden darin angekündigt.
Allein am Samstag, dem 7. April, standen vier Konzerte zur Auswahl. Um sieben Uhr abends wurde im Bühnensaal der Sokolovna das »Glühwürmchen« aufgeführt. Eine Viertelstunde später begann im Terrassensaal das Beethovenkonzert von Alice Herz-Som-

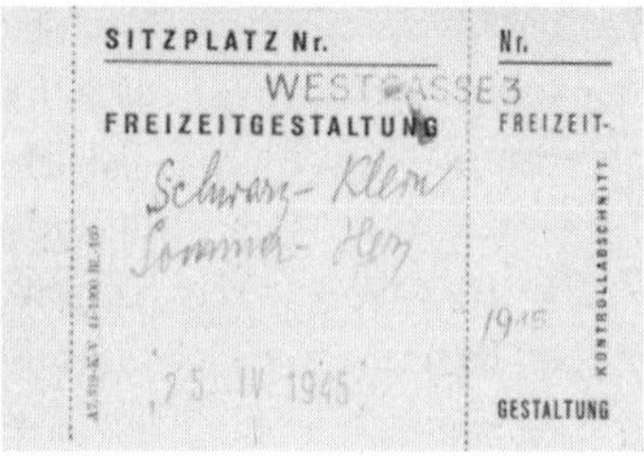

Eintrittskarte zu Alices wahrscheinlich letztem Theresienstädter Konzert

mer und Professor Herman Leydensdorff. Ein paar Ecken weiter, in der Parkstraße 14, sang Marion Podelier zu Edith Kraus' Begleitung Schubert-, Dvořák- und Brahmslieder, und in der Hauptstraße 2 wurde zur gleichen Zeit Frank Wedekinds Satire »Der Kammersänger« gegeben.

Am Sonntag wurde das »Glühwürmchen« bereits um halb vier Uhr nachmittags aufgeführt, am Abend traten neben anderen ein Jazzquintett und die beiden Kabarettistinnen Anni Frey und Gisa Wurzel, deren Humor den Frauen in der Glimmerproduktion über schwere Monate hinweggeholfen hatte, in einem Varieté auf. Im Terrassensaal sangen zur selben Zeit Hedda Grab-Kernmayr und Marion Podelier ein Opernkonzert. Und in der Hauptstraße 2 spielte Edith Kraus ihr Bachkonzert. Ähnlich ging es an den folgenden Tagen weiter, Höhepunkt des Montags etwa waren Szenen aus Offenbachs »Hoffmanns Erzählungen« und Schuberts »Winterreise«.

Die Darbietungen der Künstler waren ein Zufluchtsort für die Häftlinge – vorübergehend boten sie Ablenkung. Auf Dauer konnten sie die Stimmung im Lager, die nach wie vor zwischen Angst und Hoffnung schwankte, freilich nicht beeinflussen. Immer neue Gerüchte erschütterten Theresienstadt: Stimmte es, dass die SS doch noch plante, weitere Gefangene zu deportieren? Oder gar an Ort und Stelle zu ermorden? Oder würden die Befreier die Deutschen rechtzeitig zur Kapitulation zwingen und alle Häftlinge befreien?

* * *

Ende April 1945 – vermutlich unmittelbar nach Alices Konzert vom 25. April – verstummte die Musik im »Ghetto« für immer. Auf ihrem täglichen Weg zur Klavierstunde mussten Alice und Stephan den Vorplatz des neuen Theresienstädter Bahnhofs queren. Stephan entdeckte die abweisend wirkenden Viehwaggons noch vor seiner Mutter. Hunderte von Menschen waren gerade dabei, herauszuklettern, herauszufallen, mehr tot als lebendig. Noch nie hatte Alice Menschen in einem derart erbarmungswürdigen Zustand gesehen, viele Köpfe kahl, die Körper nur noch Haut und Knochen, die Kleidung – fast ausschließlich gestreifte Sträflingsanzüge – verwahrlost, übelriechend.
Alice zog Stephan ganz nah an sich heran. Gemeinsam sahen sie, wie sich, wer noch konnte, auf einen Kessel Suppe stürzte, den man auf dem Platz aufgestellt hatte. Offenbar hatten die Menschen seit Tagen weder gegessen noch getrunken.
Bisher hatte Alice stets versucht, alle Eindrücke von Stephan fern zu halten, die ihn verunsichern konnten. Nun standen sie der lange verschleierten und auch jetzt nur in Ansätzen erkennbaren Wahrheit über das Schicksal der nach Osten transportierten Häftlinge gegenüber. Es stellte sich heraus, dass der Transport aus Buchenwald und Auschwitz kam. Täglich trafen jetzt neue Häftlingsgruppen ein. »Pyjamas« nannte man die Neuankömmlinge in Theresienstadt – wegen ihrer gestreiften Anzüge. Sie kamen nicht nur in Viehwaggons, sondern auch auf Lastwagen oder zu Fuß, Hunderte, Tausende, am Ende über fünfzehntausend. Und mit ihnen zogen Flecktyphus und andere Seuchen im Lager ein.
Alice gelang es nicht, dem Jungen die grauenhaften Bilder zu ersparen.
Er war nun fast acht Jahre alt, groß genug, zu begreifen, dass die Menschen genau dorther kamen, wohin man auch seinen Vater gebracht hatte. Stephan wollte helfen.
»Die Leute brauchen Wasser«, erklärte er seiner Mutter. »Und Zucker.« Das hatte er von einem Arzt aufgeschnappt – abrupte Essenszufuhr schade dem ausgemergelten Körper mehr, als sie ihm nutze, etwas Zucker bringe erste Hilfe. Deshalb bat er seinen Onkel Paul, ihm so viel Zucker wie möglich zu beschaffen.

Täglich drängte Stephan seine Mutter nun, mit ihm zu den neuen Häftlingen zu gehen und ihnen zu helfen. Keine Frage, er wartete auf die Rückkehr seines Vaters. »Irgendwo auf der Welt ist mein Papa. Und wenn dort keiner ist, der ihm Wasser bringt und einen kleinen Löffel Zucker, dann kann er vielleicht nicht zu uns zurückkommen.«

Alice spürte an Stephans Verhalten, dass seine Hoffnung, der Vater würde ihn bald in die Arme nehmen, von Tag zu Tag sank. Umso größer war die Freude, als eines Morgens eine Frau ins Zimmer stürmte.

»Der Sommer ist da, der Sommer ist angekommen.«

Alice nahm Stephan an der Hand, und gemeinsam liefen sie zum Bahnhof, so schnell ihre Beine sie trugen. Aufgeregt sprachen sie Gruppe um Gruppe an, fragten nach Leopold Sommer und ernteten nur Kopfschütteln. Dann erspähte Alice ihren Schwager Hans Sommer, sein Gesicht war eingefallen, sein Körper bis auf die Knochen abgemagert.

Dem Augenblick der Freude über das unerwartete Wiedersehen folgte die Ernüchterung: Leopold Sommer war noch nicht zurückgekehrt.

Und obwohl sie Stephan nach wie vor Zuversicht vermittelte, spürte Alice, wie in ihrem Innersten die Hoffung auf ein Wiedersehen mit ihrem Ehemann schwand.

***

Bereits am 2. Mai war Paul Dunant mit seiner Delegation ins Lager zurückgekehrt. »Männer und Frauen von Theresienstadt, das Internationale Komitee des Roten Kreuzes hat den Schutz von Theresienstadt übernommen«, teilte der Ältestenrat den Überlebenden am 6. Mai mit.[259] »Dem Vertreter dieses Komitees, Herrn Dunant, steht die Führung von Theresienstadt zu. Er hat die unterschriebenen Mitglieder des bisherigen Ältestenrates mit der Leitung der Selbstverwaltung betraut. In Theresienstadt seid ihr sicher. Der Krieg ist noch nicht beendet. Wer Theresienstadt verlässt, setzt sich allen Kriegsgefahren aus. […] Haltet Ruhe und

Ordnung, helft uns bei der Arbeit, die eure Rückreise ermöglichen soll. [...] gez. Dr. Leo Baeck, Dr. Alfred Meissner, Dr. Heinrich Klang, Dr. Eduard Meier.«

An einem der ersten Maitage 1945 erkrankte Stephan schwer. Der Arzt stellte eine seltene Form von Masern fest, die vor allem Beschwerden in Magen und Darm mit sich brachte. Alice hielt ihren Sohn Tag und Nacht in den Armen und versuchte, ihm sein Leiden zu erleichtern. In der Nacht machte Stephan vor lauter Schmerzen kein Auge zu.

Am Abend des 8. Mai war ein seltsames Geräusch zu vernehmen – erst leise und aus der Ferne, dann immer deutlicher. Schließlich hörte Alice einen lauten Aufschrei, der sich rasch über das ganze Lager ausbreitete. »Freiheit!« riefen die Menschen, »Freiheit!«, und immer wieder: »Freiheit!« Alice wickelte ihren schwerkranken Sohn in ein Tuch, nahm ihn auf die Arme und rannte mit ihm auf die Straße – wie alle Häftlinge, die den Ruf vernommen hatten. Russische Panzerwagen rollten an ihnen vorbei in Richtung Prag, die Schweinwerfer der Panzer und Militärfahrzeuge erhellten die stockdunkle Nacht.[260] Ganz Theresienstadt war auf den Beinen, begeistert sangen die Menschen die »Internationale«, auf Deutsch, Tschechisch, Holländisch, Polnisch, Ungarisch ...[261] Und schon am nächsten Tag rückte tschechische Gendarmerie mit ihren Nationalfahnen ein und fuhr triumphierend durch die Stadt.

Noch war ihre wiedergewonnene Freiheit nicht mehr als ein zaghaftes Versprechen. Alice stand Todesängste um Stephan aus, der zu matt war, um auf den eigenen Füßen zu stehen. Und sie vermisste Paul. Zwei Tage zuvor hatte sie ihn zuletzt gesehen, nun trug ihr irgendjemand zu, dass er für die russischen Truppen aufgespielt hatte. Die Soldaten hätten die ganze Nacht begeistert gesungen und getanzt, am nächsten Morgen – und noch vor der offiziellen Kapitulation Deutschlands – sei Paul mit ihnen nach Prag gefahren. Wieder einmal hatte er seine Gewitztheit und Lebenstüchtigkeit bewiesen. Zu ihm und seiner Frau Mary – das hatten sie längst vereinbart – würden Alice und Stephan gehen, sobald sie Theresienstadt verlassen könnten.

Doch Mutter und Sohn standen noch schwere Tage bevor. Die

Versuche, die Neuankömmlinge von den Alteingesessenen zu trennen, waren fehlgeschlagen, der Flecktyphus breitete sich in Windeseile aus – über das Lager wurde strenge Quarantäne verhängt. Um sich nicht anzustecken, verließen Alice und ihre Mitbewohner ihr Zimmer nur noch in dringenden Fällen. Hunderte Menschen starben täglich an der Seuche. Am 12. Mai traf eine russische Sanitätskolonne in Theresienstadt ein, die bis in den Juni hinein brauchte, um den Flecktyphus zu besiegen.[262]

Endlich frei. Erst Mitte Juni kehrten Alice und Stephan nach Prag zurück – und mit ihnen Alices enge Freundin Edith Kraus. Zuvor hatten sie zwei Wochen auf den Feldern im Umland von Theresienstadt gearbeitet, denn in Prag, hieß es, seien hochansteckende Krankheiten im Umlauf, die bereits mehrere Todesopfer unter den Kindern gefordert hätten.

Die frische Luft und das ungewohnt reichhaltige Essen der Bauern hatte Alice wieder körperliche Kraft gegeben. Ihrer Seele hingegen ging es von Tag zu Tag schlechter. Jeden Abend war sie mit neuen Schreckensnachrichten über die Mordkommandos der SS und die Vernichtungslager in Auschwitz, Sobibor, Treblinka und anderen Orten konfrontiert. Erst jetzt begriff sie, wo sie sich die beiden letzten Jahre aufgehalten und in die wirklichkeitsferne Welt ihrer Klaviermusik gerettet hatte.

»Wo man Konzerte geben darf, kann es nicht so schlimm sein«, hatte sie sich bei ihrer Ankunft in Theresienstadt getröstet. Dass es sich um Begleitmusik für die Transporte gehandelt hatte, die fast allesamt in Gaskammern geführt hatten, brachte Alice nun schier um den Verstand.

Mit nichts als den Kleidern, die sie auf dem Leib trugen, kamen Alice und Stephan in der Heimatstadt an. Wen würden sie dort wiedersehen?

13
Heimkehr

»Vielleicht sind wir zu viele Juden auf dieser Welt?«

Alices Blick fiel auf die beiden zierlich geschwungenen Buchstaben auf dem Kissenbezug. S.H. Sofie Herz. Gesegnete Kindheit. Abend für Abend war die Mutter auf der Bank vor dem hellblauen Kachelofen gesessen, hatte Alice beim Klavierüben zugehört und dabei kunstfertig gestickt oder gestrickt.

Nach annähernd zwei Jahren lag Alice zum ersten Mal wieder in einem bezogenen Bett, ohne Läuse, ohne Wanzen, und atmete den vertrauten Duft der Bettwäsche ein. Doch ihr körperliches Wohlgefühl konnte den beißenden Seelenschmerz nicht vertreiben. Sobald sie die Augen schloss, mischten sich alptraumhafte Zerrbilder zu Erinnerungen an die Vergangenheit und raubten ihr den Schlaf.

Alice auf einer Bühne. Sie spielt Beethovens Appassionata. Plötzlich hört sie die Mutter verzweifelt um Hilfe rufen. Sie springt auf, rennt aus dem Saal, vorbei an den erschrockenen Zuhörern. Doch die Mutter ist nirgendwo zu finden. Schnitt. Der Friedhof. Alice schreitet, die Mutter untergehakt, hinter dem Sarg des Vaters her. Schnitt. Noch ein Abschied. Leopold sieht Alice lange an. Sagt nichts. Seine Augen verraten es: Er weiß, was auf ihn zukommt. Schnitt. »Jetzt bin ich ganz allein auf dieser Welt.« Stephan hat hohes Fieber. Er weint bitterlich. Er lässt sich nicht trösten. Schnitt.

Nach Atem ringend schreckte Alice hoch und griff nach Stephans

Hand – nach zwei Jahren Starksein brauchte nun sie Halt. Obwohl Mary für Stephan ein eigenes Bett gerichtet hatte, war er, wie er es von Theresienstadt gewohnt war, unter Alices Decke geschlüpft und sofort eingeschlafen.
Für den Jungen musste sie durchhalten, wegdenken, nach vorn schauen. Vor ihm musste sie ihre seelischen Qualen verbergen. Er hatte zwei Jahre im Konzentrationslager nahezu unbeschadet überstanden. Die sogenannte Wahrheit, davon war sie tief überzeugt, würde seine Kinderseele zerstören. Später vielleicht, wenn er größer ..., wenn er nachfragte ..., aber jetzt ... auf keinen Fall.
Am Tag zuvor waren Alice und Stephan in einem Zug mit Hunderten anderen Überlebenden aus Theresienstadt in Prag angekommen. Paul und Mary hatten sie vom Bahnhof abgeholt und in ihre Wohnung in der Veverkastraße gebracht. »Fühlt euch wie zu Hause«, hatte Mary betont heiter und fürsorglich gesagt.
Mary meinte es gut. Sie hatte eine Mahlzeit aufgetischt, wie Alice sie schon seit Kriegsbeginn nicht mehr gesehen, geschweige denn gegessen hatte. Und sie hatte ihr eines ihrer drei Zimmer zur Verfügung gestellt. »Solange ihr hier wohnen wollt, seid ihr uns willkommen.« Eine Vorstellung davon, was die Gefangenen der Konzentrationslager durchlitten hatten, fehlte ihr. Aber das störte Alice nicht. Sie war selbst erst dabei, Mosaiksteine zu sammeln und zu einem Bild vom Ausmaß der nationalsozialistischen Verbrechen an den Juden zusammenzusetzen. Dabei beherrschte sie ihre Angst um die eigene Familie.
Was ist Leopold zugestoßen? Wohin hat man die Mutter verschleppt? Und die Schwiegermutter? Wo sind sie, die vielen Verwandten, Bekannten und Freunde? Wer von ihnen wird zurückkommen?
Noch auf dem Bahnsteig hatte Alice ihren Bruder mit Fragen bestürmt.
Paul hatte erst wortlos den Kopf geschüttelt und ihr dann erklärt, dass die Prager Jüdische Gemeinde eine Anlaufstelle eingerichtet hatte, die alle Nachrichten über das Schicksal der verschleppten Juden sammelte.

Alice nahm sich vor, gleich am nächsten Tag dorthin zu gehen – vorher musste sie allerdings ihr Versprechen erfüllen und mit Stephan die Orte seiner frühesten Kindheit aufsuchen.
Sie war froh, als es draußen endlich hell wurde. Dankbar horchte sie auf die morgendlichen Geräusche aus den Nebenzimmern – das Klirren der Teller und Tassen, das Pfeifen des Wasserkessels, Pauls Husten, das Lachen der Schwägerin. Stephan streckte sich gerade, als Mary zum Frühstück rief.
Paul hatte Brot und Semmeln besorgt, und Mary trug für jeden ein weichgekochtes Ei auf, dazu Marmelade, Käse, Butter und Milch. Sie hatte ein bewundernswertes Organisationstalent und beste Beziehungen zum Schwarzmarkt.
Stephan griff nach einer Scheibe des frischen dunklen Brots und ließ sie sich von Alice mit Butter bestreichen. Die Semmeln interessierten ihn ebenso wenig wie die Marmelade und das Ei.

***

Das Straßenbild des siebten Prager Bezirks hatte sich kaum verändert. Gleich nach dem Frühstück brachen Mutter und Sohn auf, Hand in Hand steuerten sie das Haus Sternberggasse 1 an, wo sie bis zu ihrer Deportation zu Hause gewesen waren. Alice klammerte sich an den Gedanken, dort eine Nachricht von Leopold vorzufinden.
Sie fasste Mut und läutete an. Es verging, so schien es ihr, eine Ewigkeit, bis eine tschechische Frau öffnete. Sie trat auf den Gang und zog die Tür hinter sich zu. Nicht einmal hineinschauen sollten Alice und Stephan in ihre – wessen? – Wohnung.
Auf Alices Frage antwortete die Frau barsch, regelrecht abweisend. Nein, keine Nachricht. Und dann, für alle Fälle, denn man konnte ja nicht wissen, ob Alice Ansprüche stellen würde: Es tue ihr zwar leid für Alice, aber sie sei unter keinen Umständen bereit, auszuziehen. Schließlich hätten sie und ihre Familie selbst genug durchgemacht.
»Maminka, warum lassen sie uns nicht in unsere Wohnung?« flüsterte Stephan, während er an der Hand seiner Mutter die Trep-

pe hinunterstieg. Er klang verunsichert und traurig, doch Alice hörte ihn nicht.
Sie quälte sich schon wieder mit der Frage, wie sie in Theresienstadt von Konzert zu Konzert leben konnte, während die Menschen zu Tausenden in die Vernichtungslager gebracht und ermordet wurden.
Musste sie sich vorwerfen, Scheuklappen getragen zu haben? War es ihr mit ihrer Musik nicht gelungen, sich selbst und vielen anderen Lebenskraft zu schenken? Hatte sie diese Mitgefangenen nicht wenigstens vorübergehend von der Angst abgelenkt, die das Leben in Theresienstadt beherrscht hatte? Seit der Befreiung des Lagers hatten sie und ihre Freundin Edith wieder und wieder darüber nachgedacht, was es bedeutet hätte, sich der Lagerleitung und ihrem Auftrag, Musik zu machen, zu verweigern. Ob es irgendeinen Sinn gehabt hätte? Nein, sagten sie sich.
»Maminka, warum dürfen wir nicht in unsere Wohnung?« wiederholte Stephan etwas lauter. Jetzt erst hörte Alice ihn. Wie viele Fragen dieser Art hatte ihr Sohn in den letzten zwei Jahren gestellt! Was sollte sie dem Jungen nun wieder erzählen, damit er sein Vertrauen in die Menschen nicht verlor, gar lernte, andere zu verachten oder zu hassen? Obwohl ihr nicht danach war, versuchte sie, dem Kind Verständnis für die Umstände zu vermitteln.
»Stepanku, als wir nach Theresienstadt mussten, hat man unsere Wohnung Tschechen überlassen, die auch in Not waren. Wir können sie jetzt nicht einfach vertreiben. Das würde doch bedeuten, dass wir ein Unrecht mit einem anderen vergelten.« Bestimmt würden sie bald eine eigene Wohnung zugeteilt bekommen.
Stephan verstand, was seine Mutter ihm sagte, trotzdem machte er seinem kindlichen Gerechtigkeitssinn Luft: »Ich fände es aber besser, wenn wir wieder in unsere Wohnung könnten …«
»Ich auch, Stepanku. Heute Nachmittag gehe ich mit Onkel Paul zur Jüdischen Gemeinde. Dort wird man uns schon helfen«, sagte Alice auf dem Weg in den Baumgarten. Stephan wollte zu seinem Lieblingsspielplatz, aber Alice fehlte die innere Ruhe, um auf einer Parkbank zu sitzen und dem Kind beim Schaukeln zuzusehen. Sie drängte zum Gehen, die Bělskýstraße wieder stadteinwärts, zu

ihrem Elternhaus. Auf den Schildern am Eingang nur tschechische Namen. Alice läutete an der Glocke, die früher zur Wohnung der Eltern gehört hatte. Keine Antwort, auch nicht aus dem Stockwerk darüber. Abweisende Stille.
Alice wollte sich ihre Enttäuschung nicht anmerken lassen. »Siehst du«, sagte sie mit weicher Stimme. »Dieses Haus hat dein Großvater bauen lassen. In diesem Haus bin ich geboren. Und der Onkel Paul auch. Hier haben wir unsere ersten Konzerte gegeben.« Der Gedanke daran ließ sie auflachen. »Und jetzt komm. Vor dem Mittagessen gehen wir noch in die Altstadt.«
Auf dem Weg über die Moldau lenkte Alice sich und Stephan mit Geschichten vom Brückenmann ab, die sie in ihrer Kindheit erlebt hatte; damals, erzählte sie ihrem Sohn, war sie gerade einmal so alt wie er. Sie spazierten die frühere Elisabethstraße und den Graben entlang, wandten sich der Neustadt zu und überquerten den Wenzelsplatz – auf die Passanten mochten sie beinah fröhlich wirken. Schließlich standen sie auf dem Havlíčekplatz unweit des ehemaligen Deutschen Theaters vor dem Haus, dessen erstes Stockwerk die Schwiegereltern bewohnt hatten.
Der Schwiegervater war noch vor dem Einmarsch der deutschen Truppen gestorben. Dafür war Alice nun dankbar. Von der geliebten Schwiegermutter hatte sie seit Anfang Juli 1942 nichts mehr gehört. Helena Sommer, das erfuhr Alice einige Zeit später, war am 15. Oktober 1942, nach nur drei Monaten in Theresienstadt, gemeinsam mit ihrer Schwester Anna Holitscher nach Treblinka deportiert worden.
Samstag für Samstag hatte sich dort oben im Salon die Großfamilie getroffen: Leopolds Bruder Hans Sommer mit seiner Frau Zdenka und den Kindern Eva und Otto. Leopolds Schwester Edith und ihr Mann Felix Mautner mit Ilse und Thomas. Bisher war nur Hans Sommer zurückgekehrt.
Alice suchte die Klingelleiste ab, dann die Briefkästen. Nirgendwo der Name Sommer. Die Hoffnung schwand – und trotzdem stieg sie die Treppe hoch und zog Stephan hinter sich her. Ihre Hände zitterten, als sie anklopfte, und noch einmal ... Hinter der Wohnungstür rührte sich nichts.

Nur die Liebe zu Stephan hielt sie auf den Beinen. »Vor dem Mittagessen zeige ich dir noch, wie schön man von den Hügeln des Belvedereparks auf die Stadt sieht ...«
Stephan fand ein Stück Holz, hockte sich zu Alices Füßen und zog eine Straße in den Kies, auf der er seine hölzerne Baumaschine entlangbrummen ließ. Alice saß auf einer Bank und blickte in die Ferne. Sie fühlte sich fremd in ihrer Stadt. Der Krieg hatte ihr die Heimat genommen.

***

Mary meinte es immer gut, und sie gehörte zu jenen Hausfrauen, die ihre Zuneigung mit der Schöpfkelle verteilen. Obwohl es mitten in der Woche war, hatte sie auf dem Schwarzmarkt Rindfleisch besorgt und Gulasch gekocht. »Nach dem Rézept von Muttär«, sagte sie stolz, und ihre Aussprache erinnerte Alice dunkel an Jenö Kalicz von der Musikakademie. Was wohl aus ihm geworden war? Erst viel später erfuhr sie, dass ihn seine Neigung zum Alkohol die Karriere gekostet hatte.
Während Mary die Teller bis zum Rand füllte, betrachtete Alice ihre Schwägerin nachdenklich. Sie war eine kleine Person, von derber Attraktivität, fast schon vulgär. Dabei war sie herzlich, ausgesprochen großzügig und vor allem schlau. Sie wusste sich und den ihr Nahestehenden immer zu helfen.
»Noch ein Knödel, Stepanku, ja?«
Stephan schaute hilfesuchend zu seiner Mutter. Neben ihm stand der Brotkorb. Das frische Brot lachte ihn mehr an als Gulasch und Knödel.
»Darf der Stephan vielleicht ein bisschen Brot mit Butter?« sprang Alice für ihren Sohn ein.
»Erinnere ich mich richtig, dass du rohen Kohlrabi magst?« fragte Mary, verschwand in der Küche und kam mit einer aufgeschnittenen Knolle zurück.
»Darf ich Salz?« Stephan strahlte. Sein Leben lang nannte er »Butterbrot mit Kohlrabi« seine Lieblingsspeise.

Gleich nach dem Mittagessen machten Paul und Alice sich auf den Weg zur Jüdischen Gemeinde.
»Hilfst du mir beim Abwaschen?« fragte Mary den Neffen, um ihn abzulenken. Er sprang artig auf. Hilfsbereitschaft, das wusste er von seiner Mutter, war das oberste Gebot des Zusammenlebens.
Das Verwaltungsgebäude der Jüdischen Gemeinde befand sich im ehemaligen jüdischen Viertel der Altstadt, unmittelbar neben der alten Prager Synagoge. Der kleine Wartesaal bot Platz für etwa zwanzig Menschen. Er war hoffnungslos überfüllt. Alice bekam kaum Luft, so bedrückend empfand sie die Atmosphäre. Ihr Blick wanderte von Gesicht zu Gesicht, jedes einzelne war gezeichnet vom Leid der vergangenen Jahre. Die meisten Menschen warteten still, einige flüsterten leise. Alle drängte die gleiche Frage: Wer von den Verwandten und Freunden hatte überlebt? Hier hofften sie Antwort zu bekommen.
Paul versuchte seiner Schwester Mut zu machen. Die Jüdische Gemeinde leiste wirklich Bemerkenswertes und helfe den Notleidenden mit Wohnungen, Möbeln und Geld, in Prag wieder Fuß zu fassen.
Tatsächlich stieß Alice auf Mitgefühl und Hilfsbereitschaft. Obwohl sie sich nie als gläubige Jüdin verstanden und bis dahin kaum Kontakt zur Gemeinde gepflegt hatte, erlebte sie nun, was es bedeuten kann, Teil einer Schicksalsgemeinschaft zu sein.
Von Treblinka, wohin man ihre Mutter am 19. Oktober 1942 gebracht hatte, seien bisher nur ganz wenige Menschen zurückgekehrt, machte der Beamte Alice behutsam klar. Von Leopold und den vielen deportierten Verwandten und Freunden, nach denen Alice fragte, wusste er noch nichts, ermutigte sie aber, von nun an täglich in der Gemeinde nachzufragen, denn ständig würden neue Hinweise eintreffen.
Schließlich notierte der Beamte Alices Daten und bat sie um drei oder vier Wochen Geduld. »Die Wohnungen sind leider knapp, doch Familien mit Kindern haben Vorrang, also auch Sie.« Dann würde sie auch ein geeignetes Klavier oder einen Flügel bekommen und wieder unterrichten können. Alice nahm die Worte des Beamten als Ermutigung und wandte sich zur Tür.

»Wie alt, haben Sie gesagt, ist Ihr Sohn«, rief der Mann hinter ihr her, als sei ihm gerade noch ein zündender Einfall gekommen.

»In ein paar Tagen feiern wir seinen achten Geburtstag«, antwortete Alice nachdenklich.

»Das trifft sich gut«, sagte der Mann. Die Gemeinde lade eine Gruppe überlebender Kinder zu einem zweiwöchigen Aufenthalt in ein Schloss nahe Prag ein. Die Lehrerin Irma Lauscherová leite das »Ferienheim«. Stephan würde sie doch aus Theresienstadt kennen, sich bestimmt wohl fühlen und dort einen wunderschönen Geburtstag verbringen. »Und nehmen Sie Kleidung für Ihren Sohn mit. Die Dame draußen hilft Ihnen weiter. Wir haben ein Depot.«

Alice musste dem Sohn gut zureden und ihm versprechen, eine Geburtstagsüberraschung zu schicken. Erst dann ließ Stephan sich auf das Abenteuer ein – allerdings mit gemischten Gefühlen, denn seit zwei Jahren hatte er keine Nacht ohne seine Mutter verbracht.

Alice fiel es vermutlich noch schwerer, sich vorübergehend von Stephan zu trennen. Doch der Zeitpunkt passte gut. Ihr standen weitere Behördenwege bevor, mit denen sie Stephan nicht belasten wollte. Vor allem musste sie ihre Wiedereinbürgerung in die befreite Tschechoslowakei beantragen. Mit der elften Verordnung zum Reichsbürgergesetz vom 25. November 1941 war die Ausbürgerung und Enteignung der zur Deportation bestimmten Juden im gesamten Reichsgebiet legalisiert worden. Staatenlos = rechtlos = vogelfrei.

Allzu gutgläubig war, wer davon ausging, die Einbürgerung der KZ-Überlebenden sei reine Formsache. Was die Juden als Verfolgte der Deutschen seit 1939 mitgemacht hatten, kümmerte die tschechische Behörde offenbar nicht. Ihr ging es ausschließlich darum, ob der Antragsteller sich vor der Besetzung der Tschechoslowakei zum tschechischen oder zum deutschen Kulturkreis gezählt hatte.

Ab Juni 1945 erließ der neue Staatspräsident Edvard Beneš insgesamt einhundertdreiundvierzig Dekrete, auf deren Grundlage die kollektive Entrechtung, Enteignung und Vertreibung der deutsch-

stämmigen Bevölkerung aus der Tschechoslowakei erfolgte. Sudetendeutsche, Ungarn, jene sogenannten Volksdeutschen, Südtiroler etwa, die sich mit dem Versprechen auf neuen »Lebensraum im Osten« hatten umsiedeln lassen, und eben die Juden, deren Muttersprache Deutsch war – sie alle sollten auf deutsches Gebiet ausgewiesen werden. Für die überlebenden Juden deutscher Sprache hieß das im Klartext, dass man sie – und das ist keineswegs überspitzt formuliert – in die Arme ihrer Mörder zu schicken gedachte.
Nicht von ungefähr hatte Paul seiner Schwester gleich bei ihrer Ankunft ins Gewissen geredet, in der Öffentlichkeit ausschließlich tschechisch zu sprechen. Paul war fünf Wochen vor Alice nach Prag zurückgekehrt, und diese Zeit hatte ausgereicht, ihm zu verdeutlichen, dass das Land zwar vom Faschismus befreit war, die Lage der Juden sich aber nicht grundsätzlich verbessert hatte.
Ob ein jüdischer Bürger der Tschechoslowakei nach 1945 im Land bleiben durfte oder nicht, hing davon ab, zu welcher Nationalität er sich bei der letzten Volkszählung im Jahr 1930 bekannt hatte: zur deutschen, tschechischen, ungarischen oder jüdischen.
»Wir haben damals lange mit Felix diskutiert«, erinnerte sich Alice im Gespräch mit Paul. Ursprünglich hatte sie »deutsch« ankreuzen wollen, doch ihr Schwager Felix Weltsch hatte sie überzeugt, sich zum Judentum als Nationalität zu bekennen.
»Ich habe auch immer die jüdische Partei gewählt«, erzählte sie Paul. Er selbst hatte sich, weil es ihm eigentlich egal war, er aber ahnte, dass es im Zweifelsfall mehr nutzen als schaden würde, 1930 für »tschechisch« entschieden.
»Sie werden dich auch fragen, ob deine Freunde Deutsche oder Tschechen waren, welche Zeitung du gelesen und welche Musik du gehört hast oder in welches Theater du gegangen bist«, wusste Paul.
»Verstehst du das?«
»Die Tschechen schreien nach Rache, Alice«, sagte Paul. »Die Deutschen haben Terror und Tod über ihr Volk gebracht. Kaum einer ist heute willens, zu differenzieren.«
Wie bedrohlich die Lage der deutschsprachigen Juden in der neu-

en Tschechoslowakei war – der wenigen, die die Konzentrationslager überlebt hatten –, schilderte Reuven Assor. Er war im sudetendeutschen Dux geboren, rechtzeitig nach Palästina emigriert und hatte als jüdischer Freiwilliger in der englischen Armee gekämpft. Seine Eltern waren 1942 nach Theresienstadt deportiert worden und ums Leben gekommen. Reuven Assor kehrte 1945 in die Tschechoslowakei zurück. Als Mitglied der Jüdischen Brigade setzte er sich zwei Jahre lang dafür ein, möglichst viele Überlebende nach Palästina zu bringen.

Wenige Wochen nach Kriegsende fuhr Assor mit dem Zug von Pilsen nach Prag – in Zivil. In seinem Abteil reisten zwei Tschechen, die ihn offenbar als ihresgleichen betrachteten und ihm großzügig von ihrem Proviant anboten. Assor sprach nur das Notwendigste – er wollte nicht ausgefragt werden. Zunehmend erschüttert verfolgte er das Gespräch der beiden.

»So viele Juden sind doch wieder zu uns zurückgekehrt«, meinte bedauernd der eine.

»Wahrscheinlich«, antwortete sein Gegenüber, »waren zu viele Löcher in den Gaskammern.«[263]

Die antisemitische Propaganda der vergangenen sechs Jahre hatte Wirkung gezeigt. Die Überlebenden waren vor allem jenen ein Dorn im Auge, die mit den Deutschen sympathisiert und von der Enteignung der Juden profitiert hatten. Und das waren viele.

***

Die Umstände zwangen Alice, von einer ihrer wichtigsten Lebensmaximen abzuweichen – Geradlinigkeit.

Das »Gespräch« über ihre Wiedereinbürgerung im »Vernehmungszimmer« der zuständigen Behörde zog sich hin. Der Beamte nahm sich alle Zeit der Welt, um mit Alice über scheinbare Nebensächlichkeiten zu sprechen. Alice hielt sich tapfer an Pauls Anweisungen ... ihr Klavierlehrer sei Tscheche, und die Klaviermusik, die sie in den Konzerten vorgetragen hatte, stets stark von tschechischen Komponisten geprägt gewesen. So weit, so wahr. Doch dann musste sie lügen: Zu Hause hätte man vor allem tsche-

chisch gesprochen, auch der Freundeskreis sei überwiegend tschechisch orientiert gewesen.
»Welche Tageszeitung haben Sie gelesen?« brummte der Beamte. Die ganze Zeit über hatte er noch nicht von seinem Notizbuch aufgeschaut.
»Die *Bohemia* – schon wegen ihrer Musikkritiken.«
»Und welcher Partei haben Sie bei der Wahl 1935 Ihre Stimme gegeben?«
»Der jüdischen Partei.«
»Warum?«
»Weil sie die Anliegen der jüdischen Bevölkerung am besten vertreten hat, glaube ich jedenfalls.«
Alice bestand die Prüfung. Sie galt von nun an als »tschechisch orientiert« – und fühlte sich elend. Dass sie unmittelbar nach der Entlassung aus dem Konzentrationslager erneut um ihr Leben kämpfen musste, brachte sie aus der Fassung.
Vermutlich war das der Auslöser, warum ihre Sehnsucht nach Stephan so groß wurde und sie sich kurzerhand entschloss, ihn in seinem Ferienheim zu besuchen. Sie tat sich mit einer anderen Mutter zusammen, die ebenso unter der Trennung von ihrem Sohn litt wie sie, und gemeinsam fuhren die beiden Frauen zu dem Schloss.
Der Jubel der beiden Jungen war groß. Die Mütter verbrachten den ganzen Tag mit ihnen. Zum Abschied standen Stephan Tränen in den Augen, denn er wollte unbedingt mit Alice nach Hause fahren. Traurig reiste Alice ab – ohne Stephan. Was danach geschah, erfuhr sie erst Tage später.
Nach dem Besuch ihrer Mütter waren Stephan und der andere Junge nicht beim Abendessen erschienen. Man hatte das ganze Schloss nach ihnen abgesucht, dann den Schlosspark und das Gebiet um den Badeteich und den Spielplatz – ohne Ergebnis. Schließlich hatte Irma Lauscherová die Polizei verständigt, die einen Suchtrupp losschickte. Erst mitten in der Nacht griff eine Polizeistreife die beiden Kinder auf der unbeleuchteten Straße auf. Sie seien unterwegs nach Prag, erklärten sie den Beamten. Zurück zu ihren Müttern.

Verantwortungslos und eigennützig habe sie gehandelt, warf Alice sich noch viele Jahre später vor, und sah zu, dass sie aus ihrer Fehleinschätzung lernte.

***

Bei Edith, der einzigen überlebenden Freundin, die sich noch in Prag aufhielt, fand Alice einmal mehr Halt. Umgekehrt war sie Ediths wichtigste Stütze. Gemeinsam gingen sie erst fast jeden Morgen, dann jede Woche zur Jüdischen Gemeinde. Tag für Tag trafen neue Todesnachrichten ein – die Trauer um die verlorenen Freunde, Bekannten, Verwandten schweißte die beiden Frauen noch enger zusammen. Mit jeder Hiobsbotschaft schwand aber ihre Hoffnung, ihre als vermisst gemeldeten Männer lebend wiederzusehen.

Das Ausmaß des Verbrechens an den Juden im Protektorat überstieg alle Vorstellungen: Im Frühjahr 1939 zählten die deutschen Besatzer rund einhundertachtzehntausend »Rassejuden«. Zwischen dreiunddreißig- und fünfunddreißigtausend von ihnen konnten rechtzeitig auswandern. 1946 hielten sich etwa zweiundzwanzigtausend Juden in der Tschechoslowakei auf – die wenigen, die den Krieg in einem Versteck überdauert hatten, Lagerüberlebende und Rückwanderer. Etwa zweitausend von ihnen hatten in der tschechoslowakischen Auslandsarmee im Westen gekämpft, weitere siebentausend hatten den Krieg in Karpato-Russland überlebt.[264]

Von den sogenannten »deutschen Juden« kehrten nur einige hundert nach Prag zurück. Besonders ihnen galt die Feindseligkeit vieler Tschechen.

Wie aussichtslos die Lage für Alice und ihresgleichen war, offenbarte die Meinung Václav Kopeckýs, Informationsminister im ersten tschechischen Nachkriegskabinett. Von seinem russischen Exil aus hatte der Kommunist bereits im Juli 1944 angekündigt, dass »die sich zum Deutschtum bekennenden Juden in der befreiten Tschechoslowakei den Deutschen gleichzustellen seien«.[265] Den Antisemitismus zu bekämpfen, so Kopecký, könne nicht

heißen, eine Auflösung des nationalen slawischen Charakters der Republik zuzulassen.
Ob ihr Wunsch, wieder Konzerte zu geben, nicht nur unvernünftig sei, sondern möglicherweise lebensgefährlich werden könnte? Ob es überhaupt möglich sein würde, als Jude in Prag jemals wieder ein »normales« Leben zu führen?
Wenn überhaupt, so sprach Alice über diese Sorgen nur mit Edith. Paul war ihr vertraut, doch für ihn und seine Frau galten, so Alices Eindruck, zeitlebens andere Spielregeln. Nach wenigen Tagen schon hatte Alice begriffen, dass Mary und Paul diese Spielregeln im wahrsten Sinn des Wortes selbst vorgaben.
Immer wieder fand Alice einen Anlass, sich über Marys geradezu verschwenderischen Umgang mit Geld zu wundern. Paul hatte keine Arbeit, Mary verdiente einen bescheidenen Lohn als Hausmeisterin. Und dennoch schien Geld bei den beiden keine Rolle zu spielen.
Mit Befremden erlebte Alice, wie das Wohnzimmer jeden Freitagabend in eine Gaststube verwandelt wurde und die Kettenraucherin Mary Prager Pils und Wein im Überfluss ausschenkte. Die Gäste rauchten und lärmten, so dass Alice in ihrem Bett keine Ruhe fand. Also nahm sie am folgenden Freitag – widerwillig und als Zaungast – an der Einladung teil und bemerkte, worum es dabei vor allem ging. Mary und Paul betrieben einmal in der Woche einen illegalen Spielsalon.
Alice wusste, dass Paul immer schon leidenschaftlich gern gepokert hatte. Doch Mary schien ihn an Professionalität zu übertreffen. Zudem dürfte das Glück auf ihrer Seite gewesen sein: Sie riskierte viel und sie gewann viel. Und sie setzte, wie man so schön sagt, die Waffen einer Frau ein. Entsetzt beobachtete Alice, wie unbekümmert und freizügig Mary mit ihren ausschließlich männlichen Gästen umging.
Paul entgingen Alices Irritation nicht. »Das ist nichts Ernstes, das ist ihr ungarisches Temperament«, verteidigte er seine Frau. »So ist sie nun einmal.«
So groß Marys Herz und so dankbar Alice der Schwägerin im Grunde auch war – Alice zog sich zunehmend in sich zurück, und

ihre Sehnsucht nach einer eigenen Wohnung wuchs. Doch sie musste sich in Geduld üben.
Eines Abends klopfte es leise an der Eingangstür. Erst hörte Paul gar nicht darauf, denn für gewöhnlich benutzten Besucher die Klingel. Das Klopfen wurde lauter, so dass Paul schließlich aufhorchte und öffnete. Vor ihm stand – er erkannte sie sofort – Alices ehemalige Hausmeisterin aus der Sternberggasse. Den großgewachsenen, hageren Mann neben ihr stellte sie als ihren Ehemann vor. Ob sie mit Frau Sommer sprechen könne, es sei sehr dringend.
Paul wusste von Alice, wie schamlos die Frau in der Nacht vor dem Abtransport die Wohnung der Sommers geplündert hatte. Was trieb diese Frau hierher? Er zögerte eine Weile, bis er Alice rief. »Besuch für dich.«
Alice staunte, wie sich die Körpersprache der Frau verändert hatte. So herablassend sie Alice in dieser Nacht behandelt hatte, so unsicher und devot gab sie sich nun.
»Ob sie sich entschuldigen will?« dachte Alice im ersten Moment. »Oder ob sie mir die gestohlenen Sachen zurückgeben möchte?«
»Frau Sommer, es waren schwere Zeiten, nicht nur für Sie, für uns alle«, stammelte die Frau. »Sie erinnern sich sicherlich noch, dass ich Ihnen damals immer Essen besorgt habe.« Und ob Alice sich erinnerte, dass sie dafür stets ein Mehrfaches des Ladenpreises bezahlt hatte. Ihr Blick fiel auf den Ehemann. Er nickte unbeholfen zu allem, was seine Frau von sich gab. Beinah tat er Alice leid. In jener Nacht, in der ihre Wohnung geplündert worden war, hatte sie ihn nicht gesehen.
»Sehen Sie«, setzte die Hausmeisterin erneut an: »Wenn Sie mir schriftlich bestätigen könnten, dass ich mich in der Zeit der deutschen Besatzung Ihnen gegenüber immer hilfsbereit und anständig verhalten habe … das würde mir sehr helfen.« Die Hausmeisterin war unter Druck geraten, weil Leute aus der Nachbarschaft angezeigt hatten, sie habe sich zwischen 1940 und 1945 systematisch an jüdischem Eigentum bereichert.
Die Unverfrorenheit der Frau verschlug Alice die Sprache. Auch

der sonst so redegewandte Paul brauchte eine Weile, ehe er sich wieder fasste.
»Was erwarten Sie? Sie wissen doch ganz genau, wie schäbig Sie sich gegen meine Schwester benommen haben. Bitte schön, hier ist die Tür.« Sprach's und drängte die Frau, die Alice noch einen bösen Blick zuwarf, förmlich aus der Wohnung. Der Mann trottete schweigend hinterher. Er wirkte fast ein wenig schuldbewusst.
Alice blieb eine weitere Nacht schlaflos – die Begegnung mit der Hausmeisterin hatte das sprichwörtliche Fass zum Überlaufen gebracht. Während Stephan selig an ihrer Seite schlief, kämpfte sie vergeblich darum, klare Gedanken zu fassen. Die demütigende Befragung wegen der Staatsbürgerschaft. Die entmutigenden Auskünfte der Jüdischen Gemeinde. Die Angst um Leopold. Stephans ständige Fragen, wann der Vater denn zurückkommen würde. Wie sollte sie sich ihren Glauben an das Gute bewahren?
Alice fühlte sich außerstande, mit ihrem Kummer allein fertig zu werden. Die Sehnsucht, jemandem ihr Herz auszuschütten, wuchs von Stunde zu Stunde. Nur Edith fiel ihr ein, ihre beste Freundin. Doch sie kam im Augenblick nicht in Frage. Sie hatte inzwischen die Nachricht vom Tod ihres Mannes erhalten.
Gegen Morgengrauen wusste Alice einen Ausweg: Leo Baeck! »Unsere große kleine Künstlerin« hatte er sie genannt. Richtig glücklich hatte er sie gemacht, als er sie zum ersten Mal zu seinem Freitagabendgespräch im engsten Freundeskreis eingeladen hatte. Als führender Vertreter der Jüdischen Selbstverwaltung hatte er von seinem Recht Gebrauch gemacht, ihr einen Passierschein auszustellen, so dass sie auch noch nach der Sperrstunde um acht ungestraft im Lager unterwegs sein durfte. Welche Kraft hatte er ihr damals mit dieser Auszeichnung gegeben – ihr als einziger Frau. Alice zweifelte keinen Moment an seiner Hilfsbereitschaft.
»Morgen fahre ich nach Theresienstadt, zu Leo Baeck!« Sie wusste, dass er noch dort war und sich derer annahm, die das Lager noch nicht verlassen konnten. Paul gab Alice das Geld für die

Fahrkarte. Stephan blieb für diesen einen Tag bei Mary und Paul – dort fühlte er sich wohl. Außerdem hatte er inzwischen seinen engsten Freund aus Theresienstadt wiedergefunden – Pavel Fuchs. Er wohnte im Nachbarhaus.

***

Die Zugreise von Prag nach Theresienstadt dauerte nur zwei Stunden. Eigentlich hatte sie sich geschworen, das Ghetto nie wieder zu betreten, nun stand sie in dem Zimmer, in dem die Freitagsrunden stattgefunden hatten.

Zum ersten Mal fiel Alice auf, wie unfreundlich das düstere Parterrezimmer wirkte, in dem Leo Baeck wohnte. Die wenigen dunklen Möbelstücke stammten wohl – wie alles in Theresienstadt – aus Beschlagnahmungen. Als Baeck eintrat, wurde es, so empfand es Alice, plötzlich hell im Raum. Aus seinem Gesicht strahlten nach wie vor Kraft und Zuversicht.

Zur Begrüßung griff er nach Alices Händen. Alice wusste, wie selten der hochgewachsene Mann Gemütsregungen zeigte. Umso wohltuender empfand sie seine Geste. Sie gab ihr Vertrauen und machte ihr Mut. Gegen ihre Gewohnheit öffnete sie nun ihr Herz. Alice sprach von ihrer Vermutung, dass weder Leopold noch ihre Mutter zurückkommen würden, von den gehässigen Bemerkungen vieler ihr offenbar feindlich gesinnter tschechischer Mitbürger, von der Kälte und Niedertracht der staatlichen Behörden, von ihrer Angst vor der Zukunft.

Der Rabbiner war sichtlich bewegt, und Alice wartete darauf, dass er sie trösten und ermuntern würde. Doch er schwieg. Lange, sehr lange. Dann murmelte er Orakelhaftes, leise und mehr zu sich selbst als zu Alice. Sie schnappte nur ein paar Worte auf: »Vielleicht sind wir zu viele Juden auf dieser Welt ...«

Alice ging es zu schlecht, um Leo Baecks Gedankengänge zu hinterfragen. Nur dieser eine Satz, vielleicht ein Halbsatz, drang wie ein spitzer Pfeil in sie ein und verletzte sie tief – seinen möglichen Sinn verstand sie weder in diesem Augenblick noch später. Von Panik ergriffen sprang sie auf.

»Das soll ein Trost sein?«
Der dreiundsiebzigjährige Leo Baeck versuchte, auf Alice einzugehen, sich zu erklären – und sie zurückzuhalten. Vergeblich. Sie war zu enttäuscht, ihm weiter zuzuhören. In ihrer Verzweiflung verschloss sie sich und rannte aus dem Zimmer, die unangenehm vertrauten Straßen entlang zurück zum Bahnhof.

***

Leo Baecks Rabbinerweisheit verunsicherte Alice zutiefst. Doch sie zwang sich, wieder Mut zu fassen und das Leben so zu nehmen, wie es war – Stephan zuliebe. Und tatsächlich schien bald wieder ein Licht.
Einem glücklichen Umstand hatte Alice es zu verdanken, dass sie schneller ein neues Zuhause zugeteilt bekam, als sie zu träumen gewagt hatte. Dass es im Nebenhaus zu Pauls Wohnung war und noch dazu Tür an Tür zu Familie Fuchs, empfanden Alice und Stephan gleichermaßen als großes Glück. Stephan konnte nun jederzeit bei seinem besten Freund Pavel anklopfen – das gab beiden Halt.
Das Haus hatte vor dem Krieg der Familie Fuchs gehört, sie waren zwangsenteignet worden. Die Sachlage war klar, deshalb war die offizielle Rückerstattung nur eine Formsache, die sich zwar hinzog, aber nicht in Frage gestellt wurde. Weil in dem Haus bis zum Kriegsende fünf deutsche Offiziere mit ihren Familien gelebt hatten, standen nun fünf der insgesamt fünfzehn Wohnungen leer. Eine davon bezog die Familie gleich nach ihrer Rückkehr aus Theresienstadt selbst. Die anderen warteten auf neue Mieter – mit dieser Auskunft schickte Frau Fuchs Alice zur Jüdischen Gemeinde.
Tatsächlich ging man auf Alices Vorschlag ein, wies ihr eine kleine Wohnung zu und übernahm – Alice hatte ja kein Einkommen – vorerst die Mietkosten.
Ein Zimmer für Stephan, eines für Alice, dazu eine winzige Küche und sogar eine eigene Toilette mit Fenster. Das Haus war erst in den dreißiger Jahren gebaut worden, erstaunlich modern und sogar mit einem Fahrstuhl ausgerüstet, in dem Stephan mit Leiden-

schaft auf und ab fuhr. Hier fanden Alice und Stephan eine Art Ersatzfamilie. Nebenan die Eigentümer, zwei Stockwerke unter ihnen Leopolds Bruder Hans Sommer sowie Trude Hutters Mutter Klara, die Theresienstadt überlebt hatte.

Auch beim Einrichten der Wohnung half die Jüdische Gemeinde. In einem Möbellager fanden Alice und Stephan ein Sofa, zwei Stühle, einen kleinen Tisch und ein Klappbett für den Buben.

Bereits 1943 hatte die SS in Prag vierundfünfzig Lager mit beschlagnahmtem jüdischem Besitz angelegt – in sämtlichen Synagogen, Bethäusern und Sälen jüdischer Organisationen. In der Dokumentation der geraubten Güter zeigte sich einmal mehr der deutsche Ordnungssinn. Aus einer Statistik vom 16. März 1943 lässt sich ablesen, dass zu diesem Zeitpunkt zwar erst die Hälfte der leerstehenden jüdischen Wohnungen geräumt, doch bereits folgende Wertgegenstände »sichergestellt« worden waren: 603 Klaviere und Flügel, 9973 Kunstgegenstände, 13207 komplette Zimmer- und Kücheneinrichtungen, 21008 Teppiche, 55454 Bilder, 621909 Gläser und Porzellangegenstände, 778195 Bücher, 1264999 Textilprodukte und 1321741 Stück Haushalts- und Küchengeräte.[266]

Gefühle von großer Dankbarkeit und tiefer Trauer gerieten in Alice aneinander, als sie das Depot betrat, in dem Klavier an Klavier stand. Natürlich suchte sie zuerst nach dem eigenen Förster-Flügel, doch der blieb zwischen den vielen hundert beschlagnahmten Instrumenten unauffindbar. Jedes der Klaviere hatte eine Geschichte zu erzählen. Wie viele von ihnen würden für immer verwaist bleiben?

Ohne Stephan hätte Alice die Atmosphäre in dem Depot nicht ertragen. Doch das Kind lenkte sie auf entzückende Weise von ihren traurigen Gedanken ab. Zu jedem Flügel, den Alice anspielte, gab Stephan seine Meinung über die Klangwirkung ab. Alice staunte, wie präzise sein Urteil ausfiel. Schließlich einigten sie sich auf einen schwarzen, mittelgroßen Steinway-Flügel mit kristallklarem Klang. Alice konnte sich seit langem wieder einmal richtig freuen.

Zwei Tage später stand der Lieferwagen vor der Tür. Vier junge

Endlich wieder ein eigener Flügel: Alice gibt Stephan Klavierunterricht (1945)

Männer schleppten den Flügel unter großer Anstrengung die drei Etagen hinauf in die Wohnung. Als er endlich im Wohnzimmer stand, musste Alice herzlich lachen. Der Flügel nahm fast das gesamte Zimmer ein. Es war gerade noch Platz für das an die Wand gedrückte Sofa, das ihr tagsüber als Sitzmöbel und nachts als Bett diente, den kleinen Tisch mit zwei Stühlen und ein schmales Bücherregal. Nun konnte man sich kaum noch umdrehen.

Nach acht Wochen, die ihr wie eine Ewigkeit vorgekommen waren, saß sie nun wieder an einem Flügel. Ein Fachmann hatte das Instrument gestimmt und ihr sein Honorar auf unbestimmte Zeit gestundet. Spontan spielte Alice die Abegg-Variationen von Schumann. Weil es sie an glücklichere Zeiten erinnerte? Weil sie damit ihren ersten großen Erfolg bei den Meisterklasse-Konzerten gefeiert hatte? »Die Palme des Abends gebührt ... Alice Herz.« Oder einfach nur, weil das Werk eine so leichte, schwebende, ja heitere Stimmung verbreitete, die sie für die Dauer des Spielens ihr Leid vergessen ließ?

14
Prag
»Tausendmal schlimmer als unter den Nazis«

Leopold Sommer war in einer Kolonne von Tausenden aus Polen Richtung Westen getrieben worden, und er war mit wenigen anderen in Dachau angekommen. Die Nachricht hatte ein Auschwitz-Überlebender in der Anlaufstelle der Prager Jüdischen Gemeinde hinterlassen. Dachau, das hatte Alice sich mittlerweile sagen lassen, war kein Vernichtungslager wie Treblinka oder Auschwitz. Wenn Leopold den Todesmarsch überlebt hatte, müsste er doch in Dachau befreit worden sein … und wäre vielleicht in wenigen Tagen wieder zu Hause?! Wann immer sie ein Klopfen an ihrer Tür hörte, begann Alices Herz zu rasen.

Es war bereits Mitte August 1945, ein Vormittag am Klavier, als ein unangemeldetes Klingeln Alice aus ihrer Ruhe riss. Der Fremde am Eingang trug einen Kaftan.

Alice blickte irritiert an ihm hoch, in trübe Augen, die in ihren Höhlen zu versinken drohten, auf den traurigen Bart und einen einmal würdevollen Hut, unter dessen Schatten das Gesicht noch eingefallener wirkte. Der Mann streckte ihr seine Hand entgegen, Haut wie blassgraues Papier.

Die Jüdische Gemeinde habe ihm ihre Adresse gegeben, ließ er sie wissen. Der Mann sprach jiddisch, und seine Stimme klang entschuldigend. Mit einem Mal erkannte Alice ihn als den Vater jener acht Kinder, mit denen sie und Stephan in Theresienstadt Tür an Tür gewohnt hatten. Wie Leopold hatte auch er seine Familie beinahe jeden Abend besucht.

Wenige Tage nachdem Leopold nach Auschwitz deportiert worden war, hatten auch der orthodoxe Jude und seine vier Söhne Theresienstadt verlassen müssen. Die Mädchen waren mit ihrer Mutter zurückgeblieben. Alice war der scheinbaren Gelassenheit, mit der die Frau sich ihrem Schicksal ergeben hatte, fassungslos gegenübergestanden. »Was Gott zulässt, ist von Gott gewollt«, hatte die Frau wiederholt gesagt. »Und dann wird es auch gut sein.« Wann immer Alice in der Folge Anlass gehabt hätte, mit ihrem fremdbestimmten Leben zu hadern, ermahnte sie die Erinnerung an diese Frau und ihr grenzenloses Gottvertrauen.
Alice bat den Mann herein und bot ihm einen Platz auf einem ihrer beiden Stühle an, auf den anderen setzte sie sich selbst. Was aus seiner Familie ..., wollte Alice fragen, doch sie brachte kein Wort über die Lippen. »Alle vier Söhne sind in Auschwitz geblieben«, sagte der Mann, als hätte er ihre Gedanken gelesen. »Die Rampe ... Sie haben uns nicht einmal Zeit gelassen, einander Lebewohl zu sagen.« Er sprach beängstigend ruhig. Auch seine Frau und die vier Mädchen seien nicht zurückgekommen.
Minuten des Schweigens, die sich für Alice wie Stunden hinzogen. Vergeblich suchte sie nach Worten des Trostes. »Leopold«, schrie es in ihrem Kopf. Sie schloss die Augen, instinktiv, als könne die Dunkelheit sie vor der Wahrheit bewahren. »L-e-o-p-o-l-d«, hallte es in ihr nach. Als sie, gleichsam um Luft zu holen, wieder aufsah, begann der Besucher langsam zu sprechen. Gut fünfunddreißig Jahre waren vergangen, seit die Großmutter sie mit der Sprache der Vorfahren in Berührung gebracht, fast ebenso lang, dass Alice ihr Interesse daran verloren hatte. Obwohl Jiddisch ihr fremd war, verstand Alice den Mann. Keine andere Sprache, empfand sie nun, drücke Trauer und Leid eindringlicher aus.
Dachau. Er habe mit Leopold Sommer Pritsche an Pritsche gelegen. Sie alle litten an Flecktyphus. Als Leopold spürte, dass ihn seine Kraft verließ, bat er den Mann, für ihn zu Alice und Stephan zu gehen.
Wieder Stille. Schließlich griff der Besucher in seine Manteltasche, zog ein in Zeitungspapier gerolltes Päckchen heraus und streckte es Alice entgegen. Ihr Kopfnicken sagte ihm, dass er es auswickeln

sollte. Ein zerbeulter Blechlöffel. Leopolds Löffel, den er von Prag nach Theresienstadt, nach Auschwitz, nach Flossenbürg, nach Dachau mitgetragen hatte.
»Musste er sehr leiden?« fragte Alice und starrte dabei durch den Mann hindurch ins Nichts.
Zuletzt sei Leopold kaum noch bei Bewusstsein gewesen. In seinen Fieberschüben habe er oft Alices und Stephans Namen geflüstert. Er habe dabei gelächelt.

***

»Maminka, fahren wir heute Straßenbahn?«
Alice hatte kein Gefühl dafür, wie lange sie bereits dagesessen war und auf den Löffel gestarrt hatte, als Stephan zur Tür hereingelaufen kam. »Hast du es mir nicht versprochen?«
Alice stemmte sich an dem Tischchen vor ihr hoch, zwang sich ein Lächeln auf die Lippen und ging Stephan entgegen. Zärtlich strich sie ihm über den Kopf, mit der rechten Hand und dann mit der linken, und dann wieder mit der rechten, sie atmete dabei tief durch und fand langsam in die Gegenwart zurück. Stephan, ihr Halt.
Obwohl sie sich dabei konzentrieren musste wie bei einem Klavierkonzert vor vollem Saal, gelang ihr ein ebenso freundlich wie beiläufig klingendes: »Dann komm, mein Schatz, es geht los.« Es war – einmal mehr – ein Ja zum Leben.
Beim Hinausgehen streifte Stephans Blick achtlos den Löffel. Alice ging hinter ihrem Sohn her. Es ist eben nur ein Löffel, dachte sie. Die Erinnerung an unsere gemeinsame Zeit kann mir niemand nehmen. Und Stephan! Er ist Leopolds Vermächtnis. Er darf nicht belastet werden. Dennoch bewahrte Alice den Löffel ihr Leben lang auf.
Die Haltestelle lag etwa zweihundert Meter vom Hauseingang entfernt. Sooft er allein auf die Straße durfte, beobachtete Stephan, wie die Bahn heranfuhr, die Fahrgäste aus- und einstiegen und der Fahrer mit einem schrillen Klingeln ankündigte, dass die Fahrt weiterging. Stephan war fest davon überzeugt, noch nie in

Alice und Stephan hüteten Leopolds Blechlöffel wie einen Schatz

seinem Leben in einer Straßenbahn gesessen zu sein. Tatsächlich war er erst vier Jahre alt gewesen, als den Juden das Benutzen von öffentlichen Verkehrsmitteln untersagt worden war.
Als Alice und Stephan in die Bělskýstraße einbogen, kam gerade der nächste Zug. »Maminka«, drängte Stephan. Alice ließ ihn nicht merken, dass sie sich nur mit Mühe über dem Abgrund hielt.
»Wir fahren von hier bis zur Endstation«, sagte sie, »und wieder zurück.« Stephan jubelte und zog an der Hand seiner Mutter. Im Laufschritt erreichten sie die Bahn und stiegen in den vordersten Wagen. Stephan wollte unbedingt neben dem Fahrer stehen.
Alice bestellte zwei Billetts. »Zur Endstation und wieder retour.« Der Fahrer zwinkerte ihr zu, als wollte er sagen: »Hab schon verstanden.« – »Und du, mein kleiner Freund«, wandte er sich Stephan zu, »wie heißt du denn?«
»Stephan, aber alle nennen mich Stepanku.«
»Willst du auch einmal Straßenbahnfahrer werden, Stepanku?«
»Nein, ich werde Dirigent.«
Der Fahrer staunte nicht schlecht, war aber nicht verlegen um eine passende Antwort. »Weißt du, Stepanku, Dirigent oder Straßenbahnfahrer – das ist letztlich kaum ein Unterschied. Der Dirigent sagt, wann es losgeht, und das mache ich auch. Der Dirigent bestimmt, wann die Fahrt schneller oder langsamer zu werden hat, und das mache ich auch.«
Stephan schaute ungläubig.
»Na, dann komm her, ich zeige dir mal, wie man eine Straßenbahn dirigiert.« Der Fahrer lachte und half dem Buben auf den Fahrerstand. Sie bedienten die Kurbel gemeinsam, sie bremsten

gemeinsam, klingelten gemeinsam. An der Endstation lenkten sie gemeinsam die Wendeschleife. Stephan war glücklich.
»Wann immer du Lust hast, darfst du mit mir fahren«, lud ihn der Fahrer zum Abschied ein. »Einen so guten Straßenbahndirigenten wie dich kann ich immer brauchen.«
In den folgenden Wochen bis Schulbeginn verging kaum ein Tag, an dem er nicht an der Haltestelle wartete, bis Josef, »sein Fahrer«, vorbeikam. Dann verbrachte er meist den ganzen Vormittag mit ihm auf Rundreisen durch den Prager Norden.

***

»Mir scheint, der Josef hat keine Ahnung von Musik.« Beim Abendessen zerbrach Stephan sich seinen Kinderkopf über Unterschied und Gemeinsamkeiten einer Straßenbahnnotbremsung und einem aus dem Takt geratenen Streichorchester. »Jedenfalls klingen beide schauerlich«, lachte er vergnügt. »Der Papa muss dem Josef einmal vorspielen.«
»Stepanku«, setzte Alice an. Den ganzen Abend hatte sie auf ein Apropos gewartet. »Stepanku, dein Papa kommt nicht wieder. Heute Vormittag war ein Mann da. Er hat mir erzählt, was Papa zugestoßen ist ...«
Still kletterte Stephan auf den Schoß seiner Mutter. Instinktiv übernahm er die Rolle des Trösters. »Aber Maminka, du hast doch gesagt, dass Papas Seele nicht sterben kann.«
»Du hast recht, mein Schatz, Papa wird bestimmt immer bei uns sein. Wir können ihn nicht sehen, aber wenn wir mucksmäuschenstill sind und unser Herz ganz weit aufmachen, dann können wir ihn fühlen. Er wird uns beschützen. Immer.«
Stephan schlief ruhig in dieser Nacht. Alice saß noch lange wach und fasste einen Entschluss, dem sie jahrzehntelang treu blieb: kein Wort mehr über Theresienstadt, kein Wort über den Tod von Leopold.

***

Nach vorn blicken, leben – das hieß für Alice auch, so bald wie möglich wieder Konzerte zu geben. Schon vor dem Krieg hatte sie regelmäßig im Rundfunk gespielt, sowohl im deutschsprachigen als auch im tschechischen. Bis 1939 hatte Paul Nettl, der Mann ihrer Freundin Trude, die Musikabteilung des deutschen Senders geleitet, dann war er, gerade noch rechtzeitig, mit seiner Familie in die USA geflohen.

Während das deutsche Programm von den Nationalsozialisten gleichgeschaltet und – mit Kriegsende – von den Tschechen verboten worden war, traf Alice im tschechischen Sender auf Verantwortliche, mit denen sie schon vor dem Krieg gut zusammengearbeitet hatte. Ein leitender Redakteur bot Alice an, ab sofort wieder zu konzertieren. Von Zeit zu Zeit könne sie auch im Kurzwellenprogramm auftreten, er habe ihr bereits einen konkreten Termin vorzuschlagen. Die Konzerte wurden um Mitternacht direkt ausgestrahlt, waren weltweit zu empfangen und sehr beliebt.

»Ich muss unbedingt Mizzi und Irma benachrichtigen«, dachte Alice. »Wenn sie mich im Radio hören, wissen sie, dass ich lebe.«

In den Monaten vor Kriegsbeginn hatten die Schwestern noch einige Briefe ausgetauscht, seither wussten sie nichts voneinander. Alice hatte nicht einmal die Adressen der beiden, und eine Telefonverbindung nach Israel gab es nicht. Auch die Jüdische Gemeinde konnte diesmal nicht helfen, die Beziehungen zu Palästina wurden erst langsam aufgebaut.

Auf gut Glück ging Alice zur Post. Sie wollte ein Telegramm nach Jerusalem schicken. »Kommenden Donnerstag Mitternachtskonzert von Radio Prag auf Kurzwelle. STOPP. Alice.«

Die Postbeamtin war hilflos. Alice solle doch am nächsten Tag wieder kommen. Bis dahin wolle sie sich kundig machen, ob und wie die Nachricht auf den Weg nach Palästina gebracht werden könne. Alice musste noch mehrere Anläufe nehmen, ehe es endlich gelang, das Telegramm mit der vagen Adressangabe abzuschicken: »Prof. Emil Adler, Arzt, Jerusalem.« Ursprünglich wollte sie die Botschaft auch an ihren Schwager Felix Weltsch senden, doch den Gedanken verwarf sie, als sie hörte, wie teuer das Telegraphieren war. Emil Adler – so vermutete sie – war als Arzt im öffentlichen Leben Jerusalems bekannter als der Universitätsbibliothekar Felix Weltsch.

Mit der Vorbereitung auf das Konzert vergingen die Tage wie im Flug. Am angekündigten Donnerstag saß Alice kurz vor Mitternacht am Flügel im Studio des tschechischen Rundfunks. Ihre Nachbarin Valery Fuchs weckte gerade Pavel und Stephan, damit sie das Konzert mithören konnten. Aber ob ihr Lebenszeichen Jerusalem erreichen würde?

Erst Wochen später erfuhr Alice, welche Aufregung das Telegramm in der Familie ausgelöst hatte. Tatsächlich war es rechtzeitig in Emil Adlers Büro abgegeben worden. Er leitete seit 1940 die Abteilung für Rehabilitation des Hadassah-Hospitals, der späteren Universitätsklinik Jerusalems. Obwohl er zeit seines Lebens als Verstandesmensch galt, sollen ihm die Hände gezittert haben. Er ließ alles stehen und raste nach Hause. Alice lebte. Als Marianne das Telegramm las, war es, als berste ein Damm, so hemmungslos begann sie zu weinen.

Am Abend des Konzerts versammelte sich die Verwandtschaft um den Radioapparat der Adlers: Neben Marianne und Emil saßen Felix und Irma Weltsch und ihre Tochter Ruth. Mitternacht! Wegen der Zeitverschiebung mussten sie sich noch eine Stunde gedulden. Um Punkt eins die Ankündigung: »Wir hören nun Ludwig van Beethovens Appassionata, gespielt von Alica Herzova, Prag.«

Schon nach den ersten Takten versteckten selbst die scheinbar so abgeklärten Männer ihre Gesichter hinter Taschentüchern. Alice lebte. Und Leopold? Und Stephan?

Ab September 1945 korrespondierten Alice und ihre Verwandten wieder regelmäßig. »Alices Brief [...] ist rührend. Ich schreibe ihr gleich. Schickt jemand die Schuhe für Steffi?«[267]

***

Die unheimliche Gewitterstimmung am Anfang der Appassionata, dieses sich wiederholende unheilvolle Klopfmotiv, die wachsende dramatische Spannung – in dieser Nacht erfuhr auch der tschechische Schriftsteller und Journalist Michael Mareš, dass Alice noch am Leben war.
Mareš hatte die zwanzig Jahre jüngere Pianistin Anfang 1943 bei einem privaten Hauskonzert kennengelernt. Auch damals hatte sie die Appassionata gespielt. Wie die Verheißung einer unentrinnbaren Katastrophe hatte er die Sonate damals empfunden – selten war ihm ein Musikstück so unter die Haut gegangen.
Von ihrer ersten Begegnung an hatte Alice eine Art von Seelenverwandtschaft mit Mareš empfunden. Sein derber Witz und seine originelle Schlagfertigkeit waren ihr zwar fremd, faszinierten sie aber. Die junge Mutter hatte einen väterlichen Freund gefunden. In manchen Momenten offenbarten seine phantasievollen Komplimente jedoch, dass er sich in Alice verliebt hatte. Dass trotzdem eine intensive Freundschaft zwischen den beiden wachsen konnte, war seiner ebenso klugen wie stolzen Zurückhaltung und ihrem Charme zu verdanken.
Bei der Jüdischen Gemeinde erfragte Michael Mareš am nächsten Morgen Alices Adresse. Auf dem Heimweg pflückte er im verwilderten Belvederepark einen prächtigen Strauß. Doch Blumen allein schienen ihm zu schlicht, um seine Freude, seine Bewunderung, ja seine Liebe zu ihr auszudrücken. Mareš war ein leidenschaftlicher Sammler moderner Kunst, und er wusste, wie aufgeschlossen Alice der Moderne gegenüberstand, nicht nur in der Musik, sondern auch in der bildenden Kunst. Zum Wiedersehen wollte er ihr das wertvollste Bild seiner Sammlung schenken.
Aufgeregt klingelte Mareš noch am selben Tag an Alices Wohnungstür. Der achtjährige Stephan öffnete und sah ihn befremdet an.
»Stepanku, erinnerst du dich? Vor zwei Jahren waren wir zusammen im Kino, damals ist dir die Eistüte auf deine Hose gefallen … Ich bin Michael.« Beide mussten lachen.
»Wenn du Lust hast, gehen wir morgen wieder ins Kino.« Der Bann war gebrochen.

»Komm, Maminka. Er will morgen mit mir ins Kino«, rief Stephan.
Als Alice zur Tür kam, erstrahlte sie. Eigentlich war es nicht ihre Art, Gäste bei der Begrüßung zu umarmen. Aber Michael Mareš fiel sie um den Hals.
»Wir haben uns viel zu erzählen«, sagte er glückselig, »aber vorher habe ich eine Bitte an dich. Spielst du für mich den ersten Satz der Appassionata?«
Alice suchte ein geeignetes Glas, stellte den Blumenstrauß auf den Steinway-Flügel und begann zu spielen. Nach dem Privatkonzert überreichte Mareš ihr sein Geschenk – das Porträt einer jungen Pariserin von Toulouse-Lautrec.
Von nun an verging keine Woche ohne einen Besuch des Freundes. In den Nachkriegsjahren war er Alices verlässlichste Stütze. Mit ihm konnte sie nicht nur über ihre Alltagssorgen sprechen, sondern auch die politische Situation diskutieren. Häufig brachte er tschechische Journalistenkollegen zu einem Hauskonzert mit. Mareš war überzeugter Kommunist und träumte von einer gerechten Gesellschaft. Doch sah er mit zunehmendem Argwohn, wie seine Parteifreunde ihre politischen Gegner bekämpften.

***

Auch für Stephan war Mareš in den folgenden Jahren ein väterlicher Freund, der ihm immer zuhörte – etwa in schulischen Fragen.
Die Schule. Als Alice Sommer und Valery Fuchs, die sich bereits in den ersten Wochen ihrer Nachbarschaft befreundet hatten, gemeinsam bei der örtlichen Schulbehörde vorsprachen, trafen sie auf eine ratlose Beamtin. Seit Tagen wurden Kinder angemeldet, die den Krieg im Lager oder Versteck überlebt und nie zuvor eine Schule besucht hatten. Stephan und Pavel waren Jahrgang 1937, und beide sollten eigentlich das dritte Schuljahr beginnen. Man konnte sie doch nicht zu den Sechsjährigen stecken.
Kurzerhand entschied die Behörde, dass die Betroffenen einen Einschulungstest absolvieren sollten. »Entsprechend dem Prüfungs-

ergebnis würden sie dann einer höheren oder niedereren Klasse zugeteilt werden«, schrieb Irma Lauscherová, die nicht nur für Stephan und Pavel, sondern für Hunderte von Kindern den heimlichen Schulunterricht in Theresienstadt organisiert hatte:

> »Ab September würden sie dann in die Schule gehen. Sie würden Bücher, Hefte, ein Federpennal, Federn, Skizzenheft, einen Bleistift, Buntstifte und eine Schultasche haben! Und vielleicht sogar einen Radiergummi! Welche Freude! [...] Wer es nicht selbst mitgemacht hat, der weiß nicht, was es bedeutet, ein Stück Papier zu haben, das wenigstens auf einer Seite beschrieben werden kann. Wer es nicht selbst mitgemacht hat, weiß auch nicht, was es bedeutet, einen Bleistift zu besitzen. Niemand weiß, was unsere Kinder alles entbehren mussten.«[268]

Die Prüfungskommission staunte über die Leistungen von Stephan und Pavel. Beide sprachen perfekt Tschechisch, beide konnten fließend lesen und schreiben, beide beherrschten das Einmaleins. Ab September 1945 besuchten sie die dritte Klasse. Die Volksschule war nur wenige Minuten vom Wohnhaus entfernt.

Sowohl Stephan als auch Pavel gingen mit Begeisterung zur Schule. Was für die meisten nur Pflicht war, empfanden sie – zumindest in der ersten Zeit – als Privileg. Besonders Stephan fiel aus der Reihe. Immer wieder gelang es ihm, mit originellen Fragen oder markanten Antworten seine Lehrer herauszufordern – und die Schüler zum Lachen zu bringen. Böse war dem wilden Kerl niemand. Denn er blieb auch als kleiner Provokateur immer liebenswürdig.[269]

Wenn er mittags von der Schule kam, erledigte Stephan zuerst seine Hausaufgaben. In den kalten Wintermonaten behielt er dazu Mantel und Mütze an, denn die Wohnung war schlecht geheizt.

So überdurchschnittlich freundschaftlich das Verhältnis zwischen Mutter und Sohn auch war, so unbeirrbar bemühte Alice sich, Stephan an Disziplin zu gewöhnen.

Um Viertel vor sechs begann der Tag mit der Morgentoilette und dem gemeinsamen Frühstück. Von Punkt sieben bis Viertel vor acht unterrichtete Alice ihren Sohn am Klavier. Manchmal probte Stephan den Aufstand. Er sah nicht ein, warum er täglich so intensiv üben sollte. Alice bestand jedoch darauf, nicht nur, weil er erstaunliches Talent zeigte, sondern weil Disziplin und Zielstrebigkeit ihm dabei sozusagen in Fleisch und Blut übergehen sollten. Der Konflikt begann sich erst zu legen, als Ilonka Štěpánova ihn unterrichtete.

Václav und Ilonka Štěpán waren die ersten Freunde, zu denen es Alice nach ihrer Rückkehr aus Theresienstadt gezogen hatte. Eine weitere Ernüchterung. Sie hatte sich anhören müssen, dass ihr ehemaliger Lehrer an einem bösartigen Kopftumor gelitten hatte und 1944 nach fürchterlichen Qualen gestorben war. Ilonka hatte sich jedoch als Stephans Klavierlehrerin angeboten, und Alice hatte, weil sie es als didaktisch sinnvoll empfand, dankbar angenommen. Trotzdem behielten Mutter und Sohn die morgendliche Übungsstunde bei.

Stephan machte enorme Fortschritte. Mit neun spielte er Debussy, mit zehn die ersten Beethoven-Sonaten. So groß seine Neugier auf neue Komponisten und neue Stücke auch war, begann er den Tag doch stets mit Bach. Alice überließ ihm die Wahl des Stücks.

***

Sobald Stephan das Haus verließ, setzte Alice sich ans Klavier und übte in der Regel vier Stunden – so wie in den Jahren vor der Deportation. Wenn der Junge seine Hausaufgaben machte und mit seinen Freunden spielte, unterrichtete sie. Die Abende reservierte sie für Konzertbesuche, und langsam fand sie auch in einen neuen Freundeskreis. Alice hatte das Gefühl, wieder Boden unter die Füße zu bekommen.

Doch in regelmäßigen, erschreckend kurzen Abständen brachen neue Nachrichten über das Schicksal von Freunden und Bekannten über sie herein. Leopolds Bruder Hans trauerte um seine Frau Zdenka, seine zehnjährige Tochter Eva und seinen siebenjährigen Sohn Otto. Alle drei waren 1944 in Auschwitz vergast worden.

Die Schwiegermutter Helena Sommer war gemeinsam mit ihrer Schwester Anna Holitscher in einer Gaskammer Treblinkas umgekommen. Für ihre Schwägerin Edith Mautner und ihren Mann Felix gab es offensichtlich auch keine Hoffnung mehr. Seit ihrer Deportation in das »Ghetto Litzmannstadt (Lódź)« im Oktober 1941 fehlte jede Spur. Ihre Kinder Ilse und Thomas warteten immer noch in Schweden auf ihre Eltern.

Eines Tages stand Joseph Reinhold, der ehemalige Leiter des Prießnitz-Sanatoriums in Gräfenberg, vor der Tür. Er hatte mit Hilfe seiner christlichen Frau und unter abenteuerlichen Umständen in Russland versteckt überlebt – und war als seelisches und körperliches Wrack zurückgekehrt. Einmal noch nahm Alice ihn zu einem ihrer Konzerte mit. Schon bei der ersten Beethoven-Sonate schüttelte ihn ein Weinkrampf – er musste den Saal vorzeitig verlassen. Wenige Monate später starb er in Prag.

Alice zählte etwa zwanzig Menschen aus dem engsten Verwandten- und Freundeskreis, die von den Nationalsozialisten ermordet worden waren. Zwei Überlebende auf zwanzig Tote – das Verhältnis spiegelt auf der persönlichen Ebene das Ausmaß der Tragödie wider. Am 15. März 1939 lebten in den Böhmischen Ländern 118 310 Juden. Davon überlebten 14 045 Menschen – etwa acht Prozent.[270]

Umso größer war die Freude, als eines Tages ein Brief von Robert Sachsel eintraf, Leopolds bestem Freund seit Kindertagen. Gemeinsame Schule, gemeinsame Ausbildung zu Handelskaufleuten, gemeinsamer Umzug nach Hamburg, zeitgleiche Rückkehr nach Prag Anfang der dreißiger Jahre. Der Krieg hatte die Freunde getrennt.

Robert hatte, erfuhr Alice nun, unter gefährlichen Umständen überlebt. Im Winter 1941 hatte er – bereits schwer rheumakrank und eigentlich ein Fall für den Rollstuhl – täglich acht Stunden in den Straßen Prags Schnee schaufeln müssen. Weil Roberts Vater absehen konnte, dass sein Sohn diese körperliche Tortur nicht überleben würde, kaufte er auf den Namen von Roberts Pflegerin Anita ein kleines Haus im slowakischen Kurort Pieštany und versteckte, rechtzeitig vor seiner Enteignung, eine Summe Geld in dem Haus, die den Sohn auch über längere Zeit gut versorgen sollte.

Die Sachsels gehörten zu den renommiertesten und wohlhabendsten Familien Prags. Seit den neunziger Jahren des achtzehnten Jahrhunderts hatten ihre Vorfahren ein tief religiöses Leben in der orthodoxen Gemeinde von Neubydzow (Nový Bydžov) gelebt, etwa neunzig Kilometer nordöstlich von Prag. Mit der Gründung einer Leinölfabrik, die schnell zu einem blühenden Konzern mit Produktionsstätten in ganz Mitteleuropa wuchs, war Großvater Sachsel im neunzehnten Jahrhundert zur wirtschaftlichen Elite Böhmens aufgestiegen und hatte seinen sieben Söhnen ein solides finanzielles Fundament für ihre Ausbildung bieten können.[271] Roberts Vater war ein erfolgreicher Unternehmer. 1942 wurde er gemeinsam mit seiner Frau nach Theresienstadt deportiert. Keiner der beiden kam zurück.

***

In den Herbstferien 1945 traten Alice und Stephan ihre erste Reise an. Sie fuhren nach Zwickau im nordböhmischen Sudetenland, wo Robert Sachsel nun im Elternhaus seiner Pflegerin Anita wohnte, einem Bauernhof. Die Fahrt war mühsam, unvorhergesehene Fahrplanänderungen, stundenlange Aufenthalte.

Das Wiedersehen mit Robert erschütterte Alice. Er schien sehr gealtert und war an den Rollstuhl gefesselt. Trotzdem verbrachten Alice und Stephan wunderschöne Tage, die Umgebung lud zu Spaziergängen ein. Auf dem Bauernhof lebten viele Tiere, die Stephan zu versorgen half. Ein Nachbarsjunge brachte ihm Fahrradfahren bei. Sogar ein Klavier stand in der guten Stube, auf dem Alice und Stephan nach Herzenslust spielten. Bis 1948 kamen sie jedes Jahr mindestens einmal wieder.

Nach der ersten Wiedersehensfreude sprachen Alice und Robert hauptsächlich von der Vergangenheit. Robert hatte ein großes Mitteilungsbedürfnis, denn er war erst vor wenigen Wochen aus seinem Versteck befreit worden. Alice war eine gute Zuhörerin.

Als Robert von der Jüdischen Kultusgemeinde benachrichtigt

Alice mit
Robert Sachsel (1947)

wurde, dass am nächsten Tage alle Juden von Pieštany abtransportiert werden sollten, entschloss seine Pflegerin sich zu einer Rettungsaktion. Sie schob Roberts Bett in den kleinen Erker des Wohnzimmers und stellte einen Sessel daneben – für mehr war kein Platz. Vor den Erker schob sie ein großes Bücherregal. Im Keller des Hauses versorgte sie zur gleichen Zeit Roberts jüdischen Hausarzt. Um nicht unter Verdacht zu geraten, nahm sie zudem eine Arbeit im Ort an.

Monatelang ahnte niemand etwas von den Verstecken. Nur eine Hand voll treuer und furchtloser Freunde war eingeweiht, selten kam einer zu Besuch.

Kurz vor Kriegsende erhielt die örtliche Verwaltung der deutschen Besatzer offenbar einen Hinweis auf das Versteck. Ohne Vorwarnung durchsuchten drei Nazis das Haus – und blieben. Tag und Nacht ohne Unterlass wurde Anita verhört, von seinem Versteck aus konnte – ja musste – Robert Sachsel jedes Wort mithören. Wenn er schlief und dabei laut schnarchte, drehte Anita das Radio auf oder saugte Staub.

Nach einigen Tagen verschwanden zwei der Nazibeamten wieder, der dritte führte die Nachforschungen fort. Am sechsten Tag war Anita so verzweifelt, dass sie während des Verhörs aufgab und das Bücherregal wegschob. Robert hatte sechs Tage nicht gegessen und getrunken, er lag in seinen Exkrementen.
Beim Anblick der geschundenen Kreatur verlor der Deutsche die Fassung. Plötzlich schien ihm bewusst zu werden, dass er für Roberts Zustand verantwortlich war. Er half Anita, ihn zu reinigen und ihn zu dem jüdischen Arzt in den Keller zu bringen, der ihn notdürftig versorgte.
Zwischen dem Deutschen und Robert entstand eine lebenslange Freundschaft.

***

Prager Alltag.
Als Stephan eines Tages von der Schule nach Hause kam, lief unmittelbar vor der Haustür ein kleiner Hund hin und her. Stephan stellte seine Schultasche ab, ließ den Hund an seiner Hand schnuppern, und es dauerte nur wenige Minuten, bis die beiden Freundschaft geschlossen hatten. Sie währte nicht lange.
Aus dem Nachbarhauseingang stürmte plötzlich eine zeternde Frau mittleren Alters und beschimpfte Stephan unflätig. Woher er eigentlich die Dreistigkeit nehme, mit wildfremden Hunden zu spielen. Er solle das Tier sofort in Ruhe lassen.
Stephan verunsicherte die Attacke. Inzwischen stand die korpulente, wild gestikulierende Dame direkt vor ihm. Ehe er ihr antworten konnte, senkte sie plötzlich die Stimme: »Du gehörst doch auch zu diesen Leuten, die aus Theresienstadt gekommen sind und uns unsere Wohnungen weggenommen haben?«
Jetzt fand Stephan seine Stimme wieder.
»Wir haben niemandem die Wohnung weggenommen. Unsere Wohnung, die hat man uns weggenommen.«
»Da hört sich doch alles auf!« schrie die Frau. »Ein Judenbalg und dann auch noch frech werden.«

Stephan blickte fassungslos in das bösartige Gesicht, aus dem es gleich noch einmal zischte: »Dich und deine Mutter hätten sie auch vergasen sollen. Dann wäre hier endlich Ruhe.«
Zum ersten Mal in Stephans Leben hatte jemand ihm den Tod gewünscht. Entsetzt rannte er nach Hause, in den Arm seiner Mutter. Die sah schon an der Tür, dass etwas Schlimmes geschehen sein musste, und ließ ihm alle Zeit, sich ohne Hemmungen auszuweinen.
Prager Alltag?
Begebenheiten wie diese ließen Alice zunehmend zweifeln, ob in der neuen Republik überhaupt noch Platz für sie war. Es erschütterte sie bis ins Mark, als die Zeitungen 1946 vom Pogrom im polnischen Kielce berichten. Tausende polnischer Juden waren in Todesangst in die Tschechoslowakei geflohen.[272] Obwohl die amerikanische Hilfsorganisation »Joint« und Emissäre aus Palästina den Flüchtlingen zur Hilfe kamen, bestanden die tschechischen Behörden darauf, dass die Heimatlosen das Land schnellstmöglich wieder verließen. »Juden zu akzeptieren gleicht dem Akzeptieren von Wanzen, nur weil sie Geschöpfe Gottes sind«, hieß es in einem anonymen Leserbrief, den die Zeitung *Dnešek* tatsächlich abdruckte.[273]
Die etwa siebentausendfünfhundert deutschsprachigen Juden, die den Holocaust überlebt hatten und in die Tschechoslowakei zurückgekehrt waren, hatten wenig Hoffnung, von der tschechischen Bevölkerung jemals als gleichberechtigte Mitbürger anerkannt zu werden. 1946 waren deshalb etwa dreitausend bereits entschlossen, ihre Heimat wieder zu verlassen. Als das Innenministerium am 10. September 1946 die Anweisung erteilte, dass »alle Personen jüdischer Abkunft« nicht mehr in die »normalen Transporte« der auszuweisenden Deutschen einzureihen wären, fassten viele noch einmal Mut. Doch nur drei Tag später präzisierte ein Erlass über die »nichtslawische Zugehörigkeit« der Juden, dass die Staatsbürgerschaft und die Besitzrückerstattung nur dann problemlos möglich sei, wenn diese Personen früher keine »aktive Germanisierung« betrieben hatten. Schuldig gemacht hatten sich alle Juden, die deutsche Schulen besucht, deutsche Zeitungen gelesen

und deutsche Vereine unterstützt hatten. Und erst recht, wenn sie die deutsche Kultur verbreitet hatten. Auf Alice traf das zu …

***

… aber sie ließ sich nicht zur Außenseiterin machen. Sie wollte sich die Hoffnung nicht nehmen lassen.

Anfang 1947 lud das Kulturministerium sie überraschend ein, am 17. April im Rahmen eines tschechisch-schwedischen Austauschprogramms ein Konzert in Stockholm zu geben, in dem vor allem tschechische Kompositionen erklingen sollten. Unwillkürlich musste sie an die erste Tschechische Republik, ihren Präsidenten Masaryk und seine Politik der Toleranz, Gleichberechtigung und Freiheit denken. War das Angebot nicht vielleicht doch ein Zeichen dafür, dass erneut eine Demokratie entstand, die sie und ihresgleichen mit aufbauen konnten und die das Recht auf freie Meinungsäußerung, freie Entfaltung der Persönlichkeit und Reisefreiheit verhieß?

Für die mehr als zweitägige Anreise nach Stockholm hatte Michael Mareš ihr ein Buch besorgt, das erstmals 1942 im Exilverlag Bermann-Fischer in Stockholm erschienen war: Stephan Zweigs Erinnerungen *Die Welt von Gestern*. Das Buch packte sie von der ersten Zeile an – es war die Geschichte ihrer Generation.

Fuhr sie als Repräsentantin einer »Welt von gestern« nach Stockholm? Das wollte sie nicht. Sie empfand sich als Botschafterin einer im Aufbau befindlichen Republik, die, wenn es nach ihr ging, an die von Masaryk begründete Tradition anknüpfen sollte.

Am Tag vor ihrem Auftritt probte sie an dem großen Bechstein-Konzertflügel im Stockholmer Konzerthaus. Seine Klangfarbe, so empfand sie, passte besonders gut zu Schuberts Sonate B-Dur, mit der sie das Konzert eröffnen wollte.

Der Saal war bis auf den letzten Sitzplatz ausverkauft. Bevor sie auf die Bühne trat, wagte sie einen Blick durch den Spalt des dunkelroten Vorhangs. Diese vielen erwartungsvollen Menschen. Keiner von ihnen wusste etwas von ihrem Schicksal. Verhaltener Applaus, als sie auf die Bühne trat, doch Alice war sich sicher,

UNIE ČESKÝCH HUDEBNÍCH UMĚLCŮ
sekce koncerní - Praha III, Zborovská tř. 68, telefon 441-50

Dům umělců
(RUDOLFINUM)

V ÚTERÝ DNE 11. BŘEZNA 1947 V 19·30 HODIN

KLAVÍRNÍ VEČER

ALICE

HERCOVÁ

NA POŘADU:

L. v. Beethoven - L. Janáček - V. Ullmann
B. Martinů - R. Schumann

Předprodej vstupenek u pokladny Obecního domu
a u M. Truhlářové, Koruna-Valdek

Koncertní křídlo „Bechstein" z klavírního domu Schlögl a spol., Praha II, Jungmannovo nám. 17

J. PÁVEK
PRAHA XII.

Konzertzettel von 1947

dass sie mit der großen Schubert-Sonate die Herzen der Menschen erreichen würde. Sie liebte die Komposition, die sie in der Meisterklasse bei Ansorge einstudiert hatte, ganz besonders. Wann immer sie mit dem ersten langsamen Satz begann, war es ihr, als bliebe ihr das Herz stehen. Für gewöhnlich konzentrierte Alice sich in Konzerten derart auf ihr Stück, dass ihre Gedanken nicht davonflogen. Doch diesmal tauchten in ihr – noch unkonkrete – Bilder auf, die sie nach der so leidvollen Zeit der deutschen Besatzung auf Freiheit hoffen ließen und sie auf beglückende Weise überwältigten.
Alice merkte schon nach dem ersten Applaus, dass der berühmte Funke ins Publikum übergesprungen war. Mit ihrer Interpretation der symphonischen Etüden op. 13 von Robert Schumann im so farbenreichen Klangideal der Romantik begeisterte sie das Publikum so sehr, dass es sich zu enthusiastischen Bravorufen hinreißen ließ. Alice ging mit sich zufrieden in die Pause.
Danach folgte ihre Auswahl tschechischer Kompositionen von

Bedřich Smetana, Alois Hába und Bohuslav Martinu. Mit den tschechischen Tänzen von Smetana hatte sie bisher bei jedem ihrer Konzerte große Resonanz hervorgerufen, und das gelang ihr auch in Stockholm. Die folgenden drei Klavierstücke von Hába wurden ebenso wohlwollend aufgenommen wie der Tanz von Martinu. Das Konzert klang mit vier Chopin-Etüden aus.

Für Alice war es von besonderer Symbolik, bei ihrem ersten Auslandskonzert nach dem Krieg aus den Etüden zu spielen, die ihr, wie sie fand, letztlich das Leben gerettet hatten.

Unter den Zuhörern saß eine junge Frau, die Alice alle 24 Etüden spielen gehört hatte. Es war die nun zweiundzwanzigjährige Zdenka Fantlová, die Theresienstadt, Auschwitz und Bergen-Belsen überlebt hatte. »Keiner von den Zuhörern weiß, was die Pianistin und mich verbindet. Keiner weiß, was es bedeutet hat, im Konzentrationslager ein Konzert mit den 24 Etüden von Frédéric Chopin zu erleben.«[274]

Zdenka war mehr tot als lebendig in Bergen-Belsen befreit und im Juli 1945 vom Roten Kreuz zur Rekonvaleszenz nach Schweden gebracht worden. Dort hatte sie erfahren, dass sie als Einzige ihrer Familie überlebt hatte. Mutter, Vater, Schwester – ermordet.

Zdenka war fest entschlossen, Alice nach dem Konzert persönlich zu danken und ihr zu sagen, welche Kraft sie ihr in Theresienstadt gegeben hatte. Die Tür zur Künstlergarderobe stand halb offen. Zdenka sah, dass bereits eine Frau bei Alice war, die sie offenbar gut kannte. Beide Frauen waren sehr gerührt und so innig miteinander, dass Zdenka nicht zu stören wagte. Sie zog sich unbemerkt zurück, und es sollte noch vier Jahrzehnte dauern, ehe Alice Herz und Zdenka Fantlová in London Freundinnen wurden.

Die junge Frau war Augenzeugin der unerwarteten Wiederbegegnung zwischen zwei engen Freundinnen aus Kindertagen geworden, Alice Herz und Lene Weiskopf. Acht Jahre waren vergangen, seit sie sich kurz vor Lenes Emigration nach Schweden zuletzt gesehen hatten.

Die Freundinnen verabredeten sich für den Abend im Restaurant des Hotels, in dem Alice untergekommen war. Die bunten Erinnerungen an die gemeinsame frühe Kindheit, die Erfahrungen der vergangenen acht Jahre – es wurde ein berührender Abend. Dennoch entging Alice nicht, dass Helene ihre herzerfrischende Art verloren hatte. Offenbar war auch ihr dritter Eheversuch gescheitert. Möglicherweise litt Helene zu diesem Zeitpunkt bereits an Krebs. Die Krankheit plagte Helene über Jahre, bis sie es nicht mehr ertrug. 1950 erhielt Alice die Nachricht vom Selbstmord der Freundin.

***

Die Einladung nach Stockholm war Alice auch deshalb so willkommen, weil sie bei der Gelegenheit nach Leopolds Nichte und seinem Neffen sehen wollte. 1939 waren die damals siebenjährige Ilse und ihr vierjähriger Bruder Thomas mit einem Kindertransport ins scheinbar sichere Norwegen gebracht worden. Ihr Vater Felix Mautner hatte den Transport als Arzt begleitet und die Kinder selbst bei ihrer Pflegefamilie abgeliefert. Sein Plan, auch sich und seine Frau ins Ausland zu retten, war allerdings fehlgeschlagen. Die beiden waren 1941 – noch vor der Errichtung Theresienstadts – ins Ghetto Lódź deportiert worden.
Mit dem Einmarsch der Deutschen in Norwegen hatte für Ilse und Thomas eine Odyssee begonnen – von Norwegen nach Schweden, von Pflegeeltern zu Pflegeeltern, von Lager zu Lager. Inzwischen waren sie zwölf und fünfzehn Jahre alt und lebten bei einer Pflegefamilie in Stockholm.
Alice hatte ihren Besuch in einem Brief an die Pflegeeltern angekündigt. Es waren einfache, aber geradlinige Leute – das war jedenfalls Alices erster Eindruck. Die Wohnung war klein, bescheiden und ordentlich, die Kinder reichten ihrer Tante zur Begrüßung steif die Hand. Befangenheit und Verunsicherung standen ihnen ins Gesicht geschrieben. Für sie war Alice eine Fremde, die sie in ein Gespräch verwickeln, mit ihnen über die Schule, ihre Freunde, ihren liebsten Zeitvertreib plaudern wollte.
Ilse wirkte ausgesprochen scheu und verunsichert, sie antwortete meist nur mit Kopfnicken und vermied den Blickkontakt mit ihrer Tante. Thomas hingegen taute bald auf. Mitten in der Unterhal-

tung über die Schule traf Alice die unvermeidliche Frage nach Felix und Edith Mautner.

»Weißt du vielleicht etwas Neues über meine Mama und meinen Papa?«

Alices schüttelte nur den Kopf.

Ob sie den Pflegeeltern sagen könnte, dass er und seine Schwester auf keinen Fall adoptiert werden wollten, bat Thomas plötzlich. Tatsächlich bedrängte die Pflegemutter, die offenbar recht streng und unnachsichtig war, Thomas und Ilse, ihre Nachnamen anzunehmen.

»Ich will wie meine Eltern heißen«, klagte Thomas. »Wenn sie leben ... und erst recht, wenn sie gestorben sind.« Obwohl Ilse ihn nicht unterstützte, setzte er sich schließlich durch. Das Verhältnis zur Pflegemutter litt sehr darunter.

Der Abschied fiel Alice schwer. Sie hatte ihren Schwager, der ihr bei Stephans Geburt moralisch wie medizinisch ein unersetzbarer Begleiter gewesen war, besonders gern gemocht. Nun fühlte sie sich für seine Kinder verantwortlich.

Am Tag ihrer Abreise erreichte sie ein Anruf in ihrem Hotelzimmer, die Pflegemutter fragte aufgeregt nach Ilse. Das Mädchen sei unmittelbar nach Alices Besuch verschwunden und bisher nicht wieder aufgetaucht.

Voller Hoffnung war Alice nach Schweden gereist, mit Sorgen kam sie zurück nach Prag. Zwei Tage später erfuhr sie per Telegramm, dass die Polizei Ilse gefunden hatte. Aus Angst, Alice würde sie in ein neues Kinderlager bringen, hatte das Mädchen sich versteckt.

***

Während das Verhältnis zwischen Alice und Thomas über die Jahre immer inniger wurde, blieb Ilse ihr Leben lang auf eisiger Distanz zur Tante – und führte ihr bei jeder Begegnung vor Augen, was die Nationalsozialisten gerade auch an Kinderseelen verbrochen hatten. Auf Ilse und so viele andere Überlebende traf zu, was Primo Levi, dessen Bücher Alice später mit großem Gewinn las,

als einer der Ersten formulierte: Überlebt zu haben konnte eine schwere, nicht zu ertragende Last sein.
Voller Dankbarkeit beobachtete Alice, dass Stephans Seele die Zeit der Unterdrückung offenbar unbeschadet überstanden hatte, dass er – wie seine Mutter – das Leben liebte.
Kaum eine Woche verging, ohne dass Alice und Stephan zusammen ins Konzert gingen. Eine Wende im Leben des Jungen brachte die Vorstellung des jugoslawischen Cellovirtuosen Antonio Janegro.
Schon in den Jahren davor war Alice mehrfach aufgefallen, wie sehr Stephan die Tonlage des Cellos begeisterte. Stundenlang hatte er sich als Drei- und Vierjähriger Johannes Brahms' Doppelkonzert für Violine und Cello auf Schallplatte angehört. Janegros Spiel verzückte ihn so sehr, dass er immer wieder von seinem Platz aufsprang.
In der Pause stand Stephans Entschluss fest.
»Ich muss Cello spielen!« Kein abwägendes »Ich möchte gern Cellospielen lernen«, sondern ein dringliches »Ich muss«.
Alice nahm, was offenbar Stephans tiefe Überzeugung war, so ernst, dass sie ihn schon am nächsten Abend zu einem ehemaligen Kollegen, dem tschechischen Cellopädagogen Pravoslav Sadlo, brachte. Vor dem Krieg hatte sie etliche Kammermusikabende mit ihm gestaltet. Sadlo galt als der beste Cellopädagoge der Stadt, war ein vielbeschäftigter Mann und bekannt als leidenschaftlicher Sammler historischer Violoncelli. Er hatte schon von Stephans außergewöhnlicher Musikalität gehört und willigte sofort ein, ihn zu unterrichten.
Am Tag seines zehnten Geburtstags, dem 21. Juni 1947, kam Stephan zur ersten Stunde. Es war ein Sonntag. Sadlo wohnte im vierten Stock eines einst herrschaftlichen Gebäudes in der Altstadt. Alice und Stephan nutzten den langen Weg entlang der Moldau als Geburtstagsspaziergang, vielen Gebäuden waren die Jahre der Not anzusehen.
Außer sich vor Begeisterung stand Stephan vor einer beinahe raumhohen, von Wand zu Wand reichenden Vitrine in Sadlos Wohnzimmer, in der Cello neben Cello ruhte. Fasziniert von ihrer

Vielzahl und Schönheit zählte Stephan einundzwanzig Instrumente in allen Größen und holzfarbenen Schattierungen.
In der Mitte des Zimmers befand sich eine Art Podest, auf dem die Schüler zum Unterricht Platz nehmen mussten. Unmittelbar daneben stand ein Klavier. Sadlo forderte Stephan auf, ihm vorzuspielen. Der Bub begann mit einer Reihe zweistimmiger Bach-Inventionen, dann trug er den ersten Satz der Pathétique von Beethoven vor. Schließlich brachte Sadlo einige musiktheoretische Fragen zur Sprache. Stephan antwortete souverän.
Sadlo war vom Können des Geburtstagskindes derart angetan, dass er ihm auf der Stelle ein Cello schenkte. Überglücklich packte das Kind sein Instrument in eine Stoffhülle und nahm es mit nach Hause.
»Maminka, das ist das schönste Geburtstagsgeschenk meines Lebens. Ich bin ja so glücklich«, jubelte Stephan beim Verlassen des Hauses. »Ab heute brauche ich nie wieder ein Geburtstagsgeschenk.«
Von nun an fieberte Stephan dem Sonntag entgegen. Und Alice fieberte mit ihm. Schon nach drei Stunden hatte er solche Fortschritte gemacht, dass er ein kleines Stück von Bach spielen konnte und der Cellolehrer endgültig sicher war, mit Stephan ein großes Talent entdeckt zu haben. Ein paar Monate später nahm er ihn mit in sein Pädagogikseminar im Rudolfinum. Dort brachte er angehenden Musikpädagogen bei, wie man den Unterricht mit Kindern gestaltet. Stephan war ein Vorzeigeschüler – und hatte bald Gelegenheit, sein Talent auch seiner Verwandtschaft vorzuführen.

***

Über Monate hatten Alice und Marianne Briefe ausgetauscht, an einem freundlichen Hochsommertag 1947 standen die Zwillingsschwestern einander nach acht Jahren zum ersten Mal wieder gegenüber. Sie weinten vor Freude.
Alice ließ sich nicht anmerken, wie sehr Mariannes Aussehen sie erschreckte. Ihr Pessimismus und ihre ständigen Sorgen hatten tiefe

Wiedersehen in Prag: Marianne und Alice 1947

Spuren in das Gesicht der Schwester gezogen. Sie sah, fand Alice, deutlich gealtert aus. Alice hingegen – das ist in die Waagschale zu werfen – gab man keine vierundvierzig Jahre. Ihr Lachen hatte mädchenhafte Züge, aus ihren Augen strahlten Lebensmut und innere Ruhe. Eine Gnade der Natur – gewiss. Bestimmt aber auch der gern zitierte Spiegel der Seele.

Marianne war mit Mann und Sohn nach Prag gekommen. Heinz hatte die Stadt als Elfjähriger verlassen. Nun stand ein Mannsbild von neunzehn Jahren vor Alice, der – wie für junge Immigranten üblich – in Palästina einen alttestamentarischen Vornamen angenommen hatte und nun selbst für seine Eltern Chaim hieß, »das Leben«. Alices Schwager Emil schien sein beruflicher Erfolg zu beflügeln. Er spielte mittlerweile eine Schlüsselrolle im staatlichen Gesundheitswesen Palästinas und betrieb nebenbei eine Praxis.

Sechs Tage hatten die Schwestern miteinander. Im Mittelpunkt ihrer Gespräche standen die Fragen, ob und wann Alice und Stephan nach Palästina auswandern würden. Als Klavierlehrerin habe Alice doch beste Chancen, schnell Fuß zu fassen. Das Jerusalemer Konservatorium würde sich glücklich schätzen, sie in ihr Lehrerkollegium aufzunehmen. Inzwischen habe sich die Situation im »Gelobten Land« allerdings verschlechtert. Aufgeregt

erzählte Marianne von der Affäre um die »Exodus«, die sich kurz vor ihrer Abreise, Ende Juli, ereignet hatte. Fast viertausendsechshundert Männer, Frauen und Kinder, die bisher größte Gruppe von jüdischen Flüchtlingen aus Europa, waren mit dem Schiff in Haifa angekommen. Die Engländer hatten ihnen die Einreise verweigert, sie zur Rückkehr nach Frankreich gezwungen und damit schwere Unruhen in Palästina provoziert.
Die unsichere politische Lage, eine Wirtschaftskrise und antisemitische Ausschreitungen in England verunsicherten die Ausreisewilligen. Emil, Marianne und Alice einigten sich darauf, bis zum Jahresende abzuwarten, ob sich die Lage im Land stabilisierte. Erst dann sollte Alice ihre Ausreise beantragen. Immerhin hatten die Vereinten Nationen angekündigt, sich noch im laufenden Jahr mit der Zukunft Palästinas zu beschäftigen. Bis zur Unabhängigkeit des Landes könne es nicht mehr lange dauern.
Die offensichtliche politische Kehrtwende von Emil und Marianne verwunderte Alice. Sie hatte Emil als Intellektuellen in Erinnerung, der sich den Gedanken der Aufklärung und des Fortschritts in Europa verpflichtet hatte und dem nationales Gedankengut fremd war. Bis zu seiner Emigration hatte er kaum Sympathien für die zionistische Bewegung gehegt. Inzwischen hatte er sich jedoch zu einem glühenden Verfechter des Zionismus entwickelt. Ohne eigenes Land, ohne einen Zufluchtsort für die verfolgten Juden in aller Welt, ohne eine starke Verteidigungsarmee, wären die Probleme des Judentums in der Welt niemals zu lösen. Selbst Marianne war inzwischen mit einer Leidenschaft Zionistin, die Alice früher nur an Felix Weltsch gekannt hatte. Und wie Chaim Adler vom begeisterten Miteinander in der Pfadfinderbewegung erzählte, das weckte in Stephan Sehnsüchte.

***

»Masaryk ist tot!« Die Nachricht überraschte Alice am Morgen des 10. März 1948 beim Lebensmittelhändler. Der sechsundfünfzigjährige Außenminister, hieß es, war am frühen Morgen von Angestellten im Innenhof des Ministeriums gefunden worden. Das

Badezimmerfenster seiner Privatwohnung im zweiten Stock sei offen gestanden. Jan Masaryk habe einen Schlafanzug getragen.
Die Regierungskrise vom 20. Februar, bei der zwölf Minister der Nationalen Sozialistischen Partei, der Volkspartei und der Slowakischen Demokratischen Partei zurückgetreten waren, hatte Alice nur am Rande wahrgenommen. Jan Masaryk, der Sohn des ersten Präsidenten, war im Amt geblieben – das hatte sie beruhigt.
Nun aber war der beliebteste Politiker des Landes, der als Garant für Demokratie und für die Fortführung der segensreichen Politik seines Vaters galt, tot. Schenkte man den Gerüchten Glauben, war er ermordet worden. Im Badezimmer, hieß es, seien Kampfspuren zu sehen gewesen. Rasierklingen auf dem Boden, ein Kopfkissen in der Badewanne. Der russische Geheimdienst habe ihn aus dem Fenster gestoßen. Nein, die sogenannte tschechoslowakische Staatssicherheit, das neue Unterdrückungsinstrument der Kommunisten, stecke hinter dem Verbrechen. Nein, Masaryk habe Selbstmord verübt, um die internationale Öffentlichkeit auf die drohenden Gefahren einer kommunistischen Diktatur hinzuweisen, spekulierten Dritte. Für Alice war sein Tod, so oder so, ein böses Omen für die gesellschaftlichen Entwicklungen im Land.
Was die Zeitungen als »siegreichen Februar« feierten, war in Wahrheit, so viel begriff Alice, die Machtergreifung der Kommunisten. Aufmerksamer als bisher verfolgte sie die Politik der Republik. Erstaunlicherweise schien es zum offiziellen Programm der neuen Regierung zu gehören, den Antisemitismus im Land zu bekämpfen. Alice traute ihren Augen nicht, als sie die Verlautbarung des Ministers Kopecký im *Anzeiger der Jüdischen Religionsgemeinde* vom 12. März las. War er vom Saulus zum Paulus geworden? Gerade der Kommunist, der bisher die schärfsten antisemitischen Parolen unters Volk gebracht hatte, versicherte der Prager Jüdischen Gemeinde auf einmal, dass die Entwicklung, die »sich eben in der ČSR vollzogen hat, auch eine Niederlage der faschistoiden antisemitischen Elemente bedeute. Das neue Regime will, dass die religiösen, bürgerlichen und gesellschaftlichen Rechte der Juden in noch größerem Maße respektiert werden.«[275]

Als die Kommunisten alle entscheidenden Machtpositionen an sich gerissen hatten, war von Wiedergutmachung nicht mehr die Rede. Die Hoffnungen der jüdischen Überlebenden, ihr Eigentum erstattet zu bekommen, erwiesen sich als ebenso illusorisch wie die Besitzansprüche derer, die sich an jüdischem Vermögen bereichert hatten. Der Staat enteignete kurzerhand alle Hausbesitzer. Das Mietshaus, in dem auch Alice und Stephan wohnten, ging in den Besitz des Staates über. Die Eltern von Pavel Fuchs wurden zum zweiten Mal beraubt.

Wenige Wochen später erreichte Alice die Nachricht, dass ihr Freund Michael Mareš verhaftet und wegen Hochverrats angeklagt sei. Sie beantragte sofort eine Besuchsgenehmigung und erhielt sie auch. Mareš versuchte sie zu trösten. Seine Verhaftung sei bestimmt nur ein Missverständnis, er habe keinerlei Schuld. Doch er musste im Gefängnis bleiben.

Vor ihrer Ausreise besuchte Alice ihn regelmäßig, dann hörte sie nichts mehr von ihm. Mareš wurde später rehabilitiert und starb 1971.

***

Angst und Misstrauen bestimmten nun das Miteinander in der Tschechoslowakei. Alice bat ihre Besucher inständig, nichts, aber auch gar nichts Kritisches über den Staat zu sagen, in der Angst, Stephan könnte eine Bemerkung aufschnappen und in die Schule tragen. So verunsichert war Alice schließlich, dass sie sich kaum noch traute, auf das Klingeln an ihrer Tür zu reagieren. Sie verstieg sich schließlich sogar in die Wahnvorstellung, die Genossen würden ihr den Jungen wegnehmen, wenn auch nur eine Andeutung ihrer kritischen Haltung gegen das Regime nach außen dränge. »Gigi sagt, es ist tausendmal schlimmer jetzt als unter den Nazis«, berichtet Ruth Weltsch über diese Zeit.[276]

Obwohl Alice sich außerordentlich schwer tat, die widersprüchlichen Ereignisse und Entwicklungstendenzen im Land realistisch einzuschätzen, stand ihr Entschluss zu diesem Zeitpunkt fest. Sie wollte so schnell wie möglich fort von Prag – in den inzwischen neu gegründeten Staat Israel, zu Marianne und Irma. Aber: »Sie weiß nicht, ob sie noch herauskommt.«[277]

***

Innerhalb der Kommunistischen Partei gab es eine proisraelische Fraktion, die, so machte es unter den Überlebenden die Runde, große Waffenlieferungen an Israel plante.
Die Deutschen hatten das Protektorat während der Besatzung zu ihrer Waffenkammer ausgebaut, und die Fabriken und Lagerhallen waren weitgehend unzerstört geblieben. Zwar waren die Waffenvorräte zum Teil bereits veraltet und daher nicht wertvoll, trotzdem konnte Israel damit womöglich das Überleben garantiert werden. Feilschen um Preise, Festlegen der Lieferdaten, Bestellen der notwendigen Ausbilder, Sichern der geheimen Transportwege nach Israel – derartige Maßnahmen, die klar gegen die geltenden UN-Richtlinien verstießen, hätte die tschechoslowakische Führung nie allein verantworten können. Das grüne Licht für das geheime Waffengeschäft kam aus der UdSSR. Dort hoffte man, dass Israel einen willfährigen Satelliten der Sowjetunion abgeben würde. Schließlich gab es dort ja viele Sympathisanten Russlands, das wesentlich zum Sieg über den Faschismus beigetragen hatte.
Die Gerüchte wurden für Alice zur Gewissheit, als die Leitung der Prager Jüdischen Gemeinde sie bat, Ende November ein Benefizkonzert im Rudolfinum mit Werken von Beethoven zu geben, um Spenden für die Verteidigung des neuen Staates zu sammeln. Das Geld war – und daraus wurde nun kein Geheimnis mehr gemacht – für den Kauf tschechischer Waffen bestimmt.
Als Alices Schwager Emil in Israel davon hörte, entschloss er sich, eine geplante Dienstreise zur Weltgesundheitsorganisation in die Schweiz für einen Abstecher nach Prag zu nutzen und das Konzert zu besuchen. Es wurde das vielleicht eindrücklichste Musikereignis seines Lebens.
Im imposanten Konzertsaal des Rudolfinums saßen mehr als eintausend Menschen. Der Vertreter der Jüdischen Kultusgemeinde

eröffnete den Abend. Es folgten die Ansprachen hochrangiger Repräsentanten aus der Tschechoslowakei und Israel. Dann begeisterte Alice mit ihrer mitreißenden Interpretation ausgewählter Beethovensonaten. Der Abend brachte Spendengelder, deren Höhe die Erwartungen der Veranstalter weit übertraf. Für Alice war er ein persönlicher Triumph. Sie hat in ihrer Laufbahn nicht oft vor so großem Publikum gespielt.
Unmittelbar nach dem Konzert besprachen Alice und Emil noch einmal alle erforderlichen Schritte für die Ausreise. Der Schwager drängte auf höchste Eile. Für ihn war schon lange klar, dass Israel sich niemals zum Vasallenstaat der Sowjetunion entwickeln würde. Wenn das die Russen erst einmal begriffen hätten, so befürchtete Emil, dann würden sie möglicherweise alle Ausreisen strikt untersagen.
»Hast du unsere Ausreisegenehmigung nun bekommen?«
Wochenlang empfing Stephan seine Mutter mit der gleichen Frage. Doch das Genehmigungsverfahren zog sich hin; den November und Dezember 1948 über und in den Januar 1949 hinein. »PS: Hat man schon etwas von Gigi gehört? Es heißt, man lässt jetzt niemanden mehr hinaus aus der ČSR«, schrieb Alices Nichte Ruth am 25. Januar 1949 an ihren Vater Felix Weltsch.[278]
Ein Wettlauf gegen die Zeit. Viele der erforderlichen Behördenwege waren schikanös. Als deutlich wurde, dass die Kommunisten die Ausfuhr von Wertgegenständen nach Israel strikt verboten, kam Ruth auf die Idee, Kontakt zu einem jener freiwilligen Piloten aufzunehmen, die eigens aus Amerika nach Jerusalem angereist waren, um die israelische Luftwaffe mit aufzubauen und im drohenden Krieg gegen die Araber zu kämpfen. Ein zweiundzwanzigjähriger amerikanischer Pilot erklärte sich bereit, während seines ohnehin schon geplanten Aufenthalts in der Tschechoslowakei Alice aufzusuchen. David Herschl, so hieß der junge Mann, sollte in der Umgebung von Prag mit tschechischen Flugzeugen vertraut gemacht werden. Bei der Überstellung eines der Flugzeuge nach Israel sollte der Pilot auch einige von Alices Wertsachen mitnehmen.
Herschl flog nach Prag, begann unter der Führung tschechoslowa-

kischer Spezialisten seine Ausbildung und wurde an seinem ersten freien Wochenende bei Alice vorstellig. Sie war erst irritiert von dem Unbekannten, doch als er ihr Ruths Brief zeigte, vertraute sie ihm. Eine Woche wohnte der Pilot bei Alice und Stephan und wurde beider Freund.

Alice entschied sich, David den wertvollen Toulouse-Lautrec und zwei weitere Bilder nach Israel mitzugeben. Und weil die Ausfuhr von Briefmarken strikt verboten war, nahm er neben zwei Ringen auch Stephans über alles geliebte Briefmarkensammlung mit – versteckt zwischen Waffenladungen zur Verteidigung Israels.

Unrealisierbar hingegen schien Alices Wunsch, ihren Steinway-Flügel nach Israel zu bringen. Die Regierung hatte inzwischen beschlossen, Ausfuhrgenehmigungen für Wertgegenstände grundsätzlich nur dann zu erteilen, wenn sie vorher sozusagen in bar aufgewogen wurden. Nun brauchte sie nicht nur, was von Tag zu Tag unmöglicher schien, die Genehmigung für den Steinway-Flügel, sie musste sie auch noch Geld auftreiben, um das Instrument freizukaufen. Doch Alice hatte – einmal mehr – Glück.

Max Brod, dem offenbar Ruth von Alices Schwierigkeiten erzählt hatte, schrieb ein Bittgesuch an Staatspräsident Klement Gottwald. Brods Worte hatten in Prag nach wie vor Gewicht. Etwa vierzehn Tage nach der Eingabe sollte Alice im Ministerium erscheinen. Ein hochrangiger, übel beleumdeter Staatsbeamter war beauftragt worden, sich mit dem Fall auseinander zu setzen.

»So seid ihr Juden. Nun wollt ihr uns auch noch bestehlen«, warf er, ohne von seinem Schreibtisch aufzublicken, Alice zur Begrüßung an den Kopf.

Der Flügel sei niemals im Besitz des tschechoslowakischen Staates gewesen, sondern habe einer jüdischen Familie gehört, die von den Nazis ermordet wurde, gab Alice zurück.

»Arbeitsscheu seid ihr, aber den Staat saugt ihr bis aufs Blut aus.«

Da verlor Alice die Fassung. Ohne die Folgen zu bedenken, schleuderte sie ihm entgegen: »Die wenigsten Juden haben den Holocaust überlebt. Trotzdem geht es uns bei euch Kommunisten mindestens so schlecht wie unter den Nazis. Aber das wird nicht so bleiben. Eines Tages wird es euch Tschechen einmal ebenso

schlecht gehen, und dann werden Sie an mich denken, dann werden Sie daran denken, dass Sie ohne Not eine Holocaustüberlebende beleidigt haben. Spätestens dann werden Sie einsehen, wie unmenschlich Ihre Argumente sind.« Danach floh Alice weinend. Wochenlang geschah nichts, doch dann stellte ihr der Briefträger überraschend die Ausfuhrgenehmigung für den Flügel zu, unterzeichnet von Präsident Klement Gottwald. Die Summe, die sie für den Flügel hinterlegen sollte, hätte sie selbst in zehn Jahren nicht ersparen können. Die Rettung kam von ihrer Familie in Israel.
Felix Weltsch hatte noch ein Konto in Prag. Von Israel aus bevollmächtigte er Alice, das Geld abzuheben. Zermürbende Wochen mit bürokratischen Fallstricken, immer wieder Rückschläge – doch schließlich durfte Alice über das Geld verfügen und konnte den Flügel einem Transportunternehmen anvertrauen.
Wenige Tage vor ihrer Ausreise ging Alice ein letztes Mal in das gegenüberliegende Lebensmittelgeschäft, um Brot, Milch und die Reiseverpflegung zu kaufen. Der Kaufmann hatte sie in den vergangenen vier Jahren immer anständig behandelt. Und doch war sie gerade dort immer wieder angefeindet worden – von Kunden. Viele der Tschechen fühlten sich von den Holocaustüberlebenden in der Gegend gestört.
An diesem Tag, ihrem letzten in ihrer Heimat, spürte sie plötzlich das Verlangen, den ihr feindlich gesinnten Menschen im Geschäft ihre Meinung zu sagen. Auf dem Weg hinaus drehte sie sich deshalb noch einmal um.
»Heute möchte ich mich von Ihnen allen verabschieden«, sagte sie. »Ich reise dorthin, wo ihr Tschechen uns Juden immer hinhaben wolltet: nach Palästina.« Die meisten Kunden blickten betreten zu Boden. Einer der Anwesenden überraschte Alice jedoch: »Frau Sommer, wenn Sie es ermöglichen könnten, mich in Ihrem Koffer zu verstecken, dann würde ich zu gerne mitreisen.«
Für den letzten Abend vor der Ausreise hatte Ilonka Štěpánova sich angekündigt. Die Freundschaft der beiden Frauen war in den Jahren nach Theresienstadt noch intensiver geworden, und so prägten gemeinsame Erinnerungen und vor allem Wehmut die letzten Stunden.

»Jetzt gehst du in ein Land, in dem nur Juden wohnen«, sagte Ilonka zum Abschied. »Was willst du denn dort? ... Wenn sie alle so wären wie du, aber ...«
Alice war perplex – und zutiefst verletzt. »Das ist die größte Beleidigung, die du mir zum Abschied antun konntest. Meinst du wirklich, die Tschechen, die Russen, die Ungarn, irgendein Volk wäre besser als die Juden? Gibt es nicht überall schlechte und gute Menschen?«

15
Zena
»Nicht mehr zurückblicken, nur noch nach vorn«

Und wenn sie mir an der Grenze mein Cello wegnehmen?«
»Niemand wird dir dein Cello wegnehmen«, beruhigte Alice ihren Sohn. »Wir haben es doch schriftlich, und auf der behördlichen Bestätigung steht, dass das Cello dein Eigentum ist. Niemand wird es dir wegnehmen!«
Die beiden standen auf dem Wilson-Bahnhof, dem Kaiser-Franz-Joseph-Bahnhof aus Alices Kindheit. Mehr als vierzig Jahre waren vergangen, seit sie ab und an auf dem Fuhrwerk mitgefahren war, das die zum Export bestimmten Waagen zum Bahnhof gebracht hatte. Wie hieß der Knecht des Vaters, der sie mit so viel Schwung auf den Rücken des Pferdes gehievt hatte? Alice konnte den Luftzug, der sie dabei gestreift hatte, nachempfinden. An den Namen des Mannes erinnerte sie sich nicht mehr. Zu viel war seither geschehen.
Es war der 1. März 1949. Vor zehn Jahren hatte Alice ihre Schwestern Irma und Marianne an diesem Bahnhof verabschiedet. Nun endlich – endlich! – war die Zeit gekommen, sie wiederzusehen. Auf dem Bahnsteig drängten sich Hunderte Menschen. Etwa dreihundertfünfzig wollten an diesem Tag ihre Reise nach Israel antreten. Mindestens ebenso viele Freunde und Verwandte waren erschienen, um Lebewohl zu sagen, unter ihnen Paul und Mary. Ob ihnen bewusst war, dass es ein Abschied für immer war? Sie sprachen nicht darüber.

Sogar ein Podest hatte die Jüdische Gemeindeleitung auf den Bahnsteig stellen lassen und ein Verabschiedungsprogramm vorbereitet. Ein Repräsentant der Gemeinde hielt eine Rede über den langgehegten und opferreichen Traum der Juden vom eigenen Land, der mit der Gründung des Staates Israel endlich in Erfüllung gegangen sei. Als eine Gruppe junger Leute die *Hatikva* anstimmte, die – als Hymne der zionistischen Bewegung – den meisten Anwesenden seit ihrer Kindheit bekannt und nun die neue israelische Nationalhymne war, flossen Tränen. Alice schaute gerührt auf Stephan. Er war jetzt fast zwölf Jahre alt und nur noch einen halben Kopf kleiner als sie. Wie er es bei seinem Vater so oft erlebt hatte, summte er eine zweite Stimme mit. Seine Hand umklammerte dabei den Tragegriff seines geliebten Cellos.

Als der Zug sich gegen Mittag in Bewegung setzte, legte sich die Vorfreude auf das Kommende über die Melancholie des Abschieds. Die bösen Erlebnisse der vergangenen Jahre hatten sich zwischen Alice und ihre einst große Liebe Prag gestellt. Würde ihr Herz in Israel endlich wieder einen Hafen finden – eine neue Heimat? Alice zweifelte nicht daran.

Berge von Gepäck blockierten die Abteile und Gänge – Familien reisten mit bis zu fünfzehn Koffern und Taschen. Wer sich einmal einen Platz erobert hatte, gab ihn nicht mehr auf. In den Achterabteilen mussten bis zu dreizehn Personen unterkommen. Stephan misstraute den Verhältnissen. Er behielt sein Cello weiterhin in sicherem Griff. Um Platz zu gewinnen, versuchte Alice ihn zu überreden, das Instrument auf den Gang unmittelbar hinter die Abteiltür zu stellen, so dass er es immer im Blick hatte.

»Sie werden es dir nicht mehr wegnehmen«, wiederholte sie. Aber Stephan ließ sich nicht beirren. »Sie wollten dir deinen Flügel ja auch wegnehmen.«

Wann immer Alice entmutigt vom Kampf um ihr Klavier nach Hause gekommen war, hatte Stephan sie abgelenkt und aufgeheitert. Seit er miterlebt hatte, mit welcher Willkür und Ungerechtigkeit der tschechische Staat seine Mutter behandelt hatte, bangte er nun um sein Cello. In Theresienstadt hatte Alice noch versucht, alles Belastende von ihm fern zu halten. Inzwischen, fand sie, war Stephan aber alt genug, um auch über die Schattenseiten des Lebens und die Ursachen von Konflikten nachzudenken.

Während Alice nach vier zermürbenden Monaten schließlich zu ihrem Recht gekommen war, schien ihre beste Freundin den Kampf mit der Bürokratie um die Ausfuhr des Klaviers zu verlieren. Edith Kraus wollte in den nächsten Wochen ebenfalls nach Israel auswandern und bemühte sich immer noch verzweifelt um ihr Instrument.

»Warum dürfen wir den Flügel mitnehmen, aber Edith nicht?« Ungleichbehandlungen irritierten Stephan ein Leben lang.

»Wahrscheinlich liegt es allein daran, dass Max Brod sich für uns eingesetzt hat«, entgegnete ihm die Mutter. »Sein Wort hat in Prag großes Gewicht.«

Nach etwa eineinhalb Stunden Fahrzeit steuerte der Zug die Grenzstadt Gmünd im oberen Waldviertel an. Die österreichische Seite der geteilten Stadt fiel in die russische Besatzungszone. Von dort aus sollte die Reise vorbei an Wien durch das besetzte Österreich und über den Brennerpass nach Genua gehen. Die Passagiere waren gut gelaunt. Sie gingen davon aus, dass die amerikanische Hilfsorganisation »Joint«, die die Reise organisiert und zum Teil bezahlt hatte, alle zusätzlichen Ausreiseformalitäten bereits geregelt hatte.[279] Sie sorgten sich deshalb vorerst nicht, als der Zug auf ein Nebengleis geleitet wurde und auf freiem Feld hielt – auf tschechischem Gebiet.

Mehrere Zollbeamte stiegen zu, wohl auch russische Soldaten. Sie begannen mit ausführlichen Kontrollen. Nach zwei, drei Stunden Wartezeit wurden die Menschen unruhig. Plötzlich brachte ein Fahrgast das Gerücht auf, dem Zug würde die Einreise nach Österreich verweigert, man müsse voraussichtlich nach Prag zurückkehren. Ein anderer warf ein, dass eine Schmugglerbande an Bord sei. Sobald sie entlarvt sei, ginge es weiter.

Die Mehrzahl der Ausreisenden waren junge Familien mit kleinen, erst nach dem Krieg geborenen Kindern. Es war regnerisch und kühl. Die Temperatur im Zug fiel auf vierzehn Grad. Die Wasservorräte in den Waggons waren schon nach wenigen Stun-

den aufgebraucht. Die Unruhe der Erwachsenen übertrug sich auf die Kinder. Viele schrien und weinten.
Stunden vergingen. Das untätige Warten lähmte die Menschen. Um Stephan zu beschäftigen, dachte Alice sich immer neue Begriffe aus, die er erraten musste. Stephan liebte Spiele dieser Art, die seine Phantasie beflügelten. Anfangs kennt man nur den ersten und den letzten Buchstaben eines Wortes. Durch geschicktes Fragen tastet man sich an den Begriff heran.
Das Ratespiel brachte vorübergehend Ablenkung, doch mit der Dunkelheit kam noch größere Angst. Alice deckte Stephan mit ihrem Handtuch zu und versuchte, seinen Kopf auf ihrem Schoß, ihn in den Schlaf zu streicheln. Doch er fand keine Ruhe. Und auch sie selbst blieb hellwach. Die klamme Kälte der Nacht, die Unruhe im überfüllten Abteil, das beklemmende Gefühl, ausgeliefert zu sein. Wieder ausgeliefert.
Ihre Gedanken gingen zurück nach Theresienstadt. Wie lange würde man sie noch unversorgt lassen? Ihre Trinkflaschen waren so gut wie leer, die letzten Schlucke sparte sie für Stephan auf. Alice konnte sich nur zu gut daran erinnern, dass Durst schwerer zu ertragen ist als Hunger. Wie oft hatte sie im Lager Durst gelitten. Und wo sollten sie sich waschen? Wieder, dachte Alice verzweifelt, wurden die elementaren Bedürfnisse der Menschen missachtet. Wieder behandelte man sie wie Untermenschen.
Als der Morgen sich ankündigte und der Zug immer noch stand, fasste sie den erlösenden Entschluss. Sie nahm Stephan an der Hand und stieg mit ihm aus dem Waggon. Es regnete stark.
»Wir gehen zu den Häusern dort«, erklärte sie ihm und zeigte auf die Eisenbahnersiedlung, die jenseits der Felder am Horizont zu sehen war. »Dort werden wir uns waschen und auch unsere Trinkflaschen auffüllen.«
Es dauerte mehr als eine halbe Stunde, ehe sie, völlig durchnässt, die Häuser erreichten. Alice klopfte an die erstbeste Tür. Die Bewohner waren hilfsbereit, baten die beiden an den Frühstückstisch und wärmten ihnen einen großen Topf Wasser, mit dem sie sich ausgiebig waschen konnten. Als Alice und Stephan mit ihren gefüllten Trinkflaschen zum Zug zurückkamen, hatte sich die

Situation noch immer nicht verändert. Niemand wusste, warum es nicht weiterging.
Plötzlich, nach neunundzwanzig Stunden Wartezeit, ertönte ein gellender Pfiff der Lokomotive, und der Zug ruckelte ebenso unvermittelt los, wie er stehen geblieben war. Alice blickte gebannt aus dem Fenster. In welche Richtung würde er fahren? Als sie feststellte, dass es in Richtung Österreich ging, durchströmte sie ein überwältigendes Glücksgefühl: Nach entbehrungsreichen Jahren der Diktatur und Willkür brachte sie der Zug nun endlich in die Freiheit.
Die Fahrt über den Brennerpass, der noch im Schnee lag, entschädigte ein wenig für die Stunden der Angst. In Genua erwartete sie jedoch das nächste Unheil. Das Schiff, das sie nach Israel bringen sollte, hatte vor kurzem den Hafen verlassen und war nur noch als kleiner Punkt am Horizont zu sehen. Offenbar hatte die Besatzung sich entschieden, andere Ausreisewillige nach Israel mitzunehmen: Hunderte von ihnen warteten im Hafen auf eine Überfahrt, oft tagelang.
Die dreihundertfünfzig Emigranten mussten durch den Regen in den Zug zurückkehren und eine weitere Nacht in den ungeheizten Abteilen verbringen. Die feuchte Kälte setzte vor allem den kleinen Kindern zu, viele von ihnen erkrankten. Auch Stephan litt an einer heftigen Angina. Das diagnostizierte der aus Polen stammende Arzt Dr. Ziv, der als offizieller israelischer Zugbegleiter mitfuhr. Alice bat ihn, bei den kranken Kindern zu bleiben, während sie die Jüdische Gemeinde in Genua aufsuchen wollte, um Hilfe zu organisieren.
»Stephan, hörst du mich, deine Maminka geht jetzt in die Innenstadt von Genua, um Hilfe zu holen. Hörst du, ich werde ein paar Stunden weg sein, aber ich komme schnell wieder zu dir.«
Stephan nickte schwach. Als die Mutter in Theresienstadt zur Arbeit abkommandiert worden war, fürchtete er, sie könnte ihn für immer verlassen. Nun war er vier Jahre älter und sich bewusst, dass seine Mutter ihn noch nie im Stich gelassen hatte.

***

Alice hatte keinen Blick für die Schönheiten der alten Hafenstadt. Sie verstand kein Wort Italienisch, und es machte ihr große Mühe, sich auf Deutsch und Englisch zur Jüdischen Gemeinde durchzufragen. Dort erreichte sie, dass ihre Mitreisenden den Zug noch am selben Tag verlassen und in benachbarten Privatunterkünften und kleineren Hotels Quartier beziehen konnten.

Nach vier Tagen der Ungewissheit ging es mit dem Zug weiter nach Brindisi. Ein griechisches Schiff sollte die Auswanderer nach Palästina bringen. Es war aber viel zu klein für so viele Passagiere. Völlig überfüllt verließ es den Hafen. Fünf Tage stürmischer Seegang standen bevor. Alice wurde schwer seekrank. Stephan, der seine Angina gut überstanden hatte, erkundete mit ein paar gleichaltrigen Freunden stundenlang das Schiff.

Nach scheinbar endlos langen Tagen war am Horizont die Bucht von Haifa zu erkennen, für viele die schönste Stadt Israels. Im Hintergrund erhoben sich die bewaldeten Bergrücken des Karmel. Alice staunte über die Schönheit der fremdartigen Landschaft. Dabei wurde ihr schlagartig deutlich, wie wenig sie bisher über ihre neue Heimat wusste. Israel, gelobtes Land.

Das Schiff ankerte weit vor der Küste, und kleine Boote brachten die Passagiere in den Hafen. Als sich das Ruderboot mit Alice und Stephan der Kaimauer näherte, rief jemand laut Alices Namen.

»Gigi!«

Eine vertraute Stimme. Es war ihr Neffe Chaim, den sie zwei Jahre zuvor bei seinem Besuch in Prag zuletzt gesehen hatte. Nun war er einundzwanzig Jahre alt und studierte in Jerusalem Soziologie. Zwei Wochen lang hatte er im Hafen von Haifa auf Alices Ankunft gewartet. Neuland zu betreten und dabei von einer geliebten Person aus dem Familienkreis empfangen zu werden gab Alice Sicherheit.

Die erste Nacht verbrachten die drei bei Felix Weltschs Bruder Willi, der als Architekt in Haifa lebte. Am nächsten Tag kam es in Tel Aviv zu einem bewegenden Wiedersehen mit Alices Nichte Ruth Weltsch. Aus dem Mädchen, das Alice gefüttert und dem sie später jahrelang Klavierunterricht gegeben hatte, war eine großgewachsene, attraktive Frau geworden.

Die Suche nach ihren Koffern gestaltete sich für Alice und Stephan unerwartet schwierig, denn die weit mehr als tausend Koffer und Taschen der Reisenden waren auf verschiedene Lager in Tel Aviv verteilt worden. Alice und Stephan jagten drei Tage lang hinter ihren Gepäckstücken her, ein kleiner Koffer mit Schuhen blieb allerdings unauffindbar. Tagelang gingen die beiden deshalb in ihren Prager Winterschuhen, ehe Marianne ihrer Schwester ein getragenes Paar Schuhe schenkte und für Stephan Sandalen kaufte, die er den heißen Sommer lang nicht mehr auszog.

***

»Kein Wort über Leopolds Tod, nichts über Theresienstadt und nichts über den Holocaust.« Nicht mehr zurückblicken, nur noch nach vorn. Und dabei so intensiv wie möglich im Hier und Jetzt leben. Diese Lebenseinstellung hatte sich in Alice festgesetzt – und auch auf Stephan übertragen. Die beiden hatten in den vergangenen Jahren nicht mehr über Theresienstadt gesprochen. So glücklich Alice über ihre Ankunft in Israel war, so sehr fürchtete sie deshalb den ersten Abend, an dem ihre Heimkehr in den Kreis der Familie gefeiert werden sollte. Wie würde sie reagieren, wenn man sie fragte – nach der Besatzungszeit, nach Theresienstadt, nach Auschwitz, nach Dachau?

Marianne hatte in ihrer kleinen Wohnung eine festliche Tafel gedeckt. Der ausgezogene Tisch war liebevoll mit Blumen und Kerzen geschmückt. Neun Stühle standen um den Tisch – die ganze Familie wurde erwartet: Neben Marianne, Emil und Chaim Adler kamen Alices Schwester Irma mit ihrem Mann Felix und aus Tel Aviv die Nichte Ruth mit ihrem zweiten Mann Benjamin Gorinstein.

Die Begrüßung fiel überaus herzlich aus, doch schon nach einer Viertelstunde diskutierten alle die politischen Ereignisse der letzten Wochen und Monate. Wie in früheren Zeiten sprachen sie deutsch miteinander. Dabei wurde Alice schmerzlich bewusst, dass Stephan nach zwei Jahren Theresienstadt und vier Jahren im Nachkriegsprag kaum noch Deutsch konnte. Wie sollte sie ihm die deutsche Kultur, die ihr nach wie vor so nah und wichtig war,

Die wiedervereinte Familie in Israel.
Hintere Reihe: Irma Weltsch und ihre Tochter Ruth, Emil Adler mit seinem Sohn Heinz (Chaim), Felix Weltsch; vorne: Stephan (Raphael), Alice und Marianne (um 1949)

zugänglich machen? Sie fasste deshalb schon an jenem Abend den Vorsatz, sobald er ausreichend Iwrit beherrschte, wieder sehr viel Deutsch mit ihm zu sprechen.
Die Politik gab, eine neue Erfahrung für die lange Zeit »unpolitische« Alice, stets Gesprächsstoff, wenn mehrere Menschen an einem Tisch zusammentrafen. Je nach den aktuellen Ereignissen wurde mehr oder weniger hitzig diskutiert. Jeder Einzelne fühlte sich für den neuen Staat mitverantwortlich, es war beinahe selbstverständlich, eine Meinung zu den Entscheidungen der Regierung zu haben. Selbst Marianne, die sich in Prag hauptsächlich für Literatur interessiert hatte, wusste nun genau über das politische Tagesgeschehen Bescheid. Alice hingegen konzentrierte ihre Kraft in den folgenden Jahren auf den Aufbau einer neuen Existenz. Zeit für tiefgehende Reflexionen der politischen Entwicklungen fand sie erst später im Leben.

Am 14. März 1949, wenige Tage vor ihrer Ankunft, war Chai
Weizmann zum ersten Präsidenten des neuen Staates gewählt wo
den. Die Gründung Israels, der Sieg im Unabhängigkeitskrieg, d
Bedrohungen von arabischer Seite – das waren die beherrschend
Themen an diesem Abend. Niemand fragte nach den Ereigniss
im Zweiten Weltkrieg und den Verbrechen an den Juden. Sch
im Januar war ein Waffenstillstandsabkommen mit Ägypten u
terzeichnet worden, und seitdem wehte die Flagge mit dem Davi
stern auch in Eilat am Golf von Akaba, Israels Zugang zum Rot
Meer. Inzwischen war auch die *Knesset* zusammengetreten, d
erste frei gewählte Parlament, und hatte den ersten Regierung
chef David Ben Gurion und dessen Kabinett bestätigt. Nicht n
in ihrer Familie, sondern im ganzen Land sprach niemand von d
Judenvernichtung und ihren Opfern, stellte Alice in den nächst
Wochen ebenso erleichtert wie verwundert fest. Alle konze
trierten sich auf den Aufbau des neuen Staates, alle schauten na
vorn, wie sie selbst.

Vom ersten Tag an waren die Zwillingsschwestern wieder unze
trennlich, und in den folgenden fünfundzwanzig Jahren bis
Mariannes Tod verging so gut wie kein Tag, an dem Alice sie nic
besuchte. Neben ihrer Mutter, sagte Marianne einmal, liebte s
nur drei Menschen auf der Welt von Herzen: ihren Mann Em
ihren Sohn Chaim und ihre Zwillingsschwester Alice.

Trotz ihrer gegensätzlichen Gemüter war es kein einseitiges Ve
hältnis, sondern sie gaben sich gegenseitig Kraft und Halt. Und s
gingen – bei aller Innigkeit – stets kritisch miteinander um. M
rianne wehrte sich, wenn Alice sie wieder und wieder beschwo
vor allem die Sonnenseiten des Lebens zu sehen. Fassungslos s
sie manchmal ausgerufen haben: »Aber Alice, das Leben hat do
mindestens ebenso viele Schattenseiten! Betrügst du dich nic
selbst, wenn du die dunklen Seiten konsequent ausklammerst?«

***

Zwei Eindrücke, die manches ihrer Vorurteile entkräfteten, beschäftigten Alice in ihrer neuen Heimat besonders. Zum einen stellte sie mit kindlichem Erstaunen fest, dass die Juden in diesem Land in sämtlichen Berufen arbeiteten. In Prag hatte sie nie jüdische Busfahrer, Müllmänner oder Postboten gesehen. Zum anderen fiel ihr auf, wie bescheiden und beengt die Menschen hier lebten. Selbst Persönlichkeiten in wichtigen Positionen, mit hohen Einkommen und respektablen Titeln, hatten in der Regel nur kleine Wohnungen. Das spartanische Leben sprach sie durchaus an, und dennoch war sie überrascht, wie schwer sie sich tat, sich an die Enge bei Marianne und Emil zu gewöhnen.

Die Wohnung lag im Rechavia-Viertel, einem besonders grünen Stadtteil, in dem viele mitteleuropäische Aussiedler lebten, Intellektuelle, Künstler, Staatsbeamte. Die vorwiegend zweistöckigen Häuser aus einheimischem weißschimmerndem Stein, jeweils mit Vorgarten, sahen durchaus europäisch aus, die Menschen pflegten ihre europäischen Lebensweisen, in manchen Straßen dominierte Deutsch, in anderen wurde vorwiegend Tschechisch oder Russisch gesprochen. Viele ältere Einwanderer schienen aufgegeben zu haben, jemals richtig Iwrit zu lernen. In diesem Viertel verbrachte Alice die nächsten siebenunddreißig Jahre ihres Lebens.

Emil Adler hatte – im Unterschied zu den übrigen Familienmitgliedern – schon im ersten Jahr nach seiner Ankunft beeindruckend gut Hebräisch gelernt und es inzwischen zum Universitätsprofessor und angesehenen Klinikleiter gebracht. Zusätzlich praktizierte er zu Hause.

Die Wohnung, die Emil bereits 1939 mit dem mitgebrachten Geld und einem günstigen Kredit für Neuankömmlinge finanziert hatte, bestand aus einer winzigen Küche und drei kleinen Zimmern. Jeden Nachmittag diente das größte davon als Behandlungszimmer. Hier standen ein massiver Schreibtisch, ein Buchregal und ein Glasschrank mit medizinischen Instrumenten. Der zweite Raum war das Wartezimmer, karg möbliert mit einigen einfachen Stühlen und einer Couch, die abends zur Schlafstätte der Eltern ausgeklappt wurde. Im dritten Raum mit dem großen Kleiderschrank wurde gegessen, und dort schlief auch Chaim. Während der drei

Wochen, in denen Alice und Stephan bei Marianne und Em
lebten, schlüpfte Chaim bei Freunden unter.
Vom ersten Tag an zeigte sich das Leben bei den Verwandten vo
seiner turbulenten Seite. Seit langem war klar, dass Marianne a
der Gebärmutter operiert werden musste. Auch wenn Emil sei
Frau immer wieder beruhigte, dass der Eingriff reine Routine se
blieb Marianne misstrauisch. Während ihres Aufenthalts in ein
Jerusalemer Klinik sollte Alice sie zu Hause vertreten. Mariann
wies die Schwester in den Haushalt und den nachmittäglich
Praxisbetrieb ein, und die Pianistin wurde vorübergehend z
charmanten Sprechstundenhilfe.
Jeden Tag besuchte Alice ihre Schwester im Krankenhaus. Sie sa
schon neben ihr, als Marianne nach der erfolgreichen Operatio
langsam aus der Narkose erwachte. Alice bemerkte, dass d
Schwester ihr etwas sagen wollte, und beugte sich zu ihr. Flü
ternd stellte Marianne fest: »Das Leben ist schrecklich!«

***

Allein in den Monaten seit der Staatsgründung waren einhunder
fünfundvierzigtausend Menschen ins Land gekommen, die
neunundzwanzig Lagern verstreut über das ganze Land wohnte
fünfundsechzig Prozent davon in Zelten, der Rest in Baracken.
Sie alle träumten von einem adäquaten Heim.
Drei Wochen nach ihrer Ankunft begab auch Alice sich auf Wo
nungssuche. Vorher musste sie die notwendigen Einbürgerung
formalitäten erledigen. Nach den demütigenden Erfahrungen b
der Prager Behörde fühlte sie sich hier willkommen. Eine reize
de Mitarbeiterin der Meldestelle bot Stephan an, künftig ein
landestypischen Vornamen zu tragen, und schlug David, Ben od
Raphael vor. Raphael gefiel ihm auf Anhieb.
Auch bei der Wohnungssuche hatte Alice Glück. Sie sollte
unmittelbarer Nähe zum Konservatorium, ihrer künftigen A
beitsstelle, und möglichst nah zu Marianne und Irma liegen
das europäische Flair in Rechavia sprach Alice auf Anhieb a
Weil sie völlig mittellos in Jerusalem eingetroffen war, gewähr

das Konservatorium ihr einen Vorschuss, und Marianne und Emil liehen ihr ein Startkapital. Sie würde so viel wie möglich arbeiten, um Raphael eine gute Ausbildung zu ermöglichen. Für die Miete wollte sie deshalb nicht mehr als das unbedingt Erforderliche ausgeben.

Mit Hilfe ihrer Schwestern fand Alice Unterkunft in einer Vierzimmerwohnung, die sie sich mit einer zweiten Partei teilen musste, etwa zehn Minuten Fußweg von Marianne und fünfzehn Minuten von Irma entfernt. Jede Familie bewohnte zwei Zimmer, Küche und WC wurden gemeinsam benutzt.

In den anderen beiden Zimmern lebte eine sechsköpfige arabische Familie – Alices erste Begegnung mit orientalischen Gewohnheiten. Zwei Lebenswelten, wie sie unterschiedlicher nicht hätten sein können, trafen auf engstem Raum aufeinander: die Pianistin, geprägt vom mitteleuropäisch-jüdischen Bürgertum, und das arabische Ehepaar, Hilfsarbeiter ohne Schulbildung, Analphabeten, aufgewachsen in der muslimischen Tradition.

Alice beeindruckten die Liebenswürdigkeit und das Feingefühl ihrer Mitbewohner. Anfangs kommunizierte sie nur über freundliche Gesten mit ihnen. Da Raphael aber außergewöhnlich schnell Iwrit lernte, konnte er schon nach wenigen Wochen dolmetschen.

Als etwa zwei Wochen später ein Lastwagen vorfuhr und die beiden Bettgestelle und den Steinway-Flügel brachte, erfuhr Alices Freude einen Dämpfer. Der Flügel nahm fast zwei Drittel des Raums ein und ließ ihr noch weniger Platz als in Prag. Zärtlich strich sie über das Instrument und rückte sich auf dem Klavierhocker zurecht, um ein erstes leises Stück anzustimmen – mehr als zehn Wochen waren vergangen, seit sie zuletzt Klavier gespielt hatte. Doch fast alle Tasten waren verklemmt. Als sie den Flügeldeckel öffnete, schloss sie vor Schmerz die Augen, als könne sie dadurch ungeschehen machen, was sie sah. Sämtliche Saiten waren verrostet, das Innenleben des Instruments nicht mehr zu gebrauchen.

Es stellte sich heraus, dass der Flügel während der regenreichen Monate Februar und März wochenlang ungeschützt im Freien gestanden hatte. Der Steinway, von dem jeder Pianist träumt, war nicht mehr zu gebrauchen. Es würde ihr nichts anderes übrig blei-

ben, als von ihrem ersten selbstverdienten Geld ein gebraucht
Klavier zu kaufen.
Einige Zeit später stand zu ihrer Überraschung Richard Gibi
vor der Tür. Der treue Prager Freund war Anfang 1939 mit seir
Frau und den vier kleinen Söhnen nach Amerika ausgewandert,
Israel besuchte er seine Schwester. Als Raphael den Gast begrüß
erinnerte Richard sich, wie der damals noch ungeborene Jun
beim Konzert des Kolisch-Quartetts zum ersten Mal sein musik
lisches Talent gezeigt hatte. Auch jetzt musste Richard wieder d
über lachen.
Über gemeinsame Bekannte hatte Richard von Leopolds Tod
Dachau erfahren, doch um Alice zu schonen, vermied er das Th
ma. Als er sie bat, ihm etwas vorzuspielen, erzählte sie von ihr
Malheur mit dem Steinway-Flügel.
»Das bekommen wir wieder hin«, sagte Richard. Schon in Pr
war er ein tüchtiger Geschäftsmann gewesen und hatte ei
Schreibmaschinenproduktion aufgebaut. Er notierte sich Nu
mer und Baujahr des Flügels, schrieb an die Hamburger Nied
lassung des Unternehmens und bestellte einen kompletten S
neuer Saiten und das gesamte Hammerwerk. Wenige Monate sp
ter trafen die Ersatzteile in Jerusalem ein, der Klavierbauer, b
dem Richard Geld hinterlegt hatte, baute sie ein. Ende 1949 kon
te Alice endlich wieder auf ihrem Steinway-Flügel musizieren. S
ne ursprüngliche Klangqualität erreichte er allerdings nicht meh

***

Die Leitung des Konservatoriums hatte auf das sonst übliche V
spielen verzichtet und Alices Arbeitsvertrag schon vor ihrem Ei
treffen in Israel an Irma ausgehändigt. Durch die Konzertkritike
die sie ihrem Lebenslauf beigelegt hatte und die Empfehlung ein
tschechischen Klavierpädagogin und Kollegin in spe eilte Alice e
guter Ruf voraus. Zudem vermittelte Max Brod als ehemalig
Prager Musikkritiker der Leiterin des Konservatoriums eine kor
petente Einschätzung ihrer pianistischen Fähigkeiten und ließ k
nen Zweifel, dass Alices Anstellung nur ein Gewinn sein konnt

Es war Tradition, sich als neue Mitarbeiterin mit einem Konzert vorzustellen. Im Gebäude des Konservatoriums gab es einen kleinen Konzertsaal für etwa einhundertfünfzig Besucher. Alice wusste noch nicht, dass das Kollegium in einem harten Konkurrenzkampf um die Gunst der Schüler stand, weil der monatliche Lohn jedes Lehrers von der Zahl seiner Schüler abhing. Sie bereitete sich also völlig unvoreingenommen und mit gewohnter Ernsthaftigkeit auf ihr erstes Konzert in der neuen Heimat vor, spielte Beethovens Appassionata und Smetanas Tschechische Tänze und hatte großen Erfolg damit. Unter den Zuhörern saßen nicht nur alle Kolleginnen und Kollegen und ein Großteil der Musikschüler, sondern neben Irma und Felix Weltsch auch Marianne und Emil Adler. Schon in den folgenden Tagen meldeten sich viele Schüler, die unbedingt bei Alice lernen wollten.
Sehr schnell stellte sich in den nächsten Wochen der Alltag ein. Besonders glücklich war Alice über Raphaels problemlose Einschulung ins Gymnasium des Viertels. Als er die Klasse zum ersten Mal betrat, wussten anfänglich weder Lehrer noch Schüler, was er dort wollte.[281] Weil er kein Wort Iwrit sprach, stellte er sich auf Tschechisch vor. Der Lehrer war russischer Abstammung und konnte ihm deshalb folgen. Plötzlich erinnerte er sich, dass ihm ein neuer Schüler angekündigt worden war, der das KZ Theresienstadt überlebt hatte. In der Klasse waren keine Schüler mit vergleichbarem Schicksal. Er erklärte ihnen deshalb in aller Kürze, was die europäischen Juden unter den Nazis durchlitten hatten, und bat sie, besonders behutsam mit Raphael umzugehen.
Anfangs musste er sich zwar gefallen lassen, dass alle über seinen drolligen Akzent lachten, aber schon nach wenigen Wochen konnte er sich gut auf Hebräisch verständigen. Mit seinen Späßen und humorigen Bemerkungen verschaffte er sich die Anerkennung seiner Schulkameraden. Und die Lehrer ließen ihm so manchen Schabernack durchgehen, den sie bei anderen streng geahndet hätten. Bald war er der Mittelpunkt der Klasse.
Nach einigen Wochen bat der Musiklehrer Raphael, ein Konzert vor Mitschülern aller Klassenstufen zu geben. Er begann mit einer Reihe von »Kleinen Präludien und Fugen«, die Johann Sebastian

Bach 1720 für seinen Sohn zum *Clavierbüchlein für Wilhelm Fri demann Bach* zusammengestellt hatte. Mit der »Pathétique« vo Beethoven zog er seine Zuhörer vollends in den Bann. Ein el jähriger Junge spielte wie ein Konzertpianist. Auswendig. Vo diesem Tag an kannte und schätzte ihn jeder in der Schule. I Lauf der folgenden Jahre gab er noch etliche Cello- und Klavie konzerte.

Jeden Morgen unterrichtete Alice ihren Sohn. Sobald Raphael i die Schule aufgebrochen war, begann Alice ihre drei- bis vierstü dige Übungszeit. Mit Kochen wollte sie keine Zeit verlieren. D her traf sie Raphael jeden Mittag in etwa fünf Minuten Entfe nung von zu Hause bei Maria Pollack, einer ebenso kultivierte wie gemütlichen Wienerin, die gegen Bezahlung für Berufstäti kochte. Dort saßen sie an einem runden Tisch für bis zu acht Pe sonen und lernten neben vielen anderen Alices erste Schüleri Esther Erle mit ihrer Mutter kennen.

Die Köchin nahm Rücksicht auf Alices Essgewohnheiten – wen Salz und Gewürze, viel Obst und gern einmal Huhn oder Fisch. I den ersten Monaten, als sie sich noch nicht auf Iwrit verständige konnte, unterhielt Alice sich mit den anderen Gästen des Mittag tisches nach ihrer Herkunft auf Deutsch, Englisch oder Franz sisch.

Gegen zwei Uhr musste Alice im Konservatorium sein. Rapha ging dann nach Hause, erledigte seine Schulaufgaben, übte a dem Cello und nahm fast jeden Nachmittag Privatstunden in Iv rit, Englisch oder Musiktheorie.

Alice unterrichtete nachmittags für gewöhnlich drei bis vier Stu den, manchmal auch länger. Ihr Nachhauseweg führte sie an M riannes Wohnung vorbei. Häufig kehrte Alice für eine Viertelstu de ein und lief dann weiter nach Hause, denn sie wusste, da Raphael schon vor der Tür auf sie wartete. Das gemeinsan Abendessen war ein wichtiges Ritual. Bei Tisch erzählten sie ei ander, was sie am Tag erlebt hatten.

Alices bescheidene Wohnansprüche erwiesen sich als Glücksfal denn die arabischen Mitbewohner schauten auf Raphael, wan immer Alice abends ausging, meist zu Marianne und Emil und nu

für eine Stunde. Doch auch die Nachteile der kleinen Wohnung wurden schnell offenbar. Jede freie Stunde gab Alice zu Hause Privatunterricht – unmittelbar nebenan übte Raphael dann oft auf dem Cello. Der Tonwirrwarr störte Alice sehr. Doch Raphael wusste einen Ausweg. Er könne doch, wenn Klavierschüler kämen, auf der Toilette Cello üben.
»Und was willst du tun, wenn von unseren Nachbarn jemand aufs Klo muss?« Raphael strahlte: »Dann setze ich mich auf den Flur und spiele etwas lauter ... bis die Luft wieder rein ist.« So geschah es tatsächlich, und in den folgenden Jahren bewährte sich diese Praxis bestens.

***

Wenige Tage nach seinem zwölften Geburtstag, gegen Ende Juni 1949, klingelte es an der Wohnungstür. Raphael öffnete und jubelte vor Freude. Vor ihm stand David Herschl, mit dem er unverhofft schöne Tage in Prag verbracht hatte. Eines der Flugzeuge, die der Pilot damals mit ihm gezeichnet hatte, schmückte die Wand über Raphaels Bett.
Von Ruth hatten Alice und Stephan gehört, was dem amerikanischen Freund seit seinem Abflug aus Prag zugestoßen war:

> »Herschl kam aus P[rag] angeflogen, direkt von Gigi, das Flugzeug unter anderem auch mit Gigis Sachen beladen (recht wenig) und die Trottel, die Idioten erkennen den Skymaster nicht und machen Alarm. Was heißt das? Das heißt, man macht kein Licht am Airport, und das Flugzeug kann nicht landen. Dazu aber kommt noch, dass das Flugzeug nicht in Ordnung war, von vier Motoren sind unterwegs nur noch zwei gegangen, d. h., man musste das ganze wertvolle Cargo overboard schmeißen, d. h., der ganze Trip umsonst. Mit Müh und Not kommt er also nach Erez [Israel], hier macht man kein Licht, er kreist wie ein Idiot um T[el] A[viv] herum, ganz niedrig [...] noch immer kein Licht. Er bekommt keine Radioverbindung, er lässt Lichtraketen

fallen, macht alle möglichen Zeichen. Unten – dunkel. Was also tun, wenn schon kein oil ist und er keine Kraft mehr hat zu steigen. Herschl landet im Jam [Meer]. Alices Sachen (einige davon) im Meer. Herschl und Crew retten sich und einige Sachen von Gigi. Und so kam er hier gestern wahnsinnig verkühlt an, mit pitschpatschnassen Sachen von Gigi und einem vollkommen seedurchtränkten Markenalbum vom Steffi. Die Marken habe ich alle rausgenommen und getrocknet und in Couverts getan. Die sind also gerettet. Dann schickt Gigi zwei goldene Eheringe (auch bei mir), drei Bilder (auch bei mir, aber total nass). [...] Ein Wunder, er lebt.«[282]

Herschl hatte es sich nicht nehmen lassen, Raphael die gerettet Briefmarken persönlich zu übergeben. Alice überreichte er schlie lich den Toulouse-Lautrec, dessen Oberfläche mit einer Salzschic überzogen war. Jahre später, als sie Geld gespart hatte, ließ Ali das Bild restaurieren.
Der unerwartete Besuch war die letzte Begegnung zwischen Ali und dem Freund. Er flog bald darauf zurück nach Amerika.

***

»Zena« – das war eines der ersten hebräischen Worte, das Ali sich einprägte. Übersetzt bedeutete es »Einfachheit«. Viele Jah nach der Staatsgründung wurden in einem satirischen Volksli die drei Jahre von 1949 bis 1952 als »Zena-Regime« besunge als eine Zeit einschneidender wirtschaftlicher Maßnahmen, d alle Bürger mitzutragen hatten und die für die meisten große Er behrungen mit sich brachte. Das junge Israel gab sein Geld in er ter Linie für die militärische Sicherheit und für die ins Land str menden Zuwanderer aus. Die Eingliederungsprogramme nutzt auch Alice – ihren Intensivkurs in Iwrit bezahlte der Staat.
Fast alles war damals rationiert, und jede Familie musste n den ihr zugesprochenen »Punkten« haushalten. Pro Person gab nicht mehr als drei Eier pro Woche, auch Milch, Käse, Marmela

und Margarine waren knapp. »Punkte« musste man auch für Schuhe, Kleidung, Seife und viele andere Dinge des täglichen Lebens abgeben.
Überall standen die Menschen Schlange vor den Geschäften. Das geflügelte Wort kam auf, wonach man in Israel alles zweimal bekomme – einmal im Radio und einmal im Laden. Per Rundfunk wurde jeden Tag angekündigt, welche Waren gerade wo zu haben waren. Wer die Nachricht gehört hatte, lief sofort zum betreffenden Geschäft und reihte sich in die Warteschlange ein.
Alice verfolgte diese Meldungen nie. Sie war zufrieden damit, dass zumindest zwei Lebensmittel nicht rationiert waren: Brot und Fisch. Die neuhebräischen Worte dafür lernte sie schnell, für alle anderen Begriffe brauchte sie viel länger. Inzwischen ging meist Raphael einkaufen.
Vermutlich war es der Tatsache zuzuschreiben, dass keiner der Anrainer mehr besaß als die anderen, warum die Häuser im Rechavia-Viertel nie verschlossen waren, es keine sichtbare Kriminalität gab und die vor allem aus den verschiedenen Ländern Europas, aber zum Teil auch aus dem Mittelmeerraum und Nordafrika eingewanderten Menschen sich offensichtlich einen gegenseitigen Vertrauensvorschuss einräumten. Nach den bedrückenden Jahren unter der nationalsozialistischen Besatzung und dem Stalinismus, als jedes Klingeln an der stets verriegelten Wohnungstür Unheil bedeuten konnte, war das ausgesprochen wohltuend. Das gegenseitige Vertrauen schien Ausdruck der Begeisterung zu sein, gemeinsam am Aufbau eines eigenständigen jüdischen Staates mitwirken zu können. Auch Alice konnte ihr Wissen und Können als Klavierpädagogin in das Aufbauwerk einbringen. Dieses Gefühl ließ sie in den siebenunddreißig Jahren ihres Lebens in Israel nie mehr los. Auch deshalb entwickelte sie im Unterschied zu vielen Gleichaltrigen den Ehrgeiz und die Willenskraft, das Sprachproblem zu meistern.
Beim Vokabellernen hegte sie eine Vorliebe für Begriffe, die nichts mit dem Alltag zu tun hatten. »Du kommst mir vor wie der deutsche Neueinwanderer, der im Meer ertrinkt, weil niemand seine Hilferufe versteht«, bemerkte Marianne. »Du solltest lernen, wie

man Brot, Milch, Kartoffeln und all die landläufigen Dinge be
zeichnet, damit du im Alltag zurechtkommst, statt dich die ganz
Zeit mit irgendwelchen abseitigen Dingen zu beschäftigen.«
Alice verteidigte sich: »Für mich sind diese Begriffe aber wichtige
als die alltäglichen. Ich will mich endlich wieder an Diskussione
beteiligen können, will ins Theater gehen und Bücher lesen.«
Sprachen zu erlernen war Alice stets leicht gefallen. Seit ihre
Kindheit konnte sie sich fließend auf Deutsch, Tschechisch, Fran
zösisch und Englisch unterhalten. Es überraschte sie deshalb, wi
schwer es ihr fiel, sich die neue Sprache anzueignen. Zwar fasz
nierte sie die bestechende Logik der Grammatik, doch fand si
lange Zeit keinen Zugang zur Umgangssprache. Sie abonniert
zwei Zeitungen, die anspruchsvolle *Ha'arez* und ein sprachdidak
tisch aufbereitetes Blatt für Neueinwanderer. Jeden Tag versucht
sie die Zeitung zu lesen, aber lange Zeit schien sie sich vergeblic
zu mühen. Die ungewohnten Schriftzeichen waren schwer zu be
halten. Und dass die Vokale nicht mitgeschrieben werden, son
dern mitgedacht werden müssen, irritierte sie völlig. Wochenlan
verstand sie keinen einzigen Satz und war der Verzweiflung nahe
Es tröstete sie nicht, dass es der Mehrheit der Einwanderer ähn
lich erging, sondern sie fasste die Situation als Herausforderun
auf, die sie meistern würde.
Schließlich legte sie ein Vokabelheft an, das sie jederzeit bei sic
trug. Wo auch immer sie auf ein neues Wort stieß, im Lebensmi
telgeschäft, im Autobus, beim Unterricht oder beim Besuch vo
Konzerten, beharrlich fragte sie sofort nach und notierte die Be
deutung. Über mehr als zehn Jahre führte Alice einen einsame
Kampf. Irma und Marianne schüttelten oft den Kopf über de
Energieaufwand ihrer Schwester. Sie konnten sich zwar im Allta
passabel auf Iwrit verständigen, doch sprachen und schrieben s
fehlerhaft.
Es dauerte Jahrzehnte, ehe Alice das Gefühl hatte, die Sprache gu
genug zu beherrschen. Rückblickend spricht sie von »einer de
größten Leistungen meines Lebens«.

16
Jerusalem
»Nur in Israel fühlte sich meine Seele gut«

»Maminka, alle feiern in diesem Jahr ihre *Bar-Mizwa ...«*
Seit seinen ersten Schultagen in Israel hörte Raphael neugierig zu, wenn seine Mitschüler über ihre bevorstehende Bar-Mizwa sprachen. Mit dem dreizehnten Geburtstag steht die Zeremonie an, mit der jüdische Knaben ihre religiöse Volljährigkeit beweisen sollen.

Mindestens ebenso wichtig wie die Ehre, als »erwachsene Mitglieder« in ihre Gemeinde aufgenommen zu werden, waren Raphaels Freunden freilich die Geschenke, die sie sich zum anschließenden Familienfest erwarteten. Die meisten Jungen hofften auf ihr erstes Fahrrad.

Raphael konnte als Einziger nicht mitreden. Weder wusste er, wofür der Ausdruck *Bar-Mizwa* stand, noch konnte er abschätzen, ob es jemals für ihn Bedeutung haben würde. Der Nachdruck, mit dem das Thema auf dem Pausenhof besprochen wurde, weckte jedoch unbestimmte Sehnsüchte in ihm – und den durchaus konkreten Wunsch, dazuzugehören.

»... werde ich eigentlich auch Bar-Mizwa feiern?«

Alice war auf die Frage nicht vorbereitet. Traditionelle religiöse Vorstellungen spielten in ihrem Leben keine Rolle, nicht einmal ihre Brüder Georg und Paul hatten Bar-Mizwa gefeiert. Zwar wusste Alice um die drei religiösen Hauptströmungen im Land, die Orthodoxie, das konservative sowie das reformierte Judentum, doch fühlte sie sich keiner der Gruppen zugehörig. Das ver-

suchte sie Raphael zu erklären. Natürlich würden sie seinen dre
zehnten Geburtstag groß feiern, natürlich dürfe er Freunde un
Verwandte einladen, natürlich würde er Geschenke bekomme
aber die Bar-Mizwa?

Im ersten Moment gab Raphael sich zufrieden, aber mit den W
chen, die vergingen, schien er zunehmend bedrückt. Seine neue
Freunde bereiteten sich auf ihr Fest vor, erhielten religiöse Unte
weisungen, planten die Feier, deren Mittelpunkt sie sein würde
tagträumten von ihrem Gabentisch. Nur er ... war ein Außenseite

Wie schon oft in schwierigen Lebenslagen suchte Alice Rat b
Felix Weltsch. Nach seiner Ansicht war die jüdische Religion auc
für nichtreligiöse Juden wichtig. Ohne religiöses Fundament, a
gumentierte er, wären weder der Zionismus noch Israel denkb
gewesen. Zwar sehe man unter anderem an der Tatsache, dass d
Orthodoxen den Zionismus und damit auch den neuen Staat Isr
el als Gotteslästerung betrachteten, wie schwierig das Verhältn
von Religion und Staat sei. Doch seien die nationalen und re
giösen Werte, egal wie kompliziert und unlogisch sie sich auc
zueinander verhielten, doch untrennbar miteinander verbunde
Deshalb sollten alle Dreizehnjährigen Gelegenheit bekomme
Bar-Mizwa zu feiern. Das stärke ihr Bewusstsein für Geschich
und Tradition und fördere das Zusammengehörigkeitsgefühl bei
Aufbau Israels.

Die Worte ihres Schwagers leuchteten Alice ein. Aber konnte R
phael noch rechtzeitig vor seinem dreizehnten Geburtstag auf d
Feier vorbereitet werden? Die meisten Mitschüler gingen scho
seit Monaten zum Unterricht.

Felix schlug vor, seinen Freund Friedrich Thieberger um Hilfe z
bitten, den einst in Prag, nun in Israel weithin bekannten Relig
onspädagogen. Als Mädchen und junge Frau hatte Alice den i
zwischen zweiundsechzigjährigen Rabbinersohn mehrfach i
Hause Weltsch erlebt. Damals war Franz Kafka sein Hebräisc
schüler gewesen.

Vier Monate lang bekam Raphael Privatstunden – die Begeist
rung für jüdische Geschichte, die Friedrich Thieberger in ih
weckte, blieb ihm ein Leben lang.

Raphael mit seiner Mutter in Jerusalem (auf dem Balkon von Marianne und Emil Adler)

Am Vormittag des ersten Shabbats nach Raphaels dreizehntem Geburtstag versammelten sich Familie und Freunde in der Synagoge. Raphael, herausgeputzt in weißem Hemd und neuer nachtblauer Hose, trug seinen Text aus der Thora fehlerfrei vor, mit einer kristallklaren Knabenstimme, die in rührendem Gegensatz stand zu seiner ernsthaften Miene, ab sofort erwachsen zu sein. An der anschließenden Familienfeier nahmen auch die Thiebergers und die Leiterin des Konservatoriums teil. Raphael wusste wohl, wie knapp das Geld in diesem ersten Jahr war, und wagte deshalb erst gar nicht, auf ein Fahrrad zu hoffen. Umso größer war seine Freude: Alle hatten zusammengelegt, die Weltschs, die Adlers, die Thiebergers, und ihm ein nagelneues Fahrrad gekauft. Er hütete es wie seinen Augapfel, und da nirgendwo im Haus ein Stellplatz dafür zu finden war, baute er sich eine Vorrichtung, an der er das Fahrrad in seinem winzigen Zimmer an die Wand hängen konnte.

***

Dass sie beim Einleben in die israelische Gesellschaft mit Edi
eine Freundin an der Seite hatte, die ähnliche Probleme kann
wie sie selbst, ermutigte Alice. Edith war wenige Wochen nach i
mit ihrem Mann und der dreijährigen Tochter in Israel eingetr
fen. Allerdings hatten sie sich in Tel Aviv niedergelassen, weil i
Mann dort bessere Bedingungen vorfand, um eine kleine Textil
ma aufzubauen. Doch da der Bus von Ort zu Ort gerade einm
zweieinhalb Stunden brauchte, besuchte Alice ihre Freundin f
jeden Monat. Zwischenzeitlich schrieben sie einander regelmäß
und als beide schließlich Telefon hatten, sprachen sie fast jed
Tag miteinander.
Jedes Mal, wenn Alice mit dem Bus in Tel Aviv eintraf, tauchte
in eine andere Welt ein. Hier die pulsierende Großstadt, kau
einhundert Jahre alt, dort das über Jahrtausende gewachsene J
rusalem, Zentrum dreier Weltreligionen.
Edith unterrichtete am Tel Aviver Konservatorium Klavier. Neb
den Alltagssorgen drehte sich ein Großteil ihrer Gespräche u
ihre Erfahrungen mit dem Unterricht. Alice hätte auch in Tel Av
gut Fuß fassen können, denn 1949 gab es dort gerade einmal zw
Klavierpädagogen. Vielleicht hätte ihr diese der Moderne gege
über aufgeschlossene Stadt gerade als nichtreligiöser Jüdin me
gelegen. Doch ernsthaft hatte sie das nie erwogen, denn bei
Schwestern lebten in Jerusalem. Und darüber hinaus faszinier
sie die Tatsache, in Jerusalem auf Schritt und Tritt Tradition u
Geschichte zu spüren. Ein wenig erinnerte sie das an ihr geliebt
Prag.

***

Der Vormittag am Klavier war Alice nach wie vor heilig. A
Freunde und Verwandten wussten, dass sie in diesen Stund
nicht gestört werden wollte. Nur Marianne, die nachmittags
der Praxis mithalf, durfte in dringenden Angelegenheiten anrufe
Das geschah zwar nur selten, aber am 7. Januar 1952 meldete
sich aufgeregt, unmittelbar nachdem sie im Radio die neuest
Nachrichten gehört hatte:

»Stell dir vor, Alice, Hunderte Menschen sollen angeblich vor dem Parlamentsgebäude demonstrieren und mit Steinen werfen! Im Sitzungssaal sollen die Fenster zersplittert sein! Und alles wegen dieser Wiedergutmachungsverhandlungen mit den Deutschen.«
Marianne, die in politischen Angelegenheiten immer auf dem Laufenden war, überredete ihre Schwester, sich vor Ort gemeinsam einen Eindruck von den Ereignissen zu verschaffen. Kaum zehn Minuten später klingelte sie an der Wohnungstür und holte Alice ab.
Marianne war mit sich im Zweifel: »Kann man zu einem Land wie Deutschland, in dem die Mörder unserer Mutter, die Mörder so vieler Freunde und Bekannten, ja die Mörder von Millionen Juden bisher weitgehend ungestraft leben, wieder Kontakte aufnehmen oder gar in diplomatische Beziehungen treten? Soll man eine Entschädigung von den Deutschen annehmen?« Ohne Alices Antwort abzuwarten, fuhr sie fort: »Angesichts der Tatsache, dass sie Millionen Menschen beraubt haben, ihnen ihre Häuser, ihre Wohnungen, ihren Besitz, ihr Vermögen genommen haben, ist es nur recht und billig, dass wir das Geld annehmen und unser Land damit aufbauen. Aber Millionen Menschenleben lassen sich nicht mit Geld aufwiegen. Und mit Mördern und Verbrechern kann man sich nicht an einen Tisch setzen. Wir brauchen nicht das Geld von Leuten, die so viel Leid über die Juden gebracht haben.«
In ihrer Erregung bemerkte Marianne gar nicht, dass sie ein Selbstgespräch geführt hatte, ohne nach Alices Meinung zu fragen. Inzwischen waren die Schwestern vor dem Parlamentsgebäude angekommen. Die Situation schien zu eskalieren. Es erklangen Protestschreie, Drohungen wurden ausgestoßen, und ein Steinhagel prasselte auf das Gebäude nieder, in dem die Abgeordneten tagten. Alice konnte die Wut dieser Menschen verstehen. Wahrscheinlich waren viele von ihnen Überlebende der Konzentrationslager und Angehörige von Ermordeten. Andererseits empfand sie schon seit längerem Sympathie mit aufgeschlossenen Politikern wie David Ben Gurion, der immer wieder betonte, dass ein »anderes Deutschland« im Entstehen war und man diesem Deutschland auch eine Chance geben müsse. Auch Felix Weltsch und Emil Adler hatten

ihr gegenüber Sympathie geäußert für das Argument, dass de
israelischen Staat der Gegenwert des von den Deutschen geraubt
jüdischen Vermögens erstattet werden sollte, um die Überlebe
den besser zu integrieren und die neue Gesellschaft aufzubauen
Im Gegensatz dazu zeigte Marianne Verständnis für die Ansic
des Oppositionsführers Menachem Begin. Er hielt die Annahr
deutschen Geldes für ein moralisches Verbrechen, weil es dem A
denken der Ermordeten Schande zufüge.

Die beiden Schwestern verabredeten sich für den Abend, um c
Ereignisse des Tages mit Emil zu diskutieren. Marianne muss
zurück, um den Praxisbetrieb vorzubereiten, und für Alice war
bereits so spät geworden, dass sie auf das Mittagessen verzichte
und gleich zum Konservatorium ging.

Raphael wartete daher vergeblich auf seine Mutter, was ihn ab
nicht weiter sorgte, weil es schon öfter passiert war. Manchm
war Alice so im Klavierspiel versunken, dass sie die Zeit vergaß
Zu Hause überkam Raphael eine verrückte Idee. Ein Nachb
hatte sein Auto in der Straße vor dem Hauseingang geparkt. P
vatautos waren um 1952 noch relativ selten, einige wenige säur
ten den Straßenrand. Kaum jemand schloss sein Auto ab.

Der damals vierzehnjährige Junge war fasziniert von Autos. Se
Onkel Emil hatte eines, und immer, wenn er mit ihm mitfahr
durfte, studierte er genauestens die Apparaturen. Raphael sah si
kurz um, ob auch kein Nachbar in der Nähe war, und stieg in d
Auto. Er löste vorsichtig die Handbremse, die Straße war leic
abschüssig. Der Wagen kam langsam ins Rollen.

Im Schritttempo steuerte Raphael auf die Straßenmitte zu. Eini
hundert Meter weiter lenkte er das Auto behutsam an den Str
ßenrand und ließ es unbemerkt stehen. Übermütig kehrte er
die Wohnung zurück und stellte sich ans Fenster, um die weite
Entwicklung zu beobachten. Eine halbe Stunde lang geschah g
nichts. Weil es ihm an der Fensterbank zu langweilig wurde, setz
er sich ans Klavier.

Da endlich ein entsetzter Ruf von der Straße: »Jemand hat uns
Auto gestohlen!« Nachbarn versammelten sich auf der Straße u
diskutierten den Vorfall, bis auf einmal einer entdeckte, dass d

Auto weiter unten am Straßenrand stand. Unversehrt. Auf die Idee, dass dieser Schabernack Raphaels Werk war, kam vorerst niemand. Nach dem geglückten Abenteuer wiederholte Raphael seine Autofahrten von Zeit zu Zeit, bis die Anwohner schließlich dazu übergingen, ihre Autos abzuschließen.
Gegen sieben kam Alice vom Konservatorium zurück und erzählte Raphael beim Abendessen von ihrem vormittäglichen Erlebnis am Parlamentsgebäude. Ihre Fragen nach seinem Tagesablauf beantwortete er diesmal etwas einsilbig, seine erste Autofahrt verschwieg er.

***

Schon in den ersten Jahren bürgerte es sich ein, dass Alice jeden Sonntagnachmittag ihre Schwester Irma und ihren Schwager Felix Weltsch besuchte. Für sie war dieser Besuch stets ein Höhepunkt der Woche, denn die Gespräche mit dem in Israel anerkannten Philosophen faszinierten sie immer wieder von neuem. Sein Maß an Abgeklärtheit und Altersweisheit beeindruckte sie. Für seine ethischen Schriften verlieh ihm die Stadt Haifa 1954 den renommierten Ruppin-Preis.
Alle drei bis vier Wochen kam auch Max Brod von Tel Aviv herüber, um seinen alten Freund zu besuchen. Ganz anders als Felix Weltsch genoss Brod seine weltweite Bekanntheit und reiste in der ganzen Welt herum, um Vorträge über Franz Kafka zu halten. Max Brod hatte sich nicht an die testamentarische Verfügung Kafkas gehalten, seine nachgelassenen Manuskripte unveröffentlicht zu lassen. Bereits 1925 hatte Brod den *Prozeß,* 1926 *Das Schloß* und 1927 *Amerika* editiert. Mit seiner Übersiedlung nach Israel rettete er die Kafka-Manuskripte ein zweites Mal und setzte die Aufarbeitung und Popularisierung von Kafkas Werk fort. Felix Weltsch dagegen war nicht so kämpferisch wie Max Brod und zog der Öffentlichkeit die Stille des privaten Studiums vor.
Alice sah bei diesen Besuchen mit Freude, zu welch rührender Großmutter sich Irma entwickelt hatte. Sie verwöhnte ihre beiden

Max Brod (re.) mit Ruth Weltsc und ihrem zweite Ehemann Benjam Gorinstein (um 1966)

Enkelkinder und auch Raphael mit kulinarischen Köstlichkeite Häufig kochte sie mehrere Gerichte gleichzeitig, um jedem d Kinder seine Lieblingsspeise servieren zu können.

Irma war indes unverändert aufbrausend. Darf man Felix Welts glauben, so nahmen ihr Hang zum Zetern und Keifen und ih »dauernden Schimpfkanonaden« noch zu. »... das Toben hält u vermindert an, ich weiß mir wirklich keinen Rat mehr. Und i kann aktiv nichts unternehmen, da ich sehe, wie unglücklich s ist«, schrieb er 1958 an seine Tochter Ruth. »Sie ist unfähig, si über das Leiden, das ja einem jeden beschieden ist, irgendwie n momentweise zu erheben; darauf aber kommt es an; durch Religio – oder Philosophie – oder Kunst – oder echte Beziehung zu Me schen.«

Alice bekam Irmas Wutausbrüche manchmal am eigenen Leib spüren – etwa, wenn sie einen verabredeten Termin nicht einha ten konnte. Als sie einmal erst zwei Tage später bei Irma vorbe schaute, öffnete diese, sah Alice strafend an und schlug ihr die T mit der Bemerkung vor der Nase zu: »Das ist wohl der falsch Zeitpunkt.« Im nächsten Moment dürfte sie sich allerdings ein Besseren besonnen haben. Sie machte wieder auf und ließ Ali herein.

Alice war der einzige Mensch, dem Felix Weltsch von Zeit zu Ze seinen Kummer mit Irma anvertraute. Alle drei bis vier Woch kam er zu ihr, in der Regel vormittags, wenn sie Klavier übte, ur

schüttete der Schwägerin sein Herz aus. Allerdings nicht, ohne sich vorher eines seiner Lieblingsstücke zu wünschen und ihrem Spiel zu lauschen.
Eines dieser Gespräche blieb Alice besonders lebendig in Erinnerung. Als Felix sich wieder einmal bitter über Irmas Attacken beklagte, überkam Alice das Gefühl, nicht nur ihre Schwester verteidigen, sondern auch einmal seine Rolle in diesem Dauerkonflikt hinterfragen zu müssen.
»Felix«, tastete sie sich behutsam vor, »seit Monaten, seit Jahren, eigentlich seit Jahrzehnten sind es immer und immer wieder dieselben Klagen, dieselben Vorwürfe, dieselbe Resignation. Hast du dich jemals gefragt, welchen Teil der Verantwortung du an dieser ausweglosen Situation trägst?«
Felix Weltsch sah sie entgeistert an. Er neigte keineswegs zu Selbstgerechtigkeit, aber diese Frage schien ihn zu verunsichern. Mit einem unschuldigen Gesichtsausdruck, der zu sagen schien, er habe sich seiner Frau gegenüber doch immer anständig, gerecht und zuvorkommend verhalten, blickte er Alice an.
Ehe er ein Wort erwidern konnte, fuhr Alice fort: »Solange ich euch beide als Paar kenne, und das sind immerhin schon vierzig Jahre, habe ich nie gesehen, dass du sie einmal in den Arm genommen oder ihr eine Geste der Zärtlichkeit geschenkt hättest. Wie soll eine Frau sich glücklich und geborgen fühlen, wenn sie mit einem Mann zusammenlebt, der zwar große Gefühle für die Geschundenen und Benachteiligten dieser Welt entwickelt, seiner Frau jedoch immer nur rationale Argumente entgegenbringt. Zeige mir eine einzige Frau, die glücklich ist an der Seite eines Mannes, der ihr seine Zuneigung ausschließlich über den Verstand und nie über das Herz offenbart.«
Felix zeigte sich tief betroffen. Er gab zu, dass die Kritik berechtigt war. Aber was sollte sich jetzt noch ändern?
Das Gespräch belastete das vertraute und herzliche Verhältnis zwischen Alice und ihrem Schwager nicht, im Gegenteil, ihre Beziehung wurde in den Jahren des Alters noch intensiver und vertrauter. Aber Felix Weltsch klagte deutlich seltener über seine Frau. Mit stoischer Gelassenheit trug er, was er als sein Schicksal

empfand, und versuchte den Ehekonflikt nach Kräften zu b
schwichtigen.
Jahre später feierte er seinen achtzigsten Geburtstag. Alice zol
ihm hohe Anerkennung, als er sich in seiner Rede vor Kollege
Freunden und Verwandten zuerst an Irma wandte, ihr für ih
Fürsorge dankte und sie um Verzeihung bat für den Kummer u
das Leid, das er ihr zugefügt hatte.

***

Sentimentalität war Alice fremd. Als ihr Anfang 1953 beim a
morgendlichen Gang zum Schwimmbad zum ersten Mal in d
Sinn kam, dass sie gegen Jahresende ihren fünfzigsten Geburtst
feiern würde, musste sie einen Moment innehalten. Keine Frag
sie führte genau das Leben, das ihrem Ideal entsprach: Klavi
spielen und Kultur in all ihren Facetten genießen, aufgehoben
einem Kreis von guten Freunden, und jeden Morgen ein Sprun
ins herrlich kühle Wasser des Schwimmbads. Und Raphael war a
ihrer Seite, mit seiner so liebenswerten und eigenwilligen Persö
lichkeit. Was brauchte es mehr zum Glück?
Hätte sie noch einmal heiraten sollen, wie ihr Marianne gerat
hatte? Nie hatte sie das ernsthaft erwogen, trotz einiger beme
kenswerter Verehrer. Es war nicht nur wegen Raphael, dem s
einen Stiefvater ersparen wollte. Nein, es war auch ihr unbändig
Unabhängigkeitsstreben. So überlebenswichtig ihr tiefe mensc
liche Beziehungen waren, so sicher wusste sie inzwischen, da
eine Ehe eine zu enge Bindung für sie wäre. Leopolds Rücksic
konnte sie kein zweites Mal erwarten.
Und das Klavierspielen? Wäre das nicht ein Wunsch zum fünfzig
ten Geburtstag, künftig wieder mehr Konzerte zu geben und daf
weniger zu unterrichten? Eigentlich auch nicht, dachte sie, wä
rend sie mit ihrem so typischen energischen Schritt die Baustel
passierte, an der ihr seit Tagen die arabischen Bauarbeiter freun
lich zuwinkten. Inzwischen gab sie jährlich wieder mehrere öffen
liche Konzerte. Und das Unterrichten war ihr keineswegs ei
Last, sondern – ganz gleich, wie groß das Talent der Schüler auc

war – eine beständige Quelle der Freude. Kinder und Jugendliche zur Musik zu führen – konnte es einen schöneren Beruf geben? Eigentlich zählte sie sich zu der kleinen Gruppe von Menschen, die sich als wunschlos glücklich bezeichnen dürfen. Wenn es da nicht doch noch diesen einen unerfüllten Wunsch gegeben hätte: endlich wieder eine eigene und abgeschlossene Wohnung zu haben, egal, wie klein.

Nach etwa zwanzig Minuten hatte sie die Schwimmhalle erreicht. Sie glitt ins Wasser und zog, wie jeden Morgen gegen halb sieben, ihre fünf Bahnen. Das herrliche Gefühl, durch das kühle Wasser zu gleiten, schwebend in einem Zustand der Glückseligkeit, genoss sie bis in ihr neunundneunzigstes Jahr täglich. Nicht nur wegen dieser Schwimmhalle wollte sie im Rechavia-Viertel bleiben, auch wegen der Menschen, die in der Mehrzahl wie sie aus Europa emigriert waren. Sie wusste genau, dass sie für den Kauf einer kleinen Eigentumswohnung noch etwa zwei Jahre intensiv sparen musste. Vielleicht würde es auch etwas schneller gehen.

***

Bereits im Alter von fünfzehn Jahren hatte Raphael sein Talent für die Schauspielerei entdeckt und sich einer Laienspielgruppe angeschlossen. Durch sein Engagement knüpfte er viele neue Beziehungen, aus denen sich so manche intensive und lebenslange Freundschaft entwickelte.

Als sich eines Tages ein Sprecher von Radio Jerusalem mit der Bitte an die Schule wandte, ihm einen talentierten Schüler zu nennen, der in der Lage sein könnte, eine Sendung für Kinder und Jugendliche zu moderieren, fiel die Wahl sofort auf Raphael. Von nun an fuhr er jeden Tag gleich nach der Schule in den Sender und gestaltete ein buntes Programm, das direkt übertragen wurde. Er las vor, spielte Cello oder Klavier, erklärte die Musikstücke – und gewann nicht nur bei den Gleichaltrigen an Ansehen, sondern verdiente auch zum ersten Mal eigenes Geld. Von Sendung zu Sendung stiegen die Einschaltquoten – das Programm hatte so etwas wie Kultstatus.

Jahrelang hatte Raphael mit angesehen, wie hart seine Mut
für ihrer beider Auskommen arbeiten musste. Er wusste, dass
inzwischen für die lang ersehnte eigene Wohnung sparte. Oh
groß darüber zu reden, entschloss er sich, von nun an für vie
selbst aufzukommen. Er kaufte sich nicht nur Kleidung u
Schuhe, sondern bezahlte auch seine privaten Englisch- und sog
die Cello-Stunden selbst. Eine Zeit lang ging Raphael in sein
Rollen als Radiomoderator und Schauspieler so sehr auf, dass
Musik in den Hintergrund rückte.
Das änderte sich schlagartig 1954, als der Siebzehnjährige ein
Tages von seinem Cellolehrer hörte, Paul Tortelier sei mit Fr
und Kindern im Kibbuz Maabarot eingetroffen, um dort für
Jahr die Vision vom Aufbau einer neuen Gesellschaft mitzuer
ben. Der traditionsreiche Kibbuz lag in der Nähe von Tel Aviv u
war bekannt wegen seiner revolutionären politischen Ideen. T
telier war fasziniert von dieser Siedlungsform, die ursprüngli
weder Privateigentum noch Geldverkehr kannte. Er wollte si
diesem Lebensmodell jedoch nicht durch passives Beobachten a
nähern, sondern durch aktive Mitarbeit in der landwirtscha
lichen Produktion und im Alltagsleben. Paul Tortelier galt in jen
Jahren bereits als Legende, und für Raphael waren Pablo Cas
und Paul Tortelier die beiden überragenden Cellisten, er besaß a
von ihnen eingespielten Schallplatten. In einer französischen K
tik hatte er einmal gelesen: »Wenn Casals Jupiter ist, dann ist T
telier Apollo.« Raphaels Lehrer schrieb an Tortelier und verm
telte seinem Schüler einen Vorspieltermin an einem der folgend
Wochenenden.
Der Besuch wurde zum Schlüsselerlebnis für Raphaels musik
lische Karriere – und für seinen Umgang mit Menschen. Er tr
auf eine charismatische Persönlichkeit und war fasziniert, w
Tortelier und seine Frau, die Cellistin Maud Martin, miteinand
umgingen – eine wunderbare Künstlergemeinschaft und zuglei
eine große Liebe. Am Abend seiner Ankunft im Kibbuz wohn
Raphael einem Konzert der beiden bei. Zum ersten Mal erlebte
hautnah, wie ihre Liebe und Leidenschaft sich in ihrer Musik w
derspiegelten.

Am nächsten Tag lernte Raphael auch Yan Pascal, den Sohn, und Maria de la Pau, die Tochter, kennen. Yan war so alt wie er und ein hoffnungsvoller Geiger, die Schwester Maria spielte exzellent Klavier. Eine – so schien es Raphael – rundum glückliche Familie. Schmerzhaft wurde ihm bewusst, wie sehr ihm – trotz seiner überaus engen Beziehung zur Mutter – der Vater fehlte.
Tortelier ließ sich von Raphael vorspielen, und er war sich sofort sicher, ein Talent gehört zu haben, das zu besten Hoffnungen Anlass gab. Der Rohdiamant musste allerdings geschliffen werden.
Tortelier machte Raphael klar, wie notwendig es sei, wesentlich intensiver als bisher zu üben, und er lud ihn im Abstand von drei Wochen nach Maabarot ein, um mit ihm zu arbeiten. Es gab eine Busverbindung von Jerusalem aus, so dass Raphael in nur zweieinhalb Stunden Fahrt dort sein konnte. In den folgenden Monaten wurden so die Weichen für Raphaels Zukunft gestellt. Er war sich mit seinem Lehrer einig, dass er nach seinem Schulabschluss möglichst bald nach Paris kommen und ein Cellostudium aufnehmen würde.

***

Der Erfolg bei Radio Jerusalem, das Musizieren, sein Hang zur Schauspielerei – durch seine vielfältigen Aktivitäten fühlte sich Raphael in seiner Haltung bestätigt, sich darauf zu konzentrieren, was ihm Freude bereitete. Zu seiner Strategie gehörte auch, jene Schulstunden zu schwänzen, die er für überflüssig hielt. Vor allem im Mathematik- und Physikunterricht war er nur noch selten zu Gast. Es war abzusehen, dass er mit dieser Einstellung das Abitur nicht bestehen würde. Andererseits sahen die Lehrer einen hochbegabten Musiker heranreifen, dem sie keine Steine in den Weg legen wollten.
Alice tolerierte Raphaels Desinteresse an den naturwissenschaftlichen Fächern. Sie sah mit Freude, dass sein Weg nun vorbestimmt war. Paris lockte, und die Schule würde er schon irgendwie schaffen, dachte sie.

Raphaels Tanten Irma und Marianne waren weitaus kritischer. S
ärgerten sich über seine Eigenmächtigkeiten und konnten nic
verstehen, dass ein junger Mensch seinen Schulabschluss so leich
fertig aufs Spiel setzte. Ihre Ermahnungen und die eindringlich
Vorhaltungen, die sie ihm machten, stießen bei Raphael nicht a
gänzlich taube Ohren. Im letzten Schuljahr gab er sich noch e
mal alle Mühe, und so erhielt er sein Reifezeugnis zuletzt do
noch.

Als KZ-Überlebender hätte Raphael sich vom Wehrdienst fr
stellen lassen können. Zwei Gründe spielten bei der Entsch
dung, freiwillig den Militärdienst zu absolvieren, eine wesentlic
Rolle.

Einerseits hatte sich in Alice die Überzeugung festgesetzt, für ein
Jungen wie ihren, der ohne die feste Hand des Vaters aufgewac
sen war, könnte sich die Militärzeit positiv auf die Persönlichkei
entwicklung auswirken. Darüber hinaus waren sich Mutter u
Sohn einig, dass die Bereitschaft zur Verteidigung des Landes A
druck ihrer tiefen Dankbarkeit gegenüber Israel sei.

Die ersten sechs Wochen Grundausbildung waren auch für R
phael sehr hart. Doch als er diese Phase überstanden hatte, b
gann für ihn eine geradezu paradiesische Zeit. Er wurde Ers
Cellist im Symphonieorchester der israelischen Armee, und da
nicht nur Cello spielen konnte, sondern auch das Saxophon b
herrschte, die Trompete, Klarinette und Oboe, spielte er auß
dem in Militärkapellen. Gastspiele führten ihn nicht nur dur
Israel, sondern auch nach Europa und selbst nach Deutschland
Fast jedes Wochenende kam er gutgelaunt nach Hause. Ali
wusste, dass er sich seit einiger Zeit mit großem Fleiß auf ein
israelweit ausgeschriebenen Wettbewerb vorbereitete, dessen G
winner ein Stipendium für ein Musikstudium im Ausland an ein
Akademie freier Wahl winkte. Als Raphael eines Tages, ohne s
nen Besuch angekündigt zu haben, mitten in der Woche zu Hau
erschien und strahlend vor ihr stand, ahnte sie den Grund für d
unerwartete Erscheinen: Er hatte das Stipendium bekommen!

***

Raphael als Saxophonist einer Miltärkapelle der israelischen Armee (1956)

Nur wenige Minuten entfernt von ihrer ersten Wohnung kaufte Alice im Jahr 1955 ihr lang ersehntes Zwei-Zimmer-Apartment in der Ben Labrat 5.
Das Haus sah aus wie alle Häuser in der Straße und im Rechavia-Viertel: zweigeschossig, freistehend, erbaut aus dem einheimischen weißschimmernden Stein, umgeben von einem kleinen Garten. Die im Hochparterre liegende Wohnung war nicht nur abgeschlossen, sondern auch ein wenig größer als die vorherige. Für den Flügel und das Klavier war genug Platz im Zimmer, in dem sich auch ihre Bücher befanden. Im zweiten, etwas kleineren Zimmer standen ein eisernes Bettgestell und ein relativ großer Tisch, an dem bis zu zehn Menschen Platz finden konnten. Von beiden Zimmern aus konnte man auf einen Balkon treten, der sich über die Länge der ganzen Wohnung erstreckte und Ausblick auf einen wunderbar begrünten Hof gewährte.
Längs der Straße standen etwa zwanzig Häuser. Nach wenigen

Wochen kannte Alice fast alle Anwohner. Am Anfang der Straf
wohnte die aus Berlin 1935 noch illegal eingewanderte Famil
Erle mit ihrer Tochter Esther, Alices erster Schülerin. Nebena
lebte der tschechische Schriftsteller Viktor Fischl, der wie Ali
1949 nach Israel emigriert war und der sich nun – gemäß der h
bräischen Übersetzung seines Namens – Avigdor Dagan nannt
Im selben Haus wohnte die Familie von Dr. Schulz, ein aus Pra
stammender Advokat.
In der Straße gab es ein einziges Geschäft, unmittelbar gegenüb
von Alices Wohnung. Dort, beim arabischen Lebensmittelhändle
bekam Alice stets alles, was sie brauchte: Obst, Gemüse, Hul
und Fisch. Mit dem Händler verständigte sie sich auf Iwrit, m
dem Schriftsteller und dem Advokaten im Nachbarhaus sprach s
Tschechisch. Doch so wie die Familie Erle sprach die Mehrzal
der Menschen in ihrer Straße im Alltag Deutsch.

***

Ende Oktober 1956 heulten im ganzen Land die Sirenen. Luf
alarm! Die Menschen hasteten durch die Straßen. Die Häus
wurden verdunkelt. Israel war wieder im Krieg.
Vorangegangen war der Beschluss Ägyptens, die Suezkanalgesel
schaft zu verstaatlichen, um mit den Einnahmen jenes Kapital z
ersetzen, das die Westmächte für den Bau des Assuan-Staudamn
erst zugesagt, im Sommer 1956 jedoch storniert hatten. Sowol
Großbritannien als auch Frankreich sahen ihre außenpolitische
und wirtschaftlichen Interessen in der Region bedroht und veral
redeten mit Israel ein gemeinsames Vorgehen. Auch Israel muss
wirtschaftliche Nachteile befürchten, denn die Blockade des Sue
kanals gefährdete die Versorgung des Landes. Da Ägypten de
Schulterschluss mit der Sowjetunion gesucht hatte, die zu jen
Zeit mit Selbständigkeitsbestrebungen in Polen und Ungarn ko
frontiert war, nutzte Israel die Gunst der Stunde und besetzte d
Sinai-Halbinsel, um den Zugang zum Roten Meer und die Passag
durch den Suezkanal offen zu halten.
Ausgerechnet in dieser Zeit leistete Raphael seinen Wehrdiens

Alice kamen Zweifel, ob sie richtig gehandelt hatte, so vehement für Raphaels Eintritt in die israelische Armee gestimmt zu haben: »Was, wenn er in diesem Krieg sein Leben verliert?« Raphael kam jedoch als Mitglied des Symphonieorchesters der Armee nicht an die Front.

In jenen Tagen wurden Alices Fragen nach den eigentlichen Ursachen des Konflikts zwischen den Arabern und den Israelis immer drängender. Gab es einen Ausweg aus der Krise? Wie war es nur möglich, dass sie sich privat mit ihren arabischen Nachbarn so gut verstand, aber zwischen den Staaten Krieg herrschte? Ob nicht die vorherrschende Stimmung, die sich in dem Satz »Nie wieder Opfer werden!« bündelte, eine Quelle der Ungerechtigkeit im Umgang mit den Arabern sein könnte? Ihre Entscheidung, nicht über die eigenen Erlebnisse der Shoah zu sprechen, entsprach der damals vorherrschenden stillschweigenden Übereinkunft zwischen den Überlebenden und den übrigen Israelis. Die Folge war jedoch ein problematisches Schwarzweißdenken in der israelischen Gesellschaft: hier die neuen israelischen Kriegshelden, dort die »Lämmer, die sich haben zur Schlachtbank führen lassen«. Alices Zweifel wurden aber schnell wieder überdeckt vom Stolz auf Israels Armee, offensichtlich eine der effektivsten der Welt. In dem kurzen Zeitraum vom 29. Oktober bis zum 5. November 1956 konnte Israel mit Unterstützung von englischen und französischen Truppen die ägyptische Armee besiegen und die Sinai-Halbinsel erobern.

***

Zehn Jahre nach ihrer Ankunft in Israel standen Alice und Raphael im Sommer 1959 wieder im Hafen von Haifa, doch diesmal, um voneinander Abschied zu nehmen. Raphael hatte den Wehrdienst erfolgreich hinter sich gebracht. Jetzt konnte er den lang ersehnten Traum verwirklichen und das Cello-Studium in Paul Torteliers Klasse am staatlichen Pariser Konservatorium beginnen.

Alice war glücklich darüber, und trotzdem überkam sie beim Abschied ein beklemmendes Gefühl. Sie war inzwischen sechsund-

fünfzig Jahre alt und wusste, dass sie und ihr Sohn von nun an g
trennte Wege gehen würden. Je älter Raphael wurde, desto me
glich sein Wesen dem seines Vaters. Wie Leopold sprach er nic
über seine Gefühle und hörte lieber aufmerksam zu, als gro
Worte zu machen. Gerade in einer Situation wie dieser blieb
still. Trotz ihres so ganz anderen Naturells verhielt Alice si
ähnlich. Sie schenkte anderen Menschen gern ihre Aufmerksa
keit, aber über die eigenen Gefühle sprach sie so gut wie nie.
standen Mutter und Sohn wortlos beieinander und blickten auf d
Schiff, das in Kürze den Hafen Richtung Europa verlassen würde
Als die Sirene die Passagiere ein letztes Mal mahnte, an Bord
kommen, nahm er seine Mutter liebevoll in die Arme und sag
»Jede Woche ein Brief! Und immer in Iwrit!« Das war sein G
schenk zum Abschied.

Dass Raphael mit seiner Mutter gerade auf Neuhebräisch korr
pondieren wollte, hatte seinen guten Grund: Ihm fiel es leicht,
dieser Sprache zu schreiben. Seine Mutter hingegen beherrsch
die Schriftsprache immer noch unzureichend und bekam nun G
legenheit zum Üben.

Alice wartete am Kai, bis das Schiff am Horizont verschwand.
diesem Moment der Trauer über den Abschied hörte sie plötzli
jemanden ihren Namen rufen. Es war Ely Elroy, ihre Jerusalem
Nachbarin, die ihr gerade in den ersten Jahren nach dem Neub
ginn in Israel mit ihrem so liebenswürdigen Verhalten Kraft geg
ben hatte. Jeden Morgen auf ihrem Weg zur Arbeit, wenn sie
Alices Wohnung vorbeiging, pfiff sie in einer bezaubernden A
dieselbe Melodie, so dass Alice aus dem Fenster schaute und c
beiden Frauen, die bald gute Freundinnen wurden, sich zuwinkte
Dass sie eigens zum Hafen in Haifa gekommen war, um ihr
dieser Stunde beizustehen, vergaß Alice nie.

Von nun an verbrachte Alice jede Woche viele Stunden mit de
Wörterbuch, um ihrem Sohn die Neuigkeiten aus Jerusalem a
Iwrit mitzuteilen.

Im Mai 1960 war die Entführung Adolf Eichmanns aus Argen
nien durch den israelischen Geheimdienst Thema Nummer ei
Der Organisator der »Endlösung« war gefasst. Seit mehr als eine

Jahrzehnt hatte Alice mit niemandem über das KZ gesprochen und diese Jahre aus ihrem Leben gedrängt. Jetzt aber, beim Lesen der Artikel über das Umfassbare, den millionenfachen Mord an den Juden, brach vieles in ihr wieder auf. Mit dem bevorstehenden Eichmann-Prozess endete die stille Übereinkunft zwischen den Lager-Überlebenden und ihren israelischen Mitbürgern, das Thema nicht anzurühren. Mit den gewonnenen Kriegen von 1948 und 1956 hatte man in Israel auch die Angst vor einer zweiten Shoah besiegt. Darüber hinaus hatten sich die meisten Überlebenden trotz ihrer tiefen seelischen Verletzungen beim Aufbau des neuen Staates »bewährt«. Der Staat Israel hatte beachtliche wirtschaftliche Erfolge aufzuweisen. Das Land war sowohl mental als auch materiell gereift, um sich mit der Shoah auseinander zu setzen.
Alice verfolgte intensiv die Prozessvorbereitung. Was würde sie wohl empfinden, ging es ihr durch den Kopf, wenn sie dem Organisator von Auschwitz und Theresienstadt, dem Mörder ihrer Mutter und ihres Mannes gegenüberstünde? Hass? Dieses Gefühl, das sie so verachtete und bekämpfte?
Am 11. April 1961 begann der Prozess in Jerusalem. Der israelische Generalstaatsanwalt Gideon Hausner, der die Anklageschrift verfasst hatte und als Vertreter des Staates Israel die Rolle des Chefanklägers übernahm, bot Alice an, den Prozess vor Ort zu verfolgen. Sie kannte Gideon Hausner seit längerem gut, denn er wohnte nicht nur im selben Viertel, sondern seine Tochter lernte bei ihr Klavier. Hausner war selbst ein guter Klavierspieler. In den Monaten vor dem Beginn des Eichmann-Prozesses stand er unter enormem Druck. Als Ausgleich kam er in dieser Zeit als nichtreligiöser Jude immer am Freitagabend, wenn die anderen Shabbat feierten, zu Alice und spielte mit ihr vierhändig Klavier. Alice staunte, wie gut Hausner vom Blatt spielen konnte, besser als viele professionelle Pianisten.
Als Alice zum ersten Mal im Gerichtssaal saß, löste der Anblick Eichmanns bei ihr weniger aus als die Zeitzeugen, die Unfassbares berichteten.
Sie war so erschüttert, dass sie meinte, ihr Schicksal sei mit dem Leben derjenigen, die alles verloren und das Grauen in den Ver-

nichtungslagern viel unmittelbarer erduldet hatten, nicht zu v
gleichen. Sie hatte doch zumindest ihren Jungen retten könne
und sie hatte auch noch ihre Schwestern.

Bei der nächsten Verhandlung konzentrierte sie sich auf Eic
mann, beobachtete seine Reaktionen und verfolgte genau, was
auf die Anklagepunkte antwortete. Mit Schrecken bemerkte s
dass sie eine Art von Mitleid mit ihm empfand. Natürlich war i
bewusst, dass ein Massenmörder vor ihr stand. Aber sie spür
deutlich, wie verkümmert sein Gefühlsleben war. Wie armsel
sind doch Menschen wie er, ohne menschliche Regungen, oh
Herzensbildung, ohne Kultur.

Zwei- oder dreimal war sie im Gerichtssaal anwesend. Und bei
dem, was sie sah und hörte, setzte sich in ihr der Gedanke fe
dass »die Menschheit im Sturm geboren« ist, dass in jedem Me
schen nicht nur die Fähigkeit zum Guten, sondern auch zum a
grundtief Bösen steckt. Diese Erfahrung bestätigte ihre Überze
gung: »Man darf nicht hassen! Der Mensch darf nicht lernen,
hassen!«

***

Ein Jahr vor seinem Studienabschluss nahm Raphael am reno
mierten Casals-Wettbewerb in Belgien teil, zu dem viele jun
Künstler aus aller Welt anreisten.

Raphael litt darunter, dass die Solisten bei solchen Wettbewerb
wie Rennpferde gegeneinander antreten müssen. Das dabei g
schürte Konkurrenzdenken, der Wettlauf nach Ruhm, wid
sprach seiner Auffassung von Musik zutiefst. Aber er wusste, da
eine Karriere als Solist ohne diese Schaulaufen nicht möglich w
– also fügte er sich und reiste in den folgenden Jahren von We
bewerb zu Wettbewerb.

Als Raphael seine erste Konkurrenz gewann, freute sich vor alle
sein Mentor Paul Tortelier. Ein Jahr später schloss Raphael se
Studium mit dem Grand Prix des Pariser Konservatoriums ab.
den sechziger Jahren erreichten von den mehr als dreißig Cellist
jedes Jahrgangs nur drei oder vier diese höchste Auszeichnung.

stand Raphael 1962 am Beginn einer möglichen internationalen Karriere.
Im folgenden Jahr nahm er in Boston am Piatigorsky-Wettbewerb teil. Gregor Piatigorsky war ein höchst origineller amerikanischer Cellist russischer Herkunft, der Casals an Berühmtheit kaum nachstand. Ein begehrter Triopartner für so berühmte Künstler wie Vladimir Horowitz, Nathan Milstein, Arthur Rubinstein und Jascha Heifetz. Raphael ließ erneut alle Konkurrenten hinter sich und errang wiederum den ersten Preis.
Wahrscheinlich noch höher einzuschätzen war sein Erfolg beim Münchner Internationalen Cello-Wettbewerb der ARD im selben Jahr. Die hochkarätige Jury konnte sich jedoch zwischen zwei brillant aufspielenden Künstlern – Raphael Sommer und Sujoschi Zuzumi – nicht entscheiden und vergab statt eines ersten Preises zwei zweite Preise.
Der spanische »Santiago de Compostela«-Wettbewerb galt in den sechziger Jahren als einer der weltweit bedeutendsten Cello-Wettbewerbe. Dass Raphael 1965 abermals den ersten Preis errang, machte ihn nicht nur in Europa, sondern vor allem in den USA bekannt.
Von dort kam noch im selben Jahr eine ehrenvolle Einladung von Rudolf Serkin, dem Leiter des kanadischen Marlboro-Festivals. Der amerikanische Pianist stammte wie viele seiner international renommierten Künstlerkollegen aus Russland. Sein herausragender Ruf gründete nicht nur auf seinen genialen Bach-Interpretationen, sondern auch auf seiner eindrücklichen Art und Weise, die Musik der Klassik und Romantik auszudeuten. Der sechswöchige Aufenthalt in Amerika geriet zum vorläufigen Höhepunkt von Raphaels junger Cellisten-Karriere.

***

Raphael Sommer, der Cello-Virtuose

Gegen Ende seiner Pariser Ausbildung hatte Raphael eine Komm
litonin ins Herz geschlossen, Sylvia Ott, die am Konservatoriu
die Fächer Klavier und Gehörbildung belegt hatte. Sie war se
mitfühlend, umsichtig und hatte einen praktischen Sinn für d
Alltag. Verliebt, wie sie waren, beschlossen sie, in Zukunft g
meinsam durchs Leben zu gehen. Die Hochzeit feierten sie in all
Stille 1966 in Paris. Der Termin lag so ungünstig, dass Alice w
gen ihrer beruflichen Verpflichtungen nicht nach Paris komm
konnte, aber sie lud die beiden ein, sie gleich nach der Hochzeit
Jerusalem zu besuchen.
Alice war angetan von ihrer Schwiegertochter. Besonders bee
druckte sie, mit welcher Ernsthaftigkeit sie sich mit der jüdisch
Geschichte und dem Judentum als Religion befasste.
Als Raphael eine attraktive Anstellung als Cello-Pädagoge a
Manchester Konservatorium erhielt, zogen die beiden na
Großbritannien. Als Wohnsitz wählten sie London. Dort unt
richtete Sylvia am französischen Gymnasium Musik, währe
Raphael mit der Bahn nach Manchester pendelte. Er musste j
weils drei Tage in der Woche in der dreihundertzwanzig Kilom
ter entfernten Industriestadt verbringen, um zu unterrichten.

konnte das junge Ehepaar die Vorzüge der internationalen Musikmetropole London genießen.

***

Alice war zu Besuch in Tel Aviv und saß gerade mit ihrer Nichte Ruth am Mittagstisch, als deren achtzehnjähriger Sohn Mickie zur Tür hereinkam und aufgeregt rief: »Wir haben Krieg!« Es war der 5. Juni 1967. Jeder im Land wusste, dass Israel sich in der schwierigsten Lage seit seiner Gründung befand. Es ging um Sein oder Nichtsein, denn Iraks Präsident hatte am 31. Mai 1967 verkündet, dass die Existenz Israels ein Fehler sei, der korrigiert werden müsse. Das Ziel sei klar, Israel müsse von der Landkarte weggefegt werden.

Beim ersten Krieg 1948 hatten die Tschechoslowakei und die Sowjetunion Israel mit Waffen unterstützt. Beim zweiten Krieg 1956 hatten Frankreich und England als Verbündete geholfen. Doch nun unterstützte die Sowjetunion die Gegner Ägypten, Jordanien und Syrien. Und im Gegensatz zu den Versprechungen von 1956 verhielt sich der Westen äußerst zurückhaltend. Israels Soldaten kämpften an drei Fronten: gegen Ägypten, Jordanien und Syrien.

Alice brach sofort zum Busbahnhof auf, in der Hoffnung, so schnell wie möglich nach Jerusalem zurückzukommen, schon um Marianne Sorgen zu ersparen. Für die Fahrt, die sonst gut zwei Stunden dauerte, brauchte der Bus an diesem Tag bis gegen Mitternacht. Staus, Straßensperrungen und der Vorrang für Militärtransporte verursachten stundenlange Wartezeiten. Die Fahrgäste diskutierten ohne Unterlass über die aktuelle Lage, bis Jerusalem erreicht war.

In Krisensituationen hatte Alice bisher immer versucht, ihren persönlichen Tagesablauf in gewohnter Routine zu gestalten. Also setzte sie sich auch am Morgen nach dem Kriegsausbruch ans Klavier und begann zu üben. Doch während Alice eine Chopin-Sonate einstudierte, klingelte unentwegt das Telefon. In der Hoffnung, dass der Anrufer irgendwann aufgeben würde, versuchte sie das

Klingeln zu ignorieren, und spielte weiter. Doch das Telefon g
keine Ruhe. Entnervt stand Alice auf, nahm den Höher ab, und e
sie ein Wort sagen konnte, fragte Marianne erregt: »Alice, hast
schon deine Fenster verhängt? Verdunkelung ist strengstens ang
ordnet!«

Im Gegensatz zu ihrer Schwester drehte Alice das Radio imm
erst gegen Mittag auf, um Nachrichten zu hören. Aufgeregt
zählte Marianne von den neuesten Meldungen über den Dreifro
tenkrieg, vom Beschuss israelischer Städte und Siedlungen dur
jordanische und syrische Artillerie, von den Angriffen auf Jerus
lem und dem Kampf um die Altstadt.

In den folgenden zwei Tagen überschlugen sich die Meldung
über den Kriegsverlauf. Stündlich verfolgte Alice die Nachric
ten.

An allen Fronten zeigte die israelische Armee unerwartete Durc
schlagskraft. Am 7. Juni 1967, um halb sechs Uhr nachmittag
meldete das Radio, dass Israel die Altstadt von Jerusalem erobe
habe. Die Überlegenheit der israelischen Armee war so groß, da
Jordanien bereits am nächsten Tag den Waffenstillstand akze
tierte, Syrien sich einen Tag später anschloss und auch Ägypt
einlenken musste. Am 11. Juni verhallte der letzte Schuss an d
Front. Innerhalb von nur sechs Tagen hatte Israel die Gefahr nic
nur gebannt, sondern die Sinai-Halbinsel mit dem Gazastreife
die Westbank mit Ostjerusalem und die Golan-Höhen erobe
Um 23.06 Uhr gab das Radio bekannt, dass Israel sechshunde
neunundsiebzig Tote und etwa zweitausendsechshundert Verwu
dete in der Armee zu beklagen hatte. Nachdem man mit bis
fünfzigtausend Toten im ganzen Land gerechnet hatte, glich d
Ausgang des Kriegs einem Wunder.

Wenige Monate nach dem israelischen Sieg im »Sechstagekrie
rief Emil bei Alice an. Der sonst so abgeklärte Mann klang b
drückt: »Was soll ich machen?« begann er. »Meine Befürchtu
ist nun Gewissheit. Ich habe Krebs. Drüsenkrebs.« Langsam fu
er fort: »Ich gebe mir höchstens noch zwei Jahre. Müsste ich nic
meine Familie einweihen?«

So erschrocken Alice auch war, so schnell hatte sie eine Antwo

Emil Adler, Alice und Mizzi im schweizerischen Braunwald (1966)

parat. »Emil, wenn du mich fragst: Ich würde es Marianne nicht sagen. Du bringst sie damit um.«

Doch schon bald musste Emil für Wochen und Monate ins Krankenhaus und kam nicht umhin, seine Frau aufzuklären. Marianne war untröstlich. Ihre Opferbereitschaft war jedoch grenzenlos, und mehr als dreieinhalb Jahre lang pflegte sie ihren Mann unter großen persönlichen Opfern. Alice half ihrer Schwester, wo es nur ging, und sie litt mit ihr. Ein Lichtblick in dieser schweren Zeit war die Geburt von David im Jahre 1969, Alices erstem Enkelkind. Sie erlebte bei ihren Besuchen in London, welch ungewöhnlich fürsorgliche Mutter Sylvia war.

Doch Emils Zustand verschlechterte sich von Monat zu Monat. Als er 1971 starb, ging auch Mariannes Lebenskraft zur Neige. Der seelische Schmerz war so groß, dass zu den vielen Leiden, die sie plagten – Migräne, Krampfadern, Hitzewallungen und Blasenentzündungen –, nun auch noch eine Angina pectoris hinzukam. All das trug wohl dazu bei, dass sie schließlich ebenfalls an Krebs erkrankte.

Die Ärzte diagnostizierten Lungenkrebs. Wieder sollte Alice entscheiden, ob ihrer Zwillingsschwester die Wahrheit zuzumuten war. Und wieder sprach Alice sich dafür aus, Marianne vorerst schonen. Man erklärte ihr deshalb, sie habe Tuberkulose. Von i rer Tätigkeit als Ordinationshilfe ihres Mannes kannte sie all dings so viele medizinische Zusammenhänge, dass sie misstra isch blieb.

Alice war nun noch öfter bei ihrer Schwester. Als es ihr imm schlechter ging, verbrachte sie nicht nur die Tage, sondern au die Nächte bei Marianne, und als sich abzeichnete, dass die let ten Tage und Stunden gekommen waren, wich sie nicht mehr v ihrem Bett.

Zwei Minuten bevor sie für immer die Augen schloss, sagte M rianne zu Alice: »Dein Mitternachtskonzert damals in Prag, d wir hier in diesem Zimmer gehört haben, war das eindrücklichs Erlebnis in meinem ganzen Leben.«

***

Der Tod ihrer Zwillingsschwester im Jahr 1974 wurde zu ein weiteren schmerzlichen Zäsur in Alices Leben. Von einem Tag a den anderen beendete sie nach fünfundzwanzig Jahren ihre Arb am Konservatorium, das vor einiger Zeit in Rubin-Akademie u benannt worden war. Sie wartete das Begräbnis ihrer Schwest ab und verließ anschließend für mehr als zehn Monate Isra Alice suchte die Nähe ihres Sohnes und die Nähe ihrer best Freunde in Schweden.

Ihre erste Station in Europa war London. Raphaels Familie w inzwischen wieder gewachsen: Ihr Enkel David hatte am 23. M 1974 einen Bruder bekommen. Wie der fünfjährige David sich u den neugeborenen Ariel kümmerte, tröstete Alice in ihre Schmerz. Über Wochen hinweg lebte sie in der Familie ihr Sohnes. Dabei sah sie – zunehmend beunruhigt –, dass weder ih Schwiegertochter noch ihr Sohn glücklich miteinander waren. R phael war zwar ein sehr zurückhaltender, introvertierter Mensc doch pflegte und liebte er intensive Freundschaften. Von Zeit Zeit einen Abend mit seinen Freunden zu verbringen, mit ihn über Gott und die Welt zu reden, das war sein Lebenselixi

Seiner Frau hingegen fehlte dieses ausgeprägte soziale Bedürfnis. Sie war lieber allein und empfand die von Raphael bevorzugte Geselligkeit oft als Belastung.
Um das Familienleben nicht zu stören und auch um unabhängig zu sein, entschloss sich Alice Anfang 1975, in London eine winzige Wohnung zu mieten. Nun, so dachte Alice, könnte sie jederzeit nach London kommen, brauchte niemandem zur Last fallen und könnte immer in der Nähe ihrer heranwachsenden Enkel und ihres Sohnes sein.
Wenige Monate später stand eines Abends Raphael mit einem Koffer vor ihrer Wohnungstür. »Es geht nicht mehr, es kann so nicht weitergehen«, sprudelte es aus ihm heraus. Er wollte eine Zeit lang getrennt von seiner Frau leben, um über sein Leben nachzudenken. Noch am selben Tag entschloss Alice sich, für einige Monate nach Schweden zu fahren, damit Raphael vorerst in ihrer Wohnung bleiben und Ruhe und Besinnung finden konnte. Letztlich entschied er sich für die Scheidung, an eine Rückkehr zu seiner Frau war nicht zu denken.

***

In den Jahren von 1975 bis 1986 lebte Alice in der Regel im Sommer für zwei Monate in London, und im November und Dezember fuhr sie zu Robert Sachsel nach Schweden, um ihm in seiner Winterdepression beizustehen. Die übrige Zeit blieb sie in Israel. Dank ihrer israelischen Altersrente und der von Deutschland gewährten Opferrente konnte sie all diese Reisen finanzieren.
Immer wenn Alice von ihren Aufenthalten in London oder Schweden nach Israel zurückkehrte, sprach sich in Windeseile herum, dass sie wieder im Lande war. Jeden Tag meldeten sich Freunde, vor allem ehemalige Klavierschüler, von denen viele Privatunterricht bei ihr nehmen wollten. Alice spürte, wie sehr sie in Jerusalem noch gebraucht wurde. Mit ihren zweiundsiebzig Jahren hatte sie das Gefühl, als stünde sie nach wie vor mitten im Arbeitsleben. Aber da sie nur noch Privatstunden gab, war die Belastung bei

Alice besucht Robert Sachsel und sein Frau Brigitta in Schwede (1974)

weitem nicht mehr so groß, und sie konnte sich ihre Zeit frei ei teilen.
An die Hausmusikabende in Prag anknüpfend begann sie, a fangs jeden Freitag und Samstag, jeweils nachmittags zu eine Jour fixe einzuladen. Gegen vier Uhr gab es Tee und Kaffee u ihren legendären Apfelkuchen, den Alice nach einem uralt Prager Rezept buk, das sie Anfang des Jahrhunderts bei ihr Mutter kennengelernt hatte. Mehr als ein Dutzend Freunde u Bekannte fanden sich in der Regel ein und saßen um den groß Tisch im kleineren der beiden Zimmer – bei einem zwanglos Gespräch über die aktuelle Situation im Land, über die jüng ten Gerüchte, über neue Bücher oder die Konzerterfahrungen d letzten Woche.
Einer der treuesten Gäste war Amoz Witztum, der von 1976 b 1986 in Jerusalem Ökonomie studierte. Es war im Dezemb 1979, als er zum ersten Mal an einem Samstagnachmittag Alices Tür klopfte. Von ihm stammt folgende Schilderung dies Nachmittage: »Etwa eine Stunde währte das gesellige Beisamme sein bei Kaffee und Tee, ehe Alice ihre Gäste ins Klavierzimm bat und selbst am Steinway-Flügel Platz nahm. Man saß nicht n auf der Chaiselongue und den wenigen Stühlen, sondern auch a dem Fußboden, wenn nicht genügend Sitzgelegenheiten vorha

Alice in London
(Anfang der 80er Jahre)

den waren. Von Woche zu Woche hatte sie ein neues Programm vorbereitet, das mit einer kurzen Pause in der Regel fast zwei Stunden dauerte. Alice spielte stets auswendig.«

***

Mehr als ein Jahrzehnt pendelte Alice zwischen Israel und Europa, bis ihr Sohn eines Tages im Jahr 1986 sagte: »Ima, wäre es nicht schöner, wenn du für immer nach London ziehst?« Die Aussicht, für den Rest ihres Lebens wieder in unmittelbarer Nähe ihres Sohnes zu leben, genügte, um nach siebenunddreißig Jahren in Israel die Zelte abzubrechen. Ihr großer Freundeskreis nahm die Nachricht mit großem Bedauern auf.
Lediglich ihr Klavier ließ sie nach London transportieren. Den Steinway-Flügel verkaufte Alice, denn für den Erwerb eines Einzimmerapartments in London reichten die Ersparnisse allein nicht aus. Die wenigen anderen Möbelstücke verschenkte sie.
In der Woche vor dem Umzug war die Wohnung fast leergeräumt. Ein letztes Mal kaufte Alice vom arabischen Eishändler ein Stück Eis zum Kühlen ihrer Lebensmittel. Sie kannte ihn seit mehr als dreißig Jahren, und immer noch transportierte er die Eisstangen auf seinem Pferdewagen. Seit Jahren schon war Alice die einzige

Kundin in ihrer Straße, die meisten Menschen leisteten sich inzw
schen einen Kühlschrank. Nun würde der Eishändler also au
Alice als Kundin verlieren.
Schmerzhaft wurde Alice bewusst, dass dieser Abschied von Isra
und von den Freunden wohl ein Abschied für immer sein würd

17
Epilog
»Die Musik bringt uns ins Paradies«

Wenn ich zusammenrechne, wie viele Formulare ich ausgefüllt habe in diesen Jahren, Erklärungen bei jeder Reise, Steuererklärungen, Devisenbescheinigungen, Grenzüberschreitungen, Aufenthaltsbewilligungen, Ausreisebewilligungen, Anmeldungen und Abmeldungen, wie viele Stunden ich gestanden in Vorzimmern von Konsulaten und Behörden, vor wie vielen Beamten ich gesessen habe, freundlichen und unfreundlichen, gelangweilten und überhetzten, wie viele Durchsuchungen an Grenzen und Befragungen ich mitgemacht, dann empfinde ich erst, wie viel von der Menschenwürde verloren gegangen ist in diesem Jahrhundert, das wir als junge Menschen gläubig geträumt als eines der Freiheit, als die kommende Ära des Weltbürgertums.«
Alice legte Stefan Zweigs Erinnerungen an *Die Welt von Gestern* auf den kleinen Tisch unmittelbar neben dem Sofa, das sie tagsüber als Sitzgelegenheit nutzt und jeden Abend mit wenigen Handgriffen in ihr Nachtlager umbaut. In ihrem Terminkalender hatte sie den 26. November 2003 mit einem kleinen Kreuz und den darauf folgenden Samstag mit drei etwas größeren Kreuzen markiert. An diesem Tag wollten ihre Schwiegertochter Genevieve und die beiden Enkel Ariel und David ein Fest für sie ausrichten, zu dem mehr als hundert Freunde und Verwandte geladen waren, aus Israel, den USA, der Tschechoslowakei, Schweden, Australien, Frankreich, Österreich und Deutschland. Noch zwei Stunden

bis Mitternacht, noch zwei Stunden bis zu ihrem hundertsten G
burtstag.
Eine Stehlampe erleuchtete das Einzimmerapartment. Alice li
den Blick schweifen – über die Fotografien an der Wand, das Ö
porträt ihres Sohnes, die Bücher hoch oben auf dem Kleide
schrank, das schlichte Pianino, den Radioapparat. Vor siebzeh
Jahren war sie von Jerusalem nach London gezogen. Mit dreiun
achtzig, einem Alter, das nur noch wenigen Auserwählten diese
Lebensmut zugesteht, eroberte sie sich noch einmal eine ne
Welt. Die ruhige Lage der Wohnung im Stadtteil Hampstead, w
nige Minuten Fußweg von ihrem Sohn entfernt, ein Schwimmba
um die Ecke, die ausgeprägte Gartenkultur der Engländer – all d
gefiel Alice.
Doch sosehr sie Raphaels häufige Besuche – er kam zum Mitta
essen und brachte stets neue Gesprächsthemen mit – und die Näh
zu ihren beiden Enkelsöhnen auch genoss, fühlte sie sich ohne i
ren vertrauten Jerusalemer Freundeskreis anfangs einsam. Im er
ten Jahr schrieb sie täglich nach Jerusalem, und oft telefonierte s
mit Edith oder einem anderen der vielen zurückgelassenen Freun
und Bekannten.
Dass sie auch in London bald einen neuen Freundeskreis fan
lag sicher auch an ihrer Fähigkeit, zuhören zu können. Viele ihr
Gesprächspartner erzählen, dass Alice sie bei jeder Begegnung b
schenkt. Wie sie mit ihrer ungekünstelten Menschenliebe, oh
scheinbar jemals in Zeitnot zu sein oder Interesse nur vorzutä
schen, auf ihre Gäste eingeht, beeindruckt ein ums andere Ma
»Ist das Leben nicht herrlich?« fragt sie gelegentlich in den Rau
und ihre Antwort beschämt so manchen, den das Schicksal meh
verwöhnt hat. »Ja, das Leben ist herrlich.« Was immer das Lebe
ihr auch zumutete, Alice nahm es an.
Die Menschen suchen immer noch ihre Nähe, und Alice geht ne
Freundschaften, jede für sich, wie sie sagt, »auf ihre Weise wu
derbar«, dankbar ein.
So lernte sie 1993, als Neunzigjährige, bei einer Veranstaltu
über den Holocaust den jungen Musikjournalisten und Geig
Tony Strong kennen. Seither musizieren sie regelmäßig miteina

der. Beethoven, Schubert, Mozart ... das gesamte klassische Sonaten-Repertoire.
Noch mit einhundert Jahren übte Alice täglich drei Stunden Klavier, ging täglich spazieren, kommunizierte täglich mit Freunden, las jede Nacht und besuchte jede Woche drei Vorlesungen für Senioren. Sie hörte »Geschichte des Judentums«, »Kulturgeschichte der französischen Literatur« und »Geschichte der Philosophie«. Ihr Wissensdrang ist bis heute ungestillt.
Wie jeden Abend vor dem Einschlafen, so hörte Alice auch an jenem Tag klassische Musik im Radio. Sie wollte wach bleiben, bis die zwölf Glockenschläge den neuen Tag einläuteten. Sonst nahm sie jeden Ton des Nachtkonzerts in sich auf, doch diesmal schweiften ihre Gedanken ab ...
Jeder neue Tag ohne Schmerzen war ein Geschenk, jeder Vormittag am Klavier, jeder Nachmittag im Gespräch mit Gästen aus aller Welt erfüllte sie mit Glück. Vielleicht, dachte sie, ist mir die Gnade gegeben, eines Tages mit einem Lächeln auf dem Gesicht von dieser Welt zu gehen, als Zeichen tiefster Dankbarkeit für ein intensives und erfülltes Leben. Angst konnte ihr der Tod nicht mehr machen, sie war ihm schon oft genug begegnet. Und ihre bitterste Erfahrung mit ihm lag erst zwei Jahre zurück.

***

Es war ein früher Novembermorgen im Jahr 2001, wenige Tage vor Alices achtundneunzigstem Geburtstag. Sie war gerade auf dem Rückweg vom Schwimmbad, in dem sie täglich zwei Bahnen zog. Überraschend kam ihr Ariel entgegen und begleitete sie bis zu ihrer Haustür, wo bereits sein Bruder David und einer von Raphaels Freunden warteten. Nichtsahnend schloss Alice die Wohnungstür auf und bat die drei herein. Sie warteten, bis Alice sich auf ihre Bettkante gesetzt hatte. Schließlich sagte David mit gedrückter, monotoner Stimme: »Raphael ist gestern gestorben.« Stille. Alice saß wie versteinert da, ihre Gedanken glitten in eine ihr unheimliche Leere. Nach einer minutenlangen Pause ergriff sie als erste das Wort.

Raphael Sommer
(um 2000)

»Seid ihr alle okay?«

Die drei nickten. Wieder diese kaum zu ertragende Stille.

»Musste er leiden?« wollte Alice noch wissen.

Ariel schüttelte den Kopf. Dann endlich fand er die Kraft zu spr
chen. Nach allem, was bisher in Erfahrung zu bringen war, hal
Raphael nicht gelitten. Die Ärzte in Tel Aviv hätten versucht, ih
mit einer Notoperation zu retten, aber er sei nicht mehr aus d
Narkose erwacht. Eine Herzattacke riss Raphael Sommer a
einer erfolgreichen Konzerttournee durch Israel.

Voll Freude hatte Alice seinen erneuten musikalischen Aufbru
verfolgt. Als Solist hatte Raphael in den späten sechziger und fr
hen siebziger Jahren mit vielen großen europäischen Orcheste
musiziert – unter so bekannten Dirigenten wie John Barbirol
Antal Dorati, Lukas Foss, Charles Munch und Vladimir Ashken
zy. Mit den Jahren waren seine Soloauftritte seltener geworde
War das sein Tribut an seinen Lehrauftrag und seine Dirigentent
tigkeit im Streicherensemble in Manchester? Oder hing es nic

eher damit zusammen, dass seit den siebziger Jahren immer mehr Showtalente, die sich mediengerecht in Szene zu setzen wussten, die internationalen Konzertbühnen eroberten?
Alice wusste genau, dass Raphael beim Musizieren affektiertes Gehabe verabscheute und von jedem ernsthaften Musiker verlangte, seinen Selbstdarstellungswillen der Größe des Werkes und dessen Komponisten unterzuordnen. Er selbst spielte deshalb mit sehr verhaltener Körpersprache. Anfangs der neunziger Jahre entschied Raphael sich schließlich, Mitglied des weltweit bekannten Solomon-Trios zu werden.
Drei Wochen lang ertrug Alice den Schicksalsschlag äußerlich gefasst. Sie änderte nichts an ihrem Tagesablauf, ging wie immer frühmorgens um sieben ins Schwimmbad, spielte danach drei Stunden Klavier, empfing am Nachmittag Freunde und versuchte abends, sich mit Lesen abzulenken. Doch dann kam der physische und psychische Zusammenbruch mit lebensbedrohlicher Wucht. Alice musste operiert werden, nach einem Darmverschluss schwebte sie tagelang zwischen Leben und Tod. Ihr Enkel Ariel wachte die ganze Zeit an ihrem Bett, die Nächte verbrachte er auf dem Fußboden des Krankenzimmers.
Langsam, sehr langsam erholte sie sich. Während der Körper sich keinen Spielregeln unterwerfen ließ – schweren Herzens musste sie nun das tägliche Schwimmen aufgeben –, konnte ihre Seele sich trösten. Heute sagt sie sich, dass Raphael ein erfülltes, reiches Leben geschenkt war und ihm mögliche Plagen des Alters erspart blieben.

***

Alice hörte die Mitternachtsglocken nicht. Als sie am frühen Morgen auf die Uhr blickte, brannte die Stehlampe noch. Es war nicht einmal fünf.
Wie eigentümlich, dachte Alice, dass sie in der Nacht ihres einhundertsten Geburtstages den gleichen Traum hatte, der sie seit dem Ende des Zweiten Weltkriegs immer wieder heimsucht. Die Mutter untergehakt, folgt sie mit langsamen, festen Schritten dem

Alice am Grab ihres Sohnes

Sarg ihres Vaters. Wann immer in den letzten sechs Jahrzehnte
sie diese Bilder sah, empfand sie jedoch weder Trauer noch Angs
oder Betroffenheit, sondern stets ein Gefühl von Nähe, Geborgen
heit und Wärme.

Aber warum immer dieser Traum? Erst im hohen Alter wurde ih
deutlich, dass sie in ihrem Wesen dem Vater mehr gleicht als de
Mutter. Von ihm hat sie die Art, auf Menschen zuzugehen, di
extreme Willenskraft, den unbändigen Fleiß. Sollte der Traum si
daran erinnern? Oder empfindet sie das Wohlgefühl, weil sie sic
in diesen Momenten der Mutter näher fühlt als jemals sonst? I
der Traum eine Metapher für die Sehnsucht nach Mutterliebe?

Mittlerweile war es sieben Uhr geworden, ihre gewohnte Zeit, u
aufzustehen. Erst die Morgentoilette, dann das Frühstück, d
sie, wie alle anderen Mahlzeiten auch, an dem kleinen Tisch i
der fensterlosen Küchennische einnimmt. Wenn sie dort sitzt un
isst, richtet sie ihren Blick oft auf das einzige Bild an der Wan
eine Fotografie ihres Mannes Leopold, auf der er einunddreiß
Jahre alt ist.

Mit routinierten Handgriffen räumte sie den Küchentisch ab und brachte den Käse zurück in den Kühlschrank, aus der ihr ein übergroßer Topf mit Hühnersuppe entgegenschaute. Jeden Montag kauft sie ein Huhn, das der Fleischer in sieben gleiche Teile zerlegen muss. Daraus kocht sie eine Suppe. In sieben Portionen aufgeteilt deckt sie den Bedarf für die ganze Woche. Ihren besonderen Geschmack erhält sie durch eine Vielzahl von Gemüsesorten: Sellerie, Karotten, Porree, Erbsen, Zwiebeln und manchmal auch Mais. Seit mehr als vier Jahrzehnten erfreut Alice sich an ihrem Suppen-Ritual – mit geringem Aufwand gelingt ihr die Zubereitung der Hauptmahlzeit für die gesamte Woche. Die gewonnene Zeit nutzt sie für Dinge, die ihr wichtiger sind: die Musik, das Lesen und die Freunde.

Nach dem Frühstück – auch das ist tägliche Routine – bringt sie die Wohnung in Ordnung. Zuerst werden Kissen und Bettdecke so gerollt, dass eine Art Sitzsofa entsteht, auf dem sie immer dann Platz nimmt, wenn Besuch kommt. Dann wischt sie den Tisch ab, putzt Waschbecken und WC und rückt schließlich die beiden Stühle so an den Tisch, dass der jeweilige Nachmittagsbesuch sich darin wohl fühlen mag.

Vor Jahren las sie eine Biographie über Immanuel Kant. Die Bürger der Stadt Königsberg, hieß es darin, konnten ihre Uhren nach dem täglichen Spaziergang des Philosophen richten. Alice hielt es wie der Gelehrte. Um punkt halb zehn verließ sie die Wohnung und war genau so lange unterwegs, dass sie – die Minuten, die beim Ausziehen von Mantel und Schuhen verstrichen, eingerechnet – pünktlich um zehn Uhr am Klavier saß und zu üben begann.

Auch an ihrem einhundertsten Geburtstag änderte sie dieses Ritual nicht. Um zehn Uhr saß sie am Klavier und begann, die 24 Präludien von Johann Sebastian Bach zu spielen. Bis in ihr zweiundneunzigstes Lebensjahr beherrschte sie ihr gesamtes Klavierrepertoire – obwohl sie seit Jahren keine Konzerte mehr gegeben hatte. Dann aber zeigten sich zuerst in der linken, dann in der rechten Hand jeweils am Zeigefinger die ersten Versteifungen. Mittlerweile waren die beiden Finger völlig steif und ragten wie Haken in die

Luft, so dass sie einen Teil ihres Repertoires mit einem Acht-Finger-System neu einzustudieren begann …
Das Einzige, was an diesem Tag ihren gewohnten Tagesrhythmus durchbrach, waren die vielen Anrufe aus aller Welt.
Die erste Gratulantin meldete sich schon vor ihrem Spaziergang, gegen Viertel nach neun. Es war Edith aus Jerusalem, ihre beste Freundin. Um die Gesundheit der Neunzigjährigen war es deutlich schlechter bestellt als um Alices. Edith konnte schon seit vielen Jahren nicht mehr Klavier spielen. Erinnerungen an Israel stiegen in Alice auf. Die Jahre dort, so meint sie rückblickend, waren wohl die wichtigsten ihres Lebens. Nie zuvor und niemals danach hatte sie das Gefühl, einen so sinnvollen Beitrag zum Gemeinschaftsleben zu leisten wie beim Aufbau dieses Staates, der so vielen bedrängten und bedrohten Juden aus aller Welt eine neue Heimat wurde. Noch heute erfüllt sie der Gedanke daran mit Stol
und Genugtuung.
Seit sie die politischen Entwicklungen in Israel aus der Londone
Ferne verfolgt, ist ihr Blick allerdings kritischer geworden. Es se
ein Fehler von Anfang an gewesen, die Araber nicht als gleichwer
tige, gleichberechtigte Menschen zu betrachten. Hätten manch
Konflikte vielleicht vermieden werden können, wenn man stat
Waffen Menschen hätte sprechen lassen? Eine Antwort weiß si
ebenso wenig wie die Politiker. Doch der Gedanke, dass mehr a
nötig Blut vergossen, Gleiches mit Gleichem vergolten und unnö
tig Hass geschürt wurde, bedrückte sie in den letzten Jahren zu
nehmend.
Obwohl immer wieder das Telefon klingelte, fand Alice auch a
diesem Ehrentag beim morgendlichen Klavierspiel ihre Freud
und innere Ruhe. Musik war ein Leben lang ihr Kraftquell, ih
Religion, ihr Hafen. »Es ist die Musik«, durfte sie oft im Lebe
erfahren, »die uns ins Paradies bringt …«

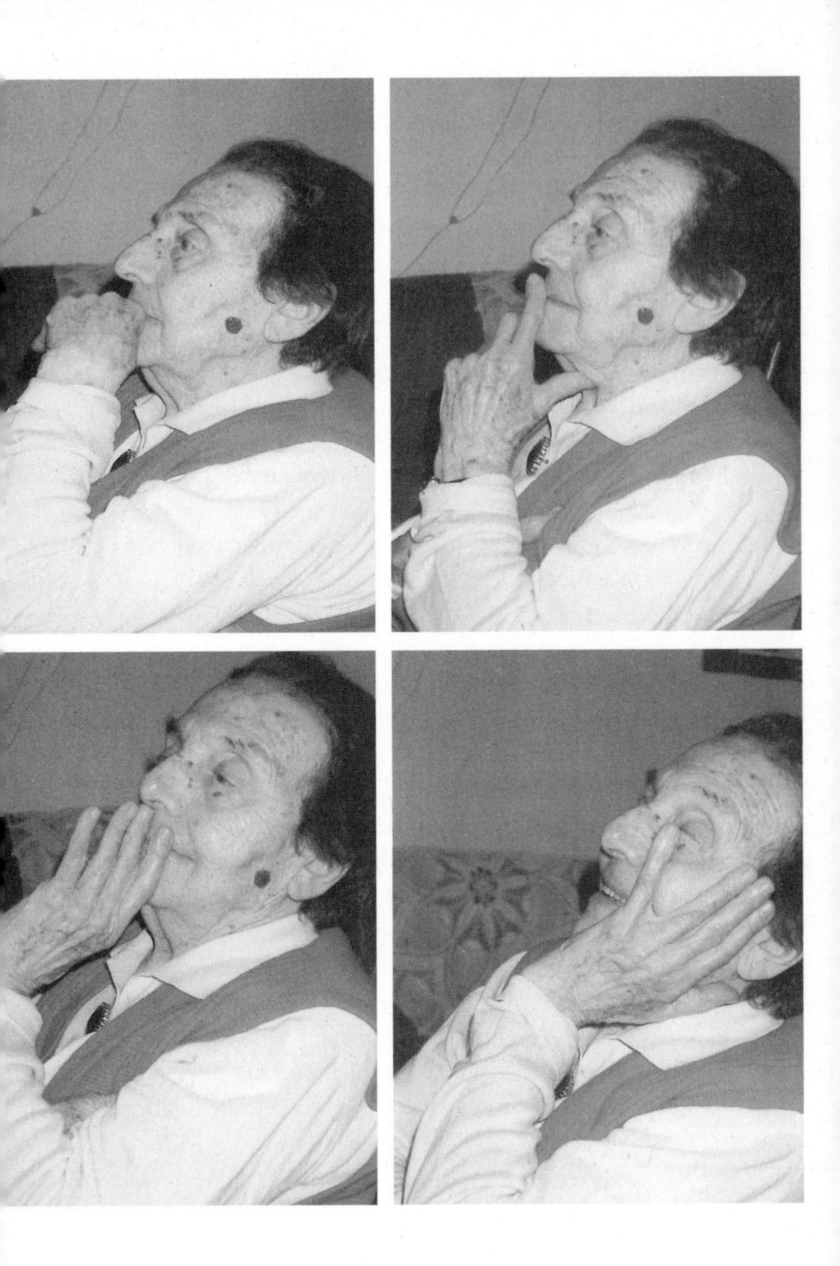

Beim Musikhören (2005)

Dank

Viele Menschen haben großzügig zu diesem Buch beigetragen. F ihre geduldigen, aufschlussreichen Antworten auf unsere Frage Hinweise auf Quellen, Fotos und die kritische Durchsicht einz ner Textabschnitte und Kapitel danken wir:

In Großbritannien: *Zdenka Fantlová, Anita Lasker-Walfisch, A nold Paucker, Ariel Sommer, Daniel Sommer, Genevieve Teul res-Sommer, Amos Witztum.*
In Israel: *Chaim Adler, Esther Friedmann, Mickie und Eli Gore stein, Greta Klingsberg, Edith Kraus, Uri Weltsch.*
In Tschechien: *Vojtěch Blodig, Tomáš Fedorovič, Anna Flachov Anita Franková, Jana Šplichalova,* dem Jüdischen Museum Prag und der Gedenkstätte Theresienstadt.
In den USA und Kanada: *Pavel Fuchs, Joza Karas, Paul Klin Herbert T. Mandl.*
In Österreich: *Leopold Aschenbrenner, Nikolaus Brandstätter.*
In Finnland: *Georg Gimpl.*
In Deutschland: *Volker Ahmels, Wieland Berg, Hartmut Bind Peter Bohley, Renate Flachmeyer, Raphaela Haberkorn, Thom Klapperstück, Wolfgang Witiko Marko, Carsten Schmidt, In Schultz, Jürgen Stenzel, Christa Stünkel, Brunhild Piechoc Klaus Wagenbach, Norbert Wiersbinski* sowie den Mitarbeite des Deutschen Literaturarchivs Marbach.

Dank allein ist zu wenig für *Alice Herz-Sommer.* Sie hat dies Projekt mit jugendlicher Neugierde und Ausdauer, einem bewu dernswerten Gedächtnis und ihrem einmaligen Humor inspirie und unermüdlich begleitet. Die Gespräche mit ihr haben uns Leben bereichert.

Anhang

Anmerkungen

1 Karniel 1986, S. 381–385
2 Zborowski u. Herzog 1991, S. 246
3 Demetz 1998, S. 471
4 vgl. Weltsch o. J. (ca. 1936)
5 ebd.
6 Brod 1960
7 Weltsch 1929
8 Brod 1960
9 zit. nach Tramer 1961
10 Franz Kafka an Grete Bloch, 19. 2. 1914, vgl. Koch 2001
11 Brod 1966
12 Urzidil 1999
13 Janouch 1968
14 *Prager Tagblatt* vom 5. 8. 1914
15 Franz Kafka an Grete Bloch, 19. 2. 1914, vgl. Koch 2001
16 Georg Herz an Felix Weltsch, 27. 11. 1916, in: Literaturarchiv Marbach, D: Kafka, Weltsch, Sign. 22.11.1916
17 Felix Weltsch an Franz Kafka vom 6. 2. 1918, in: Literaturarchiv Marbach, D: Kafka, Sign. 92.5.14/7
18 vgl. Weltsch o. J. (ca. 1936)
19 ebd.
20 Franz Kafka an Irma Weltsch vom 20. 7. 1917
21 ebd.
22 Franz Kafka an Felix Weltsch vom 20. 11. 1917
23 Franz Kafka an Felix Weltsch, Ansichtskarte aus Zürau, Januar 1918
24 Beaumont 2005, S. 402
25 Niemann 1921, S. 19
26 *Prager Tagblatt* 1922, Archiv Piechocki
27 Borchard 1997, S. 59
28 Laber 1921, S. 223 f.
29 zit. aus Beaumont 2005, S. 419
30 ebd., S. 407
31 Niemann 1921, S. 25
32 Niemann 1918, S. 303
33 Niemann 1921, S. 25
34 ebd.
35 Felix Weltsch an Friedrich und Sofie Herz, ca. 1916, in: Literaturarchiv Marbach, D: Kafka, Weltsch, Sign. D 92.5.13
36 vgl. Weltsch o. J. (ca. 1936)
37 *Prager Abendblatt* 1924, Archiv Piechocki
38 *Ceske Slova* 1924, Archiv Piechocki
39 *Prager Abendblatt* 1924, Archiv Piechocki
40 *Prager Tagblatt* 1924, Archiv Piechocki
41 *Selbstwehr* Nr. 1 vom 1. 3. 1907
42 Niemann 1921, S. 259
43 *Prager Tagblatt* 1928, Archiv Piechocki
44 Brod 1960
45 Haas 1957
46 Demetz 1953
47 Brod 1960, S. 276
48 ebd., S. 273
49 ebd., S. 267

50 ebd., S. 269
51 In den Unterlagen der Jüdischen Gemeinde wird Leopold Sommer erstmals am 24. 4. 1942 erwähnt.
52 Fischer 1999, S. 21
53 Rubinstein 1988, S. 630
54 Fabian 1964, S. 81–82
55 Adler 1955, S. 61
56 Enzyklopädie des Holocaust, Bd. II, S. 1159–1160
57 Adler 1955, S. 266
58 ebd., S. 64
59 ebd., S. 63
60 Lagus 1968, S. 11; Adler 1955, S. 16 ff.
61 Adler 1955, S. 266
62 ebd.
63 ebd., S. 691
64 Polák 1968, S. 56
65 Adler 1955, S. 688
66 Franěk 1968, S. 272–281
67 ebd.
68 ebd.; Brenner-Wonschick 2004, S. 173 ff.
69 Kuna 1993; Brenner-Wonschick 2004, S. 182
70 Adler 1955, S.71–218; Lagus 1968, S. 10-21
71 Polák 1969, S. 25
72 ebd., S. 26
73 ebd., S. 26–27
74 ebd., S. 27
75 Adler 1955, S. 50
76 Kuna 1993, S. 156–169
77 Karas 1985, S. 47–49
78 Solarova 1968, S. 264–267
79 Kuna 1993, S. 239 ff.
80 Karas 1985, S. 32, 50, 55; Kuna 1993, S. 238, 317
81 Schultz 1993
82 Lauscherová 1968, S. 97 ff.
83 Lagus 1968, S. 31 ff.
84 Krása et al. 1943, S. 164 f.
85 Batel 1997, S. 85
86 Karas 1985, S. 103-110
87 ebd.
88 Manes 2005, S. 137
89 Springer 1968, S. 132
90 ebd.
91 ebd., S. 126–135; Polák 1968, S. 30; Adler 1955, S. 151
92 Polák 1968, S. 37
93 Adler 1955, S. 691; Polák, 1968, S. 35
94 ebd.
95 Starke 1974, S. 47 ff.
96 Adler 1955, S. 691
97 ebd.
98 Franěk 1968, S. 277
99 ebd., S. 279
100 ebd.; Kuna 1993, S. 205 ff.
101 Franěk 1968, S. 276
102 Polák 1968, S. 38; Adler 1955, S. 155–157
103 Niecks 1890, Bd. II, S. 274
104 Schultz 1993, S. 9–32; Naegele 2002, S. 325 ff.
105 Schultz 1993, S. 61
106 ebd., S. 9 ff.
107 ebd.
108 Starke 1974, S. 97 u. 101 ff.
109 Adler 1955, Neuauflage 2006, S. 7–8
110 Vorwort von Thomas Mandl in: Schultz 1993
111 ebd.
112 Schultz 1993, S. 61
113 Zielińsky 1999, S. 328
114 Kuna 1993, S. 238
115 ebd., S. 184
116 Kaiser 1989, S. 217
117 Kuna 1993, S. 298
118 Niecks 1890, Bd. II, S. 275
119 Fantlová 2002, S. 55
120 ebd., S. 68

121 ebd.
122 ebd., S. 68–69
123 ebd., S. 71
124 Berman 1968, S. 255
125 ebd.
126 Huneker 1921, S. 130
127 ebd., S. 131
128 Zielińsky 1999, S. 393
129 Kuna 1993, S. 296–300
130 ebd., S. 300
131 Huneker 1921, S. 131–132
132 Interview mit Thomas Mandl vom 2. 12. 2003
133 ebd.
134 ebd.
135 ebd.
136 Koczalski 1936, S. 96
137 Zielińsky 1999, S. 341
138 Schultz 1993, S. 61 ff.
139 Kuna 1998, S. 243
140 ebd.
141 Huneker 1921, S. 34
142 Kuna 1993, S. 215 ff.
143 ebd.
144 Samson 1985, S. 100
145 Starke 1974, S. 94
146 Kuna 1993, S. 196–204
147 ebd., S. 202–203
148 Starke 1974, S. 94
149 Huneker 1921, S. 140
150 ebd.
151 ebd.
152 Bernd 2000, S. 370
153 ebd.
154 ebd.
155 Baker 1982
156 ebd., S. 381
157 Adler 1955, S. 153
158 Fantlová 2002, S. 109
159 Brenner-Wonschick 2004, S. 295
160 Hofer 1968, S. 194–199
161 Adler 1955, S. 179–181
162 Šormova 1995, S. 249–257
163 Franěk 1968, S. 272–281 u. Kuna 1993, S. 205–212
164 Ančerl 1968, S. 260–263
165 ebd., S. 262
166 ebd., S. 263
167 Roubičková 1944
168 Kárný 1995, S. 7
169 ebd., S. 8
170 Kárný 1995, S. 10
171 Adler 1955, S. 578–620
172 Kárný 1955, S. 7 ff.
173 ebd.
174 ebd., S. 8
175 Adler 1955, S. 284
176 ebd.
177 ebd., S. 201
178 Interview mit Alice Herz-Sommer vom 10. 4. 2003
179 Manes 2005, S. 426
180 Interview mit Edith Kraus vom 19. 1. 2006
181 Adler 1955, S. 189
182 Polák 1968, S. 43 ff.; Manes 2005, S. 428
183 Manes 2005, S. 430
184 Kárný 1995, S. 21
185 Manes 2005, S. 421
186 Interview mit Alice Herz-Sommer vom 24. 11. 2003
187 ebd.
188 Interview mit Jürgen Stenzel vom 26. 11. 2003
189 Fantlová 2002, S. 113
190 ebd.
191 Kuno 1993, S. S. 41
192 Interview mit Edith Kraus vom 19. 1. 2006
193 Fantlová 2002, S. 114
194 Interview mit Alice Herz-Sommer vom 10. 4. 2003
195 ebd.
196 ebd.

197 Adler 1955, S. 190 ff.; Polák 1968, S. 44 ff.
198 Polák 1968, ebd.
199 Adler 1955, S. 588
200 Polák 1968, S. 44; Kárný 1995, S. 21
201 Polák 1968, S. 44 ff.
202 ebd.
203 Adler 1955, S. 131–132, 403, 410, 435, 588
204 Interview mit Edith Kraus vom 19. 1. 2006
205 Adler 1955, S. 191 ff.
206 ebd.
207 ebd., S. 194
208 Spieß 1984
209 Karas 1985, S. 171 ff.
210 Adler 1955, S. 194
211 handgeschriebene Kritik, im Besitz von Alice Herz-Sommer
212 Niecks 1890, S. 322
213 Adler 1955, S. 196
214 ebd., S. 196
215 ebd.
216 Robert Schumann, zit. aus: Koczalski 1936, S. 95
217 Zielińsky 1999, S. 463
218 Fantlová 2002, S. 116
219 ebd.
220 ebd., S. 119
221 Brenner-Wonschick 2004, S. 96
222 ebd.
223 ebd., S. 369
224 Fryd 1968, S. 228
225 ebd.
226 ebd.
227 Thomas Pehlken in: www.magazin.klassik.com unter Meisterwerke, Chopin-Etüden
228 Adler 1955, S. 198
229 Fuchs 1968, S. 329–331
230 ebd., S. 331
231 Weiss 1968, S. 333
232 ebd., S. 247
233 ebd., S. 248
234 ebd.
235 Koczalski 1936, S. 124
236 Lauscherová 1968, S. 99 und 110
237 Gavoty 1990, S. 469
238 Schultz 1993
239 Haas 1968, S. 171–176
240 ebd., S. 173
241 ebd., S. 174
242 Karas 1985, S. 9–26
243 Kuna 1993, S. 174
244 ebd., S. 201–202
245 ebd., S. 204
246 Zielińsky 1999, S. 473
247 Transport AE3 vom 11. 2. 1945 laut Gedenkbuch für die tschech. Deportierten, Bd. II, S. 1298
248 Polák 1968, S. 46; Weiss 1968, S. 332 ff.
249 Polák 1968, S. 45
250 Lauscherová 1968, S. 110
251 Adler 1955, S. 198
252 Polák 1968, S. 47
253 Karas 1985, S. 174
254 Adler 1955, S. 588
255 Karas 1985, S. 174 ff.
256 ebd., S. 175–176
257 Kuna 1993, S. 214
258 Adler 1955, S. 199 ff.
259 ebd., S. 212
260 ebd., S. 213 ff.
261 ebd.
262 ebd. S. 214
263 Assor 1992, S. 162
264 ebd.
265 in der tschechischen Exilzeitschrift *Ceskoslovenské Listy*, zit. nach: Assor 1992, S. 163
266 Lagus 1968, S. 20
267 Ruth Weltsch an Felix Weltsch

vom 7. 10. 1945, Literaturarchiv Marbach, Nachlass A: Weltsch, Sign. 94.72.17/5

268 Lauscherová 1968, S. 97

269 Interview mit Pavel Fuchs vom 12. 3. 2006

270 Svoboda 1999, S. 229

271 Beaumont 2005, S. 423 ff.

272 Assor 1992, S. 162–168

273 ebd., S. 164

274 Interview mit Zdenka Fantlová vom 26. 11. 2003

275 Svoboda 1999, S. 232–233

276 Ruth Weltsch an Felix Weltsch vom 4. 1. 1949, in: Literaturarchiv Marbach, A: Weltsch, Sign. 94.72.19/2

277 ebd.

278 Ruth Weltsch an Felix Weltsch vom 25. 1. 1949, in: Literaturarchiv Marbach, A: Weltsch, Sign. 94.72.19/4

279 Svoboda 1999, S. 229–248

280 Hauser 1992, S. 269 f.

281 Interview mit Chaim Adler vom 12. 5. 2006

282 Ruth Weltsch an Felix Weltsch vom 4. 1. 1949, in: Literaturarchiv Marbach, Nachlass A: Weltsch, Sign. 94.72.19/2

Bildnachweis

S. 2: © Martin Riedl
S. 17 li.: Archiv Chaim Adler
S. 17 re.: Archiv Reinhard Piechocki
S. 22 li.: Archiv Reinhard Piechocki
S. 22 re.: Privatbesitz Alice Herz-Sommer
S. 27: © Archiv Klaus Wagenbach, Berlin
S. 29: © Böhmische Dörfer Verlag, Wolfgang Witiko Marko, Trier
S. 53: © Archiv Klaus Wagenbach, Berlin
S. 54: © Archiv Klaus Wagenbach, Berlin
S. 59: Privatbesitz Alice Herz-Sommer
S. 67: Archiv Chaim Adler
S. 80: Privatbesitz Alice Herz-Sommer
S. 94: Privatbesitz Alice Herz-Sommer
S. 99: Archiv Reinhard Piechocki
S. 107: Archiv Mickie Gorinstein
S. 108: Archiv Reinhard Piechocki
S. 116: Archiv Melissa Müller
S. 118: Privatbesitz Alice Herz-Sommer
S. 124: Archiv Chaim Adler
S. 127: Archiv Reinhard Piechocki
S. 130: Privatbesitz Alice Herz-Sommer
S. 137: Archiv Chaim Adler
S. 141: Privatbesitz Alice Herz-Sommer
S. 143: Archiv Mickie Gorinstein
S. 152: Privatbesitz Alice Herz-Sommer
S. 154: Privatbesitz Alice Herz-Sommer
S. 159: Archiv Chaim Adler
S. 161: Archiv Reinhard Piechocki
S. 182: Foto aus dem Propagandafilm »Theresienstadt. Dokumentarfilm aus einem jüdischen Siedlungsgebiet«, Privatbesitz Alice Herz-Sommer
S. 255: Abdruck mit freundlicher Genehmigung der University of Minnesota, Institute for Holocaust Studies
S. 296: Abdruck mit freundlicher Genehmigung der University of Minnesota, Institute for Holocaust Studies
S. 319: Privatbesitz Alice Herz-Sommer
S. 323: Foto © Genevieve Sommer
S. 333: Archiv Reinhard Piechocki
S. 337: Archiv Mickie Gorinstein
S. 343: Archiv Chaim Adler
S. 359: Archiv Chaim Adler
S. 373: Archiv Chaim Adler
S. 378: Archiv Mickie Gorinstein
S. 385: Archiv Reinhard Piechocki
S. 392: Archiv Genevieve Sommer
S. 395: Archiv Chaim Adler
S. 398: Privatbesitz Alice Herz-Sommer
S. 399: Archiv Chaim Adler
S. 404: Archiv Reinhard Piechocki
S. 406: Foto © Ariel Sommer
S. 409: Fotos © Reinhard Piechocki

Bibliographie

Adler, Hans-Günther: *Theresienstadt 1941–1945. Das Antlitz einer Zwangsgemeinschaft,* Tübingen 1955

Arendt, Hannah: *Eichmann in Jerusalem. Ein Bericht von der Banalität des Bösen,* Leipzig 1986

Ančerl, Karel: »Musik in Theresienstadt«, in: *Theresienstadt* a. a. O., 1968, S. 260–263

Assor, Reuven: »Akce Di«, in: *Sudetenland* 40/4, 1998, S. 364–370

Assor, Reuven: »›Deutsche Juden‹ in der Tschechoslowakei 1945–1948«, in: *Sudetenland* 33, 1992, S. 162–168

Assor, Reuven: »Immer wieder in die Rolle eines Bittstellers«, in: *Sudetenland* 37, 1996, S. 230–233

Baker, Leonhard: *Hirt der Verfolgten. Leo Baeck im Dritten Reich,* Stuttgart 1982

Batel, Günther: *Meisterwerke der Klaviermusik,* Wiesbaden 1997

Baumfalk, Gerhard: *Tatsachen zur Kriegsschuldfrage. Diplomatie – Politik – Hintergrund 1871–1939,* Tübingen 2000

Beaumont, Antony: *Alexander Zemlinsky. Biographie,* Wien 2005

Berman, Karel: »Erinnerungen«, in: *Theresienstadt* a. a. O., 1968, S. 254–258

Bernd, Silke: »Zuzanna Ruzičkova«, in: *Lebenswege von Musikerinnen im »Dritten Reich« und im Exil,* hrsg. von der Arbeitsgruppe »Exilmusik« am Musikwissenschaftlichen Institut der Universität Hamburg, Hamburg 2000, S. 36. bis 385

Bie, Oscar: *Das Klavier und seine Meister,* München 1899

Borchard, Beatrix: *Clara Schumann. Ihr Leben,* Frankfurt am Main, Berlin 1997

Brenner-Wonschick, Hannelore: *Die Mädchen vom Zimmer 28. Freundschaft Hoffnung und Überleben in Theresienstadt,* München 2004

Brod, Max: *Der Prager Kreis,* Frankfurt am Main 1966

Brod, Max: *Streitbares Leben: Autobiographie,* München 1960

Calic, Edouard: *Reinhard Heydrich – Schlüsselfigur des Dritten Reiches,* Düsseldorf 1982

Chominski, Josef M.: *Fryderyk Chopin,* Leipzig 1980

Demetz, Peter: *Prag in Schwarz und Gold,* München 1998

Demetz, Peter: *René Rilkes Prager Jahre,* Düsseldorf 1953

Diamant, Jiři: »Einige Bemerkungen zur Psychologie des Lebens im Ghetto Theresienstadt«, in: *Theresienstadt* a. a. O., 1968, S. 136–153

Enzyklopädie des Holocaust. Die Verfolgung und Ermordung der europäischen Juden. Bd. I–IV. Hrsg.: Israel Gutmann, dt. Hrsg.: Eberhard Jäckel, Peter Longerich und Julius H. Schoeps, München, Zürich 1998

Fabian, Laszlo: *Wenn Chopin ein Tagebuch geführt hätte ...*, Budapest 1964
Fantlová, Zdenka: *»In der Ruhe liegt die Kraft«, sagte mein Vater*, Bonn 1999
Fischer, Guido: »Arthur Rubinstein – Ein Jahrhundertphänomen«, in: *Pianonews – Magazin für Klavier und Flügel* 1999, S. 20–23
Franěk, Rudolf: »Brundibár«, in: *Theresienstadt* a. a. O., 1968, S. 272–281
Frýd, Norbert: »Kultur im Vorzimmer der Hölle«, in: *Theresienstadt* a. a. O., 1968, S. 222–235
Fuchs, František: »Der Bau von Gaskammern in Theresienstadt«, in: *Theresienstadt* a. a. O., 1968, S. 328–331
Garóty, Bernhard: *Chopin. Eine Biographie*, Hamburg 1990
Grusa, Jiri; Kriseova, E.; Pithart, P.: *Prag – Einst Stadt der Tschechen, Deutschen und Juden*, München 1993
Haas, Willy: *Die literarische Welt. Lebenserinnerungen*, München 1957
Hauser, Martin: *Wege jüdischer Selbstbehauptung*, Bonn 1992
Herz-Sommer, Alice: *Lebenserinnerungen* (unveröffentlichtes Manuskript) 1974
Hildebrandt, Dieter: *Pianoforte – oder der Roman des Klaviers im 19. Jahrhundert*, München 1988
Hoensch, Jörg K.: *Geschichte der Tschechoslowakei*, Stuttgart, Berlin, Köln 1991
Hoensch, Jörg K. (Hrsg.): *Judenemanzipation – Antisemitismus – Verfolgung in Deutschland, Österreich-Ungarn, den böhmischen Ländern und in der Slowakei*, Essen 1999
Hofer, Hans: »Der Film über Theresienstadt«, in: *Theresienstadt* a. a. O., 1968, S. 194–199
Huneker, James: *Chopin – der Mensch, der Künstler*, München 1921
Iwaszkiewicz, Jaroslaw: *Fryderyk Chopin*, Leipzig 1985
Janouch, Gustav: *Gespräche mit Kafka: Erinnerungen und Aufzeichnungen*, Frankfurt am Main 1968
Kaiser, Joachim: *Große Pianisten in unserer Zeit*, München 1989
Karas, Joža: *Music in Terežin 1941–1945*, New York 1985
Karniel, Joseph: *Die Toleranzpolitik Kaiser Josephs II.*, Gerlingen 1986
Kárný, Miroslav: »Die Theresienstädter Herbsttransporte 1944«, in: *Theresienstädter Studien und Dokumente* 1995, S. 7–37
Koch, Hans-Gerd (Hrsg.): *Kafkas Briefe 1913–1914*, Frankfurt am Main 2001
Koczalski, Raoul von: *Chopin – Betrachtungen, Skizzen, Analysen*, Köln-Bayenthal 1936
Krása, Hans; Josef Stross, Gideon Klein, Pavel Libensky: »Kurzgefaßter Abriß der Geschichte der Musik Theresienstadts, 1943«, in: Ulrike Migdal (Hrsg.): *Und die Musik spielt dazu*, München und Zürich 1986
Kuděla, Jiří: *Die historischen Wurzeln des Rassenantisemitismus in den böhmischen Ländern. Juden zwischen Tschechen und Deutschen (1780–1870)*, o. O., 1918
Kuna, Milan: *Musik an der Grenze des Lebens*, Frankfurt am Main 1993

Laber, Louis: »Zemlinsky auf dem Theater«, in: *Der Auftakt,* Jg. 1, 1921
Lagus, Karel: »Vorspiel«, in: *Theresienstadt* a. a. O., 1968, S. 10–21
Lauscherová, Irma: »Die Kinder von Theresienstadt«, in: *Theresienstadt* a. a. O 1968, S. 96–112
Lichtenstein, Heiner und Otto R. Romberg (Hrsg.): *Fünfzig Jahre Israel. Visio und Wirklichkeit,* Bonn 1998
Mahler, Willy: *Tagebuch – Juni 1943 bis September 1944,* Archiv der Gedenk stätte Theresienstadt
Manes, Philipp: *Als ob's ein Leben wär. Tatsachenbericht Theresienstadt 1942 b 1944,* hrsg. von Ben Barkow und Klaus Geist, Berlin 2005
Merell, Jan: »Wie sie litten und starben«, in: *Theresienstadt* a. a. O., 196 S. 292–295
Naegele, Verena: *Viktor Ullmann. Komponieren in verlorener Zeit,* Köln 2002.
Niecks, Friedrich: *Friedrich Chopin als Mensch und Musiker,* Leipzig 1890
Niemann, Walter: *Klavierlexikon,* Leipzig 1918
Niemann, Walter: *Meister des Klaviers. Die Pianisten der Gegenwart und de letzten Vergangenheit,* Berlin 1921
Polák, Josef: »Das Lager«, in: *Theresienstadt* a. a. O., 1968, S. 24–51
Polák, Josef: »Tatsachen und Zahlen«, in: *Theresienstadt* a. a. O., 1968, S. 5 bis 57
Pozniak, Bronislaw von: *Chopin. Praktische Anweisungen für das Studium de Chopin-Werke,* Halle 1949
Roubičkova, Eva: *Theresienstädter Tagebuch 1944,* Archiv der Gedenkstätt Theresienstadt
Rubinstein, Arthur: *Mein glückliches Leben,* Frankfurt am Main 1988
Samson, Jim: *Frédéric Chopin,* Stuttgart 1991
Schreiber, Friedrich und Michael Wolffsohn: *Nahost. Geschichte und Struktu des Konfliktes,* Opladen 1993
Schultz, Ingo: »Viktor Ullmann. 1898–1944. Der verschüttete Lebensweg eine Musikers der geköpften Generation«, in: *mr-Mitteilungen* 1993/4, S. 1 ff.
Schultz, Ingo: *Viktor Ullmann. 26 Kritiken über musikalische Veranstaltungen i Theresienstadt,* mit einem Geleitwort von Thomas Mandl (Verdrängte Musik Bd. 3), Hamburg 1993
Solarová, Truda: »Gideon Klein«, in: *Theresienstadt* a. a. O., 1968, S. 264–267
Šormová, Eva: »Monographien über Kurt Gerron«, in: *Theresienstädter Studie und Dokumente* 1995, S. 249–257
Spieß, Gerty: *Drei Jahre Theresienstadt,* München 1984
Springer, Erich: »Gesundheitswesen in Theresienstadt«, in: *Theresiensta* a. a. O., 1968, S. 126–135
Starke, Käthe: *Der Führer schenkt den Juden eine Stadt,* Berlin 1975
Svoboda, Jana: »Erscheinungsformen des Antisemitismus in den böhmische Ländern 1948–1992«, in: Hoensch, Jörg K. 1999, a. a. O., S. 229–248

Theresienstadt, hrsg. vom Rat der Jüdischen Gemeinden in Böhmen und Mähren, Wien 1968

Tramer, Hans: »Die Dreivölkerstadt Prag«, in: *Robert Weltsch zum siebzigsten Geburtstag,* hrsg. von Hans Tramer und Kurt Löwenstein, Tel Aviv 1961

Urban-Fahr, Susanne: »Schweigen, Trauma und Erinnerung. Der Staat Israel und die Shoah«, in: Heiner Lichtenstein und Otto R. Romberg (Hrsg.): *Fünfzig Jahre Israel: Vision und Wirklichkeit,* 1998, S. 64–80

Urzidil, Gertrude: »Ein blinder Dichter. Oskar Baum«, in: Lichtblau, Albert: *Als hätten wir dazugehört,* Wien, Köln, Weimar 1999

Wagenbach, Klaus: *Franz Kafka. Bilder aus seinem Leben,* Berlin 1995

Weiss, Arnošt: »Der Ententeich«, in: *Theresienstadt* a. a. O., 1968, S. 332–333

Weiss, Arnošt: »Musikleben in Theresienstadt«, in: *Theresienstadt* a. a. O., 1968, S. 246–251

Welling, Martin: *»Von Haß so eng umkreist«. Der Erste Weltkrieg aus der Sicht der Prager Juden,* Frankfurt am Main 2003

Weltsch, Felix: o. T. (Aufsatz über die Persönlichkeit seiner Frau Irma Weltsch), o. J. (ca. 1936). In: Nachlass Weltsch, Sign. 94.72.8/1, Literaturarchiv Marbach

Weltsch, Felix: *Judenfrage und Zionismus. Eine Disputation,* London 1929

Weltsch, Felix: »Kafkas Humor«, in: *Der Monat,* Heft 65, 6. Jg., Februar 1954

Wlaschek, Rudolf M.: *Biographia Judaica Bohemiae,* Dortmund 1995

Wolffsohn, Michael: *Israel. Geschichte, Wirtschaft, Gesellschaft, Politik,* Opladen 1991

Yahil, Leni: *Die Shoa. Überlebenskampf und Vernichtung der europäischen Juden,* München 1998

Zborowski, Maryk und Elisabeth Herzog: *Das Schtetl. Die untergegangene Welt der osteuropäischen Juden,* München 1991

Zielinski, Tadeusz A.: *Chopin. Sein Leben, sein Werk, seine Zeit,* Bergisch Gladbach 1999

Zweig, Stefan: *Die Welt von Gestern. Erinnerungen eines Europäers,* Frankfurt am Main 1986

Personenregister

ıachrichten-
„Es gibt ei-
hung unse-
für das Le-
"

ie russische
enen Land
ker vorge-
in Moskau
ositionelle
ur Gewalt
bis zu vier
Gerichts-
lizei min-
nstranten
Am Abend
kräfte im
t mindes-
b, wie die

➢ *Seite 3*

schön,
das Le-
Herz-
hre alt
ne Frau
don ist
ältesten
den Na-
n Ver-
n wurde
lebt hat.
n starb
n. Sie sei
n", be-
Die Fa-
erbebett
Kranken-

Älteste Überlebende

HINTERGRUN

■ **London** (dp
mutlich die ält
de Frau, die d
Holocaust in
tungslager d
Herz-Sommer
Jahren in Lo
Donhauser beri

Alice Herz-Sommer war am 26. November 1903 in Prag mit ihrer Zwillingsschwester als Tochter eines jüdischen Unternehmerehepaars geboren worden. Frü
Meisterp
tern an
führt.

Zu der